To Be or not to Bop

Dizzy Gillespie/Al Fraser

Dizzy Gillespie
To Be or not to Bop

Traduit de l'américain
par MIMI PERRIN

Presses de la Renaissance
198, boulevard Saint-Germain
75007 Paris

Si vous souhaitez recevoir notre catalogue et être tenu régulièrement au courant de nos publications, envoyez vos nom et adresse en
citant ce livre aux

Presses de la Renaissance
198, boulevard Saint-Germain 75007 Paris

Nous remercions Charlie Roisman pour l'utilisation dans ce livre d'extraits de son
poème : *Dizzy Gillespie One Day Had to Go to Court.*
Nous remercions également Jon Henricks et Henricks Music West (ASCAP) pour
l'utilisation des paroles du chant électoral : *Vote Diz, Vote Diz, Vote Diz.*

Table

A LORRAINE, mon épouse, dont l'amour, l'aide qu'elle m'a apportée, le sens de l'humour, la sagesse, l'abnégation et l'indéfectible dévouement ont fait de moi l'homme et le musicien que j'ai toujours souhaité devenir.

DIZZY.

Préface

Le titre de ce livre est né d'un amusant incident survenu récemment à Londres. Dans Hyde Park, une petite Anglaise vendait des statuettes de plâtre du grand William Shakespeare, avec un point d'interrogation au-dessus de sa tête et la célèbre phrase : « *To be, or not to be?* » gravée sur le socle. Dizzy Gillespie, qui se promenait dans le parc ce jour-là, s'arrêta pour parler à la fillette. Elle lui fit cadeau d'une statuette qu'il accepta, ajoutant après les remerciements d'usage :

« Elle me plaît beaucoup, mais tu devrais changer l'inscription du bas.

— Pour mettre quoi?

— Pour mettre : *To BE or not... to BOP* », répliqua-t-il en plaisantant.

Mais elle le prit au sérieux et, quand il repassa le lendemain, elle avait changé « *Be* » en « *Bop* » sur des centaines d'exemplaires, sans parler des multitudes qui seraient coulées dans le même moule. Et voilà comment le monde anglophone — autrement dit le monde entier! — a adopté la version modernisée du célèbre dilemme. Comme la jeune Anglaise a été la première à la rédiger, le titre de ce livre lui appartient. Pourtant, elle ne le saura sans doute jamais, à moins qu'on le lui ait appris depuis.

L'instruction est un moyen sûr d'accroître ses connaissances. Si ambitieux soit-il, aucun individu, artiste ou non, ne réussira à atteindre le but qu'il s'est fixé dans la vie sans avoir acquis connaissances et culture. Nous saluons donc avec gratitude Mrs. Alice V. Wilson, de Cheraw en Caroline du Sud, l'éducatrice qui voilà de nombreuses années a initié au jazz et à l'étude de la musique un écolier indiscipliné du nom de John Birks (par la suite « Dizzy ») Gillespie. Nous avons aussi une dette de reconnaissance envers les dirigeants et professeurs du Laurinburg Institute en

Caroline du Nord qui l'ont connu plus tard à un tournant de sa vie, affamé et démuni, et qui l'ont nourri, orienté et poussé à se mieux connaître, ainsi que la musique et le monde alentour.

Aujourd'hui, Dizzy a une importance historique considérable et indiscutable dans le jazz. Il a poursuivi pendant plus de quarante ans une carrière de trompettiste virtuose et acquis le titre privilégié d'innovateur. Sa musique, le bebop, a subi valeureusement l'épreuve du temps, et Dizzy est donc demeuré une grande vedette aux yeux du public, malgré les nombreuses modes et courants musicaux qui se sont succédé depuis son temps, depuis sa propre période de pionnier — exceptionnellement longue — qui vit naître grâce à lui, dans les années quarante, le style moderne et l'afro-cubain.

En retraçant son évolution personnelle et musicale, nous avons essayé d'étudier ses mécanismes intérieurs. Que s'est-il passé, quand, pourquoi? Des facteurs déterminants ont-ils joué, et y a-t-il dans ce vécu un exemple profitable à d'autres jeunes musiciens? En suivant le développement de Dizzy Gillespie, de l'homme et de sa musique, dans sa perspective chronologique, en recherchant la vérité par une peinture détaillée de son passage à travers diverses époques, de la petite enfance à la pleine maturité, *To Be or not... to Bop* tient plus de l'ouvrage historique que de l'analyse musicale. C'est pourquoi Dizzy a finalement choisi, pour l'aider à écrire ses mémoires, un historien ayant une certaine culture musicale, en qui il avait confiance et qu'il connaissait personnellement depuis vingt-cinq ans.

Ecrire les mémoires de Dizzy Gillespie s'est avéré être une entreprise intéressante et audacieuse, mais ardue. La préparation a nécessité des recherches bibliographiques, l'étude de photographies, de films et de bandes vidéo, l'écoute de disques. Nous avons organisé et mené plus de cent cinquante interviews enregistrées, beaucoup avec des artistes très occupés, sans cesse en déplacement, et soucieux à juste titre de leur tranquillité. Après quoi les souvenirs personnels de Dizzy ont été comparés et parfois opposés à ceux de témoins bien informés, sur chaque sujet présentant un intérêt, comme sa vie privée, la religion, son évolution musicale, l'influence du jazz (en particulier la musique de Dizzy) sur la vie sociale, la culture populaire, les aspects financiers du show-business, la politique intérieure et internationale. Le but de cette démarche, surtout nos efforts pour mettre en lumière l'esthétique et la philosophie de Dizzy (la quête progressiste), expliquer sa religion ou sa conception de la vie, a été d'approcher autant que faire se pouvait d'une vérité libératrice concernant le personnage, et non de convaincre qui que ce soit de quoi que ce soit.

To Be or not... to Bop est bien entendu centré sur Dizzy, mais s'étend nécessairement à l'évolution du jazz moderne, superbe et

12

puissant courant musical dont les bases avaient en partie été jetées par d'autres. Nombreux sont ceux qui ont soutenu notre projet. Nous devons remercier chaleureusement tous ceux qui se sont soumis à nos interviews. L'espace étant malgré tout mesuré, et pour éviter les répétitions inutiles, certaines interviews ont dû être abrégées, parfois supprimées, et nous le regrettons.

La vie et la carrière de Dizzy Gillespie ont fait l'objet, depuis des décennies, d'une abondante documentation alimentée par des écrivains et des historiens, des spécialistes de la discographie et de la filmographie. Nous voudrions leur exprimer ici notre profonde reconnaissance.

Sans l'aide compétente et dévouée des archivistes, enquêteurs et dactylos, Gail Hansberry, Alexander Stewart, Joanna Williams Dovi, et Joan Ramsey, nous n'aurions jamais terminé notre manuscrit à temps. Nous tenons également à remercier le personnel de Doubleday.

Enfin, en toute modestie, nous souhaitons que la lecture de ce livre apportera plaisir et intérêt.

DIZZY GILLESPIE et AL FRASER.

Lorsque mon éditeur me parla de la possibilité d'une traduction de mon livre en français, j'ai été heureux de faire appel à Mimi Perrin. C'est une amie de longue date. J'apprécie énormément ses qualités de musicienne, pour avoir enregistré avec elle, en 1963, ce disque « explosif » que fut Dizzy Gillespie et les Double-Six. A cette occasion, avec le groupe vocal qu'elle dirigeait alors, elle a beaucoup étudié mon style. Comme elle est également versée dans deux langues, celle de Shakespeare... et la mienne, j'ai pensé que ce travail nous donnerait le plaisir d' « être et de bopper » ensemble, une fois de plus.

DIZZY GILLESPIE,
2 novembre 1980.

NOTE SUR AL FRASER

Al Fraser (Wilmot Alfred Fraser), né à Charleston, Caroline du Sud, est assistant en études afro-américaines à Cheyney State College, Pennsylvanie. Ami de longue date de Dizzy et Lorraine Gillespie, il a été attaché de presse des Nations unies et membre de l'Institut afro-américain où il a publié le journal Baobab. Il est diplômé d'Harvard et de l'école des Hautes Etudes internationales de la John Hopkins University.

Ses autres ouvrages publiés sont (sous le pseudonyme de B. Poyas)
Les Noirs aux Etats-Unis pour lecteurs africains, *une histoire des
Afro-Américains pour lecteurs africains francophones, en collaboration
avec J.-P. N'Diaye et Joachim Bassène; des articles dans* Révolution
et L'Express; *et des reportages distribués par* International Feature
Service, *reproduits par les journaux du monde entier. Ses ouvrages
poétiques sont parus dans* Dasein, Burning Spear, Black Fire, Drum-
voices *et* Colloquy.

Auteur et éditeur avec Joan Ramsey de Rhythm and Reading,
*méthode pour apprendre les langues par le biais de la musique popu-
laire, il a également terminé un roman (inédit) pour adolescents,*
Ace Carriers' Dream, *et a participé, en tant qu'invité de l'anthropo-
logue Colin Turnbull, à la série télévisée de la chaîne NBC* L'homme
en Afrique.

*Parmi ses projets : un document pour le cinéma et la télévision sur
la vie et la carrière de Dizzy Gillespie, et un doctorat sur le folklore
à l'université de Pennsylvanie.*

Une bonne raclée !

D'après les photographies, j'étais un très beau bébé; mais comme j'étais aussi le dernier de neuf enfants, j'imagine que mon arrivée en ce monde ne fut pas un sujet d'émerveillement. Tant d'autres naissances avaient précédé la mienne! Au lieu de se considérer comme bénie des dieux, ma pauvre mère a plutôt dû se croire victime du mauvais œil.

Tous les dimanches matin, papa nous corrigeait avec son martinet. C'est le souvenir que j'ai de lui. Il était très dur et ne supportait pas la moindre incartade de ses enfants. « Wesley! John! venez prendre votre raclée... » criait-il en guise de salut matinal, parfois avant même que nous fussions bien réveillés, et il ne nous restait plus qu'à lui obéir. Armé de sa lanière, il nous apparaissait comme un redoutable colosse. Parfois je protestais : « Mais je n'ai rien fait, moi! », et j'essayais d'aller me réfugier sous le lit; mais la lanière était plus rapide que moi, et papa ne ratait jamais sa cible. « Enfin, que faisais-tu donc de mal? » me demande-t-on invariablement quand je raconte la raclée du dimanche matin; et j'ai toujours du mal à convaincre les gens que je la recevais en punition de tout et de rien à la fin de la semaine, papa étant intimement persuadé que sept jours ne peuvent s'écouler sans qu'un enfant fasse une bêtise. Il croyait aussi, dur comme fer, qu'une tête de bois a les fesses tendres, et qu'une bonne raclée vous forge le caractère. Il a réussi à faire de moi un petit rebelle, révolté contre tout le monde sauf lui. C'était quand même un vrai bonhomme, papa, qui parlait d'une voix tonitruante pour en imposer à toute cette marmaille. Malgré la crainte qu'il m'inspirait, j'ai quand même fini par lui fournir de vrais motifs d'utiliser son martinet.

Sept d'entre nous seulement vécurent assez longtemps pour que l'on en parle. Edward Leroy (Sonny), notre frère aîné, naquit en 1900 mais mourut dans les années trente, avant notre installation à

Philadelphie en 1935. Je n'avais que six ans quand il est parti de la maison, et j'en garde un souvenir assez flou.

Mes autres frères et sœurs s'appelaient Mattie Laura, James Penfield Jr (J. P.), Hattie Marie, Eugenia et Wesley. Mes parents, James et Lottie (Powe) Gillespie me baptisèrent John Birks peu après ma naissance, le 21 octobre 1917 à Cheraw, en Caroline du Sud.

JAMES PENFIELD GILLESPIE (son frère)

« John a toujours été un sacré phénomène, oui, toute sa vie. Pas tout à fait comme les autres, quoi. Avec quelque chose en plus. Mais j'étais encore très jeune quand je suis parti de la maison. Et je suis parti parce que le père était trop dur... vraiment... John et Wes m'ont raconté qu'il leur donnait une raclée tous les dimanches matin. Moi je n'y étais plus. Mais je trouve qu'il ne s'est jamais comporté avec ses fils comme un père doit le faire. C'était le patron, qui impressionnait tout le monde, quoi.

« Il était maçon. Une fois, je me rappelle, on retapait une maison et il y avait sur le chantier un aide-maçon. Je devais avoir douze ou quatorze ans, et lui le double. Mon père me dit que si je ne transportais pas autant de ciment que ce garçon, ça allait être ma fête... Je n'arrivais même pas à soulever le seau de ciment! J'essayai bien de toutes mes forces, mais je ne réussis à le porter qu'à demi plein. Eh bien, le père a pris une planche, une de belle taille vous savez, et il m'a à moitié assommé.

« Alors je me suis dit qu'il n'y aurait pas de prochaine fois. J'ai volé la musette de mon frère, et je suis parti. J'ai attrapé un train, mais, une fois installé entre les tampons, j'ai pris peur et j'ai sauté à terre... presque dans la rivière, d'ailleurs!

« Papa avait quand même de bons côtés. Il était musicien, et un jour il m'a acheté un piano, un de ces énormes pianos droits. Il a presque fallu démolir la moitié de la façade pour le faire rentrer. Je crois qu'il l'avait acheté à Philadelphie, car il travaillait sur des chantiers éloignés à l'époque. En tout cas, j'étudiais la musique à l'école, et aussi en cours particuliers avec Major McFarland. Mais je n'ai pas continué. Ce n'était pas mon truc, quoi.

« Papa était un drôle de type, si vous voulez mon avis. Il parlait souvent de ses frères, Andrew et Nick, deux têtes brûlées, toujours fourrés dans des rixes contre les Blancs et qui ont fini par émigrer en Georgie. Quand l'un d'eux mourut, son corps fut exposé sur la véranda et il paraît que les Blancs venaient défiler devant en lui crachant du jus de tabac au visage, tant il les terrorisait de son vivant. Une drôle de famille, quand même! Et malgré quelques

16

petites gentillesses, comme le piano, papa n'a jamais pensé à m'emmener au base-ball ou à la pêche, comme les autres pères. Enfin! Je ne sais pas ce qu'il espérait de moi, mais je savais déjà que si je restais il y aurait un drame plus tard. Alors je suis parti, au début des années vingt, quand Diz avait quatre ou cinq ans. »

DIZZY

Etant le dernier-né de cette famille nombreuse et pauvre, je me faisais un peu bousculer par mes frères et sœurs. Je me souviens qu'un jour Eugenia me poussa par la fenêtre d'une maison abandonnée, voisine de la nôtre et où j'allais souvent jouer. Elle appartenait à Mr. Glees, le frère de Mr. Harrington, notre voisin de droite; ils portaient un nom de famille différent tout simplement parce que pendant l'esclavage le premier avait été vendu aux Glees, et le second aux Harrington. Je me suis toujours demandé pourquoi ils n'avaient pas changé de nom par la suite! Bref, Eugenia m'a surpris alors que je faisais le guet par la fenêtre, elle s'est approchée silencieusement, et m'a poussé. Je suis tombé sur la tête et sur des fragments de verre. Quand je me suis aperçu que je saignais, j'ai couru affolé à la maison raconter tout à maman.

« Tu es tombé?

— Non, maman, enfin... c'est Genia qui m'a poussé par la fenêtre.

— Tu es sûr que tu n'es pas tombé tout seul?

— Non, non. C'est Genia, maman, je t'assure. »

Mais ma mère me renvoya sans même essuyer mon sang. Elle ne m'avait pas cru. Et à ce jour, Eugenia n'a toujours pas été punie. Elle ne m'a jamais beaucoup aimé d'ailleurs. Elle me pinçait tout le temps et elle n'était pas tendre avec moi. Pourtant, elle s'occupait très gentiment des autres enfants, et de nos petits cousins qui l'adoraient. Mais jamais de moi ni de Wesley. Elle prétendait que nous étions bien trop durs tous les deux.

EUGENIA GILLESPIE (sa sœur)

« John était un garnement qui se battait avec tous les autres gosses. Wes était un peu plus calme, et John voulait toujours être le chef. John a toujours prétendu que je le faisais enrager et que je ne l'aimais pas beaucoup. Sans doute parce que je le taquinais souvent. Je l'aurais poussé par la fenêtre? La maison des Glees? Peut-être. En tout cas, je me souviens qu'un jour il avait voulu grimper sur un petit buffet rempli de bocaux pour les conserves, mais il a perdu l'équilibre et tout s'est écroulé sur lui. Maman croyait qu'il était mort et se lamentait : " Mon Dieu, mon petit! ". Finalement, on l'a dégagé, et il était assis au milieu de tous les bocaux cassés et des conserves répandues, et il riait aux éclats. Vous imaginez! »

DIZZY

« Pépé », mon grand-père maternel, fut le seul aïeul que j'eus le temps de connaître. Il habitait une vieille baraque au fond de la cour. Un bonhomme très drôle et très chaleureux, qui avait toujours une petite bouteille en réserve chez lui. Il travaillait dans un restaurant, et tous les week-ends après la paye, il faisait son numéro avec son vieux copain Johnson devant chez nous. Ils avaient un peu bu, bien sûr, et grand-père déclarait :

« Tu vois, je me sens tellement en forme que j'ai envie de crier.

— Non, non, ne fais pas ça, sinon on va t'embarquer au poste », plaidait Johnson.

Le dialogue durait ainsi un moment, et finalement Pépé lançait un « Whooooopee! » qui faisait s'enfuir Mr. Johnson, mais dont en réalité il contrôlait parfaitement l'émission, le volume ne dépassant pas celui du simple murmure. Nous étions tous morts de rire. Et moi, j'ai hérité de sa technique « grande-gueule-tout-en-douceur » que j'utilise encore dans mon numéro.

Je savais être gentil, à l'occasion, malgré ma réputation de chenapan. Tous les dimanches matin, depuis l'âge de quatre ans jusqu'à mon départ de Cheraw en 1933, j'aidais Mrs. Bates, une vieille dame aux cheveux blancs qui marchait avec une canne, à sortir de sa voiture et à monter les marches de l'église méthodiste épiscopale que nous fréquentions aussi. Pourtant, je n'étais pas payé pour le faire. C'était ma B.A. de la semaine, en quelque sorte. Quand Mrs. Bates est morte, j'ai beaucoup pleuré.

Jusqu'à l'âge de quatre ans, j'ai porté des anglaises et j'étais très fier de ces longues boucles. Quand les gens s'arrêtaient dans la rue en disant à ma mère : « Oh, quel adorable petit garçon! », je répliquais avec assurance : « Vous trouvez, n'est-ce pas? » sans un mot de remerciement.

Finalement, toute la famille décida de ma première coupe de cheveux, et ce fut mon oncle Ernest Williams qui s'en chargea. Il travaillait chez Charles Robinson, le coiffeur local qui n'engageait que des employés noirs, mais n'admettait que des clients blancs, et qui fit rapidement fortune. Même durant la Dépression, il roulait dans une de ses quatre voitures et avait son alimentation d'eau par pompe alors que les autres allaient la tirer au puits. Et son petit-fils jouait au gosse de riches dans une petite carriole tirée par un poney. On l'enviait tous.

Nous ne risquions pas d'être pourris par l'argent, chez nous. Papa avait même pris deux emplois pour subvenir à nos besoins : en semaine il travaillait comme maçon, et les week-ends il jouait du piano dans un orchestre. Il a toujours bien traité maman en tout cas, et quand il avait de l'argent il lui faisait même des cadeaux coûteux. Parfois aussi, il nous ramenait des bonbons qu'il cachait dans les poches de poitrine de sa salopette blanche. Alors on lui grimpait dessus quand on le voyait dans de si bonnes dispositions, et ça le mettait en joie.

Il gardait tous les instruments de l'orchestre à la maison, de peur qu'un des musiciens moins sérieux ne décide de les mettre en gage. Papa était un grand amateur de musique, et tout son argent de poche passait dans l'achat d'instruments. La salle commune abritait un piano, une guitare, une batterie, une mandoline et une grosse contre-basse de bois rouge avec une seule corde.

Tous ces instruments à domicile me permirent de me familiariser très jeune avec eux, de les toucher, de les manipuler, et d'écouter les sons qui en sortaient. Papa obligea mes frères et sœurs à prendre des leçons de piano, mais aucun ne s'y intéressait vraiment. Je n'avais que dix ans quand papa mourut. Il n'aura donc jamais su que je jouais de la trompette.

A l'école

A côté de chez nous, habitaient Mrs. Amanda Harrington, une ancienne institutrice, et son mari, cordonnier de son métier mais qui vendait aussi des glaces dans sa boutique et employait même mon frère Wesley pour servir les cornets et préparer les milk-shakes. Leur fils James, dit « Brother », possédait une trompette, la première sur laquelle j'ai joué. J'aimais beaucoup rendre visite à Mrs. Harrington, qui avait toujours un réfrigérateur rempli de glaces. Il y avait également un piano chez eux, et, bien qu'arrivant à peine à hauteur de clavier, je réussissais à jouer avec deux doigts *Coon Shine Lady* à longueur de journée, et Mrs. Amanda me considérait comme un gosse très doué pour mes quatre ans.

Elle finit pourtant par se lasser d'entendre la même rengaine, et décida alors de m'apprendre à lire et à compter. Expérience concluante, car à cinq ans je connaissais l'alphabet par cœur, je savais lire un peu et compter jusqu'à cent. J'en faisais bien sûr étalage à la maison où tout le monde était convaincu que mes débuts scolaires seraient très brillants.

Ma première école avait été baptisée « Robert Smalls », en hommage à ce héros du peuple noir qui s'était distingué durant la guerre de Sécession en facilitant la fuite de bon nombre de ses congénères, et avait plus tard été élu comme représentant de la Caroline du Sud au Congrès. Il avait défendu les intérêts des Noirs en réclamant pour eux de la terre à Washington. Le gouvernement avait octroyé « vingt hectares et une mule » à chaque famille, mais n'avait jamais tenu cette promesse. La ségrégation démolit en partie l'œuvre de Robert Smalls. Tout le temps que j'ai fréquenté cette école, personne ne nous parla jamais de ce grand homme que je découvris bien longtemps après, la quarantaine passée.

Une charmante petite école, avec un bâtiment en bois qui abritait les classes primaires, et une grande bâtisse en brique où se tenaient les classes secondaires. Tous les matins, on nous rassemblait en haut de la volée de marches conduisant au bâtiment de bois, et là, nous devions chanter au garde-à-vous quelques airs choisis.

Le premier jour, notre institutrice, Mrs. Astrada Miller, nous fit mettre en rang pour rentrer en classe et une fois tout ce petit monde assis, elle entreprit de nous apprendre l'alphabet. Bien sûr, moi je m'ennuyais puisque je le savais déjà. Alors pour me distraire je me mis à siffloter, et Mrs. Miller furieuse m'appela à son bureau et me cingla les mollets avec une badine posée en permanence sur sa table. Je m'enfuis de la classe et courus jusqu'à la maison où je racontai tout à ma mère qui ne me prodigua aucun réconfort. Mais le soir même mon père, mis au courant, s'indigna et se précipita chez Mr. Butts, le directeur de l'école qui habitait près de chez nous. Je le suivis de loin et me cachai pour écouter la conversation.

« Si cette femme touche à un seul cheveu de mes enfants, tonnait papa, vous aurez affaire à moi! C'est son premier jour de classe, il ne sait pas encore... Il ne connaît pas le règlement... Et voilà qu'elle le corrige! Je vous préviens qu'elle n'a pas intérêt à recommencer! »

De nos jours, papa serait sans doute considéré comme un « parent contestataire »; mais moi, je n'étais pas peu fier de l'entendre parler ainsi.

A partir de ce moment-là, Mrs. Miller s'intéressa davantage à mon éducation et s'aperçut très vite que je connaissais l'alphabet et savais compter. Au bout d'un mois dans cette classe, on me fit passer dans la suivante. Mais j'étais très dissipé et passais mon temps à remplir les encriers de saletés diverses et à coller des chewing-gums dans les cheveux des filles. Un vrai voyou. La maîtresse, Miss Catherine Lynch, me donnait des corrections, mais quand je la menaçais de le dire à ma mère, elle m'enfermait dans un placard, une sorte de vestiaire où j'aurais pu étouffer avec la porte fermée. Elle m'y laissait généralement une demi-heure. J'étais terrorisé là-dedans, et je voyais des tas de choses étranges. Mais enfin, j'ai terminé l'année sain et sauf.

En seconde année, j'ai rattrapé mon frère Wesley qui avait deux ans et demi de plus que moi. Cela a dû lui faire tout drôle, mais il ne l'a pas montré. Avec beaucoup d'efforts, j'aurais pu aussi rattraper Eugenia... Mais cela me suffisait de me retrouver avec Wes.

Miss Emma Lowry, l'institutrice de seconde année, me battait avec un martinet; mais comme elle ne savait pas vraiment s'en servir, la lanière revenait invariablement la cingler avec un effet de boomerang, ce qui faisait bien rire toute la classe et rendait Miss Lowry furieuse. Un jour où je l'avais menacée d'aller tout raconter à ma mère, elle s'écria : « Eh bien, je vais te donner de quoi lui dire. Je vais te jeter dans le poêle! »

21

Toutes les classes avaient d'énormes poêles à charbon à l'époque, et le nôtre ronflait allégrement, tandis que les yeux de Miss Lowry étincelaient. J'ai vraiment cru qu'elle allait me jeter dans ce brasier et je me suis calmé d'un coup. J'ai été sage pendant trois jours après cela. Ce que j'ignorais, c'est que maman et Miss Lowry étaient allées à l'école ensemble, et que mes menaces ne l'impressionnaient pas du tout.

Je me battais pour un rien. Si un autre gosse se ramenait menaçant avec une poignée de sable, je la lui faisais voler à la figure et en même temps je cognais. En troisième année, il y avait un certain Daniel Pegues dans ma classe. Aussi bagarreur que moi. On s'est battus comme des chiffonniers toute l'année, et les quatre suivantes. Parfois j'avais le dessus, parfois c'était lui. Il avait la tête dure comme un roc, ce sacré Daniel Pegues, et je m'y suis presque cassé le poignet !

En me défoulant sur lui de toute mon agressivité accumulée, j'étais devenu plus docile avec les professeurs, et m'intéressais davantage à mes études. J'aimais les conjugaisons et j'étais plus rapide que les autres dans cet exercice, surtout s'il y avait une récompense à la clé. L'anglais devint ma matière forte. J'étais bon en orthographe, et maintenant encore je surprends tout le monde quand j'écris des mots d'une langue étrangère après les avoir simplement entendus. J'ai vraiment commencé à aimer l'école en troisième année, parce que Mrs. Alice Wilson, mon institutrice, devint pour moi une sorte de « maître à penser », qui allait avoir aussi, très tôt, une influence déterminante sur ma carrière musicale.

Ice-Cream City

En 1926, la « Renaissance noire » était en plein épanouissement et le jazz faisait rage à New York et dans le pays entier. L'Amérique des Noirs connaissait une de ses époques les plus fastes depuis la Reconstruction, et l'argent circulait facilement. Même à Cheraw, où papa rentrait régulièrement les poches bourrées de bonbons et les bras chargés de cadeaux pour maman. Il se montra très grand seigneur cet été-là et nous offrit, à maman, mes frères et moi, un voyage à Philadelphie et à New York. Aussi exaltant à mes yeux que de partir sur la Lune.

« Tu as déjà fait ta valise ? me demanda maman.

— Oui, hier. »

Ça l'a fait bien rire, mais elle était tout aussi excitée que moi. La veille du grand jour, nos amis sont venus nous donner un coup de main et aider mes sœurs à préparer le repas que nous mangerions dans le train (poulet frit, tarte aux pêches, pain maison), car les Noirs n'étaient pas admis au wagon-restaurant et mieux valait emporter son casse-croûte que d'en être réduit au sandwich du genre semelle de chaussure.

Quand le train entra en gare, il fallut me retenir pour que je ne me jette pas sous les roues, tant mon impatience était grande. Wesley me laissa le coin fenêtre. Finalement le train s'est ébranlé, soufflant et haletant, et tout le monde s'est mis à agiter les mains dans la joie générale, sauf Genia qui pleurait. Elle nous enviait, sûrement, et puis elle perdait d'un coup ses souffre-douleur pour l'été ! Quant à moi, j'exultais au fur et à mesure que le train s'éloignait en prenant de la vitesse.

A Philadelphie, nous devions habiter chez tante Rose, la sœur de mon père. Ce séjour m'ouvrit des horizons nouveaux. Tous les matins, avant de partir à son travail, elle laissait un panier plein de fruits sur la table à l'intention de mes deux cousins Stetson et Ralph, et de nous-mêmes. Je compris alors l'intérêt de naître dans une petite famille. Chez nous, ce genre de luxe était interdit.

Pendant ce séjour, notre oncle Henry nous emmena à un pique-nique dans un parc public. Je n'avais jamais rien vu de pareil. Des monceaux de victuailles, et tout cela gratuit. Moi qui ne réussissais jamais à avoir l'estomac plein, surtout plein de douceurs, eh bien, cette fois-là, j'ai mangé des glaces pour le restant de mes jours! Et c'était des Blancs qui servaient, avec le sourire... Je me souviens qu'au début, je n'ai même pas osé demander plusieurs boules au Blanc qui remplissait les cornets de glace... Je me suis contenté d'une au chocolat, et puis quand j'ai vu qu'il me souriait, je me suis enhardi et j'ai continué avec des tas d'autres parfums, douze ou treize au moins... Je ne pouvais pas tout finir, bien sûr, mais ça me minait de rester là et de ne pas goûter à tout puisque c'était gratuit! Ce jour-là, j'ai décidé que je reviendrais dans le Nord plus tard... peut-être même pour y vivre.

Les temps sont durs

Notre famille connut alors une crise aussi grave que brutale, deux ans avant la Grande Dépression de 1929. Jusque-là, nous arrivions à nous débrouiller, avec tous ces bras d'adolescents vigoureux prêts à combattre la misère ; mais le malheur nous frappa sans prévenir.

Juin 1927. Je me souviens de tout dans le détail. Wesley était sorti très tôt pour aller aux mûres. Il aimait les cueillir encore tout humides de rosée. Quant à moi, un remue-ménage dans la cour me réveilla un peu plus tard : un chien au regard vitreux et avec de l'écume à la gueule s'était introduit chez nous. On ne les vaccinait pas, en ce temps-là, et l'été plus spécialement les chiens enragés étaient dangereux. Il fallait l'abattre et papa m'ordonna de courir chercher Bert Norwood, un voisin, qui arriva quelques instants après avec un colt 45 chargé. A dix pas, il logea une balle dans la tête de l'animal malade qui s'écroula sur le flanc, et dont on traîna la carcasse dans le jardin de la maison abandonnée pour l'y enterrer.

Peu après, papa eut une crise d'asthme, grave cette fois. Il suffoquait et il fallut aider maman à le porter dans sa chambre et à le mettre au lit. En ressortant, je fus tout surpris de trouver Wesley que je croyais occupé à cueillir des mûres. Il m'expliqua qu'une fois en route une sorte de voix intérieure lui avait conseillé de faire demi-tour. Soudain, j'entendis ma mère sangloter dans la chambre, et je compris que mon père était mort. Je courus aussitôt prévenir tante Kate, et un peu plus loin les tantes Hattie et Laura, pour arriver finalement chez tante Honey, épuisé et hors d'haleine.

Mr. Marshall, l'entrepreneur des pompes funèbres, se chargea d'embaumer le corps de papa à domicile. On le vida de ses entrailles qui furent enterrées au pied d'un cèdre derrière la maison. Les vieilles femmes se servaient de cet arbre quand elles faisaient leur repassage. On coupe une branche pour nettoyer le fer qui sort des braises. Je me souviens qu'à partir de ce jour, j'éprouvais une étrange impression dès que je me trouvais à proximité de cet endroit sous le cèdre.

A l'enterrement, je n'arrivais pas à pleurer. Pourtant les larmes des autres coulaient à flots, surtout celles de maman. J'ai essayé de la consoler, mais en vain. A l'école, mes camarades me montrèrent leur sympathie, sauf un certain Buddy Sharper qui prétendait que mon père était allé en enfer. J'ai failli le tuer.

La misère s'abattit sur nous. Maman n'avait même pas assez d'argent pour nous acheter de quoi manger correctement, à plus forte raison de quoi nous vêtir, et nous nous sentions tous humiliés de cet état de choses. Jusque-là, notre mère n'avait jamais travaillé, papa subvenant à nos besoins. Il nous avait même laissé quelques économies, placées à la banque de Cheraw. Mais en 1929, le président de cet établissement s'enfuit avec la caisse, et aucun des clients ne revit plus jamais son argent. Ma mère avait encore quatre enfants à sa charge, et pas le moindre revenu.

Elle se mit à faire du blanchissage pour les autres, mais c'était mal payé. Il n'y avait pas d'organismes de soutien social, à l'époque. Elle ne pouvait plus nous acheter des vêtements neufs pour le dimanche de Pâques, comme c'est la coutume; et nous, nous avions honte de nous montrer ce jour-là avec nos vieux habits. Alors nous prétendions que nous allions faire un pique-nique dans les bois alentour, et nous y restions loin des regards. Wesley et moi coupions du petit bois pour alimenter le feu sous le fer à repasser de maman. Une fois, Wes en avait tellement coupé qu'il eut un cauchemar en pleine nuit : il voyait le marchand de bois, un vieux bonhomme, un Blanc laid à faire peur, le menacer. Il hurlait, dressé sur son séant : « Le marchand de bois va m'emporter... » et j'ai dû le ceinturer tant il s'agitait dans son lit !

Après la mort de mon père j'étais devenu très agressif, proprement odieux. J'avais choisi Buck Brower comme souffre-douleur et je lui fichais de sérieuses raclées. Il y avait aussi un certain Walt, que je m'amusais à traiter de débile. Il avait les genoux cagneux et me courait après, mais il n'arrivait jamais à me rattraper. Un jour où je me moquais de lui en criant : « Walt est un pauvre type... Walt est un pauvre type... », il saisit une hache et la lança à toute volée dans ma direction, me manquant d'environ un centimètre. Je ne me suis plus jamais frotté à lui après cet épisode !

J'étais un vrai danger public, même dans les jeux. Une fois où l'on jouait aux Africains avec des bâtons taillés en pointe en guise de lances, j'ai projeté le mien de toutes mes forces en visant mon cousin Clee, que j'admirais beaucoup, et je lui ai transpercé le nez ! On allait aussi voler des pastèques dans le champ de Mr. Brown, qui avait menacé de nous tuer s'il nous prenait. Et un jour, il nous a surpris en pleine cueillette, son fusil à la main. Je ne sais comment nous nous en sommes tirés. Les plants de pastèques sont généralement si près du sol qu'il faut être une chenille pour se faufiler dessous. Imaginez-vous donc essayant de vous planquer sous un de ces gros melons, quand le plomb voltige autour de vous...

Malgré un certain nombre d'affrontements déplaisants en classe, Mrs. Butts et moi sommes devenus de grands amis. Après la mort de son mari, j'allais souvent chez elle, de l'autre côté de la rue, lui proposer mes services. Maman ne gagnait qu'un dollar cinquante par semaine et il n'y avait jamais assez à manger chez nous. Grâce à Mrs. Butts, avec laquelle j'avais failli m'entre-tuer, je réussis à survivre.

Je faisais tout ce que je pouvais pour aider maman... mais je ne savais pas faire grand-chose. Maman lavait le linge d'une Mrs. Mulloy, une Blanche qui me payait quinze cents pour tondre la pelouse de son jardin. Quand je lui disais merci, elle me faisait remarquer : « Tu pourrais ajouter " M'dame ". » Une fois, j'ai répliqué que je n'avais jamais vu ce mot dans mes livres de classe. « Eh bien, tu le diras quand même », s'écria-t-elle, furieuse. Et comme je refusais de lui manger dans la main pour quinze cents, elle m'a renvoyé.

Je traînais toujours dans les parages du Lyric Theatre, et le directeur, qui avait remarqué mon manège, me proposa de surveiller l'entrée de la salle pour empêcher les gens de se faufiler sans payer. Comme cela, je voyais tous les films gratis. Je connaissais toutes les grandes vedettes des westerns des années trente, mais Yakima Canutt était mon préféré. Il jouait toujours des seconds rôles ; un sacré bagarreur, et un tireur d'élite. J'adorais les films à épisodes, où à la fin on voit un type suspendu à une branche au-dessus du vide, et on se demande avec angoisse comment diable il va s'en tirer !

C'est à cette époque que j'ai vu Bill Robinson dans les films de Shirley Temple ; mais il ne m'a pas vraiment marqué. Très bon danseur, certes, mais pour moi il « datait » déjà. Et puis Duke Ellington dans un de ces films du début des années trente. Tous ses musiciens en queue-de-pie blanche ! J'étais très admiratif.

Un jour, un jeune Blanc qui s'était faufilé dans la salle se fit vider sans douceur dès que je l'eus signalé. Il jura qu'il aurait ma peau. Et quelque temps plus tard, je suis tombé sur lui entouré de quelques copains, six ou huit au moins, alors que j'étais avec mes deux cousins, Theodore Robinson et Norman Powe.

« Espèce de sale nègre... C'est toi qui m'as fait virer du cinéma, hein ? »

Il devait avoir seize ou dix-sept ans ; bien plus grand et plus fort que moi. Mais j'étais un vrai dur, ça il ne le savait pas. Je me battais comme un chiffonnier avec tous les Blancs qui me traitaient de

27

« nègre ». Je n'ai jamais supporté cela. Et la couleur de ma peau ne m'a jamais donné un complexe d'infériorité. J'ai toujours eu conscience d'être quelqu'un d'exceptionnel.

La différence sociale entre Blancs et Noirs m'a frappé pour la première fois à propos d'un petit garçon blanc nommé John Duvall. Ma mère lavait le linge chez ses parents, pendant qu'on jouait tous les deux dans le jardin. Je devais avoir sept ou huit ans et à cet âge-là on ne se préoccupe pas encore de la couleur de la peau. Lui et moi étions inséparables, mais un jour ma mère m'a signifié que c'était fini et que je ne devais plus jouer avec le petit garçon blanc. Je ne comprenais pas, j'étais choqué et furieux. Lui aussi. Mais on a obéi... sans savoir qu'il s'agissait d'un accord passé entre ma mère et ses parents. Bien des années plus tard, lors d'un concert à Miami, quelqu'un a demandé à me voir dans les coulisses. Il était originaire de Caroline du Sud. Malgré les ans et son crâne dégarni, je trouvais qu'il ressemblait beaucoup au petit John Duvall, mon camarade de jeux. Il m'a tendu sa carte de visite, et c'était bien lui. Je vous assure qu'on fêta joyeusement ces retrouvailles !

Mais revenons à Cheraw au moment où ce sale Blanc m'a envoyé un coup de poing que j'ai esquivé. Le mien, en revanche, l'atteignit en plein sur l'œil. Comme je me déplaçais très vite et qu'il n'y voyait plus très clair, il a essayé de m'avoir au bluff.

« Si j'avais mon coup-de-poing en main je te tuerais, sale nègre !

— Ouais... mais tu l'as pas, pauv' mec. »

Cette fois, je l'ai frappé à la pointe du menton et il s'est écroulé. J'allais lui sauter dessus pour le piétiner un peu, mais ses copains se sont approchés d'un air menaçant. Alors j'ai ramassé une poignée de gros cailloux, imité aussitôt par Theodore et Norman et j'ai crié : « On va les massacrer, tous ces mecs ! »

Et les autres de déguerpir en laissant leur copain sur le carreau... Mais on l'a épargné. Seulement, une semaine plus tard, il m'est retombé dessus. Je revenais de la piscine réservée aux Blancs où je me faisais un peu d'argent en sautant du grand plongeoir pour aller chercher au fond de l'eau les pièces qu'on me jetait. Ce jour-là j'avais pêché 2,89 dollars.

« Hé, toi, là-bas ! »

C'était le type qui avait essayé de se faufiler dans le cinéma.

« Fais gaffe, lui criai-je.

— Je veux juste te parler. »

Cette fois, j'étais seul, mais j'avais une fronde sur moi et je l'ai sortie en vitesse.

« Ne t'approche pas, sinon...

— Mais je veux juste... »

Comme il avançait sur moi, j'ai tiré et je l'ai touché en plein front.

Il est tombé et je me suis enfui à toutes jambes jusqu'à la maison. En fait, il m'avait vu plonger et récolter l'argent. Il voulait sûrement me voler. Il aurait dû se méfier...

WESLEY GILLESPIE

« John se battait avec n'importe qui... même des grands... seulement s'ils devenaient trop dangereux, c'était moi qui devais me battre à sa place! C'était un vilain garnement qui se mettait toujours dans de sales draps, et c'était moi qui l'en sortais.

« Il donnait toujours des bonnes peignées à Hamp et à nos autres cousins plus jeunes. Une fois, il avait lancé une pierre à la tête de Hamp et le sang coulait. Alors il avait ramassé une poignée de sable pour remplir le trou et arrêter le sang. Il ne voulait pas que la mère de Hamp voie la plaie. Et quand celle-ci a crié : " Mon dieu, Hamp, qu'est-ce qui t'est arrivé? " John a répondu à la place de Hamp : " Tante Laura, c'est un pivert qui lui a fait un trou dans le front. "

« Tout gosses, on faisait la cueillette du coton dans les champs et on emportait notre déjeuner. John mangeait tout, et ne me laissait rien. Je ramassais beaucoup plus de coton que lui, et pendant ce temps, il mangeait les deux repas! Quand on rentrait à la maison, maman le grondait et lui faisait remarquer que je travaillais bien plus que lui.

" Ecoute, maman, je ne suis pas fait pour cueillir le coton. Un jour, je serai musicien, et tu seras fière de moi. " »

DIZZY

Mon frère Wesley était mon aîné, et je l'entraînais toujours dans de sales histoires. Je me battais tout le temps, et il était souvent obligé de venir à la rescousse parce que les autres se mettaient à deux ou trois contre moi.

J'aimais bien Wes, mais lui me préférait la compagnie de notre cousin Clee qui était pourtant de mon âge. Il faut dire que tous les deux commençaient à draguer les filles, et ils ne voulaient pas de moi dans leurs jambes. Un jour où je les avais suivis, Wesley m'a repoussé brutalement et m'a envoyé un coup de poing en plein estomac. La douleur m'a rendu furieux. J'ai ramassé un bâton que je lui ai balancé de toutes mes forces au visage. Il a porté vivement les mains devant ses yeux, et j'ai vu le sang couler entre ses doigts. J'ai cru que je lui avais crevé un œil, et j'ai couru à toutes jambes chez nous où je suis allé me cacher sous le lit sans demander mon reste...

Quand maman m'a finalement interrogé, je lui ai raconté que Wes m'avait frappé le premier. J'étais quand même bien content de voir qu'il n'avait pas reçu le bout de bois dans l'œil. Mais Wes a prétendu que j'avais voulu le tuer, et que si j'avais eu une lame sur moi je m'en serais servi. Je n'étais pourtant pas aussi méchant que ça! Seulement un peu la tête près du bonnet... En tout cas, avec toutes les bêtises que j'ai faites à cette époque, c'est bien étonnant que je sois encore en vie!

En avant la musique...

Alice Wilson, mon institutrice de troisième année, éveilla mon intérêt à la musique par les spectacles de minstrels qu'elle montait à la fin de l'année scolaire. Sur une estrade dressée pour l'occasion, deux animateurs assis chacun à une extrémité, portant chapeau claque et déguisement, le visage passé au cirage, encadraient une rangée d'élèves également costumés, mais non grimés. Chaque participant venait à tour de rôle réciter un monologue ou chanter une chanson, accompagnés au piano par Alice Wilson. L'un des animateurs se levait alors d'un bond, venait interrompre l'exécutant par une plaisanterie, un vieux dicton ou un petit pas de danse, et s'en retournait s'asseoir sous les applaudissements.

J'ai fait mes débuts dans les minstrels vers 1930. L'école avait obtenu des crédits grâce à son directeur, Leonard Lynch, qui les avait aussitôt consacrés à l'achat d'instruments de musique. Lorsque lui et Mrs. Wilson sont venus demander à notre classe de cinquième année quels étaient ceux qui désiraient faire partie de l'orchestre, mon doigt s'est levé tout seul. J'ai rejoint les autres dans la salle où avait lieu la distribution, mais comme j'étais de loin le plus jeune, personne ne m'a vraiment pris au sérieux, et ils ont d'abord passé les instruments tout flambant neufs aux plus grands. Devant moi, Yank Perry reçut une clarinette en mi bémol, et Bill McNeil un splendide trombone à coulisse en cuivre. Quand mon tour arriva, je dus prendre ce qui restait : un autre trombone à coulisse. J'étais quand même bien content et suis vite rentré chez moi pour m'entraîner. Mais je n'avais pas les bras assez longs pour aller plus loin que la cinquième position, et je n'arrivais donc pas à sortir les notes graves en positions six et sept. Ce n'était certes pas l'instrument idéal vu mon jeune âge, mais je me régalais pourtant de le posséder.

Je m'exerçais tous les jours, et fis de rapides progrès. Je réussissais même à avoir un gros son en faisant mes gammes, au point que tout le voisinage savait que j'apprenais le trombone! Mrs. Wilson avait monté un petit orchestre à l'école, et je fus surpris de mon propre zèle à assister aux répétitions et à m'exercer tout seul chez moi. Je jouais essentiellement d'oreille. Mrs. Wilson ne pouvait d'ailleurs pas m'apprendre le solfège, car elle-même ne le lisait pas. La musique devint pour moi un centre d'intérêt vital, une discipline nécessaire qui me manquait depuis la mort de mon père. Un jour, vers la Noël, je faisais mes exercices au trombone, quand j'entends un son plus aigu venant de chez nos voisins. Je me précipite ventre à terre. Brother Harrington vient m'ouvrir, tenant à la main une trompette nickelée que son père venait de lui offrir et dont je suis tombé immédiatement amoureux fou. Il a monté devant moi la gamme de si bémol dont il connaissait déjà le doigté. J'étais sidéré. Je lui ai demandé de me la prêter et il m'a appris à la tenir. J'ai porté l'embouchure à mes lèvres et j'ai soufflé un beau si bémol, tous pistons levés.

« Dis donc, tu as un beau son! » fit Brother Harrington.

J'avais un sourire satisfait. Il m'apprit ensuite le doigté de la gamme de si bémol, et je passai le reste de la journée à l'écouter s'exercer. Dès qu'il faisait une pause, j'empruntais l'instrument et m'exerçais à mon tour. A partir de ce jour-là, dès que je rentrais de l'école, je consacrais une heure à mon trombone puis je me précipitais chez les Harrington pour jouer de la trompette. Un miracle qu'on ne l'ait pas usée, à nous deux! Sa mère nous écoutait un moment, et nous envoyait continuer chez moi. La mienne faisait de même. Alors Brother et moi allions nous installer dans un champ pour jouer librement. Il me fit profiter de ses connaissances, et en neuf mois j'étais aussi fort que lui... et je savais jouer du trombone, de surcroît. Quand Alice Wilson s'en aperçut, elle fut absolument ravie. Et moi, j'étais tout fier, car si je ne pouvais devenir le meilleur tromboniste de Cheraw à cause de mon jeune âge, j'avais l'avantage sur tous les autres de jouer à la fois du trombone et de la trompette. Je devenais unique en mon genre.

ALICE V. WILSON (son premier guide)

« Je l'ai eu comme élève pour la première fois en troisième année. Il était déjà incapable de tenir en place et plein d'entrain, tel qu'on le connaît maintenant. Si quelque chose lui plaisait, il s'y accrochait. Un garçon très intelligent. Il savait toujours ses leçons, mais n'aimait pas les étudier. Je ne sais pas comment il y arrivait! La seule chose qui l'intéressait, c'était la musique. Pourtant, à chaque fois que je l'interrogeais, il répondait très bien ; et il est toujours régulièrement passé d'une classe dans l'autre.

« Plus tard nous avons essayé de monter un orchestre à l'école, pas au grand complet bien sûr, mais enfin c'était un début. Il y avait distribution d'instruments, mais comme John était très jeune les grands ne voulaient pas lui en confier un. Mais il a tellement insisté, en affirmant qu'il savait jouer...

« Je lui apprenais tout ce que je voulais, sans problème, et s'il se trompait je le corrigeais. Dès l'instant qu'il avait son instrument en main, il devenait quelqu'un d'autre, extrêmement studieux et attentif.

« Il me demandait : " C'est dans quel ton, Mrs. Wilson ? " et je répondais : " Ecoute bien " en jouant une note au piano. Il la chantait aussitôt, et à partir de cela construisait un accord. Il harmonisait d'instinct. Il paraît qu'il a dit plus tard à ses amis que je lui avais fait faire ses premiers pas en jazz. Et plus tard encore, c'est moi qui lui ai dit : " Mon garçon, tu m'as perdue en cours de route parce que je ne comprends rien à ce que tu joues maintenant ! "

« Je n'étais pas un très bon professeur, à vrai dire, car je jouais tout d'oreille sans connaître le solfège. Ma mère m'avait bien fait donner des leçons, mais je les suivais surtout pour lui faire plaisir. Dès que j'entendais un air, je le reproduisais au piano, et je ne me suis jamais préoccupée de déchiffrage.

« J'aimais bien les pièces comiques, et je leur ajoutais un accompagnement musical que le public semblait apprécier, ou un intermède pendant l'entracte. Le directeur de l'école me fournissait les partitions d'airs populaires. J'apprenais la mélodie par cœur eι ensuite je la modifiais à mon goût, j'en faisais autre chose. C'est cela que j'ai enseigné à John.

« Tous les ans il y avait la fête de l'école, et chaque professeur était chargé de préparer une pièce. J'en choisissais toujours une où je pouvais introduire de la musique. Mais pendant que je faisais répéter les élèves, John montait ses gammes sans rien écouter et j'étais souvent obligée de me fâcher vraiment. Il était têtu comme une mule !

« Il arrivait en classe avec son instrument sous le bras, et Wes, lui, portait les livres. Ils étaient dans la même classe, mais John était plus intelligent.

« Un garçon très attachant, oui, bien qu'assez imprévisible et instable. Tous ses camarades l'aimaient beaucoup, et ses professeurs aussi. Il était si drôle, avec un sens inné du comique. A l'époque on le traitait de " Tout-Fou ". Il aimait rire, et faire des blagues.

« Il avait déjà son style à lui, sa personnalité, dans tout ce qu'il faisait, par exemple la manière de tenir son instrument, d'une seule main, pour se faire remarquer bien sûr. C'est là son grand plaisir depuis toujours, de se distinguer des autres, de faire son numéro... mais quel numéro ! »

L'orchestre qui jouait en si bémol

En 1930, Alice Wilson, qui jusque-là accompagnait les spectacles de minstrels au piano solo, décida d'élargir la partie musicale en s'adjoignant un petit orchestre de fosse, et un groupe vocal, en l'occurrence mes cousins Cleveland Powe et Hamp McIntosh et un certain Fred McNeil qui chantaient à trois voix en harmonisation serrée. L'orchestre, qui comprenait Tom Marshall à la caisse claire, Bill McNeil au trombone, Wes Buchanan à la grosse caisse et moi au cornet, jouait l'ouverture et accompagnait tout le spectacle entièrement d'oreille, sans partitions, et en si bémol, la tonalité standard du blues, car Mrs. Wilson ne connaissait que celle-là; l'ensemble avait ainsi une petite touche « bluesy » des plus imprévues. Je n'ai sincèrement jamais rencontré de musiciens aussi potentiellement valables que certains éléments de ce groupe. Et le public était séduit par notre enthousiasme et notre foi.

Wes Buchanan était sensationnel, un grand chef à la grosse caisse. En plaçant sa main libre et un genou contre l'instrument, il trouvait des sonorités variées, et des trucs très funky. De nos jours, les batteurs obtiennent un effet similaire en se servant de leur coude sur la caisse claire ou les toms. Même principe de base.

Bill McNeil lui aussi était remarquable au trombone dont il jouait à l'arraché, comme J. C. Higginbotham, en sortant des notes aiguës que j'aurais été bien incapable d'atteindre sur son instrument. Quant à moi, compte tenu du cornet tout rafistolé que j'avais emprunté, je me défendais très bien. La technique et le solfège nous faisaient malheureusement défaut, et je le déplore rétrospectivement. Pendant longtemps, si bémol fut la seule tonalité dans laquelle je jouais et je me fiais entièrement à mon oreille. Néanmoins, notre ardeur et notre conviction nous gagnaient les faveurs du public.

Bien sûr, nous n'étions pas payés, et il fallut un certain temps ainsi que les encouragements du public avant que nous songions à d'autres contrats. D'ailleurs, les gens qui avaient assisté aux spectacles de minstrels venaient nous solliciter d'eux-mêmes. Notre premier engagement eut lieu dans une école pour Blancs, à l'occasion d'un bal. L'idée que des gens étaient décidés à payer pour nous écouter nous rendait tout fiers.

Comme Alice Wilson refusait d'apprendre d'autres tonalités, nous avions engagé un pianiste, Bernis Tillman, ainsi qu'un chanteur, mon cousin Theodore Robinson; Brother Harrington me prêtait sa trompette pour cette grande occasion, et Clee s'était mis à la contrebasse. Et Maxy Ganzy, clarinettiste et saxophoniste alto, étudiant au Benedict College de Columbia, venu passer l'été chez ses parents, se joignit à nous.

J'avais enfin trouvé une utilisation à la grosse contrebasse en dépôt à la maison depuis la mort de mon père. Il ne lui restait plus que la corde de sol, il est vrai, mais elle était d'une superbe facture, sa touche noire contrastant avec le bois rouge foncé. Mais dans mon ignorance musicale, j'ai mutilé ce bel instrument en gravant une encoche sur la touche à la hauteur précise où Clee devait pincer la corde pour obtenir un si bémol... et j'ai continué pour les autres notes. Bien sûr, j'ignorais que la corde de sol doit être accordée sur la note du même nom, et je jouais stupidement à l'apprenti accordeur! Que de lacunes dans mon éducation musicale! Et pourtant, des gens payaient pour venir m'écouter. Ce genre de fausse gloire tourne encore la tête à bien des jeunes musiciens...

Notre grand sens du spectacle fit de ce premier engagement un triomphe. Nous avions choisi Wes Buchanan comme chef, tout d'abord parce qu'il en avait l'étoffe, jouant merveilleusement de la grosse caisse et animant le spectacle en allant danser devant l'orchestre avec un sens rythmique étonnant; mais aussi, parce que sa mère, une femme charmante, veuve de guerre, pensionnée, et jouant un peu les mécènes, nous prêtait sa voiture pour nos déplacements. Notre réputation s'étendant, on commença à être demandés pour des réceptions chez des particuliers, des bals, et même des représentations dans d'autres petites villes et jusqu'en Caroline du Nord.

J'adorais danser, et l'été j'allais à tous les bals en plein air réservés aux Noirs dans la région de Cheraw et même en Caroline du Nord. Je me planquais sur les énormes pare-chocs arrière des voitures de 1930, dans lesquelles les copains de mes sœurs venaient les chercher. Ils étaient tellement occupés à flirter qu'ils ne me remarquaient même pas. J'arrivais couvert de poussière, mais je n'étais pas le seul, car ce moyen de transport économique était très répandu. Mes sœurs se montraient très fâchées quand elles me découvraient à l'arrivée, mais elles étaient bien obligées de me ramener à la fin de la soirée.

36

Ainsi, j'apprenais des pas nouveaux auxquels j'ajoutais une touche personnelle.

Je fréquentais tous les lieux où il y avait de la musique, à Cheraw, sans me soucier de l'entrée à payer ni de la couleur de peau admise. Je me suis ainsi taillé une belle réputation de danseur auprès des Blancs, notamment au Country Club, avant d'être connu comme musicien. Je me faisais même un peu d'argent de poche, les Blancs me jetant quelques pièces quand je m'exécutais sur leur demande. J'avais un « spécial », la danse du serpent, qui me valait une pluie de pièces, quelquefois jusqu'à trois dollars en quelques minutes ; un petit trésor pour un adolescent pendant la Dépression. Et ensuite, on me permettait d'écouter l'orchestre depuis les cuisines. C'est ainsi qu'un jour j'entendis un orchestre d'étudiants jouer des arrangements écrits spécialement pour eux, et non de série.

Avant même que nous ayons approfondi l'art de la musique, notre petit orchestre était devenu une gloire locale. A défaut de gagner beaucoup d'argent, nous gagnions peu à peu en pratique et en expérience. J'étais considéré comme le meilleur jeune trompettiste de la région, et on venait même me demander des conseils. Ainsi un jour Jimmy Gainey, un voisin et camarade d'enfance, qui jouait maintenant de la batterie dans l'orchestre blanc de Ned Hickson, me demanda d'assister à leurs répétitions. Et je leur prodiguais des conseils rythmiques. Je ne connaissais pas encore grand-chose en musique, mais le rythme était mon point fort.

Jimmy jouait encore les deux temps à la grosse caisse, et je trouvais ça plutôt lourdingue. Je lui conseillai de marquer les quatre temps et lui en fis la démonstration sur-le-champ. Il fut immédiatement emballé, et me demanda de continuer à les aider. J'étais tellement sollicité, et bien sûr grisé par mon succès, que je m'imaginais en savoir plus que les autres. En fait, je ne jouais toujours que dans une tonalité, et j'aurais bien dû apprendre le solfège !

Un incident me fit bientôt redescendre de mes hauteurs : un certain Sonny Matthews, un musicien originaire de Cheraw mais qui avait déjà beaucoup voyagé, revint voir sa famille. Sa mère, professeur de piano réputée, lui avait appris le solfège tout petit. Dès son arrivée en ville, tout le monde se met à lui parler de moi, la nouvelle petite gloire locale, et Sonny m'invite à venir le voir. J'emprunte le biniou de Brother Harrington et me rends chez Sonny, plein d'assurance. J'ignorais qu'il avait joué des arrangements pour grand orchestre, et fait des tournées dans le Nord. Il s'assoit au piano et attaque *Nagasaki*, un nouvel air que je ne connaissais pas. Je me fiais à mon oreille pour suivre ; mais il jouait le thème en do, et me voilà totalement incapable de sortir une note !

« Il faudra que j'apprenne cet air-là », dis-je pour m'excuser.

Mais j'étais terriblement vexé, humilié à en pleurer. Pensez, le soi-disant meilleur trompettiste du coin !

L'incident me poussa à étudier la lecture et les tonalités autres que celle de si bémol. Détail piquant : c'est mon cousin Norman qui me fit faire mes débuts en déchiffrage ; et lui-même avait appris avec un cousin éloigné, Ralph, lequel étudiait avec un professeur de trombone de la Coulter Memorial Academy. J'ai donc commencé par lire en clef de fa, à la trompette ! Et j'en suis encore capable aujourd'hui. Plus tard, j'appris seul la clé de sol.

Grâce à mon acharnement je réussis à apprendre plusieurs tonalités en trois ou quatre mois, à l'étonnement des copains de l'orchestre.

ALICE V. WILSON

« Il se fit remarquer à l'école l'année où j'avais monté *The Footlight Review,* une comédie dans laquelle son frère Wes et Bill McNeil jouaient le père et le fils débarquant de leur campagne et faisant un numéro burlesque. John était chargé de la partie musicale. Il n'y avait que cela qui l'intéressait, et moi je m'arrangeais toujours pour introduire de la musique dans tous les spectacles.

« Je lui apprenais tout ce que je savais, mais moi je ne connaissais pas les tonalités. Je jouais tout dans la même, celle de si bémol m'a-t-on dit. Alors je ne pouvais pas tenir le piano dans leur orchestre, malgré leurs encouragements. Ils voulaient bien m'apprendre, mais c'était peine perdue. J'étais irrécupérable. Et ils durent prendre Bernis Tillman à ma place. Pourtant, j'avais bien envie de jouer avec eux !

« D'autres après John furent de bons éléments aussi, vous savez. Mais à mes yeux, il les dépassait tous par son espèce de folie imaginative, par son initiative, et la petite touche qu'il ajoutait toujours là où elle était nécessaire. Il était l'orchestre à lui seul. Les autres suivaient. Mais je ne me suis pas vraiment occupée d'eux. Seulement de John. C'est moi qui l'ai lancé, en quelque sorte.

« J'ai toujours aimé le jazz, et je n'avais pas besoin de savoir lire les notes car je jouais tout d'oreille. Je reproduisais au piano ce que j'entendais, et j'y ajoutais mon interprétation personnelle. C'était déjà une sorte d'improvisation, et c'est cela que j'ai enseigné à John. Quand il jouait un air tel qu'il était écrit, très " carré ", par exemple *Side by Side* qui était à la mode à ce moment-là, je l'obligeais à modifier la mélodie et le rythme, à trouver sa version jazz du même thème. Je lui montrais au piano ce que je voulais dire, et il comprenait tout de suite. Les autres, non. De tous mes élèves, John fut de loin le plus doué et le plus attentif aussi. »

DIZZY

Un jour, notre tromboniste Bill McNeil disparut. Cela ne nous inquiéta pas outre mesure car il avait l'habitude de prendre des bitures sévères à l'alcool trafiqué. Mais quelque temps plus tard, on raconta qu'il lui était arrivé malheur. Des Blancs l'avaient soi-disant jeté sous un train après l'avoir surpris chez l'un d'eux à jouer les voyeurs. Pourtant, on ne trouva jamais son corps. Comme volatilisé. Cette étrange disparition me secoua énormément, et notre petit orchestre ne fut plus jamais le même. Mais nous avions tous une seule idée en tête après cela : faire des progrès, pour pouvoir quitter Cheraw au plus vite. Norman Powe, mon cousin, devint notre nouveau tromboniste, et Maxy Ganzy, un saxophoniste qui déchiffrait et écrivait même un peu, devint notre directeur musical, ce qui nous permit de monter un répertoire avec des nouveautés comme *Stars fell on Alabama*, ainsi que des créations personnelles d'inspiration religieuse.

Comme pour la plupart des musiciens noirs, ma première source d'inspiration rythmique et mélodique fut religieuse. A Cheraw, plusieurs cultes divisaient la communauté noire : tout d'abord la Seconde Eglise presbytérienne, qui jouissait de la plus haute réputation, suivie de l'Eglise méthodiste, celle que nous fréquentions. Il y avait aussi une Eglise catholique qui bénéficiait de deux fidèles seulement, deux vieilles filles acariâtres dont on racontait qu'elles jetaient des sorts à ceux qui se faufilaient dans leur jardin. Cheraw possédait aussi une chapelle baptiste et une sioniste, et enfin une Eglise sanctifiée, dans laquelle on entendait la congrégation chanter à tue-tête, et qui était considérée comme inférieure dans cette hiérarchie parce qu'on y pratiquait la possession spirituelle et qu'on y parlait des dialectes, ce qui l'assimilait aux cultes africains.

A treize ans, je prenais grand intérêt à l'étude de la Bible, et au cours de catéchisme du dimanche je posais tellement de questions sur la Résurrection et la Vierge Marie que le maître me proposa un jour de faire le cours à sa place...

Mais ce fut à l'Eglise sanctifiée que je découvris le sens profond du rythme, et comment la musique arrive à mettre les gens en transe. Le bâtiment se trouvait un peu plus loin dans notre rue, près du puits où nous allions tirer de l'eau. Je me faufilais discrètement dans le fond de l'église le dimanche, soucieux de ne pas être aperçu car il était mal venu de fréquenter un autre culte. Et j'écoutais les fils du chef de la congrégation improviser des rythmes en utilisant une caisse claire, une grosse caisse, des cymbales et un tambourin. Il y avait ainsi quatre rythmes différents en présence, auxquels s'ajoutaient le martèlement des pieds sur le plancher de bois et les claquements de doigts. Je me souviens que des Blancs arrêtaient leur voiture un moment devant le porche pour écouter eux aussi. C'est ainsi qu'en allant au puits le dimanche, j'ai découvert le sens et la puissance du rythme. L'Eglise sanctifiée eut sur moi une influence déterminante, comme plus tard sur James Brown et Aretha Franklin.

A Cheraw, il y avait aussi les frères Linton, qui chantaient du gospel dans le style actuel de James Brown et de Wilson Pickett. Seules les paroles ont changé. A l'époque elles racontaient l'Evangile, aujourd'hui elles parlent des femmes cruelles. Mais la musique est la même.

A propos de femmes, je n'étais pas très sentimental, en ce temps-là. Je me souviens que j'avais un faible pour une certaine Mary, qui a épousé depuis mon cousin Theodore. Je lui jetais des cailloux en signe d'affection, et elle me préféra un tromboniste qui devint plus tard un pasteur baptiste. Et puis il y eut Thelma McDonald, une fille si timide qu'elle n'osait pas me regarder en face. Je l'ai retrouvée un jour à New York où elle avait émigré, et je l'ai reconnue de dos dans la rue.

A quinze ans, j'étais assez sûr de moi à la trompette pour aller faire le bœuf avec les orchestres noirs de passage à Cheraw. Des orchestres régionaux, bien sûr, et si on voulait en écouter d'autres il fallait se déplacer. Aucun des célèbres groupes de Kansas City ne venait jusque-là.

La première fois que j'ai emmené mon instrument au Elks Hall, c'était Bill Davis qui jouait. Quelqu'un dans la salle lui cria : « Hé ! laisse donc le petit faire le bœuf. » Comme je n'étais pas bien grand, on me fit monter sur une caisse. Bill donna le tempo sur *China Boy,* en fa, et je pris deux chorus. Si Sonny Matthews m'avait humilié chez lui, je me suis bien rattrapé ce soir-là et mes idées coulaient avec aisance. Les danseurs et les musiciens me firent une belle ovation, me consacrant grande vedette à Cheraw. Ma « période si bémol » était révolue.

Sans même attendre la fin de la soirée, j'allai chez les Harrington, qui avaient la chance de posséder un gramophone et un poste de radio. Et le dimanche, il y avait la retransmission de l'orchestre de Teddy Hill depuis le Savoy Ballroom de New York. J'étais fasciné, entre autres par le type qui jouait première trompette. J'ignorais leurs noms bien sûr, mais maintenant je sais que mes idoles s'appelaient

Roy Eldridge (trompette), Chu Berry (saxophone ténor) et Dicky Wells (trombone).

Ce soir-là particulièrement, ils furent sensationnels, et je rentrai à la maison la tête pleine de musique, m'imaginant même en train de jouer avec eux... mais ce n'était qu'un rêve.

Laurinburg

En 1932, après l'élection de Roosevelt, le gouvernement fédéral avait alloué des crédits pour des programmes de travaux publics, et du coup tout le monde s'était mis à creuser des fossés pour la voirie. A ma sortie de l'école, l'été 1933, je me fis embaucher, moi aussi. Expérience de courte durée, car le contremaître qui m'avait repéré au fond de ma tranchée m'interpella violemment. Je fis d'abord la sourde oreille, mais il insista en me désignant du doigt et m'ordonna de charger ma pelle à ras bord, et même de « faire déborder un peu sur le manche! ». Ce soir-là, j'ai décidé que le dur labeur de manœuvre n'était pas pour moi, et j'ai empoché ma paye pour ne plus revenir. Je fus frappé, à l'époque, de constater le degré d'analphabétisme de mes congénères, et malheureux de les voir signer leur feuille de paye d'une simple croix.

Moi qui n'avais jamais envisagé sérieusement jusque-là de faire carrière dans la musique, je saisis l'occasion inespérée qui s'offrit alors à moi de gagner ainsi ma vie. Vers la fin de l'été 1933, Catherine McKay, une voisine qui faisait ses études d'infirmière au Laurinburg Institute, suggéra au proviseur de me prendre, ainsi que mon cousin Norman, pour remplacer le trompettiste et le tromboniste de l'orchestre qui venaient de quitter le collège.

« Mais... je n'ai même pas de trompette, fis-je remarquer à Catherine.

— Tu as tes lèvres, non? »

Je ne faisais rien de spécial à Cheraw, et en moins de temps qu'il n'en faut pour le dire, j'avais parlé à Norman, convaincu ma famille, et mis dans ma valise un rechange, une serviette-éponge et ma brosse à dents. C'est ainsi que sans un sou, sans grand désir de faire des études, et sans même une trompette à moi, je suis entré au Laurinburg Institute avec mes lèvres pour tout bagage. En retour, on m'offrait logis, couvert, éducation, livres, et tout ce que je désirais.

42

Laurinburg était une véritable petite ville, avec des bâtiments renfermant les dortoirs des garçons et ceux des filles, d'autres les salles de classe, un grand terrain de football et un de basket, un hôpital et des bureaux administratifs. Collège technique d'Agriculture et d'Elevage, Laurinburg était entouré de champs aux moissons des plus alléchantes pour un ventre creux de mon espèce, et possédait également un cheptel.

Même le premier jour, je n'ai éprouvé aucune nostalgie de ma ville natale ni de ma famille. Norman et moi étions très attendus, grâce à la publicité que nous avait faite Catherine. Nous partagions une chambre avec un certain Pope, de New York, à peu près de ma taille et muni d'une garde-robe qui me parut princière. Comme c'était un type charmant et généreux, il me prêta des fringues pour que je puisse faire mon petit effet.

Au réfectoire, pendant le bénédicité, je me suis aperçu dès le premier jour que les portions destinées à notre table étaient assez maigres, pour mon vaste estomac du moins, et je me suis servi pendant que les autres baissaient le regard. Mais j'ai remarqué qu'à la table voisine, la nourriture s'empilait sous les yeux gourmands d'une bande de solides gaillards. Renseignements pris auprès de Catherine, il s'agissait de l'équipe de football de l'école, qui jouissait d'un traitement privilégié.

Dès le lendemain, je me faufilai dans les vestiaires avant l'heure de l'entraînement, pour rafler le meilleur équipement disponible : casque, protège-épaules, protège-hanches, chaussures, chemise polo sans accrocs, et ainsi accoutré j'accueillis avec un large sourire les autres qui arrivaient. L'entraîneur, un balèze du nom de Ivory Smith, me regarda sans mot dire; mais une fois sur le terrain, il m'appela.

« Rentre la tête et charge », m'ordonna-t-il.

Je m'exécutai et... il m'écrasa. Il m'obligea à recommencer, avec le même résultat.

« Bon, ça suffit. Enlève-moi ce harnachement. »

Un à un, les différents éléments de mon bel équipement furent redistribués à qui de droit, et j'héritai de l'uniforme le plus minable. Mr. Smith m'humiliait parce qu'il ne croyait pas à mon intérêt pour le foot et voulait me décourager dès le début. Mais ce qu'il ignorait, c'est qu'à chaque élément qu'il reprenait surgissaient devant mes yeux trois côtelettes supplémentaires... et j'aurais fait n'importe quoi pour les voir dans mon assiette au dîner. J'éprouvais crainte et sympathie à la fois, pour ce Mr. Smith qui me rappelait ces bouledogues tenaces mais affectueux.

Un peu plus tard, il comprit que j'avais réellement l'intention de faire partie de l'équipe, et il m'octroya un uniforme correct. Il s'aperçut aussi que j'étais un joueur intrépide, vif comme l'éclair et plein de fougue. Je jouais ailier droit, et dès ma première partie je réussis l'essai gagnant. J'étais pourtant d'une taille inférieure à la moyenne, dans cette équipe composée en majorité de colosses impressionnants qui se frottaient parfois à de plus redoutables encore. Laurinburg a quelques noms de sportifs célèbres à son palmarès, et continue d'attirer les athlètes de nos jours, où Frank McDuffy, son ancien et tout à fait remarquable administrateur, en est devenu le président.

L'administration de Laurinburg n'admettait pas les récriminations de ses élèves. Si certains avaient à se plaindre, mieux valait le faire discrètement, car il y avait des « indics » un peu partout, chargés de réprimer les contestataires. Pour moi et ma « grande gueule », ce n'était pas si simple...

Une nuit, je me réveillai en hurlant. Il y avait des punaises dans le lit, qui se régalaient sur mon dos. Je fis un tel foin que le surveillant consentit à se déranger et procéda à l'inspection de la chambre après m'avoir ordonné de me taire un peu. La pièce était propre, mais le matelas était quand même plein de punaises, et, le lendemain, il m'obligea à le sortir pour l'aérer et en chasser les horribles bestioles. Seulement moi, je savais qu'il restait des œufs à l'intérieur, et à l'époque on ne trouvait pas d'insecticides ! Le pion m'indiqua bien un truc : on place chacun des quatre pieds du lit dans une boîte de conserve pleine de pétrole pour empêcher les bêtes de monter à l'assaut. Mais les œufs qui allaient éclore ? insistai-je. Il m'expliqua alors que j'avais le choix entre aérer le matelas tous les jours, ou m'en fabriquer un de mes propres mains.

Bien résolu à ne plus avoir les punaises comme compagnes nocturnes, je séchai tous les cours du lendemain et passai la journée au magasin de fournitures à me confectionner un matelas de paille. Après cela, tous les élèves victimes de ces sales bêtes furent invités à suivre mon exemple. A Laurinburg, on accordait une grande importance à l'esprit d'initiative et à l'action individuelle. Rien ne servait de se plaindre, ni de poser trop de questions ; mieux valait prendre ses problèmes en main pour les résoudre soi-même. J'ai d'ailleurs constaté, ce faisant, qu'on en tire une certaine fierté.

Durant mon séjour dans cette école, j'appris beaucoup de choses sur l'agriculture, que nous pratiquions suivant des méthodes scientifiques pour faire pousser tout ce que nous mangions. J'étudiai l'assolement, les cultures d'hiver et l'irrigation souterraine. En hiver, il faut planter du trèfle. Au printemps, on l'enfonce en labourant et il pourrit dans le sol qu'il enrichit. Une belle leçon d'agriculture et de savoir-vivre : il faut apprendre à cultiver son jardin.

La musique et l'anglais étaient mes matières préférées. Nous manquions toutefois d'un directeur musical permanent, et Shorty Hall qui en fit office durant ma seconde année était bien trop occupé à essayer de monter un orchestre avec une bande de débutants pour s'occuper vraiment de moi. Musicalement, j'avais fait beaucoup plus de progrès que les autres. Je déchiffrais à présent, et avais même appris quelques rudiments de théorie. Tous ceux qui savaient lire aidaient Shorty à enseigner aux autres. Quant à moi, je mettais à profit ses conseils, l'atmosphère de tranquillité sereine qui régnait à Laurinburg et tout mon temps libre pour élargir mon horizon musical, en travaillant sans relâche la trompette et le piano auquel je commençais à m'essayer. La musique était en fait la seule discipline que j'étudiais très sérieusement et qui comptait pour moi.

« G'lisspie, songerais-tu à devenir footballeur professionnel ? » me demanda Shorty Hall, un jour où il me voyait me diriger vers le vestiaire avant l'entraînement.

« Pas du tout. Je veux jouer de la trompette.

— Et s'il t'arrivait un accident aux dents, en jouant au foot... Crois-tu que tu pourrais continuer à faire de la trompette ? »

J'avais compris, et je ne remis plus jamais les pieds sur un terrain de foot, sauf pour jouer de la trompette dans les défilés sportifs. La musique devint dès lors mon unique activité, et je supportais mal les gars de l'orchestre qui ne la prenaient pas très au sérieux et ne s'appliquaient pas. Comme Scurlock, le tuba qui devait peser au moins 135 kilos et jouait toujours faux, mais qui impressionnait tout le monde. Et Tom Blue, qui tenait la grosse caisse, incapable de déchiffrer, et qui me jalousait. Il cherchait la bagarre, aiguillonné par Scurlock.

Un jour, à une répétition, il se trompa et je lui signalai son erreur. Il se mit à marcher sur moi d'un air menaçant. Il devait peser dans les 110 kilos, et je ne faisais pas le poids, si j'ose dire. Mais avant qu'il ait réussi à me coincer j'avais sorti ma lame, et il détala à toutes jambes pour aller se plaindre à Mr. McDuffy qui me convoqua dans son bureau.

« Tu as sorti ton couteau et tu l'as menacé, c'est vrai ?

— Oui, monsieur.

— Et tu voulais vraiment t'en servir ?

— Tant qu'il ne m'aurait pas écrasé, oui. Vous savez, il pèse 45 kilos de plus que moi, et il pouvait facilement me frapper au visage et m'abîmer les lèvres à jamais. Je veux faire une carrière de musicien, moi, voyez-vous, monsieur le proviseur. »

Mr. McDuffy, voyant que j'avais agi en état de défense, ne m'infligea aucune punition. C'était un homme très compréhensif.

Comme un chef

Dans le Sud, l'élite de la société noire suivait un ordre hiérarchique bien établi :

1. L'entrepreneur des pompes funèbres (utile à tous sans distinction);
2. Le médecin (utile à tous les malades);
3. L'avocat (utile à tous ceux qui se mettaient en tort);
4. L'enseignant (utile à tous ceux qui n'étaient pas complètement bornés).

Dans cette dernière catégorie, le proviseur occupait l'échelon supérieur, et même ses propres enfants jouissaient de cet avantage. A Laurinburg, Mr. McDuffy, notre proviseur, avait conscience de cette importance et j'avais remarqué aussi que les Blancs lui parlaient toujours avec respect. Originaire d'une petite ville de l'Alabama, il avait émigré en Caroline du Nord et avait fondé ce collège réservé aux enfants noirs de familles pauvres, en comptant uniquement sur son cran et sa ténacité. Il en avait d'ailleurs fait une sorte d'entreprise familiale, son beau-frère occupant le poste de doyen et le frère de ce dernier celui de trésorier. Du népotisme, ou je ne m'y connais pas...

Mac McDuffy, son fils aîné, et moi-même nous entendions à merveille et il me considérait un peu comme son frère jumeau. Pourtant, une fois où je m'étais faufilé dans le dortoir des filles en croyant que personne ne m'avait vu, j'eus la mauvaise surprise d'être convoqué le lendemain dans le bureau du proviseur.

« Alors, on a fait une petite virée cette nuit? me demanda-t-il.

— Que voulez-vous dire, monsieur? fis-je en jouant les innocents.

— Gillespie, êtes-vous bien sûr de ne rien avoir sur la conscience?

— Mais quoi donc, monsieur? m'obstinai-je.

— Que diriez-vous de quelques coups de lanière? »

Il ne me posa aucune autre question, et j'acceptai la correction, sachant que je la méritais. Je ne voulais à aucun prix me faire renvoyer, car je désirais rester auprès de Mr. McDuffy, cet homme féru d'idéaux, que j'admirais beaucoup, et qui trouvait le moyen, malgré les difficultés de la situation dans le Sud, de nous donner le sens du travail et de la dignité. Je crois en tout cas que c'était le jeune Mac qui avait mouchardé auprès de son père, car il considérait le dortoir des filles comme son terrain de chasse personnel. C'était le fils d'un membre de l'élite noire !

Comme tous les musiciens, j'évoluais avec aisance parmi la gent féminine ; un jour, au cours d'une sauterie à l'école, je me lançai même à inviter Miss Wilcox, un de nos jeunes professeurs. J'avais remarqué qu'elle aimait vraiment danser, et comme j'étais un excellent danseur, je tentai ma chance, me sentant d'un coup appartenir à l'élite...

« Tu sais, elle accepte par politesse, mais elle n'a pas vraiment envie de danser avec toi, me chuchota Isaac Johnson.

— Oui, mais je suis le meilleur », répliquai-je en entraînant Miss Wilcox qui sembla apprécier énormément mes talents.

Il se trouvait que son frère Eddie jouait du piano dans l'orchestre de Jimmy Lunceford, et plus tard elle me servit de carte de visite auprès de lui.

Ce sens de la danse a toujours fait partie de ma conception musicale. Savoir « bouger » harmonieusement et en place est indispensable pour bien jouer du jazz. Pour moi, l'un ne va pas sans l'autre, et des jazzmen comme Monk et Illinois Jacquet qui bougent beaucoup font passer dans leur musique les mouvements de leur corps.

Certains week-ends, je restais à Laurinburg pour jouer avec la fanfare de l'école ; mais en général, je préférais rentrer chez moi et jouer avec le groupe de Wes Buchanan. Ils ne savaient pas tous déchiffrer, c'est sûr, mais ça déménageait dur, en tout cas !

BERNIS TILLMAN (pianiste)

« Il revenait jouer avec nous, le week-end, et il nous apportait des tas d'idées de riffs ou autres, que Maxy transcrivait aussitôt. On avait parfois jusqu'à six trompettes dans l'orchestre, et quatre trombones... des petits jeunes attirés par le blé... parce qu'on en faisait, du blé, à l'époque !

« Mais Dizzy ne se vantait jamais, ne parlait jamais de lui, ni de musique. Il jouait, c'est tout. Il aimait courir les filles, et quelquefois il fallait aller le récupérer... mais il revenait toujours pour jouer. Il était diabolique pour tout le reste, mais quand il s'agissait de musique, il ne plaisantait plus. Je me souviens qu'une fois il avait fallu s'armer de lampes-torches pour aller chercher son embouchure dans les bois où il avait entraîné une fille pendant l'entracte d'un bal où on jouait! On n'avait rien trouvé et on l'avait traité de tout. Si j'ai bonne mémoire, c'est la fille qui l'a ramenée un peu plus tard... Ah, il les traitait joyeusement! Et puis il y avait aussi l'épisode du whisky. J'en emportais toujours avec moi. Du vrai tord-boyaux fait maison. Je planquais la bouteille derrière le piano, et il s'amusait à me faire croire qu'il en buvait. Il faisait semblant, c'est tout. Une fois, pourtant, il en a vraiment bu, et il est tombé raide! Mais le reste du temps, c'était pour me faire marcher, parce qu'il savait qu'on viendrait vite me dire qu'il était derrière le piano. Facétieux, toujours. Un plaisantin. Mais le plus grand de tous. Et surtout, un type sans rancune. C'est ce que j'aimais chez lui. »

DIZZY

Une fois, on jouait en Caroline du Sud et j'étais parti dans la nature avec une fille, Rosetta. Je savais pourtant que son régulier était un vrai dur! Bref, j'avais gardé ma veste, mais retiré mon pantalon, quand tout à coup j'entends quelqu'un venir à grandes enjambées dans notre direction. J'ai ramassé mon pantalon en hâte et j'ai filé. Mais mon embouchure était tombée de ma poche, et j'ai dû m'en faire prêter une tout abîmée sur les bords. J'ai failli y laisser mes lèvres! Après le bal, je suis retourné dans le champ et j'ai retrouvé la mienne.

Dans les petits bleds de campagne, les Blancs nous menaient souvent la vie dure. Je me souviens qu'une fois, en sortant d'un café où je m'étais arrêté pour manger, un Blanc m'attendait un pistolet à la main. « Dis donc, sale nègre, tu sais danser? » Et comme je ne répondais pas, il a tiré par terre près de mes pieds. Alors j'ai esquissé un petit pas de gigue, fou de rage. On risquait sans cesse de se faire étriper dans ces coins-là, et plus d'une fois j'ai songé à quitter le Sud à l'époque. Mais pour aller où?

NORMAN POWE (tromboniste)

« L'imprésario de l'orchestre de l'école était un jeune Blanc qui devait avoir vingt et un ans, et nous en avions quinze. Il nous laissait à chacun environ deux dollars par soirée, et gardait le reste pour lui. Mais il nous prêtait sa voiture. Je me souviens qu'une nuit où on rentrait de Cheraw à Laurinburg, Dizzy a pris le volant en affirmant qu'il savait conduire. Et voilà qu'il emboutit la bagnole du chef de la police locale ! Une bagnole toute neuve, et le flic qui disait : " C'est un de ces sales nègres qui me l'a esquintée. " Dizzy a passé la nuit au poste, et moi j'ai ramené notre voiture à Laurinburg. »

DIZZY

Je n'avais jamais conduit, mais quand les copains me l'ont demandé, j'ai dit que je savais. Juste comme je tournais pour traverser la rivière, des flics en bagnole nous ont vus et m'ont barré la route. Ils croyaient qu'on transportait de l'alcool de contrebande et qu'on voulait passer la frontière de l'Etat voisin. Ils nous bloquaient le chemin et j'avais le choix entre leur rentrer dedans ou tomber dans la flotte. Je préférais nettement la première solution. Voilà. Bien sûr, ça m'a valu une nuit en taule, et j'ai même cru que le chef allait m'étrangler à cause de sa bagnole toute neuve. Mais l'autre flic connaissait mon père, et il m'a fait relâcher. J'espérais que tout ça resterait secret, mais à ma visite suivante chez moi je me suis aperçu que toute la ville le savait. Le flic avait raconté l'incident au frère de Wes Buchanan, que la municipalité employait comme balayeur de rues...

Une fois, King Oliver vint jouer à Cheraw, et proposa à Norman et à moi de nous engager. Mais je n'avais que seize ans et je n'étais pas encore mûr pour quitter le domicile familial. Je n'avais jamais entendu parler de King Oliver et j'ignorais qu'il était aussi célèbre. Même aujourd'hui, je me souviens de lui parce qu'il avait un œil bizarre, c'est tout. De toute façon, il devait être « sur la descente » à cette époque, pour venir jouer dans un patelin de 5 000 âmes comme Cheraw. Enfin, je n'accrochais pas à sa musique... Et je connaissais très peu Louis Armstrong, aussi.

NORMAN POWE

« On écoutait Duke et Cab à la radio. De vrais magiciens, pour nous. A l'école, on s'est mis à étudier la musique classique. Le professeur, Shorty Hall, était un des meilleurs cornettistes à l'époque. Un type fantastique, qui venait de Tuskegee et jouait de tous les instruments. Mais moi, je sais qu'il était pourtant un peu jaloux de Dizzy, déjà. Un petit rien, mais c'était là. Diz était tellement en avance sur les professionnels qu'on allait écouter dans la région. Au fur et à mesure que les années passaient, j'entendais bien qu'il laissait loin derrière lui tous ces musiciens qu'on admirait depuis notre enfance.

« A l'école, on nous prêtait des vieux instruments rafistolés. Moi, j'avais pris un trombone qu'il fallait graisser sans arrêt comme une machine à coudre! Et Dizzy une trompette toute cabossée, avec le pavillon qui se redressait... C'est sûrement de là qu'est parti son style actuel. La trompette coudée, et tout.

« Il est génial, vous savez. Il touchait avec bonheur à tous les instruments : le piano, mon trombone, et même la basse. A ce sujet, son père avait une grosse contrebasse, une de ces énormes " grand-mères " de fabrication allemande. On n'avait aucune idée de sa valeur, et on l'a vendue pour cinquante dollars... De nos jours, on en tirerait au moins mille cinq cents!

« Dizzy n'était pas timide ni embarrassé sur scène. Moi, quand je jouais le petit chorus que je m'étais soigneusement écrit, je fermais les yeux pour ne pas voir le public. Mais lui, il n'a jamais connu le trac.

« Il jouait d'oreille au début. A propos, c'est moi qui ai commencé à lui apprendre la musique, car j'avais pris des leçons de piano. Il a très vite acquis un style, surtout de la vélocité; mais il n'avait pas une belle sonorité. Il n'en a toujours pas une aujourd'hui d'ailleurs. C'est sa technique et son style qui sont exceptionnels. A l'époque, il n'était pas encore " Dizzy ", mais seulement John Birks, et pour nous John " Butts ", parce qu'on n'articulait pas bien...

« Dizzy a toujours été un chic type, mais il n'avait aucun sens des responsabilités et il n'en faisait qu'à sa tête. Il a sans doute changé depuis... Il y a si longtemps de cela! Il a le cœur sur la main, et si vous êtes son ami il se mettra en quatre pour vous. Mais tout de même, sa trompette passe avant tout. C'est son unique amour. »

DIZZY

Au printemps 1935, ma famille émigra à Philadelphie, et maman s'arrêta au passage à Laurinburg pour me dire au revoir. Je les aurais bien suivis, mais il fallait que je termine mes études. Cet été-là, après un dernier trimestre scolaire plutôt désastreux, je suis retourné à Cheraw, car je n'avais aucune envie de travailler dans les champs à Laurinburg. Et là j'ai rencontré par hasard Buff Long, dont j'avais jadis sauvé le jeune frère qui était tombé dans la piscine et ne savait pas nager. Buff partait dans le Nord en voiture, et me proposa de m'emmener quand je lui eus longuement expliqué que les miens habitaient maintenant Philadelphie.

C'est ainsi que je débarquai dans cette ville avec mon havresac pour tout bagage, à la grande joie de ma mère qui me croyait encore à Laurinburg. Tout allait bien. Wes travaillait aux cuisines dans un restaurant, et sa femme ainsi que mes sœurs aux pièces dans une usine.

A la découverte de moi-même

Ma famille, qui avait déjà raconté à tout le monde que j'étais un grand musicien, ne m'attendait pas si tôt à Philadelphie, et il fallut s'entasser tant bien que mal dans un trois pièces plus alcôve, au 637 Pine Street. Bill, le mari de ma sœur Mattie, et patron d'un salon de coiffure pour hommes dans notre rue, logeait aussi chez nous. Denture en or, automobile de luxe, il était du genre combinard et rentrait très tard la nuit, mais c'était un chic type qui m'avait pris en affection et m'a acheté ma première trompette, à crédit et pour treize dollars, une Pan-American si j'ai bonne mémoire. Cela faisait à peine une semaine que j'étais à Phila, et cela m'a vraiment touché. Mais comme il n'avait pas acheté d'étui pour la ranger, je la transportais dans un sac en papier... à la grande joie des autres musiciens.

Trois jours après mon arrivée à Philadelphie, un sax alto qui habitait dans notre rue me trouva un boulot pour huit dollars par semaine au Green Gate Inn, un genre de bastringue tenu par un aveugle et où je jouais avec un certain Fat Boy à la batterie, et un pianiste dont j'ai oublié le nom. Ils avaient placé une cagnotte sur le piano, et chacun devait mettre son écot pour acheter des bières ; mais comme je ne buvais pas encore à cette époque, j'ai refusé ma participation malgré les piques de mes collègues. Au bout de quelques semaines de travail, j'ai décidé de me saper un peu mieux et suis allé m'acheter trois complets à crédit avec un dollar et demi comptant chez Parisian Tailors : petites rayures, pantalons à pinces, de la belle marchandise. J'avais l'air d'un prince avec ça sur le dos, et puis j'avais enfin des vêtements à moi.

Quelque temps plus tard, j'ai quitté le Green Gate Inn pour une autre boîte où je gagnais douze dollars par semaine, dont je donnais une partie à maman. J'ai décidé par la même occasion de m'inscrire au syndicat des musiciens noirs de Philadelphie, dont le secrétaire était Frankie Fairfax. Comme mon nom commençait à être un peu connu dans le coin, Fairfax me proposa une audition pour entrer dans son orchestre, un des meilleurs en ville, avec Bill Doggett comme pianiste, arrangeur, et directeur musical.

Je n'étais même pas nerveux le jour venu. J'avais l'habitude de déchiffrer des orchestrations standard et je lisais vraiment n'importe quoi. Mais je ne m'attendais pas à ces partitions griffonnées, presque illisibles. Croyez-moi, un copiste a un rôle d'importance capitale dans le monde musical! Mais là, les gars de l'orchestre se débrouillaient tout seuls : un petit trait horizontal, un vertical, un petit en biais, tac-tac-tac, et ils baptisaient ça une croche... quant au demi-soupir correspondant, un simple trait! Bien sûr, ils étaient habitués à cette notation symbolique; mais quand moi j'ai eu ces pattes de mouche sous les yeux, j'ai perdu les pédales et j'ai tout mélangé. Les autres ont cru que je ne savais pas déchiffrer et je n'ai pas eu l'affaire, surtout par la faute de Bill Doggett qui fit ce commentaire : « Vous savez, le petit jeune un peu fou dans sa tête, celui qui vient du Sud et qui range son biniou dans un sac en papier, moi je vous le dis, il ne lit pas une note... » J'ai protesté, mais sans succès. Il faut avouer que j'avais tellement embrouillé les notes et les soupirs! En tout cas, c'était la première fois qu'on me traitait de « dizzy », un peu « dingue ».

BILL DOGGETT (pianiste, organiste, compositeur)

« Quand Dizzy (alors John Birks Gillespie) est " monté " à Philadelphie de son Cheraw natal, je cherchais justement un trompettiste, et on me l'avait recommandé. Dizzy sortait de l'école, et il avait l'habitude de lire des partitions correctement transcrites; tandis que dans l'orchestre, on avait notre manière à nous d'écrire la musique, assez spéciale, en général juste un trait en travers de la ligne pour une note, et la queue au-dessus. Un peu des pattes de mouche. Et Dizzy s'est trouvé paumé. Mais à mon avis le fond de l'histoire, c'est qu'il y avait avec nous un trompettiste qui prenait tous les solos et qui a tout de suite compris ce qu'il risquait si on engageait Dizzy. Il nous a influencés : " Dites donc, il ne faut pas prendre ce gus avec nous, il ne sait même pas lire! " En fait, le type avait peur parce que Dizzy jouait trop bien. Voilà pourquoi... »

DIZZY

Ce fut Joe Facio qui eut la place, un trompettiste qui jouait sans boutons sur ses pistons... rien qu'avec les tiges... il mettait ses doigts directement sur les tiges, je n'ai jamais rien vu de pareil! Il jouait bien, d'ailleurs, il faut le reconnaître. Mais j'étais quand même très ulcéré qu'il ait eu l'affaire, car j'avais vraiment envie d'entrer dans un grand orchestre. J'en voulais surtout à Bill Doggett. Je m'étais promis de le retrouver un jour ou l'autre et de régler mes comptes.

Quelque temps plus tard, l'orchestre au grand complet abandonna Frankie Fairfax sous prétexte qu'il les volait en touchant plus d'argent qu'il ne l'avouait. Ce fut Bill Doggett qui reprit la direction de l'orchestre, avec lequel il accepta un engagement au Club Harlem, à Atlantic City. Par le bouche à oreille, il apprit que je savais vraiment déchiffrer, et il m'offrit la place; mais je refusai tout net : « Tu sais ce que tu peux en faire, de ta place? Et ça te fera très mal... » Voilà ce que je lui ai dit.

BILL DOGGETT

« On était très amis. Il habitait dans le sud de Philadelphie et j'allais souvent le voir. A l'époque, je voulais jouer de la trompette, moi aussi. Alors chez lui, il se mettait au piano et moi je prenais la trompette, et quand on en avait assez on échangeait nos instruments. On parlait beaucoup de musique, des harmonies, et tout. Il jouait déjà très bien, avec une conception fantastique des passages d'harmonies. C'était évident qu'il deviendrait quelqu'un. Et pour ce qui est de cette audition ratée, c'était simplement un manque de chance. Comme il me l'a expliqué, il avait " pris les notes pour les queues, et les queues pour les notes "! Mais il savait bien déchiffrer.

« Il faisait ce qu'il voulait sur son instrument. Plus tard, il a étendu son registre, mais le style il l'a toujours eu, et sa connaissance des harmos au piano lui permettait de reproduire ce qui lui passait par la tête. Bien sûr, on a dit que Diz avait copié Roy Eldridge, que c'était même une copie conforme. Mais vous savez, tout le monde est influencé par quelqu'un, et à partir d'un moment on s'écarte de son modèle et on devient soi-même. De toute façon, Dizzy a toujours été en avance sur son temps.

« Pour tester notre virtuosité, on disposait de quelques thèmes appropriés. Par exemple *Liza*, où les harmonies changent presque tous les deux temps. On passe d'un accord majeur à un diminué, puis un mineur septième et de nouveau un diminué pour retomber sur un majeur. On s'amusait à improviser là-dessus en triturant chaque accord au maximum de nos possibilités. Et sur une ballade comme *I can't get started*, on cherchait aussi à sortir des accords traditionnels pour en trouver de plus intéressants. On jouait une intro avec une transition pour amener la mélodie, en variant le plus souvent possible les harmonies. On avait fini par trouver qu'à la troisième et quatrième mesure, on pouvait passer d'un si mineur septième à l'accord de septième, et continuer ainsi une marche harmonique en jouant un accord sur chaque temps. C'était audacieux, à l'époque. Mais tout ça, c'est parce qu'on parlait beaucoup et qu'on échangeait nos idées. De nos jours, on a l'impression que les gus n'ont plus le temps de communiquer entre eux. C'est bien dommage. Nous, quand on était jeunes et qu'on ne gagnait pas grand-chose, on se retrouvait tous dans un bistro de Philadelphie, et on parlait de musique devant des œufs au bacon jusqu'au petit jour. Et puis on rentrait en vitesse chacun chez soi, parce qu'à l'époque les jeunes n'avaient pas la permission de nuit... »

DIZZY

Peu après, Frankie Fairfax remonta un orchestre, et je décrochai enfin la place que je convoitais, avec à mes côtés dans la section de trompettes Palmer Davis, devenu « Fats Palmer » depuis, le premier à m'appeler « Dizzy » avec cohérence et continuité. Son père, un musicien, a été le premier Noir nommé au poste de capitaine des sapeurs-pompiers de Philadelphie. Egalement dans la section, Jimmy Hamilton et Pete Brown qui ressemblait à Joe Louis. Un orchestre qui se tenait, qui jouait une fois par semaine au Strand Ballroom et le reste du temps dans les stations de montagne de la Pennsylvanie.

Au début de 1936, Tiny Bradshaw avait engagé tout l'orchestre pour un contrat en Caroline du Nord, et c'est là que j'ai sauvé la vie à Fats Palmer. J'étais rentré assez tard à notre hôtel, et ça sentait le gaz à plein nez dans le couloir. J'ai frappé à la porte d'où l'odeur partait et n'ayant pas de réponse je suis entré et j'ai trouvé Fats évanoui sur son lit. Il pesait dans les 130 kilos et moi 65, mais j'ai fini par le traîner dans le couloir ; et quand il est revenu à lui, il nous a expliqué qu'il s'était allongé juste pour faire une sieste !

Jusque-là, je ne m'étais pas fait de véritables amis parmi les musiciens. Il y avait bien un trompettiste qui jouait au Moonglow, un certain Horton. Il n'est jamais devenu célèbre, mais il m'impressionnait par son utilisation riche et mélodique des harmonies d'un morceau, et j'allais l'écouter quand j'en avais l'occasion. Il m'arrivait aussi de discuter avec Jimmy Bowman, surnommé « Gabriel », qui habitait dans mon quartier et qui jouait chez Jimmy Gorham, un des trois grands orchestres noirs de Phila avec ceux de Frankie Fairfax et de Clarence McCreary. Mais enfin, aucune relation vraiment marquante, jusqu'au moment où Fairfax dut remonter sa section de trompettes après le départ de Jimmy Hamilton et de Pete Brown.

Sur les conseils de notre saxo alto Harold Reid, un garçon très réservé, bon lecteur et qui jouait bien les ballades, Fairfax engagea Charlie Shavers et Carl Warwick, anciens condisciples de Reid, et inséparables depuis déjà longtemps. Charlie était né à New York, et Carl dans l'Alabama, ce qui lui avait valu son surnom, « Bama ». Le père de Charlie tenait le salon de coiffure juste en dessous du Savoy Ballroom.

La nouvelle section de trompettes composée de nous trois devenait le moteur de l'orchestre! On s'entendait à merveille. A l'époque j'avais déjà « piqué » quelques petits trucs à Roy Eldridge, mais j'avais gardé mon premier style. Charlie, lui, connaissait par cœur tous les solos de Roy, et on les jouait tous les deux tandis que Bama prenait le lead. De tous les premiers trompettes avec lesquels j'ai eu l'occasion de jouer — et j'ai plus de trente orchestres à mon palmarès —, Bama est pour moi celui qui avait le plus de « feeling » et savait donner certaines inflexions à une note, la faire chanter. Le plus drôle, c'est qu'il avait plutôt l'air d'un Blanc!

Charlie, Bama, et moi... comme les Trois Mousquetaires, on ne se quittait plus; et même sans un sou en poche, on s'amusait comme des princes. Je me souviens qu'on avait découvert une gargote à la sainte enseigne de Father Divine, où l'on avait un repas complet pour quinze cents et où le poulet frit était réellement « divin »!

J'avais repiqué tous les solos de Roy en écoutant soigneusement Charlie, et je les jouais sur scène. Un soir où je me rasseyais après ma prestation, Charlie me fit cette remarque : « Dis donc, vieux, tu pourrais quand même jouer tes trucs à toi... » (sous-entendu, au lieu de ceux de Roy). La réplique était facile : « Ecoute, vieux, tu oublies que je les tiens de seconde main depuis que tu es là! » C'est vrai qu'il les jouait lui aussi et avant moi, même, ces solos de Roy que nous aimions tant.

Les données pianistiques que j'avais amassées à Laurinburg s'avéraient utiles à présent, venant étayer ma théorie selon laquelle n'importe quel instrumentiste — autre que pianiste — se sent moins limité dans ses improvisations s'il a fait un peu de piano, car toutes les combinaisons possibles d'accords se trouvent réunies sur le clavier. J'arrivais toujours avant les autres aux répétitions, et je me mettais au piano. Je travaillais des suites d'accords, avec les renversements et des substitutions de notes, pour essayer de trouver des enchaînements intéressants, parfois spontanés, parfois inattendus. Après quoi, je mettais ces découvertes à profit sur ma trompette, et tout le monde se demandait d'où je sortais toutes ces idées surprenantes.

Un jour — avant la venue de Charlie et de Bama dans l'orchestre —, je m'étais installé au piano en attendant la répétition.

Palmer Davis est entré, et ce que je jouais devait lui plaire car il est venu s'asseoir près de moi. Et puis les autres sont arrivés à leur tour, et ils ont écouté aussi, assez étonnés de me voir devant un clavier. Juste au moment où la répétition allait commencer, Fats Palmer a regardé vers mon siège vide dans la section de trompettes et a lancé en plaisantant : « Dites donc, les gars, où est Dizzy ? » (« Dingo »). Tout le monde a ri, et Norman Dibbles, le batteur, a ajouté : « Ça lui va comme un gant. » Depuis, tout le monde m'appelle Dizzy, même ma femme.

Fats Palmer me considérait comme un type un peu branque, parce que je me levais souvent de mon pupitre pour esquisser un petit pas de danse. En tout cas, il aimait beaucoup ma façon de jouer et prétend dur comme fer que je faisais déjà du bebop en 1936.... Et venant de lui ce compliment me va droit au cœur, car il savait de quoi il parlait sur un plan technique. Beaucoup de musiciens ne se sentaient pas à l'aise dans un certain nombre de tonalités, et leur en préféraient d'autres. Et parfois, on me tendait des pièges, pour voir si j'étais capable d'en changer au milieu d'un solo, sans savoir que depuis longtemps j'avais décidé de ne pas me laisser gêner par ce genre de détails. Comme je jouais un peu de piano, j'étais rompu à ces acrobaties. A la trompette, j'étais plus véloce que les autres, et plus percutant aussi ; mais contrairement à ce que raconte Fats, je ne pense pas que je possédais déjà un style personnel, unique en son genre... Ou alors, c'était complètement inconscient.

FATS PALMER (Palmer Davis, trompettiste)

« La première fois que je l'ai entendu, j'ai tout de suite pensé que c'était un "sérieux client", comme on dit, et qu'il irait loin. Et en l'écoutant aujourd'hui, tant d'années après, je trouve qu'il joue toujours avec la même fougue, le même brillant, mais plus de subtilité. Si vous voulez mon avis, il jouait déjà dans le style qui le rend célèbre plus tard avec Charlie Parker. Ah ! là là, ce qu'il pouvait faire, sur cette trompette ! Et puis il était très drôle. Un camarade charmant, et plein d'humour. Je n'oublierai jamais la fois où il m'a sauvé la vie, quand j'avais allumé le radiateur à gaz dans ma chambre d'hôtel parce qu'on gelait... et je m'étais endormi, et il devait y avoir une fuite... Si Dizzy ne m'avait pas traîné dans le couloir, je serais mort asphyxié. Un type vraiment extra.

« Quel régal d'écouter Charlie Shavers et Dizzy faire le tour de leur instrument, et avec quel art... et cela, bien avant la naissance du bop. Diz faisait des trucs dingues, aussi. Dingo, c'était lui. Il se levait en plein milieu d'un morceau et se mettait à danser, et bien d'autres idées extravagantes. Alors je disais : " Tiens, encore une invention de Dizzy ", et les autres se sont mis à l'appeler comme ça.

« Il n'était pas comme certains jazzmen qui jouent toujours le même solo sur le même thème. Pas de surprise, on sait d'avance ce qu'ils vont faire; mais avec lui, c'était imprévisible. Il jouait n'importe quoi dans n'importe quel ton, rien ne le gênait. Pourtant dans ce temps-là, un musicien avait encore sa tonalité préférée, dans laquelle il se sentait le plus à l'aise. Une fois, on a voulu piéger Diz en l'obligeant à en changer plusieurs fois en cours de morceau. Mais ça ne le dérangeait guère. Moi, je crois que le bebop a été inventé un peu au hasard de ce genre d'acrobaties. Plus tard au Minton's, il y avait tellement de types qui voulaient faire le bœuf sans bien jouer de leur outil que Diz et sa clique ont pris l'habitude de trafiquer les harmonies, d'utiliser des renversements inattendus, des enchaîne-ments insolites, pour empêcher les novices de monter sur le podium. On appelait cela des thèmes anti-bœuf.

« A l'époque, les orchestres dans les boîtes devaient jouer pour la danse, et cela nécessitait un certain style, des arrangements, et des tempos dansables.

« C'est mon père qui m'avait appris à jouer. Mais j'ai toujours été loin derrière Diz. Sa technique, son style, sa maîtrise totale de l'instrument... c'est comme pour les boxeurs : il y a ceux qui cognent, et puis il y a Ray Robinson...

« Ah, c'était le bon temps, même si on ne gagnait pas lourd. Et c'était sûr que Dizzy deviendrait un grand bonhomme, parce qu'il l'était déjà. Un peu plus tard, dans l'orchestre de Cab Calloway, il a éclipsé tous les caïds, par son jeu et ses pitreries. Et s'il avait voulu consacrer autant de temps au piano qu'à la trompette, il serait devenu un très grand pianiste. Moi, souvent, je posais mon biniou et je l'écoutais jouer.

« Charlie Shavers possédait parfaitement la maîtrise de son instrument, lui aussi, mais le style était différent. Dizzy fascinait par son brio. Et puis plus tard, bien sûr, il y a eu Miles Davis, Fats Navarro et Clifford Brown.

« Le piano ou la guitare donnent une base solide pour passer à un autre instrument. C'est un peu l'alphabet, ou les fondations de l'édifice; et c'est ce qui fait la différence avec le musicien moyen. Au piano et à la guitare, on apprend les renversements d'accords, on travaille les enchaînements. Moi, j'ai eu l'occasion, mais je n'en ai pas profité, et j'ai seulement appris à jouer de la trompette.

« Dès que j'ai entendu Diz jouer du piano, car il ne s'en vantait pas, j'ai compris pourquoi il improvisait si facilement à la trompette, et comment il sortait un accord mineur d'un renversement d'accord majeur, ce qui demande une certaine gymnastique d'esprit... Bien sûr, maintenant c'est pratique courante, mais à l'époque c'était une innovation d'importance.

« Quand il est monté à New York pour jouer avec Teddy Hill et Edgar Hayes, il a vraiment étonné tout le milieu musicien. Vu l'époque, s'il avait été blanc, il aurait eu une carrière encore plus extraordinaire, car c'était vraiment un précurseur génial. Il aurait aussi bien pu devenir acteur d'ailleurs, acteur comique. »

DIZZY

A Phila, il y avait des jams monstres. J'ai vu un soir mon idole Roy Eldridge mettre Rex Stewart minable, dans une boîte qui s'appelait le Rendez-vous, sous l'hôtel Douglas. C'était la première fois que j'y descendais. J'ai eu un choc ! Les filles en jupes courtes, les serveuses, et les lumières si tamisées qu'on se serait cru dans un tunnel. Chacun pouvait draguer la femme de son meilleur ami...

Il y avait un orchestre régulier au Rendez-vous, avec de bons musiciens qui jouaient des arrangements extra sans pourtant savoir déchiffrer. Ils devaient répéter sans arrêt pour les apprendre par cœur, j'imagine. Cela me fait penser à une autre grande formation plus tard, au Monroe's Uptown House à Harlem, dont les types ne lisaient pas non plus, excepté Charlie Parker et Max Roach. Mais en fait, leurs arrangements n'étaient pas vraiment écrits selon les normes ; plutôt des symboles et des conventions. Très compliqués. Cela ne servait pas à grand-chose de lire, dans ce cas-là, mieux valait répéter.

Ah ! ces jams au Rendez-vous, quel souvenir ! Je n'y prenais pas part, pas encore. Je me contentais d'écouter Rex Stewart, Louis Armstrong, et surtout mon idole, Roy, plus jeune qu'eux, ce qui était important à mes yeux. C'est la même chose aujourd'hui, où je vois des jeunes s'intéresser au chemin que j'ai parcouru en dépit des deux ou trois générations musicales d'écart. Peu importe qui est leur idole actuelle. Ce qui compte c'est de leur faire découvrir la filière, l'héritage ; car tout trompettiste plus jeune a forcément suivi mes traces.

A propos de me suivre, il y avait une fille à Phila qui m'attendait à la sortie du Strand Ballroom où je jouais, et qui me suivait jusque chez moi, en plein hiver. Mais je n'ai jamais réussi à voir son visage. Une fois devant ma maison, elle faisait demi-tour et repartait très vite. A l'époque, je sortais avec une certaine Frances dont la mère tenait un restaurant où je me faisais nourrir régulièrement... Pas si bête. Dingo peut-être, mais pas idiot !

Jusque-là, je n'avais jamais fréquenté une Blanche, et à Philadelphie j'ai connu une certaine Peggy qui travaillait dans un journal à l'époque où moi je jouais avec Frankie Fairfax. Elle était venue plusieurs fois me relancer et me proposer de me raccompagner en voiture, mais j'avais décliné son offre. Et puis, un soir, elle m'a attendu devant le club et je me suis laissé embarquer. Elle m'a presque sauté dessus dans sa voiture. On a choisi un petit hôtel, mais j'avais tellement la trouille que je n'ai pas pris de plaisir... Plus tard on a remis ça, à deux ou trois reprises, et j'étais un peu plus détendu. On a même fini par bien s'entendre, mais enfin rien de très sérieux ni surtout de durable. Je n'avais guère que dix-neuf ans à l'époque.

Quand je rentrais tard la nuit, il m'arrivait d'avoir à me battre. Les rues de Phila-Sud n'étaient pas bien sûres en ce temps-là, et des gangs attaquaient les Noirs, surtout ceux de petite taille, les rossaient sévèrement et les laissaient à moitié morts dans les bois autour de la ville. Je me souviens qu'un soir trois Blancs m'ont suivi dans leur voiture — le long du trottoir. Je leur ai crié de me laisser tranquille, mais en arrivant au terrain de jeux, ils ont pu s'approcher suffisamment de moi pour que l'un d'eux essaie de m'attraper par la portière. A l'époque, je me promenais toujours avec un couteau, lame ouverte, dans ma poche. Le type n'a pas eu le temps de voir ce qui lui arrivait. Je me suis acharné sur sa main comme sur une aile de poulet. Vite fait, bien fait, elle pendait au bout de son bras. J'ai couru très vite. Ils ont essayé de me rattraper en voiture, mais je faisais des feintes et ils ont dû renoncer... avec le type qui braillait : « Emmenez-moi vite à l'hosto ! vite ! »

Quand Tiny Bradshaw repassa par Philadelphie, il cherchait une section de trompettes pour jouer à l'Astoria Ballroom de Baltimore. La paye était confortable, Charlie et Bama acceptèrent l'offre et essayèrent de m'entraîner. Mais je ne voulais pas partir de chez moi. J'avais encore peur de quitter ma mère. Ce fut Frank Galbraith qui prit la place, et moi je suis resté dans l'orchestre de Fairfax jusqu'en 1937. Mais comme mon frère James P. était installé à New York, j'allais lui rendre visite de temps à autre, et à cette occasion je voyais Charlie et Bama qui avaient d'ailleurs quitté Tiny Bradshaw pour l'orchestre de Lucky Millinder.

Ils finirent par me persuader de quitter Philadelphie et réussirent même à me faire engager par Lucky Millinder sans qu'il m'ait entendu jouer. En fait, il me gardait comme « doublure », et me payait à ne rien faire. J'étais censé remplacer Harry Edison, mais Lucky l'aimait bien et il ne voulait pas le renvoyer. Alors il a fini par ne plus me payer.

Je me sentais humilié. C'était la gloire pour un musicien d'aller à New York, et c'est pour cette raison que j'avais accepté, alors que j'avais refusé Baltimore auparavant. Et puis mon frère y habitait, et je pouvais partager sa chambre. La séparation avec ma mère paraissait moins dure ainsi. De toute façon, le temps était venu de rompre les amarres familiales, et de voguer tout seul.

Bien sûr, je prenais des risques en décidant de survivre à New York sans travail assuré; mais c'était aussi le seul moyen de me faire un nom dans le jazz. Et puis... j'étais « dizzy », et rien ne pouvait m'arrêter!

Les sentiers de la gloire

Pour un petit jeune arrivant de sa province et décidé à conquérir la grande ville, je ne manquais pas d'assurance. Encore fallait-il que je fasse mes preuves en me mesurant aux autres jeunes musiciens déjà dans la place. Charlie Shavers m'avait présenté à une bande de nouveaux venus comme moi, et le soir on allait écumer les clubs en quête de jam-sessions. Mieux valait d'ailleurs s'assurer auparavant que le délégué syndical était déjà passé, car s'il venait à nous prendre en train de bœufer, il pouvait nous coller une amende allant de 50 à 110 dollars, plus quelquefois une collective pour l'orchestre régulier. Mais la plupart du temps, il se contentait de nous chasser. Il y avait généralement Charlie et Bama, lorsqu'ils ne travaillaient pas, le petit Bobby Moore et moi. De temps à autre, Benny Harris et Kenny Clarke se joignaient à nous, et on jouait comme des dingues partout où on nous acceptait.

Le petit Bobby Moore était de loin le meilleur de l'équipe. Il avait l'avantage d'avoir grandi à New York, ce qui ne lui donnait pas forcément du talent, mais lui avait formé l'oreille à un autre genre de musique que celle que j'entendais à Philadelphie. Il était techniquement plus fort que moi, mais je le battais au niveau de la complexité des idées, grâce à mes bases pianistiques. On peut remarquer sa technique et son brio dans un disque de Count Basie, *Out the window*, avec également Lester Young, et où Bobby prend ce qui est peut-être son unique solo, presque tous étant assurés à l'époque par Buck Clayton.

Oui, le petit Bobby Moore était une « sacrée pointure » qui connaissait tous les trucs de Roy à fond. Malheureusement, il se trouve maintenant dans un établissement pour malades mentaux. Une fois, je suis allé le voir et je lui ai apporté une trompette.

En 1937, à New York, on pouvait encore se nourrir pour pas cher. Je me souviens d'un bistro à l'angle de la 142e Rue et de la

7ᵉ Avenue, où un colosse du nom de Pike servait de quoi remplir un estomac d'autruche pour vingt-cinq cents... et moi tout ce que je voulais, c'était juste de quoi me sustenter pour être capable de souffler dans mon biniou. De toute façon, il me restait encore quelques économies, et je n'étais pas du genre inquiet. Alors malgré ma déception après mon échec chez Lucky Millinder, j'ai quand même décidé de rester à New York.

JAMES PENFIELD GILLESPIE

« C'était mon " petit frère ", et on s'est toujours bien entendus. Il me considérait un peu comme son père.

« Je payais la chambre 6,50 dollars par semaine, et tous les matins je laissais 35 cents sur la table pour que Diz puisse manger. J'en gagnais 12,50 par semaine, et 25 une sur deux, comme serveur dans un snack. On était en pleine Dépression. Peu après son arrivée à New York, il a commencé à travailler dans différents orchestres au Savoy, et il rentrait à quatre ou cinq heures du matin. Moi je devais être à mon travail à sept heures, mais comme il ramenait souvent une fille, je lui laissais la chambre et j'allais m'asseoir dans le parc en attendant l'heure de mon métro. »

DIZZY

C'était dur d'essayer de percer, mais très excitant aussi. Tous les soirs, j'allais au Savoy Ballroom sur Lenox Avenue, et au bout d'un certain temps Charlie Buchanan, le patron, me laissa entrer à l'œil, comme les autres musiciens. C'était son intérêt, somme toute. Je me souviens bien de lui. Il avait des actions dans l'affaire, peut-être pas beaucoup mais en tout cas c'est maintenant un des hommes les plus riches de Harlem. Et sa femme Bessie fut élue à l'assemblée de l'Etat de New York, ce qui prouve qu'il devait être assez à l'aise pour lui fournir un appui financier...

CHARLIE BUCHANAN (ancien patron-gérant du Savoy Ball-room)

« Je suis resté gérant du Savoy depuis son ouverture le 12 mars 1926, jusqu'à sa fermeture en juillet 1958. Le Savoy appartenait à une société dont je possédais 35 p. 100 des parts et Moe Gale et son père le reste. Oui, on laissait entrer gratis les musiciens qui y jouaient avec des orchestres différents d'une semaine à l'autre, même quand ils ne travaillaient pas. Sinon, tout le monde payait son entrée et si quelqu'un se prétendait musicien chez Tommy Dorsey, mais qu'on ne le connaissait pas, on l'envoyait prendre son ticket à la caisse. Charlie Shavers et sa bande faisaient partie de l'équipe tournante de la maison. »

CARL « BAMA » WARWICK (trompettiste)

« On faisait la tournée des clubs pour pouvoir bœufer. C'est la meilleure école pour un jazzman, une sorte de formation sur le tas. A l'époque il y avait beaucoup d'endroits où l'on jammait, alors qu'aujourd'hui on n'en trouve plus, et ça manque terriblement aux jeunes qui sortent des conversatoires. Vers le début des années cinquante, le syndicat a déjà cherché à intervenir et a essayé de nous intimider pendant six mois et même un an. Les types du contrôle nous menaçaient : " S'il y a cinq musiciens engagés, on veut en voir cinq sur le podium, pas un de plus. Alors qu'on ne vous pique pas en train de jammer, on vous aura prévenus. " Mais on rusait. Parce que les jams, c'est quand même bien ça qui formait les gus. »

DIZZY

On faisait quelquefois dix ou douze boîtes dans la nuit, comme George's, dans le Village, The Yeah Man, The Big Apple, et tant d'autres. On finissait généralement au Ranch 101 et au Monroe's Uptown House, ouvertes toute la nuit.

Comme je rentrais au Savoy sans payer, je jouais avec tous les orchestres de passage dès que l'occasion s'en présentait : les Savoy Sultans, Willie Bryant, Fess Williams, Claude Hopkins et d'autres encore. Chick Webb m'aimait bien et me laissait prendre la place de Taft Jordan et jouer quelques chorus. Il ne le faisait que pour moi. Je n'ai jamais vu personne autorisé à faire le bœuf dans cet orchestre. Chick devait vraiment apprécier mon style. C'est d'ailleurs ainsi que j'ai rencontré Mario Bauza, le trompettiste cubain qui jouait les premières chez Chick Webb. J'ai toujours eu un faible pour les rythmes latino-américains et Mario fut un excellent initiateur.

MARIO BAUZA (trompettiste)

« J'ai rencontré " le Dingue " pour la première fois quand je travaillais au Savoy, et ce fut le plus grand choc de ma vie! Je trouve qu'à l'époque il était déjà ce qu'il est aujourd'hui, et en tant que trompettiste, je sais de quoi je parle.

« Il se distinguait déjà par des convictions toutes neuves et une nouvelle approche du jazz... Plus tard, on a appelé ça le bebop, et le bebop contenait toute l'évolution, tout le devenir de la musique américaine. Dans les cinquante dernières années, ce pays a connu deux trompettistes novateurs, à l'origine de deux courants majeurs : Louis Armstrong et Dizzy Gillespie. »

DIZZY

Teddy Hill se préparait à partir pour l'Europe le jour où je l'ai rencontré au Savoy. A l'époque, Frankie Newton jouait avec lui en remplacement de Roy Eldridge à la deuxième trompette qui, lui, était allé chez Fletcher Henderson. Newton ne voulait pas aller en Europe. « J'ai besoin d'un trompette pour la tournée. Tu en connais un ? me demanda Teddy.

— Oui, juste sous ton nez. Ha! ha! »

Vous pensez... l'Europe, pour 70 dollars par semaine? Et comment! J'avais vingt ans, j'étais célibataire, et fou comme une tomate!

En réalité, je n'avais pas tout à fait vingt ans, et il me fallut retourner à Philadelphie demander l'autorisation de ma mère pour mon passeport. Elle était d'accord, car de toute façon je vivais déjà loin du domicile familial. Certains ont prétendu que Teddy Hill m'avait engagé surtout comme baby-sitter, et d'autres ont eu le mauvais goût de publier ce genre de commentaire totalement faux. C'est exact que j'allais rendre visite aux Hill et que je jouais avec leur petite fille encore bébé. Mais cela se passait après notre tournée en Europe. Avant, je n'avais jamais mis les pieds chez eux. Je crois plutôt que Teddy m'avait engagé parce que je lui rappelais beaucoup Roy. Il voulait un remplaçant dans le même style, avec aigu, vélocité et fougue. Et moi, je m'attachais depuis trois ans à reproduire les solos de Roy. Ils me collaient à la peau. Il ne me restait qu'à déchiffrer les partitions que je ne connaissais pas, et à perfectionner certaines phrases.

Mais mon entrée dans l'orchestre en tant que musicien de pupitre, et soliste de surcroît, ne fut pas appréciée par certains. J'étais devenu un bon professionnel, lecteur et exécutant, mais cela n'empêcha pas quelques « anciens » de l'orchestre un peu aigris de me prendre comme tête de Turc.

TEDDY HILL *(chef d'orchestre)*

« La première fois que j'ai entendu Dizzy, c'était à Philadelphie. A l'époque, j'avais Roy Eldridge et Chu Berry au pupitre des trompettes, mais ils me quittèrent pour aller chez Fletcher Henderson. Dizzy s'était installé à New York entre-temps et briguait la place de Roy, comme tant d'autres. Alors, je l'ai convoqué à une répétition, et je l'ai engagé aux côtés de Bill Dillard et de Shad Collins comme second trompette. Je me souviens encore qu'il est monté sur le podium avec son pardessus, ses gants et tout !

« Mais mon choix mécontenta un certain nombre de mes musiciens qui le firent sentir à Dizzy. Ils prétendaient que, pour la tournée en Europe, il nous fallait quelqu'un avec une réputation déjà établie, et quelques-uns menacèrent même de partir si je gardais Dizzy. Mais moi je pensais qu'il avait de l'étoffe, et je ne me suis pas laissé influencer par leur bluff. Ils sont tous restés, d'ailleurs.

« Dizzy était chez moi comme chez lui. Il venait nous voir presque tous les jours. Il adorait notre petite fille Gwendolyn, âgée de cinq ans, et s'amusait beaucoup avec elle. Il lui disait que le sucre c'est mauvais pour les dents, et puis il mangeait tous les bonbons... un grand enfant, encore aujourd'hui * ! »

DIZZY

Shad Collins, Dicky Wells et quelques autres avaient travaillé avec des grands orchestres auparavant, et n'étaient pas du genre à laisser leur chance aux jeunes. Ils formaient la vieille garde des requins irréductibles, et si par hasard un jeune réussissait quand même à décrocher un engagement dans un des grands orchestres alors en pleine gloire comme ceux de Chick Webb, de Fletcher Henderson et de Teddy Hill, ils se faisaient un point d'honneur de lui mener la vie dure !

Shad Collins se montra odieux avec moi. Pendant mes solos, lui et Dicky Wells me regardaient d'un air sarcastique et ricanaient comme si je jouais n'importe quoi. Seulement, aujourd'hui, moi je suis un musicien de renommée mondiale, tandis que Dicky Wells est gardien dans une banque et Shad Collins chauffeur de taxi ; et quand j'aurai son âge, j'occuperai toujours la même place. J'ai déjà soixante ans, et je me prépare pour une nouvelle tournée en Europe. Je suis au

---

* Extrait d'une interview de Hill par Leonard Feather pour la revue *Metronome* en avril 1947. En réalité Dizzy remplaça Frankie Newton et non Roy Eldridge (*N.d.A.*).

sommet de ma carrière et je joue de mieux en mieux. Tous les musiciens me respectent, et c'est réciproque. C'est vrai que les musiciens plus âgés sont en quelque sorte les gardiens de la tradition musicale, mais ce n'est pas une raison pour écraser les débutants et essayer d'étouffer des talents naissants. Ces types-là faisaient stagner le jazz, l'empêchant d'évoluer pour que les vieilles croûtes puissent rester en place. Moi, je ne leur avais rien fait. Je jouais, c'était tout. Mais eux ne m'ont pas aidé!

DICKY WELLS (*trombone*)

« C'est faux... archifaux... jamais entendu un mensonge pareil! On trouvait tous Dizzy fantastique, surtout moi. Bien sûr, il imitait un peu Roy et jouait ses solos, mais il faisait quand même des tas de trucs dingues sur sa trompette, et c'est ce qui l'a servi plus tard. Mais à l'époque les copains n'aimaient pas ça. Oui, il était bien en avance sur son temps. Et puis c'était un chic type, vraiment. Il pressait un peu quand il jouait... oui, il avait tendance à presser. Maintenant il a dépassé Roy, mais à l'époque il l'imitait. Ouais! il le copiait vraiment. Et puis un jour il a dévié, et il a suivi Charlie Parker. Très malin, Dizzy. Ouais, c'est comme je vous le dis, l'inspirateur c'est Charlie Parker. Sans lui, il n'y aurait pas Dizzy.

— *Mais Dizzy n'avait même pas entendu parler de lui!*

« Ne vous emportez pas comme ça. Charlie avait le sens du tempo et de la mise en place. Ça, c'était quelque chose! Très important, le tempo. Il faut que ça pulse, pas n'importe comment. C'est pareil quand on se tape une fille, tenez. Un, deux, un deux trois quatre, on emballe et faut que ça swingue...

« Bref, Dizzy a apporté des petites choses en plus. Très malin, très fort aussi sur son instrument. Il le connaît par cœur et il pourrait en jouer les pieds au mur! Voilà. Dizzy a répandu ce nouveau style qui est devenu très populaire.

« Je me souviens que Roy Eldridge avait des problèmes avec ses joues pour souffler. Il perdait de l'air. Alors je lui ai dit : " Roy, serre, tends tes muscles. " Il m'a écouté, et ça a marché. Quant à Dizzy, lui, " puff, puff ", ça sort tout seul. Mais avec Dizzy, je ne parle pas. On ne peut rien lui dire. »

DIZZY

En revanche, Bill Dillard m'a énormément aidé. Un type fantastique. Il était premier trompette et chantait aussi. Remarquable. Il m'a tout de suite pris en main et m'a montré à tenir les sons, à faire chanter l'instrument, et à manier le vibrato. Je lisais comme un fou, mais ma musicalité avait des lacunes. Bill m'a aidé à devenir un vrai professionnel.

BILL DILLARD (trompettiste)

« J'ai rencontré Dizzy pour la première fois quelques mois avant notre tournée en Europe. Il venait au Savoy pour bœufer, et Teddy le laissait jouer avec nous. C'était donc avant qu'il remplace Frank Newton mais, déjà à ce moment-là, il nous impressionnait tous beaucoup. Il jouait tellement différent des autres. Moi, j'admirais sa conception tout à fait personnelle des solos avec une utilisation poussée du registre aigu, contre-ut, contre-ré, et même contre-fa ; et avec quelle aisance aussi ! Sa vélocité m'impressionnait également beaucoup. Je me rendais compte malgré tout qu'il manquait encore d'expérience, et aussi qu'il essayait d'exprimer des choses qui m'échappaient un peu... comme toute sa conception de la trompette d'ailleurs, mais cela me fascinait. Cela n'empêche pas que je considère Frankie Newton comme un excellent musicien aussi, avec un très beau style et une grande maîtrise de son instrument. Mais Dizzy, c'était autre chose... quelque chose de tout neuf, de " jamais entendu " jusque-là.

« Dans les grands orchestres, à l'époque, il se formait toujours des coteries parmi les vétérans et, quand un nouveau était engagé, ils lui faisaient bien sentir leur supériorité et exerçaient leur autorité. Je me souviens que Dizzy n'était pas très populaire et qu'il y avait de la jalousie dans l'air, au début. Il a servi de tête de Turc pendant quelque temps.

« Les différentes sections de l'orchestre représentaient alors des unités distinctes qui répétaient séparément. Après quoi, on les réunissait toutes pour travailler l'homogénéité. Quand Dizzy a débuté avec nous, il n'avait pas l'habitude de certains phrasés, de sonorités soutenues et fondues, bref, de ce qui faisait notre style. Comme je jouais premier trompette, j'avais la responsabilité du pupitre et c'était à moi de mettre Dizzy au courant. C'est peut-être ça qu'il appelle " l'avoir aidé ", mais j'étais obligé de le faire pour l'unité de la section. En tout cas, il " pigeait " n'importe quoi et se donnait à fond.

« Roy Eldridge avait beaucoup d'aisance et de virtuosité, et c'est ce qui semble avoir frappé Dizzy. Mais cela mis à part, je ne trouve pas qu'ils aient quoi que ce soit en commun. Diz n'a jamais ressemblé à aucun autre jazzman. Je me rends compte maintenant qu'il élaborait déjà sa conception du jazz moderne, qui nous dépassait tous alors, avec une utilisation intéressante des notes altérées, et une profusion de traits éblouissants. Le bebop et la musique progressiste s'en emparèrent plus tard; mais c'était son idée, une projection de sa créativité.

« Quant à sa technique de respiration, je ne sais que dire sinon que j'avais remarqué comme les autres qu'il distendait anormalement ses joues. Pourquoi a-t-il adopté cette méthode peu orthodoxe, puisqu'on apprend plutôt à rentrer les joues, je l'ignore. En tout cas, il l'a toujours pratiquée, même à ses débuts avec nous. Et au fond, qu'importe l'orthodoxie? Seul le résultat compte.

« Parlons un peu de son sens de l'humour. Gigantesque! Je ne sais d'où lui vient son surnom, mais il a été bien choisi. " Tout Fou ", un peu " dingue ", c'est lui, avec son énorme amour de la vie, son goût pour les facéties, son besoin de rire de tout et de rien, autant de traits de caractère que son jeu reflétait. J'avais remarqué aussi dès le début que lorsqu'il essayait de réaliser une de ses idées, ou qu'il prenait des risques — dans l'aigu par exemple — et qu'il ratait son coup, il en riait sans être abattu. Nous, on nous avait plutôt appris à ne rien tenter qui ne soit propre et précis, à ne pas rechercher la performance hasardeuse. C'est une école qui donne des musiciens timorés, et non des novateurs comme Dizzy et d'autres trompettistes modernes. »

HOWARD JOHNSON (saxophoniste alto)

« Je ne sais pas qui avait parlé de Dizzy à Teddy, mais un beau jour, il est arrivé pour un essai. Dans les grands orchestres à l'époque, les solistes n'avaient pas beaucoup de champ libre. Huit mesures par-ci, un chorus par-là, guère plus. Certains s'écrivaient même leur chorus qu'ils rejouaient éternellement, et n'étaient donc pas de véritables improvisateurs.

« Bref, Diz a pris place au pupitre et a joué un chorus. Quelques-uns d'entre nous que je ne nommerai pas l'ont poussé à en prendre plusieurs, croyant qu'il allait rester sec. Ils voulaient le brimer. Mais plus il jouait, plus il avait d'idées et de fougue! Ils ont fini par abandonner.

« Son jeu m'a tout de suite accroché, et j'étais sûr qu'il possédait son instrument à fond, ainsi qu'une sérieuse éducation musicale.

« Son surnom lui allait à merveille. Insouciant, tout fou, heureux de vivre. Tout fou, mais pas fou. Un dingue sympathique et même très malin. Je finis par l'appeler Dizzy comme tout le monde et à sa demande, bien qu'au début cela me gênât un peu.

« Je ne lui ai jamais retranscrit les solos de Roy. Il les avait appris tout seul. Il admirait tellement Roy. Mais leurs styles étaient différents, oui, malgré des tas de points communs. Je ne sais pas comment m'expliquer. Roy jouait " brillant ", avec des traits, mais par moments seulement, et avait plutôt un punch et un phrasé à la Armstrong. Dizzy, lui, jouait brillant partout, avec des traits serrés et doublait souvent le tempo de façon imprévisible. Roy était plus accessible, et Diz très en avance sur son temps tout en s'inspirant du style de Roy. »

ROY ELDRIDGE (trompettiste)

« Je jouais avec ma propre formation au Savoy à l'époque où Dizzy, Charlie Shavers, " Bama ", Joe Guy et un petit jeune du nom de Bobby Moore, un sérieux client lui aussi, venaient régulièrement pour bœufer. Ils m'avaient emprunté des tas d'idées, des trucs à moi, mais ils les jouaient mieux que moi. Et Diz avait déjà trouvé son truc. Une chose que j'apprécie chez lui, même s'il m'a beaucoup copié, c'est qu'il a continué de chercher et a fini par mettre de la cohérence dans ses idées pour aboutir à un style qui a donné naissance à un " genre ". Presque tous les jeunes trompettistes s'en sont inspirés et lui joue toujours aussi bien. Il faut lui reconnaître cette qualité : il a persévéré dans la voie qu'il s'était tracée. Mais je me souviens de l'époque où certains ne le supportaient pas, et où d'autres disaient qu'il jouait faux. Cela ne l'a pas empêché de suivre son bonhomme de chemin et il a eu bien raison. Il a réussi. »

DIZZY

Il y avait vraiment d'excellents musiciens dans cet orchestre : Shad Collins, l'autre trompettiste ; Dicky Wells et Wilbur de Paris, au trombone ; Howard Johnson à l'alto ; Russell Procope au baryton ; Bob Carroll, sax ténor et Teddy à l'alto. Dick Fullbright à la basse, Bill Beason à la batterie, John Smith à la guitare et Sam Allen au piano. Melba Smith, la mère de Melba Moore, était notre chanteuse.

J'ai fait ma première séance d'enregistrement avec l'orchestre en mai 1937, juste avant la tournée européenne. Je prenais des solos dans *King Porter Stomp* et *Blue Rhythm Fantasy*. On était payés au tarif syndical de 33 dollars environ. Notre syndicat se battait pour essayer d'obtenir davantage.

Je ne suis pas très cohérent dans ces faces. Je faisais tout mon possible pour sonner comme Roy Eldridge, en ajoutant un peu de moi-même, ce qui donnait un curieux mélange. Cela ne semble avoir choqué personne, en tout cas. C'était la première fois que j'enregistrais dans un studio, et j'avais le trac. On m'apprit à diriger mon pavillon vers le micro, une technique simple que j'ignorais. Bref, j'ai fait ce que j'ai pu, compte tenu de mon manque d'expérience.

Je fais toujours ce que je peux, d'ailleurs, d'une manière générale, en fonction du moment et des circonstances.

En tout cas, cette fois-là je n'ai pris aucun risque, bien qu'à l'époque j'en aurais été fort capable. C'est seulement avec l'âge que l'on devient exigeant avec soi-même et que l'on souhaite ne produire que des chefs-d'œuvre. Pour cette raison, j'essaie de ne jamais freiner les jeunes musiciens qui jouent avec moi. Si je recherche la maîtrise, le raffinement, alors je fais appel à des musiciens chevronnés ; mais si j'ai besoin d'une musique qui bouge, qui explose, j'engage des jeunes auxquels je prends soin de ne pas couper les ailes.

Parlez-vous *... ?

Tout l'orchestre — y compris bien sûr les vétérans qui avaient menacé de le quitter — s'embarqua pour l'Europe avec la troupe du Cotton Club Show, revue créée par Bill Robinson et Cab Calloway, dont le directeur-producteur Clarence Robinson se trouvait parmi nous. A la place des vedettes d'origine, nous avions pour la tournée Bill Bailey et les Berry Brothers, Ananias, James, et le petit dernier, Warren, à peine âgé de treize ans et accompagné de sa mère ; un sérieux client qui dansait déjà comme un fou et connaissait par cœur le numéro de ses frères en plus du sien ! Après lui, j'étais le plus jeune de toute l'équipe. Il y avait également Jessie Scott, la femme de Bill Bailey ; Roland Smith, qui chantait *Ol'Man River*, et Alberta Hunter, une chanteuse internationale très connue en Europe. Une revue explosive !

Durant la traversée je me suis régalé en faisant des jams avec Smitty, le guitariste, et les gars du Tramp Band, dont Buddy Johnson, et Rasputin, un des chanteurs. Et, bien sûr, il y avait toute une troupe de girls... et pendant sept jours on ne s'est pas embêtés !

Je fus très impressionné par l'arrivée dans le port du Havre. Puis ce furent Paris, Londres, Dublin et Manchester. Partout où nous passions, j'étais surpris de constater que des artistes noirs dont le talent n'était pas reconnu aux Etats-Unis pouvaient devenir rapidement de grandes vedettes en Europe.

A Paris, notre spectacle passait au Moulin-Rouge. L'orchestre accompagnait d'abord la revue, puis jouait pour la danse. Les Français n'étaient pas habitués aux grands orchestres de jazz, et le swing n'avait pas encore traversé l'océan. Les seuls musiciens de jazz de chez nous qui étaient allés en Europe à l'époque étaient Benny Carter et Coleman Hawkins. Quelques revues, comme *Blackbirds*,

---

* Titre en français dans le texte (*N.d.T.*).

72

Green Pastures, ou *There's a cabin in the sky*, s'étaient exportées. Mais le Français moyen ignorait presque tout du jazz. Bien sûr, il y avait des aficionados, des collectionneurs comme Charles Delaunay et Hugues Panassié.

Les Français aimaient bien aussi Bill Coleman, un trompettiste qui vivait à Paris. Il avait travaillé pour Teddy à une époque, et était très ami avec Dicky Wells et les « vétérans ». Pendant ce séjour en France, Shad Collins, Sam Allen et quelques autres firent des séances d'enregistrement, mais cette fois-là personne ne me proposa d'y participer. D'ailleurs, les Français ne se sont jamais pardonnés de ne pas m'avoir remarqué lors de ma venue avec l'orchestre de Teddy en 1937. Je suis devenu depuis un des grands novateurs de la musique de jazz, et ils avaient là l'occasion de me découvrir quasiment au berceau. Mais ils l'ont manquée. Pourquoi ? Sans doute auront-ils interrogé un des anciens de l'orchestre qui leur aura répondu : « Le petit nouveau, là ? Pour enregistrer ? Non, ne le prenez pas, il n'est pas terrible... »

DICKY WELLS

« Une tournée fantastique, une troupe super, une traversée sur l'*Ile-de-France*, ce fut le plus beau voyage de ma vie !

« C'est vrai que Dizzy était furieux après moi, parce qu'on avait fait des enregistrements sans lui. Il m'a engueulé. Mais moi, je n'y étais pour rien. C'est Panassié qui avait organisé la séance et choisi le personnel. Il voulait Roy Eldridge, mais Roy n'était pas venu. Alors, il a pris Bill Coleman qui vivait à Paris. En tout cas, Dizzy m'en a toujours voulu, mais moi je n'y pouvais rien. »

BUDDY JOHNSON *(pianiste, chef d'orchestre)*

« Nous autres musiciens " tramps " étions drôlement accoutrés, et n'avions qu'un piano pour tout instrument. Un washboard tenait lieu de batterie, et des kazoos de vents. Vous connaissez ? On souffle dedans et ça sonne comme un peigne sur une feuille de papier. Les types étaient très forts. Moi, je n'avais jamais joué dans un Tramp Band, mais j'ai accepté parce qu'ils partaient pour l'Europe. Vous savez, en ce temps-là, une tournée en Europe c'était la consécration.

« Bref, j'ai rencontré Diz sur le bateau. Il tournait autour de toutes les filles de la revue comme un gros frelon. Dans l'orchestre, Diz se distinguait par son jeu tout à fait personnel. Moi, ça m'avait frappé, mais je ne suis même pas sûr que Teddy Hill l'avait remarqué.

Enfin, peut-être. En tout cas, il ne donnait pas assez de solos à Dizzy, à mon avis.

« On jouait au Moulin-Rouge le soir, et le jour on visitait Paris. Mais moi, le matin, j'allais travailler mon piano dès que le Moulin-Rouge ouvrait. Il n'y avait que quelques membres du personnel et c'était très calme. Un jour, Diz est venu s'exercer lui aussi. Il s'est mis à l'autre bout de la salle, et ce qu'il faisait me dépassait complètement. J'avoue que ça me gênait même un peu pendant que je travaillais, mais je n'ai rien dit. Et puis, ça m'impressionnait de voir que ce jeune gars qui jouait déjà dans un grand orchestre, et très bien en plus, venait là répéter tout seul. A un moment, il est venu près de moi et il m'a demandé de jouer un truc comme *After you've gone,* je crois, et je l'ai accompagné, sur les harmonies que je connaissais; mais il m'a dit : " Non, pas ça, place ce petit accord là... et là enchaîne sur celui-ci... " Je ne comprenais pas bien ce qu'il cherchait à faire, mais ça sonnait très chouette quand lui le jouait. Et ce jour-là, je me suis dit que ce petit jeune irait loin. »

DIZZY

Meeeeerde... Pas de séance d'enregistrement pour moi, cette fois-là. Ce n'était pas comme ça que j'allais devenir célèbre! Alors, je me suis rattrapé dans les bordels. J'avais la grosse cote, j'étais jeune et généreux. Je me prenais deux filles en même temps. Je traînais Smitty, le guitariste, avec moi car il n'enregistrait pas tellement lui non plus. Entre deux passages au bordel, on visitait Paris et on prenait des tas de photos : Notre-Dame, la tour Eiffel, le Louvre.

Le soir, après le spectacle, on allait dans un petit bar. J'ai appris plus tard que le patron était devenu un collaborateur nazi pendant la guerre. Mais à l'époque il était très sympa et on rigolait bien ensemble.

DICKY WELLS

« Roy Eldridge ne voulait pas venir en Europe. Alors on a engagé Dizzy. C'était drôle à Paris, on le voyait toujours sortir d'un bordel... Comme s'il y passait le plus clair de son temps. Mais à part ça quel musicien... il soufflait comme un dingue! On passait au Moulin-Rouge, et c'est là qu'on a vu Joséphine Baker pour la première fois. Fantastique! Je me souviens même qu'un soir, notre bassiste était resté dans les coulisses en spectateur, au lieu de venir jouer avec nous. " Les gars, je prends un tel pied à vous écouter et à voir Miss

Baker que je vais rester dans mon coin. " Il a fallu le traîner sur scène de force ! »

JOHN WILLIAM SMITH (guitare-banjo)

« C'est moi et Howard Johnson qui avons persuadé Teddy de prendre Dizzy dans l'orchestre. Juste avant la tournée en Europe, on avait enregistré pour la marque Bluebird, et Dizzy avait pris un solo complètement dingue dans *King Porter Stomp*. Ses enchaînements harmoniques me fascinaient.

« Il a toujours été enjoué et facétieux. Toujours en mouvement aussi. A Londres, on faisait chambre commune et le matin il me réveillait avec le disque de Roy Eldridge : *After you've gone !* Il idolâtrait Roy !

« Il ne passait pas plus de temps que les autres dans les bordels, selon moi. Tout le monde y allait, vous savez. »

DIZZY

Et puis ce fut Londres. On jouait au Palladium. J'adorais cette ville. On allait jammer au Nest Club après le spectacle. Des tas d'Anglais prétendent se souvenir de moi à cette époque. Mais je ne les crois guère : 1937, ça me paraît un peu loin ! A noter en tout cas que les Européens prenaient notre musique au sérieux. Ils cherchaient à la comprendre et à l'analyser en écoutant les disques. On était bien reçus là-bas, et traités avec le respect dû aux artistes. Encore de nos jours, d'ailleurs. Les Européens se sont toujours beaucoup plus intéressés au jazz que les Américains.

Notre musique avait déjà fait du chemin. Jusque dans des coins inimaginables ! Tenez, le pianiste Teddy Weatherford avait fait une carrière en Chine où il était mort avant 1937. Et un jour, à Varsovie, un compositeur russe me raconta que Sidney Bechet avait joué en Russie avant la Révolution, vers 1914... avant que je sois né ! Vous vous rendez compte !

Lorraine

Au retour de cette tournée, j'avais les poches bien remplies, et pour la première fois depuis fort longtemps, je n'avais pas à me plaindre. J'avais même fait des économies, car j'avais gagné 70 dollars par semaine en Europe, une somme confortable en 1937. Je me rendis aussitôt à Philadelphie pour voir ma famille, donner un peu d'argent à maman, parader dans mes vêtements neufs — certains se rappellent encore mon pardessus de tweed vert acheté en Angleterre — et faire la fête avant de rentrer à New York... où m'attendait une mauvaise surprise : je ne pouvais y travailler avant trois mois, période probatoire exigée par le syndicat (Local 802) et soi-disant mesure de protection contre les musiciens étrangers.

Le temps de ma tournée en Europe, j'avais laissé courir mon transfert, pensant qu'à mon retour tout serait prêt pour mon admission. Mais, s'étant aperçus que j'étais sorti du pays, ils avaient déchiré ma vieille carte de Philadelphie, et il ne me restait plus qu'à reprendre les démarches à zéro. Impossible pour moi de jouer avec Teddy Hill pendant ces trois mois. Je ne pouvais me permettre que des petits cachets à droite et à gauche, des engagements isolés. Dure, la loi contre les « étrangers » !

Je réussis pendant cette triste période à dénicher une affaire extra avec Cass Carr, un type des îles dont l'orchestre « sévissait » dans toutes les fêtes communistes et les réunions des diverses communautés ethniques de la ville. Curieusement, à cette époque, les plus gros brasseurs d'affaires de Harlem, après les Blancs, et la plupart de ceux qui occupaient des postes en vue étaient des Noirs d'origine antillaise. Cass venait probablement de Trinidad.

Cass jouait de la contrebasse, mais aussi de la scie musicale... une rareté! Et il me faisait mourir de rire quand il l'utilisait pour jouer *My Buddy*. En tout cas, c'est lui qui m'a tiré d'affaire quand je ne pouvais pas travailler de façon régulière. On jouait surtout pendant les week-ends, dans les boums des communistes de Brooklyn, du Bronx et de Manhattan. C'était très bien payé, mais ils cherchaient toujours à vous convaincre et à vous enrôler. J'ai d'ailleurs signé une carte de membre... mais oui. Bien sûr, je ne suis jamais allé à un de leurs meetings, mais j'avais cette carte sur moi, tout simplement parce que je jouais dans leurs petites fêtes où, incidemment et sans doute pour montrer leur sens de l'égalité entre les races et les sexes, ils invitaient beaucoup de couples mixtes. Pour moi qui venais du Sud, c'était pour le moins surprenant.

Avant de reprendre ma place chez Teddy Hill, je fis quelques affaires avec Edgar Hayes, célèbre pour son *Stardust*. Edgar n'a pas composé *Stardust*, mais il l'a interprété mieux que quiconque et il en a fait ce qu'on appellerait aujourd'hui son « tube ». J'avais le droit de travailler avec Edgar en dehors de la zone contrôlée par le syndicat, à condition d'en demander l'autorisation. Mais une fois, je l'ai quand même suivi à Washington pour un engagement, sans prévenir qui de droit. Et plus tard, quand les gars du contrôle m'ont interrogé, j'ai prétendu que j'avais passé quelques jours à Philadelphie parce que ma mère était souffrante. Et heureusement, ça a marché. En fait, j'avais accepté cette affaire risquée car les fonds commençaient à être bas.

C'est là que j'ai rencontré Lorraine pour la première fois, en 1937. Elle faisait partie de la troupe des danseuses de l'Apollo et suivait le circuit Philadelphie-Baltimore-Washington. J'avais remarqué qu'elle ne sortait pas avec les autres après le spectacle, qu'elle ne traînait pas sur scène, restait dans sa loge, et ne souriait pas sur commande à tout le monde. Autant de détails qui m'intriguaient. Comme elle était de surcroît ravissante et fort bien faite, avec un joli teint marron clair, je décidai de lui envoyer un petit mot par l'intermédiaire d'une de ses copines : « Accepteriez-vous de prendre un Coca-Cola avec moi après le spectacle? » Elle refusa, et j'appris plus tard qu'elle avait cru que je voulais m'amuser avec elle. Je la suivis à Baltimore, mais là aussi, elle refusa mon invitation. De retour à New York, après une première tentative infructueuse, je laissai un message à l'Apollo, lui demandant de me téléphoner. Ce qu'elle fit.

« Eh bien, il est temps! plaisantai-je à l'autre bout du fil.

— J'aurais pu ne jamais appeler, ne vous plaignez pas... »

Tout le monde essayait de la persuader que j'étais un bon à rien qui ne cherchait qu'à s'amuser un peu. On lui conseillait même de se prendre un type sérieux et travailleur, « comme Rex Stewart »...

J'allais souvent traîner du côté de l'Apollo, puisqu'elle y travaillait, et j'avais fini par lui parler un peu. Et c'est alors que les choses se gâtèrent : mon frère J. P. déménagea sans me prévenir, me laissant quasiment à la rue. Je n'avais plus un sou d'économies, même pas de quoi manger ; mais malgré la dureté des temps, je n'ai jamais envisagé un seul instant de changer de métier. Grands dieux, non ! Je serais musicien et vivrais de ma musique, même si dans l'immédiat elle ne me nourrissait guère. Certains de mes collègues faisaient la plonge, en pareilles circonstances ; mais pas moi. Et j'étais bien décidé à ne rien demander à mon frère non plus, après ce qu'il avait fait. Mais je continuais à traîner dans les coulisses de l'Apollo. Une fois, j'avais le ventre tellement creux que j'ai tapé quelqu'un de quinze cents pour pouvoir manger un bol de soupe.

LORRAINE GILLESPIE

« Quand il est venu me voir à l'Apollo, il m'a dit qu'il avait faim. J'ai trouvé que ça changeait des propos habituels ! Je pensais que les musiciens gagnaient bien leur vie, et j'avais peine à croire qu'il y en avait d'aussi fauchés que lui. J'étais furieuse après son frère, et après son patron auquel il avait demandé de l'argent et qui lui a répondu : " Ta copine travaille bien, non ? "

Alors j'ai dit à Dizzy (je ne l'oublierai jamais) : " Tu peux dire à ton patron que tu n'as pas besoin de son argent. Je ne gagne pas lourd, mais sûrement assez pour te payer un bol de soupe ! " Je ne faisais pas ça par pitié pour lui, non, simplement parce qu'à la maison on m'avait toujours appris à partager.

« J'avais plu à d'autres musiciens, avant de rencontrer Dizzy. Mais ils ne m'intéressaient pas. En tournée, on vivait dans les mêmes hôtels, et je savais ce qu'ils faisaient avec les danseuses. Moi, voyez-vous, j'étais plutôt vieux jeu. J'aimais mon métier, et une fois chez moi je faisais du tricot, ou du crochet, ou encore je lisais la Bible. Très solitaire. Je partageais souvent la chambre avec une fille ou l'autre, mais je ne les voyais jamais en dehors du travail parce qu'elles sortaient tout le temps avec leurs types. On partageait le loyer, mais j'avais la pièce pour moi toute seule.

« La première fois que j'ai rencontré Dizzy, je n'en ai rien pensé. Je lui ai même dit que j'étais là pour travailler et pas pour flirter.

« Il n'y a pas eu de cour, au sens traditionnel. Après une journée de répétition et le spectacle le soir, il n'était vraiment pas question de sortir et de faire la fête. Il me voyait une demi-heure entre deux spectacles.

« Je lui ai prêté un peu d'attention quand il a commencé à m'envoyer des petits mots par l'intermédiaire d'une des filles de la troupe. Je les ai refusés, au début. Et un jour, cette amie m'a dit : " Lorraine, c'est un gentil garçon. Je crois qu'il te convient mieux qu'à n'importe laquelle d'entre nous. Il est sérieux, et il est de ton âge. Et puis, il me donne tous ces petits mots pour toi. Pourquoi ne pas lui laisser sa chance ? " »

DIZZY

Malgré ce que certains ont pu dire, Lorraine m'a sauvé et je ne sais pas ce que je serais devenu sans elle. J'ai découvert un peu plus tard qu'elle donnait dix dollars par semaine à sa mère, sur les vingt-deux qu'elle gagnait. Eh bien, quand sa mère a su qu'elle sortait avec moi régulièrement, elle lui a dit un jour : « Garde donc tes dix dollars, vous en avez plus besoin que moi. » Ça m'a marqué ! Voilà un exemple qui renverse complètement l'image de la belle-mère aux doigts crochus...

Stompin' at the Savoy

Il y avait une salle de billard juste en dessous du Savoy, où les types jouaient « un trou » pour de l'argent, ce qui consiste à mettre toutes ses boules dans un trou choisi à l'avance, et surtout pas dans un autre. Eh bien, un soir, le plafond s'est effondré sous les trépidations infligées par les danseurs qui se déchaînaient au rythme de l'orchestre des Savoy Sultans! Tous les flambeurs et les arnaqueurs du coin se sont tirés comme des rats...

CHARLIE BUCHANAN

« Complètement ridicule. De la pure invention! Tout le monde sait bien que si le plancher s'était effondré, il y aurait eu des centaines de morts et le Savoy aurait été définitivement fermé. Le plancher avait été solidement construit, croyez-moi, avec toutes les traverses nécessaires, deux pistes de danse, et du parquet de bois légèrement flexible pour éviter le danger d'un matériau rigide. Quand même, c'est vicieux de prétendre que le plancher s'est affaissé! »

DIZZY

Vrai ou faux, voici la morale de l'histoire : « Il ne faut pas mettre toutes ses boules dans le même trou, parce qu'on ne peut jamais prévoir ce qui va vous tomber sur le crâne... Ha! Ha! Ha! »

L'orchestre régulier du Savoy, auquel ceux de passage devaient se mesurer, s'appelait les Savoy Sultans. Ils swinguaient comme des fous et les danseurs avec, qui pratiquaient à l'époque la danse trépidante appelée Lindy Hopping. Originaires de Newark, ils avaient eu sur moi l'avantage de la proximité de New York pour se mettre très tôt dans le « bain ». De sacrés musiciens, avec Al Cooper comme chef et surtout Rudy Williams à l'alto, âme et moteur de l'ensemble, qui jouait dans l'esprit de Willie Smith. Mais après qu'il eut entendu Charlie Parker, un important changement se produisit en lui, qui étouffa peut-être toute velléité de recherche plus personnelle. Il répétait sans cesse à qui voulait l'entendre : « Tu vois, je vais te dire, je veux jouer comme lui. » Et si, au lieu de s'obstiner à imiter Charlie Parker, il avait suivi sa propre direction, on aurait peut-être vu naître un style de jazz totalement neuf et original en même temps que le bebop. Rudy mourut tragiquement; un peu plus tard il se noya, quelque part dans le Massachusetts.

Les Sultans se composaient de deux trompettes, trois saxes et une section rythmique complète. Et quand ils passaient à l'Apollo, ils engageaient un troisième trompettiste, moi en l'occurrence. Il y avait Pat et Sam à la trompette, Lonnie Simmons et Pazuza au ténor, Cyril Haynns au piano, Jack Chapman à la guitare, Razz Mitchell à la batterie, et à la basse Brother Moncur, le frère d'Al Cooper et le père de Grachan, ce qui explique la solide formation musicale de ce dernier. Cet orchestre déménageait dur !

En dehors des Sultans, il y avait d'autres orchestres à Newark, celui de Pancho Diggs et celui de Hal Mitchell, un merveilleux trompettiste. Egalement originaire de Newark et trompettiste à la même époque que moi, il ne faut pas oublier Willie Nelson, un sacré musicien et soliste qui n'a jamais connu la popularité qu'il méritait. Un jour, je vais me mettre à collectionner ses disques.

Au Savoy, les Sultans étaient l'orchestre permanent, tandis que les autres s'y succédaient à tour de rôle : Erskine Hawkins, Teddy Hill, Chick Webb et même à un moment Fess Williams. Quand les Sultans partaient en tournée, c'était Chris Colombus qui les remplaçait, et très efficacement.

Il y avait aussi l'ensemble d'Alberto Soccaras, le premier musicien originaire de Cuba, de formation classique, qui a débarqué à New York avec un groupe latin spécialisé dans la rumba et la conga. Il avait remplacé les Sultans au Savoy, lors d'une de leurs tournées, et m'a engagé à ce moment-là avant mon entrée chez Cab Calloway. Il jouait de la flûte avec une sonorité et un vibrato comme j'en ai rarement entendu. C'est avec lui que j'ai appris à utiliser les claves, l'équivalent cubain de notre charleston. Cette première approche de la musique latino-américaine me servit énormément par la suite.

A cette époque, les affaires passèrent pour moi de rien du tout à plus que je ne pouvais en accepter, quand j'ai commencé à vraiment chercher. Après mes trois mois de probation au syndicat, je suis revenu chez Teddy Hill, j'ai fait quelques engagements avec les

Sultans, et ai également travaillé « fixe » avec Edgar Hayes et Soccaras, quand Teddy n'avait pas d'affaires.

ALBERTO SOCCARAS (flûtiste, chef d'orchestre)

« J'avais été très impressionné déjà à l'époque par le jeu de Dizzy, dont le phrasé me semblait parfait, et je fus ravi de pouvoir l'engager dans mon orchestre pour passer au Savoy Ballroom en 1938. Nous sommes d'ailleurs devenus de grands amis. J'aime le personnage autant que le musicien.

« On jouait de la musique argentine, cubaine, brésilienne, mais je voulais y ajouter une petite note américaine pour le Savoy, et c'est ainsi que j'ai engagé Dizzy auquel je confiais tous les solos. Il passait sans aucun problème du jazz à la musique latine, phrasant à merveille ses solos pour les adapter aux boléros, rumbas, et sambas à notre répertoire, et innovant à chaque chorus, contrairement à beaucoup d'autres.

« Au Savoy, l'orchestre attaquait certains soirs à neuf heures, d'autres à dix, et Dizzy me rendait malade car il arrivait toujours à la dernière minute. Tout le monde était déjà en place, prêt à jouer, mais pas de Dizzy. A neuf heures moins deux, il arrivait ventre à terre, trouvait le moyen de s'accorder et était prêt à attaquer à l'heure pile. La même scène se reproduisait les soirs où l'on commençait à dix heures. Je ne m'y suis jamais fait ! Mais il était toujours à l'heure. »

DIZZY

Il y eut vraiment changement de style quand Kenny Clarke est entré dans l'orchestre de Teddy Hill. Il tirait un son nouveau d'une batterie, apportant une autre dimension à la section rythmique. Son surnom « Klook » lui est venu à cause d'une de ses figures de style favorites.

Teddy Hill racontait toujours : « Dès que j'ai le dos tourné, il part dans son truc, là, klook-mop ! klook-mop !

— Mais, Teddy, c'est justement ça qui manquait. Il a trouvé un truc génial.

— Ça coupe le rythme, quand même.

— En un sens, mais pas vraiment, parce que quand il lâche une de ses bombes sur le quatrième temps, ça fait rebondir la suite de plus belle, et de toute façon le tempo continue pendant ce temps-là. C'est génial.

— J'aime quand même pas trop », s'entêtait Teddy.

Une fois, il a voulu virer Kenny, mais je l'ai supplié de n'en rien faire.

A l'Exposition universelle

Chez Teddy Hill, j'étais devenu premier trompette de la section qui comprenait également Al Killian et Joe Guy. Ce dernier ne déchiffrant pas assez bien, je lui faisais apprendre ses parties. Al Killian était un spécialiste de l'aigu. Un bon orchestre, dans l'ensemble. Après la tournée en Europe, certains des « vétérans » s'en allèrent, et il y eut un intéressant renouvellement des effectifs : Sonny White au piano, Kenny Clarke à la batterie, Ted Sturgis à la basse et Earl Hardy au trombone. J'avais récupéré ma carte de travail depuis quelques mois. Malheureusement, Teddy fut obligé de dissoudre cet orchestre en 1939, alors que nous allions participer à l'Exposition universelle.

Quelle merde, cette histoire! On devait accompagner un spectacle de Lindy Hopper dans le pavillon du Savoy Ballroom, reconstitué pour l'occasion à Flushing Meadows où se tenait l'expo. Tout était prêt, mais survint une salade épouvantable avec le syndicat dont Sam Suber, un des patrons, s'était mis de mèche avec Moe Gale, le propriétaire du Savoy, pour nous payer au tarif minimum alors qu'on assurait des représentations à longueur de journée. L'orchestre au grand complet se rendit au syndicat pour protester et réclamer le maximum. Je me souviens même que Bob Carroll, notre sax ténor, du genre armoire à glace pas commode, faillit étrangler Suber.

Cette démarche nous valut de perdre notre engagement à l'Exposition, où un autre orchestre dont j'ai oublié le nom nous remplaça, ainsi que l'affaire du Savoy qui représentait le « gros gâteau » pour Teddy. Sans engagement en vue, il nous conseilla de chercher du travail chacun de notre côté; et ce fut la triste fin de cet orchestre qui commençait justement à évoluer sur le plan musical.

Teddy cessa par force ses activités de chef d'orchestre, mais comme il avait des qualités d'homme d'affaires, Minton lui confia la direction de son club, le Playhouse, où il engagea Joe Guy, Kenny Clarke, Kermit Scott, Monk et Nick Fenton.

CHARLES BUCHANAN

« L'orchestre de Teddy Hill n'a jamais été banni du Savoy. C'est faux. Et puis cela n'a guère d'intérêt maintenant. Vous savez, un homme d'affaires cherche toujours la formule la plus rentable. C'est normal. Teddy Hill plaisait aux clients, bon, et puis un jour il n'a plus joué au Savoy... C'est vrai... Mais je ne sais même plus pour quelle raison. De toute façon, nous sommes restés amis, lui et moi. Il avait un bon orchestre, mais rien d'exceptionnel. Dizzy, lui, est devenu un musicien exceptionnel, plus tard, avec son propre groupe.
— *Que pensiez-vous en général des musiciens qui travaillaient au Savoy ?*
« Pas grand-chose. Vous savez, c'étaient des musiciens bien payés, qui faisaient leur boulot. De braves types dans l'ensemble. En dehors du travail je ne les fréquentais pas, et je n'allais pas boire le coup avec eux. On avait de bonnes relations, mais rien d'intime. »

DIZZY

La meilleure preuve de ce qui s'est passé au Savoy, c'est que l'orchestre de Teddy n'y a plus jamais travaillé.

La quinte diminuée

Mes affaires s'arrangèrent grâce à Kenny Clarke, qui m'aida à décrocher l'affaire avec Edgar Hayes. Il nous respectait, Kenny et moi, et avait confiance en l'avenir de notre musique. Au sein de ce groupe, Kenny était la grosse vedette et jouait du vibraphone. Mais il y avait d'autres talents, comme Joe Garland, l'auteur de *In the Mood,* un tube à l'époque! et Bama, qui à Trenton avait tombé la fille du patron de notre hôtel. Une bonne affaire à tout point de vue pour lui, cette fois-là! Et puis Rudy Powell, le pivot de cet orchestre, qui m'apprit énormément de choses.

Il avait écrit un arrangement sur une ballade, dans lequel il y avait un accord de mi bémol très insolite, car il l'avait construit avec un la à la base, c'est-à-dire la quinte diminuée. Quand j'ai entendu ça la première fois, ça a fait tilt tout de suite. Je l'ai joué, rejoué, totalement fasciné, et après je l'utilisais dans mes solos partout où je le pouvais. La quinte diminuée! A l'époque on ne l'appelait pas ainsi, on disait simplement qu'on baissait la note d'un demi-ton, ce qui revient au même. J'étais fou quand j'en ai saisi les possibilités, car j'étais déjà passionné par toutes les recherches harmoniques. Mais jusque-là, la quinte diminuée ne faisait pas partie de mon univers musical.

Voilà ce que m'apprit Rudy, qui fut déterminant pour l'évolution de mon style, et dont Miles Davis a hérité par la suite. Toutes ces notes insolites et intéressantes, sur certains degrés d'un accord, quand on sait les placer et les mettre en valeur, elles donnent toute sa couleur à un solo.

EDGAR HAYES (pianiste, chef d'orchestre)

« J'avais besoin d'un trompettiste de section pour un engagement à Detroit. En demandant à l'un et à l'autre, j'ai trouvé Diz

86

dont j'ai tout de suite apprécié les capacités. Et lui m'a fait engager Carl Warwick et Benny Harris. Au pupitre des saxes, il y avait Earl Bostic à l'époque.

« Vraiment, le jeu de Dizzy m'a toujours semblé unique en son genre. J'aimais surtout sa façon de phraser, et le phrasé c'est essentiel dans le jazz. Joseph Garland, un des saxes qui aimait beaucoup le jeu de Diz, lui aussi, se mit à écrire des arrangements construits autour de Dizzy qui prenait la plupart des solos. Il prenait même ceux des autres, d'ailleurs, quand ils n'attaquaient pas en place ou rataient leur entrée pour une raison quelconque. Avec lui il ne fallait pas s'endormir, il ne laissait rien passer, et j'étais même parfois obligé de lui faire signe pour qu'il s'efface derrière un autre soliste. De toute façon, il avait le chic pour se retirer discrètement d'un chorus qu'il avait entamé à la place d'un autre, sans gêner personne.

« Il ne pensait qu'à sa musique, et il gardait toujours sa trompette à la main, prêt à jouer et à faire du remplissage, dans les breaks par exemple. Souvent, je les faisais prendre par toute la section de trompettes d'ailleurs, ce qui était assez original. Quand je faisais des arrangements, il m'arrivait de penser aux phrases que jouait Diz, et j'écrivais dans cet esprit. Après quoi, je le chargeais de faire répéter sa section. Nous nous entendions très bien.

« A l'époque, on était tous plutôt fauchés, mais rien ne nous aurait empêchés d'aller répéter au Savoy en prenant le bus par n'importe quel temps. Parfois, on commençait vers une heure pour finir à six ou sept, et les gars se donnaient à fond pour que tout sonne bien le soir. Souvent, en sortant de la répétition, Diz jouait des petits bouts de phrase, des embryons d'idées, sur son instrument qu'il gardait à la main, dehors; et si l'un de nous l'entendait, il notait soigneusement le riff pour le replacer dans un arrangement. De nos jours, ce bel esprit d'initiative a disparu. Les types ne cherchent qu'à faire du pognon. Ils veulent d'abord savoir combien l'affaire est payée. Et une fois sur scène, ils se défoncent en jouant la même note pendant une heure. C'est la mode. Ah, quand je pense à l'avalanche de notes que jouait Dizzy. Ça, c'était quelque chose! Il y mettait toute sa conviction, plus que n'importe qui dans l'orchestre.

« Il y avait un autre cas, cependant : Kenny Clarke, qui avait dû faire quelques emprunts à un autre grand batteur de cette époque, Shadow Wilson. Kenny avait le don de faire des " interventions " à l'intérieur même d'un ensemble, au lieu de s'en tenir à un simple soutien du tempo. J'ai encore des disques de mon orchestre avant l'arrivée de Dizzy, où l'on entend bien ce travail inventif à la batterie, où il élargit le simple cadre du tempo, comme les jeunes batteurs d'aujourd'hui. Et pourtant, c'était hier.

« On avait vraiment un bon petit orchestre, ouvert aux innovations, un des meilleurs à New York, sans vouloir me jeter de fleurs, et cela parce que j'ai toujours laissé à mes musiciens leur chance de s'exprimer librement, alors que beaucoup tirent la couverture à eux et étouffent leurs collègues, ce qui nuit à l'homogénéité d'un orchestre. Un chef, ce n'est pas suffisant. Un peu comme le président des Etats-Unis : il a le titre, mais il ne peut pas gouverner tout seul.

« Pendant les périodes où le grand orchestre ne travaillait pas, j'avais décroché un engagement dans un petit bar où je jouais avec Dizzy, Rudy Powell et deux autres, de dix heures à quatre heures du matin. Les gens de la rue étaient pendus à leurs fenêtres pour nous écouter. J'ai même été obligé de demander à Diz de mettre une sourdine parce que certains voisins ne pouvaient pas dormir, et qu'ils se levaient tôt pour aller à leur travail. Il m'obéissait quelques instants, et puis il enlevait sa sourdine et se remettait à souffler comme un dingue. C'était plus fort que lui. Et ça n'a pas changé.

« Je me souviens aussi d'un guitariste blanc, qui venait tous les soirs faire le bœuf et qui est devenu très célèbre par la suite en montant un numéro avec sa femme, Mary Ford. Lui, c'était Les Paul. Il arrivait par la porte de service, s'installait devant une bière et jouait toute la nuit. Tommy Dorsey, Jimmy Dorsey, Benny Goodman, eux aussi. On ne savait jamais qui allait débarquer, mais c'était tous de " sérieux clients ", et les jams allaient bon train. Seul Louis Armstrong n'a jamais joué là, mais il passait nous écouter.

« Roy Eldridge, lui, ne ratait pas un soir. Diz lui ressemblait un peu au début, c'est vrai ; mais pas complètement non plus. Et puis il a trouvé son truc à lui. Il jouait déjà comme aujourd'hui, et son style d'hier n'a pas vraiment changé ; il l'a simplement approfondi, affirmé. C'est un peu comme un jeune prêtre qui cherche ses mots pour son sermon, et vingt-cinq ans plus tard le sort sans préparation ni hésitation. Tout est devenu parfait. »

DIZZY

Je savais, je sentais qu'il allait m'arriver de bonnes choses. Ma relation avec Lorraine se consolidait. J'avais la tête dans les nuages, les yeux dans le vague, et je pensais déjà au mariage. Mais je n'avais pas encore de travail assez stable ; seulement des cachets à droite et à gauche. Lorraine dansait toujours à l'Apollo, mais c'était épuisant et je souhaitais vivement qu'elle puisse s'arrêter. Elle avait déjà demandé à Rudolph, l'homme à tout faire de Cab Calloway qu'elle connaissait bien, de m'aider à rentrer dans l'orchestre. Mais Cab ne m'avait jamais entendu.

C'est alors que j'ai rencontré Mario Bauza, qui jouait chez Cab et m'apprit que celui-ci cherchait un soliste. Un soir, Mario m'envoya le remplacer au Cotton Club, en me conseillant de laisser les premières parties à Lamar Wright mais de prendre les chorus. Dans ce temps-là, les solos de trompette accompagnaient généralement les numéros de claquettes. J'avais endossé l'uniforme et m'étais glissé discrètement à la place de Mario, et quand arriva le premier solo je me suis levé pour attaquer. Bill Robinson et les danseuses me jetèrent des regards surpris du genre : « Mais qui est-ce donc ? » Et ils dansèrent comme des fous, inspirés par mon jeu. Mais après cette soirée, je ne savais toujours pas si j'avais la place ou non. Pour un musicien noir à cette époque, l'orchestre de Cab Calloway représentait la consécration, et c'était une affaire en or.

Et un soir pendant un spectacle avec Teddy Hill à l'Apollo, Rudolph me fit appeler ·

« Viens, on t'attend.

— Avec mon instrument ?

— Bien sûr. Tu débutes ce soir. »

Je me suis rendu au Cotton Club, j'ai enfilé l'uniforme, et j'ai soufflé dans mon biniou sans même savoir combien on me payait. J'appris plus tard que ce serait quatre-vingts dollars par semaine, et cent en tournée. J'ai joué comme un fou ce soir-là, en pensant à Lorraine et à Mario.

En revanche, les adieux avec Edgar Hayes furent assez pénibles. J'avais joué trois soirs avec lui et sa petite formation au Victoria Café avant mon engagement chez Cab, et je suis donc retourné réclamer l'argent qu'il me devait.

« Dis donc, tu as trouvé un chouette boulot, me dit-il.

— Là n'est pas la question. J'ai travaillé trois jours avec toi, et j'ai droit à ma paye que tu es en train de boire au bar avec des putes. Donne-moi mon fric. »

Mais il faisait la sourde oreille et j'ai dû y retourner à plusieurs reprises. Finalement un soir je me suis approché de lui et je lui ai arraché ses lunettes.

« Si tu veux les récupérer, donne-moi mon fric ! »

Bien sûr il ne s'agissait pas d'une grosse somme, dix-neuf dollars pour trois jours. Mais comme il ne voulait rien entendre, je suis sorti en emportant ses lunettes. Il m'a suivi, et une fois dehors il m'a crié :

« Rends-moi mes lunettes.

— Tiens, elles sont là dans ma main. Si tu me donnes mon fric, je te les rends. »

Il me décocha un coup de poing que je lui rendis de la main qui tenait les lunettes. Je réussis à l'envoyer au sol, et là j'ai commencé à cogner vraiment. Ce fut George, le videur-porte-d'armoire qui m'empêcha de continuer. J'avais la main en sang! J'aurais pu me l'abîmer à jamais et arrêter là ma carrière. Mais mon amour-propre était satisfait. J'avais tellement dû quémander et menacer de lui faire la peau qu'il avait fini par me pousser à bout. Et je ne supporte pas qu'on me prenne pour une poire.

Plus tard, quand il est mort, j'ai donné de l'argent pour son enterrement.

« Klook-Mop »

L'événement de loin le plus marquant de ma carrière musicale, entre 1938 et 1939, fut ma collaboration et mon amitié avec le grand batteur Kenny Clarke, qui d'ailleurs n'était pas reconnu comme tel par un certain nombre de gens à cette époque. Kenny avait entrepris de modifier la conception rythmique dans le jazz, en lui apportant plus de souplesse et de liberté d'une part, et en faisant passer le batteur du simple rôle de « métronome » pour danseurs à celui d'accompagnateur-exécutant responsable des « pêches » et autres accentuations indispensables derrière les solistes, et du soutien permanent et stimulant de tout l'orchestre. Ses « bombes », ses « klook-mops » à la grosse caisse, et son tempo régulier sur la cymbale me convenaient à merveille, me fournissant à la fois le support, le coup de fouet et la mise en valeur que je souhaitais pour mes chorus. C'était là des innovations d'importance, qui ne plaisaient pas à tout le monde, et que Kenny eut beaucoup de mal à imposer. Mais il eut raison de s'obstiner.

Il introduisit un nouveau langage dans le courant traditionnel, comme une injection de sang frais, établissant un dialogue entre la batterie et tout l'orchestre, devenu depuis LE dialogue.

La trompette et la batterie sont en quelque sorte cousins germains par les liens du métal, raison pour laquelle de nombreux trompettistes savent jouer de la batterie.

Lorsque Teddy Hill parla de renvoyer Kenny sous prétexte que son jeu brisait la continuité rythmique, je l'ai traité de « square » et j'ai essayé de lui expliquer que c'était génial.

« Peut-être, mais tous ces trucs-là, ses klook-mops, klook-mops, c'est de la merde! protestait-il.

— Déconne pas. T'es pas du tout dans le coup. C'est monstrueux au contraire. Génial. »

C'est ainsi que Kenny fut baptisé « Klook-Mop ».

Un point important à l'époque, c'est que l'on avait l'habitude d'échanger nos idées. Kenny courait au piano — il en jouait lui aussi — pour me montrer un truc qui lui passait par la tête, on en parlait ensemble, on le remaniait, bref, personne n'était avare de ses idées ni ne craignait de se les faire piquer.

La raison pour laquelle la musique actuelle sonne comme dans le temps, c'est que les musiciens font à peu près la même chose. Rien n'a vraiment changé, ni dans l'exposition des thèmes ni dans le phrasé; bien sûr, il y a de légères différences, mais si peu.

KENNY CLARKE (percussionniste)

« Je suivais Diz dans toutes les jam-sessions, et je l'ai entendu se mesurer aux autres trompettistes. C'était quelque chose! Il était jeune et jouait comme un fou. Et quand on me demandait : " Mais qu'est-ce qu'il joue? qu'est-ce que c'est que ce style? " je répliquais : " Ecoutez... ". C'était suffisant, pour moi. On a travaillé ensemble très tôt, avec Teddy Hill d'abord, et puis Ella Fitzgerald, Claude Hopkins. Bref, on a vraiment roulé notre bosse musicale ensemble.

« Quelque chose d'unique dans le jeu de Dizzy m'avait frappé et me poussait à faire équipe avec lui : sa démarche harmonique, très moderne, et essentiellement sa démarche rythmique. Cette dernière me fascinait davantage, comme il se doit, et je voulais absolument approfondir ce sens du rythme, de toute évidence inné chez lui. Voyez-vous, il n'y avait pas que sa trompette, mais une foule de détails autour, comme sa manière de fredonner le tempo, de bouger, de danser, tous axés sur le rythme. De toute façon, sa conception était avant-gardiste et un mouvement de ce genre m'intéressait.

« Mon jeu de cymbales plaisait à Dizzy, et s'alliait bien à la trompette, les deux instruments ayant un point commun : leur métal. C'est une harmonieuse combinaison, surtout si l'on utilise les cymbales pour ponctuer et mettre en valeur le jeu du soliste.

« Ah, c'était l'époque des pionniers, c'est sûr. Je me souviens d'un tromboniste chez Teddy Hill qui n'aimait pas mon jeu. En fait, il n'entendait pas vraiment ce que je faisais et se plaignait du manque de continuité rythmique. Je marquais le tempo sur la cymbale, et faisais autre chose avec mes pieds, et il devait être incapable d'écouter les deux et de faire la synthèse. A l'époque, les batteurs marquaient encore les deux temps, et non les quatre; mais la musique évoluait, et il était urgent que la structure rythmique bouge avec. Quoi qu'il en soit, ce type se plaignit auprès de Teddy : " On ne peut rien faire avec Klook, il n'assure pas le tempo régulier "

« Ce fut à cause de lui — il s'appelait Woody — que Teddy me congédia. Pour moi, une des caractéristiques majeures du nouveau mouvement était l'esprit de camaraderie qui régnait entre tous ses adeptes. On s'admirait, on se respectait, on échangeait sans cesse des idées, bref, on ne se quittait pas. C'était d'autant plus important que cette école a été à mon avis dans l'histoire du jazz celle qui a rencontré le plus de détracteurs. Il faut reconnaître qu'elle était assez hermétique au début. Peu de gens comprenaient ce qui se passait, et dans ces cas-là en général, la tendance est à la condamnation. Mais ce fut un courant très fort, une révolution musicale majeure, et toujours aussi valable de nos jours. Et grâce à nous, les pionniers, des jeunes ont pris la relève.

« C'était très différent du style " swing " qui l'avait précédé. Dans les années quarante, les musiciens fréquentaient les écoles de musique et les conservatoires. C'est pour moi le mouvement le plus intelligent que l'on ait connu dans le jazz. Et qui ne date pas! Ecoutez des disques enregistrés par nous il y a trente ou trente-cinq ans. Ils n'ont pas pris une ride... hormis la technique du son, car il n'y avait pas la stéréo à l'époque. Mais la musique, toujours aussi jeune. Et je le répète, notre façon de travailler en échangeant des idées, en se posant des questions, en se relançant la balle en quelque sorte, a été déterminante. Tout le monde œuvrait dans la même direction, certain qu'il allait se passer de grandes choses. Et pareille conviction ne pouvait que triompher. »

DIZZY

Ainsi quand j'ai quitté l'orchestre de Teddy Hill, et après avoir joué aussi avec Edgar, j'étais fin prêt, et très sûr de moi. Très sûr de ce que ma trompette avait à dire, envers et contre tous.

« Hot Mallets »
(11 septembre 1939)

Peu après mon entrée chez Cab Calloway, je fus convoqué pour une séance d'enregistrement. Roy ne devait pas être en ville, Lips Page était en tournée, et Charlie Shavers occupé ailleurs! Charlie et Buck Clayton se partageaient la plupart des séances en dehors de Roy.

Milt Hinton et Cozy Cole avaient dû signaler à Hamp la présence d'un nouveau petit trompettiste chez Cab. Ils m'amenèrent avec eux au studio, où je me suis trouvé devant un plateau de « grosses pointures », tout le gratin, quoi : Benny Carter à l'alto, Chu Berry, Ben Webster et Coleman Hawkins au ténor, Charlie Christian à la guitare, Milton Hinton à la basse, Clyde Hart au piano et Cozy Cole à la batterie. Et bien sûr, Lionel Hampton au vibraphone. Un seul trompettiste : moi! J'avais les jetons, terrible... et mes doigts tremblaient de nervosité.

« Votre nom? me demanda Gladys Hampton.

— John Gillespie. » Mais elle comprit « Charles », et plus tard le chèque en paiement de la séance portait l'initiale C. Sur l'étiquette aussi, ce qui intrigua par la suite bon nombre de discographes.

Ce fut une très grande séance, et dans *Hot Mallets,* un des titres, je prends un chorus de trente-deux mesures à la trompette bouchée, très « Roy Eldridge ». Anecdote savoureuse : au moment de la sortie du disque, Roy crut que c'était lui qui avait joué! Il faut dire qu'il n'arrêtait pas d'enregistrer à l'époque, et ne tenait plus compte de ses séances. Ce fut assez cocasse lorsqu'il s'aperçut finalement que ce n'était pas lui. Car malgré tout, *Hot Mallets* a servi à établir la différence entre lui et moi. C'était à la fois « lui et pas lui ». J'avais toujours phrasé comme Roy, et respiré comme lui, mais depuis quelque temps déjà je m'écartais du maître pour trouver mon autonomie, mon style personnel. J'adorais Roy Eldridge, je l'adore toujours d'ailleurs, mais je commençais à penser qu'il y avait une nouvelle dimension à trouver sur l'instrument. Ma qualité essentielle à l'époque, je pense, était d'écouter attentivement le piano et de le suivre. Comme j'en jouais moi-même, j'étais très conscient des enchaînements harmoniques, des progressions, que j'utilisais largement.

Roy Eldridge était dans la lignée Louis Armstrong, très représentatif des années trente. Je n'avais guère écouté Louis, mais je savais qu'il avait influencé Roy à travers lequel je retrouvais cette influence. Si l'on veut remonter la filière, j'étais en fait l'héritier de Louis Armstrong, King Oliver et Buddy Bolden. Mais je me suis dégagé de ce « style Roy Eldridge », une fois intégré à l'orchestre de Cab. Les enregistrements en témoignent. Bien sûr, les racines demeurent, mais le style évolue, s'affirme. Difficile de rompre complètement les amarres. Cela s'entend encore maintenant chez Roy qui ressemble à Louis, tout en s'en étant dégagé. Personne ne coupe jamais vraiment le cordon ombilical.

J'ai déjà raconté que, lors de mon passage chez Edgar Hayes, j'avais fait cette merveilleuse découverte : la quinte diminuée, qui a complètement modifié ma conception harmonique, comme ça, en une mesure. Après, je la plaçais partout où je le pouvais, en m'attachant à raffiner la progression harmonique. J'ai appris tout cela aux jeunes trompettistes qui débutaient, et on jouait des chorus entiers avec des quintes diminuées ! Il y a plein de « jolies » notes dans un accord, des notes que j'appellerais « magiques », qu'il faut apprendre à utiliser, à mettre en valeur en prolongeant le son par exemple. Il n'est pas nécessaire de faire défiler toutes les notes d'un accord quand on improvise. Une seule suffit souvent à donner la couleur. Miles Davis le sait bien, maintenant, lui qui garde la même note pendant une éternité. Il suffit de bien la choisir et elle sert pour trois harmonies successives, car elle se trouve dans chacun des accords. Les jeunes trompettistes le font, de nos jours.

Quand on demandait à Clifford Brown ce qu'il pensait de moi il répondait : « C'est le grand chef, et je m'en suis inspiré. » Ce qui n'était pas tout à fait exact car, s'il a suivi ma lignée, ce fut en tout cas à travers l'influence de Fats Navarro.

Après *Hot Mallets* j'ai fait des séances avec Cab Calloway, qui me laissait toujours prendre huit mesures de solo dans tous les thèmes. Je commençais effectivement à me dégager de l'influence de Roy, à jouer en traits rapides tout en essayant d'aérer davantage. Mon style continuait d'évoluer. Vers 39-40 toutefois, il s'est plus ou moins figé dans sa forme définitive, celle qui est encore la mienne aujourd'hui.

LIONEL HAMPTON

« J'étais allé à l'Apollo. Il y avait quelqu'un qui chantait sur scène, et Dizzy jouait des fonds derrière. Moi j'étais dans les coulisses et j'ai entendu cette trompette. J'en ai pris plein les oreilles, et je me suis dit qu'il fallait absolument que je l'aie pour la séance d'enregistrement.

« Il avait lancé un nouveau courant, le bebop. On n'avait jamais rien entendu de pareil. Mais beaucoup de gens ne savent même pas que ce fut la naissance du bebop. Plus tard, Diz a quitté Cab Calloway et s'est mis à fréquenter le Minton's Playhouse, avec Charlie Parker; et là, ils ont vraiment approfondi leur truc. Mais la première fois que j'ai eu l'oreille attirée par ce qui sortait de cette trompette, cette manière toute neuve de jouer, c'était à la séance de *Hot Mallets*. Il avait déjà laissé derrière lui Louis Armstrong et Roy Eldridge, et tous les autres, pour créer son style à lui, encore un peu jeune mais tellement inventif. Il fourmillait d'idées au niveau des phrases, des harmonies, des enchaînements. Et quelle virtuosité! Une performance acrobatique. J'étais sidéré, et déjà convaincu que Diz allait persévérer dans cette voie, et l'imposer. J'ai toujours aimé le côté performance, et ce gus jouait avec la vélocité d'un saxophoniste, et je veux dire d'un sax qui joue vraiment vite. Je n'avais jamais entendu une articulation aussi véloce à la trompette. Je peux dire qu'il m'a soufflé, à cette séance. Eblouissant! Et c'était bien ce qu'ils ont appelé plus tard le bebop. Oui, à cette séance de *Hot Mallets*. »

MILTON HINTON *(bassiste)*

« C'était pour la maison Victor, dans les studios de la 24ᵉ Rue. Je m'en souviens. Il utilisait déjà la quinte diminuée, et d'autres trucs très avant-gardistes par rapport à nous. Ça sonnait terrible, même si ça nous dépassait. Et puis ça élargissait le cadre des harmonies.

« Oui, je me souviens bien de cette séance, avec Ben Webster et Chu Berry. Lionel avait engagé Diz parce qu'il savait que c'était un peu la révélation dans le milieu jazz, et Hamp cherchait toujours du nouveau. Diz nous a tous soufflés, ce jour-là, par sa virtuosité, ses idées délirantes, son sens des harmonies. Je n'irai pas jusqu'à dire que ce fut la naissance du bebop. Simplement, une musique très évoluée. Il y avait tous les caïds. Hamp les avait réunis exprès : Chu et son beau phrasé swinguant, " Bean " (Coleman Hawkins) et sa grosse sonorité, et Diz au milieu de tout ça, la tête pleine d'idées incroyables. Je n'avais jamais vu autant de " grosses pointures " en même temps. Ce fut une séance qui fit date dans l'histoire du jazz, et il faut reconnaître à Hamp le mérite d'avoir su rassembler tout ce beau monde !

« Il faut savoir aussi qu'à l'époque Cab Calloway ne supportait pas de " prêter " ses musiciens à des collègues pour des enregistrements. Ça le rendait furieux, entre autres les séances que Ben Webster et moi avons faites avec Billie Holiday... Mais un jour, Ben s'est fâché et l'a remis à sa place en le menaçant de quitter l'orchestre pour de bon. Alors Cab a changé d'attitude. Il est passé de : " Je ne veux pas que mes musiciens aillent jouer chez les autres " à : " Je suis très fier que tout le monde veuille enregistrer avec mes musiciens ! " »

DIZZY

Pendant les années qui suivirent, j'ai beaucoup discuté et échangé des idées avec Monk dans les jams du Minton's, entre autres sur son utilisation des gammes chromatiques ; avec Charlie Parker et Benny Carter (le batteur), j'ai appris à travailler les figures rythmiques, et l'harmonie avec Benny Carter (le saxophoniste), Art Tatum et Clyde Hart. Chacun de nous est la somme de ses connaissances. Alors j'essayais d'analyser et de comprendre. Notre nouveau style était en fait l'évolution directe de ce qui avait précédé, avec tous les ingrédients de la fin des années trente. Une sorte de « gumbo* » musical. A propos de « gumbo », j'ai bien dû en manger cinq bols un soir dans un resto de La Nouvelle-Orléans où j'avais vu ce nom au menu. Quel régal ! Eh bien, musicalement parlant, *Hot Mallets* me rappelait le gumbo : une sorte de vaste soupière dans laquelle on mélange des tas d'ingrédients savoureux. Mais j'avais besoin d'un élément supplémentaire pour m'exprimer librement et complètement.

---

* Gumbo : soupe épaisse contenant des légumes, essentiellement des grosses fèves, et des morceaux de viande ou de crustacés. Plat typique de La Nouvelle-Orléans. (*N.d.A.*)

Le magicien d'Iz

Durant mon passage dans l'orchestre de Cab Calloway, je faisais des tas de blagues aux copains, surtout quand ils dormaient, en tournée ou ailleurs. C'était ma période fofolle. Des farces du genre « hotfoot » (une allumette allumée entre la semelle et l'empeigne de la chaussure), ou cigarette allumée dans la bouche ouverte du ronfleur, ou feuille de cellophane sur sa poitrine, et on y met le feu... Ma grande époque farfelue, quoi. Maintenant je me suis assagi, et je ne fais plus ce genre de blagues.

Je m'habillais « mode » aussi. Après 39, ce fut l'époque des vestes bebop et des bérets. Mais chez Cab, et avant, je portais des complets à veston croisé très long, presque à mi-cuisses, des chemises à col haut, et des chapeaux à larges bords. C'était la mode « zoot ».

J'avais trouvé le boulot en or chez Cab. Les tournées se faisaient dans les meilleures conditions, en voitures particulières ou en autocars privés. On partait pour huit, neuf, parfois vingt semaines de suite, et on avait des engagements jusqu'à trois ans à l'avance, tant les affaires marchaient bien. Je voudrais bien qu'il en soit encore ainsi ! J'ai beaucoup appris dans cet orchestre, à plusieurs niveaux. Cab ne plaisantait pas, surtout avec les horaires. Il exigeait notre présence une demi-heure avant la représentation. Moi, j'arrivais toujours une heure avant, pour m'échauffer. Et il ne fallait pas se tromper d'uniforme, celui-ci variant suivant le jour et le lieu. Un bel exemple de discipline !

On accompagnait la revue du Cotton Club qui, après un certain temps à New York, se transportait dans tout le pays, remplacée aussitôt par une nouvelle revue au club. En tournée, partaient seulement l'orchestre de Cab, le chanteur Avis Andrews, un duo de comiques (Moke'n Poke), trois danseurs, les Chocolateers, et les Cotton Club Boys, les danseurs réguliers de la revue, six grands

Noirs splendides en uniforme blanc impeccable, chaussures blanches également, casquette, boutons dorés, genre tenue d'officier de marine. Tout ça absolument reluisant comme pour l'inspection.

C'était un spectacle de grande classe. D'ailleurs, le Cotton Club était une boîte de luxe, avec des tentures de soie, un plateau toujours trié sur le volet, et toute une troupe de girls aussi, au moins seize, comme dans les grosses productions de Broadway. Le « nouveau » Cotton Club était situé dans la 48e Rue, à l'emplacement du Latin Quarter aujourd'hui. Mais l'ancien Cotton Club se trouvait dans Harlem (142e Rue et Lenox Avenue). La clientèle était uniquement blanche, et les seuls Noirs admis étaient quelques officiels privilégiés... en dehors de ceux qui faisaient partie du spectacle et du personnel, bien entendu. Le propriétaire, Connie Immerman, s'était rendu célèbre à New York du temps de la Prohibition, et tenait aussi le Connie's Inn, une autre boîte dans le même genre où Don Redman a travaillé.

L'orchestre de Cab comprenait cinq anches, huit cuivres et une section rythmique complète. Pendant mon passage dans cet orchestre, les quatre saxes alto qui ont joué à différents moments étaient : Hilton Jefferson, Chauncey Haughton, Rudy Powell et Andrew Brown ; au sax ténor, il y avait Chu Berry et « Foots » Thomas. Jerry Blake jouait de la clarinette et du baryton. Au début, la section de trombones comprenait : Claude Jones, Keg Johnson, et DePriest Wheeler, un peu plus tard remaniée, avec : Tyree Glenn, Quentin Jackson et Keg Johnson, toujours au nombre de trois en tout cas. La section de trompettes comprenait : Mario Bauza, Lamar Wright et moi. Jonah Jones est venu quelque temps après. Dans la rythmique, il y avait Danny Baker à la guitare, Cozy Cole à la batterie, Milt Hinton à la basse, et Benny Payne au piano. Cab ne prenait pas de risques et n'engageait que des noms à la réputation déjà bien établie. Comme il payait bien, il n'avait pas de problèmes de recrutement et son orchestre était le meilleur sur la place de New York. Mais il ne cherchait pas vraiment à pousser de jeunes talents. Ainsi, quand il a remplacé Hilton Jefferson par Rudy Powell, il a été surpris de ne plus entendre toutes les petites choses que Hilton glissait çà et là dans les arrangements. C'est que Hilton était un type très fort, assez fort pour aller jouer avec Benny Carter qui lui confiait les premières parties et jouait lui-même troisième alto ! Tandis que Rudy Powell jouait strictement ce qui était écrit sur les partitions.

Cab avait un sens aigu de la scène. C'était un vrai « showman », qui faisait un numéro de chant, de danse, de moulinets de baguette, et de mèche de cheveux rebelle devant l'orchestre. C'était la mode à l'époque, il faut dire, et ils s'y mettaient tous, soit les chefs comme Cab, Lucky Millinder, Tiny Bradshaw, Baron Lee, soit un des musiciens comme Bardu Ali avec Chick Webb. Cab était un danseur fantastique.

A l'intérieur de l'orchestre, s'était monté le petit groupe des « Cab Jivers », avec Milt Hinton, Cozy Cole, Chu Berry et Danny Barker. Mais dès mon arrivée, ils m'ont snobé et ont refusé de m'intégrer alors que j'aurais dû de toute évidence en faire partie. Ce fut surtout Chu Berry, que j'admirais pourtant beaucoup, qui fit le barrage, décrétant que j'étais trop jeune et inexpérimenté. On s'est même engueulés violemment, lui et moi. Il ne m'impressionnait pas malgré sa corpulence. Et puis j'avais toujours ce qu'il fallait sur moi pour me défendre, au cas où... Mais tout de même, cette salade m'a fait chier parce que j'aurais dû jouer dans cette petite formation à l'intérieur de la grande, et je leur aurais beaucoup apporté! D'autant plus que je m'entraînais souvent avec Milt Hinton, sur le toit du club, entre deux spectacles. Je lui faisais travailler des chorus avec des harmos un peu plus élaborées. Je suis sûr qu'il s'en souvient encore. Surtout les deux sur *Girl of my Dreams*. On les avait sacrément répétés.

Oui, un excellent orchestre avec des types comme Tyree Glenn, Chu (Berry), Cozy Cole, Milt Hinton, Jerry Blake à la clarinette, et des arrangeurs comme Andy Gibson et Buster Harding. Ça déménageait très dur. De toute façon, un orchestre est toujours à la mesure de son chef. Il ne le dépasse jamais. Il faut donc que celui-ci soit un super organisateur-administrateur comme Jimmy Lunceford, ou un musicien hors pair, pour se faire respecter de ses hommes et en tirer le meilleur.

Mon poste chez Cab était mon gagne-pain, en quelque sorte, mais je ne me suis jamais senti musicalement frustré parce que j'allais faire des jams au-dehors. Cab n'aimait pas trop ça, mais je n'y prêtais pas attention. Même en tournée, dès le spectacle terminé, je partais bœufer partout où j'en avais la possibilité. Il fallait bien que je songe à mon évolution musicale. Merde, Cab, tu aurais dû comprendre! A New York bien sûr, je jammais au Minton's Playhouse ou au Monroe's Uptown House jusqu'au petit matin.

CAB CALLOWAY (chef d'orchestre)

« Dizzy travaillait avec Teddy Hill quand j'en ai entendu parler par Jonah Jones, si j'ai bonne mémoire. Beaucoup de gens ne comprennent pas bien comment Dizzy fonctionne. C'est un vrai musicien, et un type très intelligent et sensé. Un bon vivant, aussi, un amoureux de la vie par-dessus tout. Bien sûr, si on le juge de l'extérieur, sur sa façade, sur ses faits et gestes, on ne peut pas avoir

100

de lui une opinion très valable. Mais c'est un être profondément humain. Un vrai bonhomme. J'ai toujours eu le plus grand respect pour lui, et notre collaboration a été très fructueuse. Il a apporté plus que quiconque à mon orchestre. Quand je l'ai engagé, il était encore très jeune, mais déjà musicalement très fort. Il déchiffrait ses partitions, ce qui était très important. J'avoue que sa conception de l'improvisation était assez délirante, et il a fallu que je m'y habitue. Ce fut un peu dur au début. Il avait des idées tellement surprenantes, qu'il faisait passer dans son jeu avec une recherche harmonique complexe, très nouvelle à l'époque. On n'avait jamais entendu rien de pareil. Lui-même était dépassé par ses propres innovations.

« Et son style ne cessait d'évoluer. Il a donné naissance à un courant essentiel de l'histoire du jazz. Incroyable, ce qu'il a fait. Incroyable !

« Quand il a quitté mon orchestre, je ne sais pas où il est allé. Mais je me souviens que bien plus tard, quand je jouais au Strand Theatre, il est venu me parler du premier arrangement bebop pour grand orchestre et m'a demandé si je voulais le jouer. Je crois que c'est lui qui l'avait écrit avec Tadd Dameron. C'était époustouflant : l'harmonisation des parties, les aigus dans les tutti, la structure mélodique et rythmique. Epoustouflant ! Un autre univers ! Mais mon orchestre ne l'a jamais joué en public. Plus tard, Diz l'a fait interpréter par le sien.

« Oui, le magicien Diz, un phénomène, et un vrai souffleur aussi ! On se demandait toujours où il allait chercher toutes ces notes. Pour moi, il n'a pas une qualité majeure, comme le sens rythmique, mélodique, harmonique, ou la technique. Sa qualité majeure, c'est la somme de toutes celles-là. Et surtout, il connaît son instrument sur le bout des doigts, si j'ose dire. Par cœur. Il pourrait en jouer la tête en bas et les pieds en l'air. C'est ce qui fait sa force. Ce n'est pas un musicien de fortune. Je suis sûr qu'il pourrait jouer dans un orchestre symphonique, s'il voulait. Je ne plaisante pas, vous savez.

« Je ne sais pas vraiment pourquoi il n'a pas réussi à s'intégrer aux " Cab Jivers ". Ils étaient quatre, en équipe déjà constituée : Chu, Cozy, Fump, et le pianiste, Dave Riviera si c'était bien lui à l'époque, car je ne suis plus très sûr. Ils formaient ce petit groupe à l'intérieur du grand orchestre et je leur laissais faire leur numéro de jazz qui mettait Chu en valeur. Et puis quand Chu est mort, je n'ai jamais...

« Non, je ne crois pas que Chu avait quelque chose contre Dizzy. Diz avait déjà l'étoffe des grands, à l'époque. Il l'a toujours eue, dès ses débuts. Mais Chu était un chic type, vous savez. Et je ne crois pas... mais ils avaient leur petit numéro bien rodé, tous les quatre...

« Le jeu de Dizzy m'a toujours fasciné. J'aurais aimé être un musicien de sa classe. J'en suis un, bien sûr, moi aussi. Je ne sais pas écrire des arrangements, c'est vrai, mais il y a cinquante mille musiciens qui ne sont pas des arrangeurs. A part ça, j'ai quand même fait des tas de choses, j'ai écrit des centaines de thèmes, je suis membre de l'ASCAP. Je connais bien le métier. Je sais de quoi je parle et je suis né avec la musique dans la peau. J'ai étudié, en plus, et j'ai même joué du sax dans mon orchestre.

« Mais j'aurais aimé avoir la classe de Dizzy. J'aurais voulu jouer aussi bien que lui. Il m'a dit trente-six fois : " Calloway, laisse tomber le biniou, arrête. " Et c'est ce que j'ai fait. Je l'ai écouté et j'ai lâché le sax. »

MILTON HINTON

« J'ai rencontré Dizzy en... voyons, 1937, 38, 39? Il y a si longtemps! Il m'a tout de suite impressionné par ses idées et la modernité de son jeu. Il venait tout droit de chez Teddy Hill. Il a apporté une bouffée d'air frais à l'orchestre de Cab, parce qu'on jouait tous ensemble depuis trop longtemps pour accompagner des spectacles. Un très bon orchestre, d'ailleurs, c'est vrai. Tous d'excellents musiciens, une technique remarquable et une énorme expérience. Moi, j'avais débuté avec Cab en 1936, et je représentais l'acquisition la plus récente avant Diz. Les autres avaient commencé des années auparavant, à l'époque des " Missourians ". L'orchestre travaillait régulièrement, à de très bons tarifs. C'était la sécurité assurée. Mais pour cette raison même, si vous voulez mon avis, l'esprit de recherche, la créativité s'étaient éteints doucement. Personne n'avait peur du lendemain. Il y aurait toujours des engagements. Ainsi moi, quand j'ai débarqué de Chicago pour entrer dans l'orchestre, j'étais encore un gamin, avec tout ce que cela implique de besoin créateur. Mais je me suis retrouvé dans cette véritable organisation où je gagnais du jour au lendemain cent dollars par semaine au lieu de trente-cinq, ce qui en 1936 pouvait ébranler n'importe qui. J'ai cru que j'allais devenir riche en quelques mois. En revanche, j'étais un peu surpris de l'ambiance générale. Les gus n'étaient pas très gentils ni civils entre eux, ne communiquaient pas beaucoup, et ne fréquentaient pas les jams. Le soir, ils s'habillaient, très chics, très dignes, et sortaient avec leurs filles. Mais ils n'allaient jamais faire un bœuf, et en tournée ils ne cherchaient pas à savoir qui jouait au night-club local.

« Dans ce temps-là, l'orchestre accompagnait Cab qui chantait, ou les danseurs, et les attractions. Il n'y avait jamais de solo de batterie.

Moi, je me sentais assez seul dans la rythmique. Et voilà qu'en 1938 débarque là-dedans ce personnage tout frais, tout neuf, Dizzy, qui était tout ce que son surnom implique. Fou comme une tomate, et qui essayait des tas de trucs nouveaux. Il n'était pas toujours capable de les exécuter, mais il essayait... et il se faisait insulter. S'il ratait son coup, tout le monde lui tombait dessus. Moi, il m'a drôlement ébranlé. Et il a ébranlé tout l'orchestre aussi. Les " vétérans " le considéraient bien avec un peu de mépris, du genre : " Qui c'est, ce petit blanc-bec qui se croit tout permis ? " D'autres ne disaient rien. Moi, je suis plus âgé que lui, mais il en savait bien plus que moi. Il faut dire qu'il avait déjà pas mal traîné ses bottes à Philadelphie et à New York, où il avait joué avec quelques caïds. Il était plongé jusqu'au cou dans ses histoires de progressions harmoniques, de substitutions, et autres innovations qui ne nous effleuraient même pas à ce moment-là. Un bon accord de do, bien franc, bien net, il n'y avait rien de mieux pour nous. Chercher un accord de remplacement ? Un renversement ? Une substitution ? Quelle drôle d'idée ! Moi, j'étais ravi de la présence de Diz, parce que je trouvais enfin un type qui avait envie de communiquer, d'échanger des idées, de m'apprendre des choses. Ça lui faisait plaisir, en plus. Je lui disais :

« Hé, c'est chouette ce que tu viens de jouer, mais je n'ai pas pigé l'accord. Tu m'expliques ?

— D'accord, après le spectacle. On ira là-haut et je te montrerai. » Il y avait un escalier de secours en colimaçon, derrière la scène, qui conduisait au toit. On avait du mal à hisser ma basse, mais Diz tirait, moi je poussais, et on finissait par y arriver. Une fois là-haut, tranquilles, Diz me montrait ses trouvailles harmoniques. J'étais heureux comme tout. Et comme ça, quand il prenait ses chorus sur scène, je pouvais faire une ligne de basse appropriée. Une sacrée amélioration.

« A l'intérieur de l'orchestre on avait monté un petit groupe, les " Cab Jivers ", tous des anciens, et Cab nous mettait toujours en vedette dans le spectacle, ou à l'occasion d'une radio, il nous laissait jouer un ou deux morceaux tout seuls. Un peu comme le quartette de Benny Goodman, avec Teddy Wilson et Lionel Hampton. Mais Diz n'en a jamais fait partie. Je me souviens que je lui demandais des conseils pour mes chorus dans cette petite formation, et il m'avait montré un truc extra dans *Girl of my dreams I love you*. Au lieu d'arriver direct à l'accord de do, il me faisait passer par celui de ré bémol. Ça, ça m'a laissé étendu raide ! Et pourtant, c'était un peu avancé pour mon oreille à l'époque. Mais quel régal ! Il voulait aussi que je prenne mon solo à l'archet, parce que Slam Stewart commençait à révolutionner la 52e Rue avec son fameux style. »

DIZZY

Parmi les musiciens de Cab Calloway, mon meilleur ami en dehors de Milt Hinton et mon compagnon de chambre en tournée était Mario Bauza, un Cubain qui avait travaillé auparavant avec Chick Webb. C'est lui qui s'était fait porter malade pour que je le remplace un soir et que Cab puisse ainsi m'entendre. Il m'a beaucoup aidé à élargir mon univers musical en me faisant saisir l'importance de la musique sud-américaine. A la même époque, Cab se piquait de toucher un peu à ces rythmes nouveaux et mettait toujours une ou deux rumbas, ou sambas, au répertoire, peut-être influencé par le merveilleux flûtiste Socarras qui passait de temps en temps au Cotton Club avec son orchestre. Mais il ne s'agissait que d'adaptations édulcorées et rythmiquement simplifiées, permettant aux Américains de danser dessus à leur manière. Jusque-là, le jazz n'avait reçu aucune influence extérieure, mais les possibilités d'enrichissement rythmiques et phoniques qu'offrait cette musique étaient immenses et indéniables. A travers Mario Bauza, j'étais de plus en plus résolu à introduire ces rythmes latins et plus particulièrement afro-cubains dans ma conception musicale. Le jour où j'aurais enfin un grand orchestre à moi, j'utiliserais les percussions appropriées, comme la conga. Mais je ne me sentais pas encore prêt ; c'était trop tôt.

En tout cas, en vivant et en travaillant régulièrement avec Mario, j'ai découvert qu'en dépit des barrières de langage les Noirs américains et les Sud-Américains avaient au moins un terrain d'entente : la musique. Ils pouvaient même partager la même chambre...

MARIO BAUZA

« C'était vraiment quelque chose ! Diz et moi partagions la même chambre, en tournée, mais il me faisait passer des nuits blanches... Il finissait par s'endormir en lisant des bandes dessinées, mais il avait d'horribles cauchemars qui le faisaient sursauter et se retourner dans le lit !

« Sur mes conseils, Cab avait enregistré un album de danses sud-américaines. J'ai oublié le titre. Oh, ce n'était pas très compliqué. Des mélodies assez accrochantes, avec des rythmes cubains derrière. Mais simple, très simple, pas comme les musiques typiques d'aujourd'hui. A l'époque, les musiciens américains n'avaient pas la

104

moindre notion du folklore latino-américain aux rythmes trop complexes pour eux. »

DIZZY

Je me souviens qu'à Kansas City on jouait dans une salle où les Noirs avaient seulement le droit de s'asseoir au balcon qu'ils avaient baptisé « Le nid des charognards ». C'était d'ailleurs pareil à Saint Louis. A Kansas City j'avais un copain trompettiste aussi, Buddy Anderson, qui suivait un peu la même orientation que moi. Plus tard, malheureusement, il est tombé malade et a dû abandonner la trompette pour la contrebasse. Bref, un jour, il a vivement insisté pour que j'aille écouter un sax alto qu'il connaissait et trouvait fabuleux. Je n'étais pas très chaud. Je jouais alors avec Chu Berry et j'avais joué avec Coleman Hawkins, enregistré avec Benny Carter et Ben Webster, j'avais entendu Lester Young, et fait des jams à New York avec Don Byas et Herschel Evans, bref rien que des grands noms. Et je lui ai redit que son idée ne me tentait pas trop.

« Ça ne fait rien, j'amène quand même ce mec à l'hôtel ce soir », insista Buddy.

Et j'avoue que ce fut le choc! Les autres avec lesquels j'avais joué étaient pourtant des caïds dans le genre, mais je ne les considérais pas comme mes « pairs ». Alors que dès que j'ai entendu Charlie Parker, j'ai compris que j'avais devant moi mon homologue au saxophone.

Buddy, Charlie et moi, nous nous sommes enfermés dans la chambre d'hôtel, et Parker a joué. Je n'avais jamais rien entendu de pareil! Ses idées, ses enchaînements de notes, et tant d'autres choses! Et puis, c'était fantastique de rencontrer quelqu'un qui suivait sans le savoir la même voie que moi. D'autant plus que je commençais à m'écarter vraiment de mon idole, Roy, pour devenir de plus en plus moi-même.

Plus tard, en 1942, Charlie est venu à New York avec l'orchestre de Jay McShann, et ce fut là le vrai début de notre collaboration. Charlie travaillait au Uptown House, ouvert toute la nuit, et j'y allais régulièrement faire le bœuf. La première fois que Ben Webster entendit Parker, il faillit s'évanouir, et de nos jours les jeunes qui écoutent les disques de Parker manquent aussi s'évanouir, tant il est toujours d'actualité.

BUDDY ANDERSON

« Oui, c'est grâce à moi qu'ils se sont rencontrés. Diz était de passage à Kansas City, avec Cab Calloway, et moi je faisais partie de l'orchestre régulier du Kentucky Club. J'étais allé les écouter avec quelques gars de l'orchestre de Jay McShann, et Diz nous a tous soufflés. Etonnant, et tellement nouveau ! Bref, on est allés le trouver après la représentation, et on l'a convaincu de venir à la jam générale du Kentucky. Je lui ai surtout parlé de Charlie Parker que je voulais lui faire entendre, mais justement ce soir-là Charlie n'est pas venu. Le lendemain, Diz et moi nous sommes retrouvés devant le club à midi, et nous étions en train de bavarder quand Charlie est arrivé avec son sax. Pour plus de commodité, je les ai emmenés à l'union, au Local 627, où il y avait un piano à la disposition des musiciens au premier étage. Diz s'y est installé et nous a accompagnés, Charlie et moi, pendant plusieurs morceaux. Je crois qu'il n'a pas été vraiment emballé cette fois-là, mais enfin ce fut très chouette quand même. En tout cas, ce n'était pas dans une chambre d'hôtel mais dans les locaux du syndicat, je m'en souviens bien. Et Diz n'a pas joué de la trompette mais du piano.

« Plus tard, l'orchestre de Jay McShann dont nous faisions partie a été engagé au Savoy à New York, et Diz venait faire le bœuf avec nous. Ce n'était pas régulier, mais Jay l'aimait bien et le laissait faire.

« Moi non plus, je n'appréciais pas tellement Charlie au début. Il sortait de l'ordinaire, c'est sûr, mais j'en connaissais d'autres comme lui. Tenez, il y avait à Oklahoma City un certain Harold Tillman, qui jouait de l'alto aussi bien que Parker à l'époque; bon, pas tout à fait le même genre, mais aussi bien. Avec Parker, il fallait vraiment s'accrocher et l'écouter beaucoup pour comprendre ce qu'il faisait. Mais comme je l'ai déjà dit, il n'était pas le seul qui cherchait à innover.

« Tout ce que je peux dire, c'est que Diz et Bird suivaient la même voie. Moi aussi j'étais dans ce bain-là, à l'époque, et Jay McShann parle d'ailleurs beaucoup de moi dans une interview pour *Jazz Today,* un numéro spécial sur Charlie Parker, un genre de sondage, et McShann affirme que je suis le Charlie Parker de la trompette. C'était dans les années quarante.

« Mais Dizzy était beaucoup plus évolué que moi, et Bird aussi en fait. Dizzy a toujours été à l'avant-scène, au tout premier plan. Il avait un sens rythmique plus développé que n'importe qui. Une véritable boîte à rythmes ! C'est Max Roach qui l'a dit.

« Bref, cette fois-là avec Charlie, c'était bien à l'union des musiciens. Et Diz n'a pas dit grand-chose. Il a joué du piano et il a écouté. De toute façon, rien ne l'impressionnait vraiment à cette époque. Il était encore très jeune et un peu " tout-fou ". Maintenant il a bien changé, il est plus ouvert, et il n'y a pas que lui qui compte comme jadis. Je me souviens que je lui avais parlé de Charlie Christian, et il m'a dit qu'il l'avait entendu et avait même jammé avec lui ; mais rien de plus, pas un compliment. Seul Dizzy intéressait Dizzy.

« Il faut dire qu'il avait une personnalité éblouissante, et que déjà chez Cab il était évident qu'il irait loin !

« Pour moi, Diz et Bird ne se ressemblaient pas dans la mesure où Diz a dû travailler dur pour arriver, alors que Bird avait plus de facilité, de dons. Bien sûr, il a fallu qu'il s'entraîne aussi, qu'il étudie, mais moins que Diz. Et puis, il était très attentif à ce que les autres faisaient, à ce qu'il entendait, et quand une idée le frappait il l'assimilait, et l'enrichissait à son profit. Alors que Diz ne doit qu'à Diz. Tout vient de lui, travaillé et remâché certes, mais rien que de lui. On a imité Charlie Parker, on a imité Miles Davis, mais on ne pouvait pas imiter Dizzy. Il s'est passé de longues années avant que j'entende quelqu'un qui sonnait comme lui : un des frères Candoli. Bien sûr, il y en a beaucoup qui ont essayé de copier Diz, mais ils n'avaient pas la technique nécessaire. »

DIZZY

C'était la seconde guerre mondiale et la plupart des musiciens ne tenaient pas tellement à se retrouver dans l'armée. En outre, il circulait des rumeurs sur les sévices que les soldats noirs subissaient dans les camps d'entraînement, alors qu'au front ils se faisaient tuer comme les autres !

Moi, je n'avais pas du tout envie de me faire piéger. J'espérais candidement qu'étant souvent en tournée, ils ne me trouveraient pas. Grave erreur. Je reçus leur « invitation » à me présenter au conseil de révision à New York, avec des « vêtements pour trois jours ». Quelqu'un doué du sens de l'humour a même écrit une chanson portant ce titre, vous vous souvenez ? Bref, j'avais beau être farouchement pacifiste et ne pas croire au bien-fondé des tueries, il a bien fallu que je me présente. Quand ils m'ont ordonné de me déshabiller, j'ai obéi, mais j'ai gardé ma trompette avec moi dans un sac en papier. Apparemment, ça les a déroutés, car ils m'ont envoyé voir le médecin psychiatre.

Là, on a commencé à me poser un tas de questions stupides, sur la drogue entre autres. Bon, à l'époque je fumais un petit joint de temps en temps. Ça les a fait un peu tiquer, mais on en était au « deuxième front », et ils enrôlaient n'importe qui ou presque. Après quoi, ils ont commencé à me poser des tas de questions, sur l'homosexualité par exemple, et j'ai répondu tout net :

« Je ne connais pas un seul musicien de jazz homosexuel... un vrai jazzman digne de nom. »

Et puis ils m'ont demandé ce que je pensais de la guerre, et là j'y suis allé de mon petit couplet :

« Ecoutez, qui est-ce qui m'a fait chier, qui m'a emmerdé jusqu'au cou dans ce pays depuis toujours, hein ? Les Blancs, personne d'autre. Vous venez me parler de l'ennemi, les Allemands. Moi, je veux bien, mais personnellement je n'en ai jamais rencontré un. Alors si vous m'envoyez au front avec un fusil entre les mains et ordre de tirer sur l'ennemi, je suis bien capable de faire un " transfert d'identité " en ce qui concerne la cible. »

Après ça, ils ont essayé de m'amadouer et m'ont demandé si j'avais joué dans des orchestres de la côte Ouest.

« Bande de tarés... Je suis un musicien new-yorkais et je joue avec des orchestres new-yorkais, et mettez-vous bien dans la tête que sur le plan musical, c'est un autre niveau que la côte Ouest ! Jamais je ne jouerai avec des orchestres de là-bas ! »

Ils se sont regardés, un peu déconcertés par tout ça, et finalement ils m'ont réformé pour « dérangement mental », parce que je refusais de me battre et de prendre parti pour les uns ou les autres. Cette décision m'arrangeait bien, moi qui commençais à profiter un peu de la vie !

On légalise la situation

Dès que j'ai eu l'affaire à demeure chez Cab, j'ai décidé que Lorraine ne danserait plus à l'Apollo et que je l'emmènerais en tournée avec nous. Une femme doit suivre son mari partout, c'est dans l'ordre des choses. A ce propos, d'ailleurs, nous n'étions pas encore passés devant monsieur le maire.

J'en ai parlé à Lorraine à Boston, où l'orchestre devait rester plusieurs semaines, ce qui nous donnait le temps d'accomplir les formalités nécessaires.

« Et si on se mariait?

— D'accord », m'a-t-elle répondu.

C'est ainsi que nous nous sommes mariés à Boston. Mais un détail nous avait échappé, détail piquant et d'importance : l'employé de mairie avait oublié de tamponner notre acte de mariage. On n'avait rien remarqué, mais il n'y avait pas de cachet officiel sur le papier. Il ne s'est d'ailleurs rien passé d'extraordinaire, jusqu'au jour où j'ai décidé de faire partie d'une loge maçonnique. Un des membres est donc venu prendre des renseignements à mon domicile, et a demandé entre autres à voir mon acte de mariage.

« Mais bien sûr. Lorraine, veux-tu aller le chercher? »

Elle l'a donné au type qui, après l'avoir lu, m'a jeté un drôle de regard et est parti sans un mot.

Plus tard, j'ai appris que ma demande avait été rejetée, et comme j'en demandais la raison au copain qui m'avait « parrainé », il m'a dit :

« Pourquoi n'as-tu pas avoué franchement que tu vivais en concubinage? Ça ne dérange personne chez nous, mais il faut en faire état. Tu as eu tort de faire tout un cinéma avec ton acte de mariage qui ne porte même pas le cachet officiel... »

J'ai vérifié aussitôt, et c'était vrai! Il a fallu le renvoyer à Boston pour le faire régulariser à la date du 9 mai 1940.

Lorraine a toujours fait preuve d'une forte personnalité, apparemment héritée de et cultivée par sa grand-mère qui l'a élevée, alors que sa mère, qui avait dû monter dans le Nord pour travailler, n'avait pas bénéficié de la même éducation et s'appuyait beaucoup sur sa fille.

Lorraine sait affronter et résoudre tous les problèmes. C'est une incorruptible, qui ne dévie pas du chemin qu'elle s'est tracé. Or, dans la vie, il faut savoir trancher et aller droit au but. Elle m'a appris à regarder les choses sous le bon angle, à prendre du recul, à garder mon ego en veilleuse au cas où mon orgueil aurait tendance à virer au narcissisme, et elle a toujours le mot pour remettre tout en place. C'est à la fois pour moi une amarre solide, et une confidente avec l'épaule d'une mère. Pour couronner le tout, le show-business n'a pas de secret pour elle.

LORRAINE GILLESPIE

« Il m'a demandé simplement si je voulais l'épouser et j'ai accepté. Ça s'est passé à Boston parce que l'orchestre de Cab y restait quelques semaines, ce qui nous laissait du temps pour les formalités ; et peut-être aussi parce que dans cette ville on ne peut pas partager la même chambre d'hôtel sans être mariés. Ça, c'est Boston. De toute façon, Diz voulait absolument qu'on se marie. Ce fut très simple, et nous ne connaissions même pas la personne qui nous a servi de témoin à la mairie. Il n'y a pas eu de fête, car Dizzy travaillait le soir. Moi, j'avais temporairement arrêté de danser.

« Ma mère s'appelle Lydia, et mon père Gus, Gus Lynch. Le second mari de ma mère s'appelle Willis. Moi je suis née à Long Branch, dans le New Jersey, mais j'ai été élevée à New York. J'ai travaillé la danse avec Grace Giles ; je devais avoir cinq ou six ans quand j'ai commencé, comme tous les gosses. Et on continue tant qu'on n'en a pas marre. J'ai fait un peu de musique aussi, mais ça m'amusait moins, et un jour j'ai arrêté sous prétexte que le professeur de chant et diction m'obligeait à me comprimer la poitrine avec une pile de livres pour m'apprendre à contrôler mon diaphragme. C'était un affreux mensonge, mais ma mère outrée décida que je n'irais plus au cours.

« J'ai passé mon enfance chez ma grand-mère à Darlington, en Caroline du Sud, mais je n'en connais guère plus que le pâté de maisons où elle habitait. Elle était redoutable, la grand-mère ; dès que j'étais invitée quelque part, elle se livrait à une enquête sur la famille, et sur les gens que j'y rencontrerais. Et si les renseignements ne la satisfaisaient pas, je pouvais tirer une croix sur ma sortie.

110

« Mon premier mari était de là-bas, de Hattsville. Mais il est mort d'une tumeur au cerveau un an après notre mariage. De toute façon, nous étions bien trop jeunes ! Il était chauffeur dans une famille bourgeoise, et moi je dansais et partais souvent en tournée. Sa sœur continue à me rendre visite de temps en temps, et ses enfants appellent Dizzy " Tonton Dizzy ".

« Au début de notre mariage, Dizzy et moi vivions à l'hôtel, car nous étions presque tout le temps en tournée. Notre premier port d'attache fut un appartement dans un immeuble de la 7e Avenue qui abritait d'ailleurs des tas de gens du show-business : Puerto Rico, juste en dessous, Clyde Hart au-dessus, Elsie Blow, une des girls, Cook et Brown, qui faisaient un numéro de danse, Erroll Garner, Billy Eckstine et sa femme June.

« Ce fut assez dur, les premiers temps. Dizzy n'était pas chef d'orchestre, à l'époque. Il gagnait environ cent dollars par semaine et quand on vous retient la Sécurité sociale et des taxes gouvernementales, il ne reste pas grand-chose.

« Qu'est-ce qui me plaît le plus chez lui ? Difficile à dire, parce que j'ai surtout l'habitude de remarquer ce qui ne me plaît pas et de me battre pour que ça change. Il fait tellement de bêtises si je ne le surveille pas. En fait, si, il y a quelque chose que j'aime bien chez lui, c'est qu'il me laisse libre d'acheter ce que je veux sans me demander de comptes. Je n'ai pas besoin de sa permission. Et même souvent, quand j'hésite parce que ça me semble trop cher, il m'encourage et dissipe mes scrupules. C'est agréable de ne pas se sentir surveillée comme une gamine, ou comme beaucoup de femmes qui sont obligées d'avoir la permission de leur mari pour s'acheter une paire de chaussures ! Ça, je crois que je n'aurais pas supporté. Quand j'ai connu Dizzy, je travaillais, et je n'avais de comptes à rendre à personne. Toute petite, mes parents m'ont toujours donné un peu d'argent de poche, et la somme augmentait au fur et à mesure que je grandissais. Mais si je faisais des dépenses stupides que je regrettais par la suite, je n'avais plus qu'à attendre le vendredi suivant. Ma mère était intraitable sur ce point. J'ai donc appris très jeune à gérer un budget, et à ne pas jeter l'argent par les fenêtres, ce qui s'est avéré bien utile par la suite.

« Oui, j'aime sa générosité. Il ne m'impose pas de limites, mais je n'ai pas de gros besoins et, en fait, Dizzy aurait tendance à dépenser pour moi plus que je ne le fais moi-même. Je suis plutôt fourmi que cigale.

« Avec Diz, il faut toujours tout répéter... pire qu'avec un gosse, surtout quand il s'agit d'interdictions. Si je ne crie pas, il fait la sourde oreille. Un peu moins maintenant, en vieillissant. Je sais que les gens racontent des tas de choses sur ma façon de le traiter, mais c'est moi qui vis avec lui, pas eux. Ils se contentent de lui rendre visite de temps en temps, de bavarder avec lui, c'est très différent.

« Non, nous n'avons jamais pu avoir d'enfants. Mais je n'en souffre pas, car je pense que c'est le Bon Dieu qui l'a voulu ainsi.

« L'argent? Je n'en ai jamais vraiment manqué. Mes parents étaient même assez à l'aise, pour des Noirs; mais il m'ont toujours expliqué qu'il fallait que je travaille pour ne rien devoir à personne et m'offrir ce que je voulais. Ils disaient aussi que l'argent ne pousse pas sur les arbres, et qu'il ne doit pas vous monter à la tête. Vous comprenez?

« Les gens ne se rendent pas compte, ils croient que j'ai eu la belle vie, mais j'ai travaillé dur. Et avec Dizzy, si je n'avais pas tenu les cordons de la bourse, on vivrait encore dans une chambre. Diz est très dépensier, et irresponsable. Je suis sans cesse obligée de lui rappeler d'éteindre les lumières inutiles et de ne pas utiliser trop de savon. Heureusement, j'ai le sens de l'économie.

« A mon avis, le plus important dans un couple, c'est le respect de l'un envers l'autre. L'amour n'est rien sans le respect mutuel. Quel intérêt qu'un type vous aime à la folie, s'il ne vous respecte pas, voulez-vous me le dire? Aucun. D'abord, qu'est-ce que c'est que l'amour? Personne ne peut le dire. Pour moi, c'est le respect avant tout. »

DIZZY

J'avais raison à propos de Lorraine, non? Et c'est vrai que si le respect mutuel disparaît dans un couple, cela peut conduire à une catastrophe et quelquefois pour une simple vétille.

Où il est question
de boulettes de papier mâché

Je n'avais pas encore un style affirmé, vraiment personnel, permettant de m'identifier dès que l'on m'entendait. Mais je savais au moins où j'allais et ce que je cherchais à accomplir, ce qui était suffisant pour me faire évoluer de façon intéressante, notamment pendant les jams au Minton's.

J'ai toujours travaillé avec acharnement du temps où je jouais chez Cab Calloway, et je ne cessais de m'exercer sur mon instrument malgré le peu d'encouragements de la part de mes collègues, qui parlaient plutôt de fric et de placements immobiliers que de musique. Pour me sortir un peu de l'ennui ambiant, je faisais des tas de blagues, et bien entendu je suis devenu très vite le suspect numéro un dès qu'il y avait des salades.

Un jour, on jouait au State Theatre de Hartford et les Cab Jivers venaient de finir leur numéro. Le rideau descendait déjà lentement, quand Jonah Jones s'est mis à envoyer des boulettes de papier mâché depuis le pupitre de trompettes sur le batteur Cozy Cole. Cab qui était déjà en coulisses revenait juste à ce moment sur scène pour saluer et, voyant les boulettes, m'a aussitôt accusé de les avoir lancées. Peut-être avait-il perdu une grosse somme d'argent aux courses — il jouait énormément à l'époque; depuis, il s'est assagi — et était-il particulièrement de mauvaise humeur. Bref, j'ai eu beau me défendre, il s'est obstiné dans son jugement et a commencé à me poursuivre à travers l'estrade, en renversant les pupitres, et en bousculant les trombones. Bien entendu, le rideau était baissé. Cab avait trop de classe pour faire un esclandre de ce genre devant le public. Les copains l'ont retenu et il a fini par aller s'enfermer dans sa loge. Mais comme je passais devant, je l'ai entendu dire qu'il allait me foutre une vraie correction. Alors je l'ai insulté à travers la porte et il est sorti, fou furieux, et m'a attrapé par le revers du veston pour me secouer et me frapper. Mais il m'a vite lâché... parce qu'il a vu le

113

sang qui coulait sur sa main. J'avais toujours ma lame sur moi, et je l'aurais tué si Milton Hinton ne m'avait pas retenu. Vraiment une sale histoire! Après ça, il m'a viré. J'ai touché ma paye, j'ai emmené Lorraine et nous sommes rentrés à New York par le car.

MILTON HINTON

« Je suis fort à l'archet, mais je ne connaissais pas grand-chose au jazz à l'époque, parce que j'avais étudié la contrebasse classique. C'est Diz qui m'a servi de professeur pour le jazz, qui m'a appris une foule de trucs chouettes, et même des idées harmoniques plus avancées que celles de Slam Stewart. J'étais assez dérouté au début, car tout cela était très avant-gardiste. Et le soir, dans le groupe des Cab Jivers, dont je faisais partie, j'essayais de mettre en application dans mes chorus les conseils de Diz, et après je me tournais vers lui pour connaître son verdict. Quelquefois, il me faisait un signe " impeccable ", ou bien il se pinçait le nez ou brandissait le poing pour me faire comprendre que c'était mauvais. Le soir où Cab a accusé Diz d'avoir lancé ces boulettes, Diz agitait la main à mon adresse, et Cab l'a aperçu des coulisses et a vu les projectiles tomber sur la scène. Après quoi, il n'a jamais voulu croire que le coupable était quelqu'un d'autre.

« Il faut avouer que Diz en faisait de joyeuses, à l'époque! Ainsi quand Cab chantait une ballade bien romantique, le dos tourné à l'orchestre, Diz faisait le clown derrière lui avec la complicité de Tyree Glenn et de J. C. Heard; par exemple, il mimait une passe de foot que Tyree faisait semblant de reprendre de l'autre côté de l'estrade et dont J. C. ponctuait l'arrivée à la batterie. Le public riait, et Cab ne comprenait pas. Dès qu'il se retournait, tout l'orchestre se tenait correctement. C'était hilarant.

« Question de nature. Diz a toujours été facétieux. D'autres fois, pendant que Cab chantait une ballade, Diz penchait la tête de côté en regardant vers un coin de la salle et agitait la main, comme s'il avait reconnu un ami dans le public. Là encore, tout le monde riait et le pauvre Cab se demandait ce qui se passait, car bien sûr tout était rentré dans l'ordre quand il se retournait.

« En outre, Diz l'agaçait sur un plan musical parce qu'il se permettait d'innover en public au lieu de s'en tenir à ce qui était écrit et aux chorus prévus. Et comme il n'avait pas encore les lèvres qu'il acquit par la suite, il ne réussissait pas toujours à mener ses idées jusqu'au bout et cela se terminait par du vent, ou des couacs.

« Bref, Diz était un peu sa bête noire et ça a mal tourné ce soir-là à

114

Hartford, parce que Diz n'a pas supporté de se faire accuser alors que pour une fois justement ce n'était pas lui le coupable.

« Il faut ajouter que Cab traînait toujours de jolies filles avec lui dans ce temps-là, et il ne voulait pas avoir l'air de céder à un simple musicien devant sa cour. Bref, après quelques insultes de part et d'autre et un refus obstiné de Cab de croire que Diz n'était pas coupable, Cab l'a empoigné et souffleté, mais Diz a sorti son couteau. C'est moi qui l'ai empêché de le massacrer, car il était prêt à le faire... la lame a tailladé un peu la cuisse de Cab qui ne s'en est même pas aperçu dans le feu de l'action, mais seulement une fois de retour dans sa loge, en voyant son pantalon blanc taché de sang. Alors là, il est ressorti et a ordonné à Diz de ramasser ses affaires et de déguerpir. Diz a rangé son biniou, et est rentré par le car à New York avec Lorraine. Mais le soir quand nous sommes rentrés à notre tour, Diz nous attendait au terminus à l'hôtel Theresa. Il était venu dire qu'il n'avait pas de rancune, et Cab lui a seulement tapé dans la main, sans un mot. Je suis content qu'ils soient redevenus amis, parce qu'en fait il n'y a pas si longtemps que l'on sait qui avait jeté les boulettes. »

CAB CALLOWAY

« Diz était assez diabolique, vous savez. Machiavélique! Alors quand un incident de ce genre se produisait, il se trouvait tout naturellement accusé. C'est ce que j'ai fait cette fois-là. J'ai eu tort; j'en suis navré.

« Quinze ans! Pendant quinze ans, j'ai cru que c'était lui. Mais je m'en veux beaucoup, et je m'en voudrai jusqu'à ma mort.

« J'admire la manière dont il a mené sa vie, sa conversion religieuse, sa personnalité qui n'a pas changé et ne changera jamais. Dieu est avec lui. Et Lorraine est une femme absolument extraordinaire. Oui, tout ça, il faut le savoir. Et quand on parle avec Diz, on est surpris de voir qu'il ne parle pas tellement de musique ni de jazz, mais de bien d'autres choses, oui, de choses incroyables. Et c'est ce que j'aime en lui. »

DIZZY

Après cette histoire, j'ai eu du mal à trouver des engagements, surtout avec les orchestres qui n'étaient pas de New York, comme celui de Jimmy Lunceford qui évitait de prendre des musiciens new-yorkais parce qu'il fallait les payer davantage. Tout le monde sait d'ailleurs que Jimmy était un abominable radin.

Je réussis à jouer quelque temps avec l'orchestre d'Ella Fitzgerald, dont elle assurait la direction depuis la mort de Chick Webb. En fait, c'était Teddy McRae qui s'occupait réellement de la direction musicale et qui m'avait engagé. Mais il s'est fait vider peu après et c'est le trompettiste Taft Jordan qui reprit les choses en main. Je me retrouvai une fois de plus sans travail régulier, mais décidé à rester à New York.

Au Minton's Playhouse

Dans ce temps-là, les musiciens disposaient de deux terrains d'entraînement : les grands orchestres, et les jam-sessions. Je me suis efforcé d'en profiter au maximum en restant dans la région de New York où avaient lieu essentiellement ces « happenings » musicaux. Il existait aussi à l'époque une étroite camaraderie entre musiciens, qui dépassait le cadre de la profession. Ainsi Charlie Shavers, Benny Harris, Bobby Moore et moi-même nous retrouvions souvent pour des discussions animées, et échangions des idées tant sur l'estrade qu'au cours de jam-sessions. Il fallait d'ailleurs que passe entre nous, comme entre frères, un courant de réceptivité et de sensibilité profondes pour que nous puissions nous exprimer totalement et conserver nos individualités respectives, tout en assurant une parfaite homogénéité dans les ensembles. Les jams comme celles du Minton's Playhouse étaient des moments exaltants et constituaient en quelque sorte le « bouillon de culture » de notre nouveau style.

J'ai rencontré Monk pour la première fois quand je débutais, vers 1937-1938, où il jouait souvent au Savoy avec Cootie Williams. Et en 1939, il eut l'affaire au Minton's. Monk m'a beaucoup appris. Notre interaction musicale est d'ailleurs extrêmement difficile à analyser. Je crois que Monk ne sait même pas ce que je lui ai apporté, mais moi je me rappelle un certain nombre de choses qu'il m'a apprises, par exemple l'accord de sixième mineur avec la sixte à la basse. C'est par Monk que j'ai entendu jouer ce renversement pour la première fois. Je l'ai utilisé par la suite, entre autres dans le thème de *Woody'n You*, l'introduction de *Round Midnight* et une partie du pont de *Manteca*.

Vous savez, je rends à César ce qui est à César et n'essaie jamais de m'approprier une idée qui n'est pas de moi. S'il m'arrive de faire des emprunts et de les exploiter plus largement, je cite toujours l'origine.

Dans ma conclusion de *I can't get started,* je développe un accord mineur sixte pour arriver au premier accord de la fin. Même procédé dans l'introduction de *Round Midnight.* Deux de mes solos les plus connus sur des ballades, et qui sont l'exploitation repensée de ce que Monk m'avait montré. D'ailleurs, maintenant, ce genre d'accord a changé de nom : la sixième à la basse est devenue la tonique, et l'accord se nomme do mineur septième quinte bémol (ou quinte diminuée), au lieu de mi bémol mineur sixième avec la sixte à la basse. Je m'explique : l'accord de mi bémol mineur sixième se compose de mi bémol, sol bémol, si bémol et do ; le do, ou sixte joué à la basse, donne le renversement suivant : do, mi bémol, sol bémol, si bémol, lequel accord est également celui de do mineur septième quinte diminuée.

A partir de cela, j'ai commencé à utiliser tout un système de progression harmonique, par exemple : si mineur, mi septième, si bémol mineur septième, mi bémol septième, la mineur septième, ré septième, la bémol mineur septième, ré bémol septième pour arriver à do. Monk et moi pratiquions beaucoup ces marches harmoniques en 42 au Playhouse, mais il n'en reste pas trace, parce qu'à l'époque il y avait une grève de l'enregistrement.

Le syndicat voulait monter un fond d'entraide pour les musiciens, en suggérant aux compagnies de disques de fournir l'argent. Mais elles refusèrent, et le syndicat prit la décision d'arrêter les séances d'enregistrement. Ce fut regrettable pour l'éclosion du nouveau style, mais c'était louable d'essayer d'obtenir quelques avantages pour les musiciens, entre autres de récupérer un peu de l'argent que ces compagnies gagnaient grâce aux disques. Si j'ai bonne mémoire, la grève dura environ trois ans, de 42 à 44.

J'ai recommencé à enregistrer en 1945. Et du coup sur *I can't get started,* je n'ai pas joué les enchaînements habituels mais je suis passé de mi septième à mi bémol septième, ré septième et ré bémol septième pour arriver à do, en plaçant le plus souvent possible les quintes bémol aussi. Tadd Dameron était fervent de ce genre de progression harmonique.

Un jour j'ai demandé à Monk : « Montre-moi quelque chose que je t'ai appris et que tu as réutilisé souvent après. » Il m'a répondu : « *Night in Tunisia.* » Mais j'ai insisté : « Non, pas un morceau. Je veux parler d'enchaînements d'accords. »

Alors je lui ai montré ce que lui m'avait appris et qui m'avait ouvert des horizons nouveaux. Mais il ne se souvenait de rien, ni dans un sens ni dans l'autre. De toute façon, Monk était le musicien le plus original de toute l'équipe, le moins influencé par d'autres. A chaque fois que je l'ai entendu, Monk jouait Monk, c'est tout.

Je me souviens qu'au Playhouse, il s'endormait souvent sur le piano, alors je lui écrasais le bout de l'index, ce qui le réveillait instantanément.

« Qu'est-ce que tu fous, sale con ! » hurlait-il.

Mais au moins il se remettait à jouer...

A peu près à cette époque, je commençais à avoir vraiment des lèvres, et Roy Eldridge venait souvent faire le bœuf chez Minton. Roy est sans doute le musicien le plus attiré par la compétition que je connaisse. Il arrivait et écrasait aussitôt les autres trompettistes grâce à la qualité de ses lèvres et sa vitesse d'articulation. Mais je n'oublierai jamais la tête qu'il a faite le jour où il m'a entendu pour la première fois sortir un contre-si bémol après deux chorus sur *Sweet Georgia Brown*. Et Monk qui lui dit : « Dis donc, vieux, je croyais que tu étais le meilleur trompettiste du monde... mais le meilleur c'est lui. » Il me montrait du doigt. « Et il va te mettre dans sa poche comme un rien ! Ha ! Ha ! » Et Monk est allé répéter ça à tout le monde. D'ailleurs, Monk dit toujours aux musiciens ce qu'il pense de leur façon de jouer. Il n'est pas du tout diplomate.

THELONIOUS SPHERE MONK *(pianiste)*

« Je l'ai rencontré pour la première fois au Rhythm Club.

— *Comment l'avez-vous trouvé ?*

— Très bon.

— *Est-ce que son jeu vous a paru différent de celui des autres ?*

— Oui, très original.

— *Est-ce qu'un de ses morceaux vous a particulièrement frappé ?*

— J'en ai entendu beaucoup.

— *Par exemple ?*

— Je ne connais pas tous ses thèmes. Je ne peux donc pas dire celui que je préfère.

— *Selon vous, et si l'on admet l'apport, quelle est la contribution majeure de Dizzy à notre musique ?*

— Pas facile de répondre à cette question... pas facile du tout.

— *Vous souvenez-vous de certains incidents remontant à la période du Minton's ou du Savoy, disons quelque chose dans le comportement de Dizzy qui vous aurait marqué, et même soufflé ?*

— Je ne comprends pas le sens que vous donnez à " soufflé ". Disons qu'il était très drôle pour les musiciens.

— *Quelle est à vos yeux sa qualité essentielle ?*

— C'est un musicien accompli. Un vrai professionnel. »

L'apport de Monk au nouveau style était essentiellement harmonique et créateur dans l'esprit; mais le contenu rythmique a été introduit par Kenny Clarke, qui le premier marqua des ponctuations à la grosse caisse. Il battait tous les temps avec légèreté, mais on entendait très bien les accentuations à la pédale. On les avait baptisées « les bombes ».

Le bassiste le plus représentatif de notre musique était Oscar Pettiford, dont le jeu collait parfaitement à notre style. Ray Brown est apparu plus tard. Je ne peux guère parler de la contrebasse avant Pettiford, car je n'ai pas beaucoup joué avec Jimmy Blanton. Oscar était un grand admirateur du guitariste Charlie Christian, dont son style s'inspirait, et il jouait des phrases mélodiques dans ses chorus comme à la trompette ou n'importe quel instrument, alors que la plupart des bassistes n'imaginaient guère autre chose que la tonique des accords. C'est Jimmy Blanton que j'ai entendu le premier s'en écarter, mais on m'a raconté qu'Oscar jouait déjà ainsi à Minneapolis avant de venir à New York. Même encore aujourd'hui, les bassistes qui dévient sur une phrase mélodique dans leur solo reviennent vite à la tonique au premier changement d'harmonie. Ils doivent être obsédés par leur rôle normal de « soutien » rythmique, mais c'est une erreur dans un solo. Heureusement, ceux de la nouvelle génération l'ont compris.

Charlie Christian... ah, c'était quelque chose! Il avait vraiment assimilé le blues, ça s'entendait! Et quel swing aussi! Mais je pense qu'il n'avait pas exploré toutes les possibilités harmoniques de l'instrument. Un type comme John Collins est allé plus loin; il passait des heures à travailler des renversements différents et connaissait ainsi mille manières d'interpréter la même idée. Pour moi, c'est le guitariste le plus complet. Comme lui, il faut chercher la meilleure position de main gauche — et il y en a une variété — en trouver encore une autre, et une autre...

De nombreux musiciens venaient au Minton's de 1939 à 1942, comme Kermit Scott, un saxophoniste qui vit maintenant en Californie et joue toujours aussi bien (j'ai joué *Manteca* avec lui à Montery en 1974, et croyez-moi, il « assurait » comme un chef!); Nick Fenton, un contrebassiste, venait aussi régulièrement; et puis la bande des ténors : Don Byas, Lucky Thomson, Horace Hoss Collar et Rudy Williams. Ce sont ceux-là qui m'ont le plus impressionné dans les débuts au Minton's. Par la suite, quelques grands musiciens sont venus aussi, et d'autres qui n'ont pas pris le même tournant que nous. Clyde Hart par exemple a fait de nombreuses affaires et des séances d'enregistrement avec nous, mais c'était un pianiste dans la lignée Teddy Wilson, qui ne jouait donc pas dans notre style mais suivait très bien et s'adaptait néanmoins.

Bud Powell n'a jamais joué au Minton's. Sa première source d'inspiration a été Billy Kyle, puis Charlie Parker ; car en fait, Bud jouait plutôt comme un saxophoniste que comme un pianiste.

Quant à ma propre contribution, elle était à la fois rythmique — d'inspiration afro-cubaine — et harmonique. Je montrais aux pianistes comment placer les accords derrière les solistes pour fournir l'accompagnement idéal. En ce qui concerne mon style, je visais surtout à « l'effet », qui variait d'ailleurs avec l'instant. Par exemple, au lieu de jouer scrupuleusement chaque note d'une partition généralement chargée, ce qui résulte en une interprétation raide et ampoulée, j'éliminais celles que je jugeais superflues en trichant un peu pour qu'on ait l'impression de les entendre. C'est ainsi que ceux qui ont voulu relever mes chorus ont souvent retranscrit des notes que je n'avais jamais jouées, et si l'on rejoue ces relevés ils sonnent terriblement « pompier ». Mes notes étant en réalité seulement sous-entendues. Une illusion acoustique.

Parlons un peu du Minton's Playhouse et de ce qui s'y passait. Les lundis soir, c'était la fête. Tout l'orchestre de l'Apollo était convié à une jam-session monstre, car le lundi était le jour de relâche des musiciens. Teddy Hill savait nous traiter, il faut le reconnaître. Il ne payait pas beaucoup ses musiciens — je n'ai jamais touché un sou —, mais il les traitait bien. Il y avait des cuisines, et on avait toujours de quoi manger à satiété. C'était formidable.

On s'amusait vraiment, dans ce temps-là. Je me souviens d'un type qu'on appelait Le Démon et qui venait régulièrement jouer alors qu'il en était totalement incapable. Il s'installait, sans complexes, et jouait avec tout le monde, Lester, Charlie Parker. Le Démon a été à mon avis le premier musicien « free », complètement libéré de la mesure, des harmonies, du tempo, de tout, quoi. Il venait de Newark pour ces jam-sessions, et quand il commençait à jouer, on ne pouvait plus l'arrêter...

Johnny Carisi, lui, était le seul Blanc de Harlem qui jouait chez Minton. Il apprenait tous les thèmes, ceux de Monk, les miens, et prenait toujours des chorus derrière moi, derrière Roy, derrière n'importe qui. Il jouait comme un fou, et était le bienvenu.

Jerry Newman, parmi bien d'autres, nous a enregistrés chez Minton avec Charlie Christian, sur un enregistreur à fil*. Et puis un jour il en a sorti un disque et n'a jamais versé un sou à aucun de nous : Joe Guy, Don Byas, Chu Berry, Charlie Christian, Nick Fenton, Ken Kersey, Kenny Clarke, et moi.

---

* Album *The Men from Minton's,* mai 1941 (Esoteric ESJ4 ; ES548) (*N.d.A.*).

Jouer dans une jam-session était passible de lourdes amendes, et le syndicat envoyait des « ambulants » dans tous les lieux fréquentés par les musiciens de jazz. Nous prenions de gros risques, car si nous étions surpris en train de jouer sans contrat, cela pouvait nous coûter de cent à cinq cents dollars d'amende. Le Playhouse était assez à l'abri de ce genre de procédé, car Henry Minton, le patron, était le premier délégué syndical « noir » de New York. Il est regrettable que pour les jeunes musiciens de jazz le syndicat n'ait jamais été autre chose qu'un « receveur de cotisations », et qu'au lieu de nous aider par une action positive il nous ait parfois gênés dans l'exercice de notre profession. Il était toutefois utile aux musiciens classiques, auxquels il apportait un soutien efficace. Mais le jazz restait le parent pauvre. Il y a pourtant toujours eu à l'intérieur du syndicat des mouvements cherchant à mettre les officiels à la porte, mais ils n'ont jamais réussi à faire une percée. C'était dû en partie au fait que les dirigeants avaient le contrôle de la masse des adhérents grâce à des règlements tels que celui exigeant une période probatoire de trois mois permettant soi-disant de tenir à l'écart les musiciens « étrangers »; mais cet article pouvait toucher n'importe qui, même un musicien du New Jersey, Etat voisin de celui de New York. Et puis, un tas de situations semblables à celle que j'ai mentionnée à propos de l'Exposition universelle de 1939 surgissaient assez fréquemment, et il me semble que le syndicat se mettait alors plutôt du côté de l'employeur que de celui du travailleur! Je dois dire, en revanche, que le président actuel de notre section syndicale, Max Aarons, est un de mes proches amis et a fait beaucoup pour moi personnellement. Je n'accuse pas ici le syndicat de n'avoir jamais rien fait pour personne, je conteste seulement son action en ce qui concerne les musiciens de jazz.

Il est faux, bien que le bruit en ait couru, que nous ayons tous plus ou moins fini par *travailler* au Minton's. Je ne m'y suis toujours trouvé que pour jammer, et Charlie Parker aussi. Seuls Monk et Kenny Clarke, qui dirigeaient la petite formation permanente, y étaient réellement employés. Les jam-sessions avaient lieu de nuit, et quand je travaillais avec Benny Carter dans la 52e Rue, je ne pouvais pas aller au Minton's à cause des horaires identiques. J'y allais seulement quand je ne travaillais pas ou quand je jouais avec Cab au Cotton Club où le spectacle finissait assez tôt.

A l'Uptown House aussi se tenaient des jams d'où se dégageait autant de créativité qu'au Minton's, et qui duraient jusqu'à l'aube. Clark Monroe, le patron, aimait bien les jazzmen et lui aussi nous nourrissait. Pas d'argent, mais au moins on mangeait; il y avait un orchestre maison, non syndiqué, un « scab band » comme on l'appelait, dont Charlie Parker a fait partie après son arrivée à New York.

Au Minton's, on jouait une musique sérieuse, installant entre nous un dialogue inédit, fondant nos idées dans le creuset d'un nouveau style. Un musicien dispose d'un nombre de notes limité et ce qui fait son style est la manière dont il passe de l'une à l'autre, dont il les agence. Les principes essentiels de l'harmonie enseignée en Europe, ainsi que nos connaissances en théorie musicale, se superposaient à notre expérience personnelle fondée sur une tradition afro-américaine. Dès ma scolarité à Laurinburg, je m'entraînais à analyser et décomposer des accords au piano. J'ai toujours reconnu sans difficulté les notes d'un accord classique. En fait, ce qui différenciait essentiellement notre musique de celle des anciens, c'était le phrasé. Nous étions en train de modifier la formulation pour mieux traduire des idées nouvelles. Et ce phrasé allait de pair avec une accentuation différente, toute neuve.

KENNY CLARKE

« Les chefs de file furent Diz et Bird.
— *Vous ne vous incluez pas également ?*
K. C. — Je trouve qu'une certaine modestie est...
— *Ne soyez pas trop modeste, je vous en prie.*
K. C. — Disons que dans l'ensemble...
Dizzy. — Tout le monde a joué un rôle, et le sien a été aussi important que le mien, ou que celui de Charlie Parker et de Monk. Sa contribution se place au même niveau que celle des autres. Pas de prééminence particulière. Il y avait une collaboration très étroite entre nous tous. Par exemple, si j'avais une idée, je l'exposais à Klook au piano, et lui à la batterie cherchait à l'encadrer ou à la mettre en valeur par des figures rythmiques ; et ce faisant, il me suggérait dix autres idées ! C'était un échange très fructueux.
— *Ce nouveau style coulait en fait très librement et naturellement de vos instruments, mais en même temps il exigeait une technique poussée. Certains de vos aînés que j'ai interrogés m'ont fait cette remarque : " Après Diz et les autres, personne n'osait plus jouer... il fallait être un vrai technicien. " Pourquoi ?*
K. C. — Pour moi ce mouvement a été, est encore et sera sans doute toujours le plus intelligent dans l'histoire de notre musique. Si le jazz était resté à ce niveau exceptionnel il est difficile d'imaginer à quels sommets il atteindrait de nos jours, au lieu d'avoir dégénéré.
« Oui, tout le monde voulait suivre. C'était presque devenu une religion, et ceux qui se sentaient musicalement assez forts la pratiquaient. Tout le monde se mettait à étudier sérieusement : Miles Davis à la Juilliard School, Max Roach à l'école de musique de

New York. Et nous, nous prodiguions des conseils à ces jeunes émules, le principal étant : " Etudiez, apprenez, quelle que soit votre spécialité, après vous pourrez faire ce que vous voudrez. "

— *Sur un plan social, vous avez été considéré comme l'un des militants les plus actifs de ce nouveau courant musical.*

K. C. — Je trouve le mot " militant " très outré.

— *Dans ce cas, quel genre de jugement portiez-vous sur le contexte social ?*

K. C. — C'était plutôt un problème économique.

— *Mais vous portiez des jugements sur votre environnement ?*

K. C. — Oui, si l'on veut. Il s'agissait plutôt de se tenir en éveil, de prendre conscience d'un certain nombre de choses, et d'agir. Et ce n'était là qu'un point de vue de l'aspect culturel dans son ensemble. C'était très " pro " de respecter celui qui essayait de faire quelque chose. Je me souviens que les gars disaient : " Quand même, hein, Dizzy, il nous a fait passer le message.

— *Et quel était ce message ?*

K. C. — Réveillez-vous !

— *Le bebop fut qualifié par la suite de terme de " contestation ". Votre musique était-elle contestataire ?*

K. C. — Ça, non alors, vraiment pas !

D. G. — Elle était tout amour, au contraire.

K. C. — Le mot " bebop " est d'ailleurs une étiquette que certains journalistes ont collée à notre musique, pas nous. Pour nous, " moderne " aurait suffi; mais, en fait, il n'y a pas besoin de qualificatif, c'était de la musique, tout simplement.

— *Est-ce que cette musique transmettait en particulier un message aux Noirs ?*

D. G. — Oui : " Magnez-vous le cul, sortez-vous de ce merdier ! "

K. C. — C'est vrai que c'était un mouvement musical au message éducatif. Vous savez, les idoles, on les écoute, on les imite. C'est important de savoir par exemple que le joueur de base-ball, le Noir que vous admirez là sur le terrain, sort de l'université. Ça impose le respect, plus que de voir un pauvre bouseux planté là parce qu'il peut jouer au base-ball et c'est tout. Le message contenu dans notre musique était celui-ci : " Quoi que l'on entreprenne, il faut le faire avec intelligence et réflexion. " C'est tout simple.

— *Avez-vous souvenir d'une anecdote amusante du temps où vous jouiez ensemble au Minton's ?*

K. C. — Drôle... je ne sais plus. Mais en tout cas, on se connaît depuis quarante ans et je ne me souviens pas que nous ayons jamais eu des mots ensemble. Pas une seule dispute, pas de conflit d'idées. Même façon de penser, jamais un mot cinglant. La seule petite chose qu'il ne supportait pas de ma part — et je le savais très bien —, c'est quand je laissais tomber une de mes baguettes pendant qu'il jouait... C'était très dur, après!

D. G. — " Espèce d'enfoiré, je vais te coller tes baguettes dans les mains avec de la glu! " C'est ce que je lui disais, pour rire!

K. C. — Oui, il acceptait tout... tout sauf ça. »

MILTON HINTON

« J'ai fait des tas de jams au Minton's, et c'est à Diz que je le dois. C'était un peu la mise en pratique de ce qu'il m'avait montré sur le toit du Cotton Club, ces enchaînements d'accords et tout. Minton's Playhouse était le lieu de rendez-vous des souffleurs. Moi, j'habitais juste en face et j'étais en quelque sorte le bassiste attitré de la maison. Mais le club était toujours envahi par des tas de petits jeunes qui voulaient faire le bœuf sans en être vraiment capables. Diz était en train de jouer, avec Monk, moi et les autres, mais ces jeunes types montaient sur le podium et se mêlaient à nous. On aurait dit qu'ils avaient acheté leur biniou la veille! Après ça, Dizzy a trouvé le truc. On se mettait d'accord à l'avance sur un morceau simple comme *I got Rhythm* par exemple, et au lieu des harmonies traditionnelles, Dizzy nous en indiquait de plus savantes, plus subtiles. Les intrus étaient paumés et posaient leur biniou; comme ça, on pouvait reprendre en paix où on avait laissé. »

JOHNNY CARISI (trompettiste)

« J'étais le seul Blanc au Minton's parce que j'ai eu le pot de m'y pointer dès le début. Mais, plus tard, d'autres l'ont fréquenté aussi, généralement sur mes conseils, comme Kai Winding.

« La seule remarque que j'ai reçue en tant que Blanc au milieu de tous ces Noirs était en fait un compliment déguisé, ou involontaire. On faisait un tour dehors pendant la pause, et Joe Guy qui était assez bourré — parce que ça buvait très sec dans l'ensemble — me dit : " Espèce de sale Blanc, tu viens dans notre boîte pour jouer *notre* musique, hein? " Les copains l'ont fait taire. Il était rond défoncé. Mais en fait, c'était sa manière de me dire que je jouais comme eux, et j'en étais fier. Pourtant, je ne possédais pas encore bien mon outil, mais j'avais le feeling.

« Moi, je ne buvais pas tellement, au début. C'est Monk qui m'a un peu poussé. Il m'entraînait au bar après un set et si je refusais il insistait : " Quoi! Tu te prétends un jazzman et tu ne bois pas! " Et il me faisait avaler des doubles gin. »

ILLINOIS JACQUET *(saxophoniste ténor)*

« Ma première rencontre avec John Birks Gillespie eut lieu à Chicago en 1940 quand je jouais avec Lionel Hampton au Grand Terrace et lui au Sherman Hotel avec Cab Calloway. Comme ils finissaient un peu avant nous, Dizzy pouvait venir nous écouter, et plus tard dans la nuit on faisait la tournée des clubs. Une fois, il est monté dans ma chambre à l'hôtel et il a joué avec sa sourdine. J'ai trouvé ça fantastique qu'un musicien ait envie de jouer comme ça, à n'importe quelle heure du jour ou de la nuit.

« A l'époque, son jeu et son utilisation des harmonies le différenciaient des autres. Son style n'avait rien de commun avec ce que j'avais entendu jusque-là, et contenait déjà en 1940 tous les germes du nouveau courant.

« J'ai tout de suite vu qu'il avait un sérieux bagage et qu'il savait où il allait, avec une technique rare et un cerveau bien organisé pour ce qui était du jazz. Quand on a soi-même fait des études et que l'on joue, il est facile de se rendre compte si un musicien possède à fond son instrument ou s'il est seulement très doué et réussit à " se débrouiller ". De toute évidence, Diz maîtrisait les harmonies d'un thème et improvisait sur des bases bien assimilées. Il connaissait sa leçon par cœur, si je puis dire.

« Notre période d'apprentissage se faisait à l'époque au sein des grands orchestres, comme ceux de Cab Calloway, Duke Ellington, Count Basie, Jimmy Lunceford. C'était en quelque sorte la " scolarité " du jazzman. Bon nombre de ces musiciens sortaient d'ailleurs des collèges ou des grandes écoles, et un jeune comme moi qui entrait chez Lionel Hampton ou Count Basie avait l'impression de se retrouver en classe, et d'être soumis à la même discipline.

« Personne ne chahutait ni ne buvait. Tout le monde était plongé dans la lecture des partitions et fignolait la mise en place. L'entraînement était dur, mais profitable, et au bout d'un ou deux ans, le novice gagné par l'émulation générale avait appris à vivre, à penser et à jouer dans la même optique, et se montrait plus ambitieux dans sa propre évolution musicale. Voyez-vous, dans le jazz comme dans d'autres domaines, une grande discipline s'impose, et tout doit être mis en œuvre pour progresser, s'améliorer. C'est ce qui fait défaut de nos jours. Les jeunes musiciens n'ont plus guère la possibilité de faire leurs preuves dans les grands orchestres dont la plupart ont d'ailleurs disparu. Et puis, l'économie même du pays a beaucoup changé... Les temps ont changé... La vie a beaucoup augmenté, et diriger un grand orchestre aujourd'hui est une entreprise ruineuse.

« Le Minton's Playhouse était notre lieu de prédilection pour les jams. Tout le monde était libre de monter sur scène et de faire le bœuf. Bien sûr, il y avait toujours des types moins forts que d'autres, mais on leur laissait quand même leur chance de s'exprimer. Pourtant, quelquefois, il y en avait qui étaient incapables de trouver la tonalité; ils croyaient que Monk jouait en si bémol par exemple, alors qu'il était en fa dièze ou en ré. Dès qu'il les entendait, Monk savait qu'ils ne resteraient pas longtemps sur le podium... Il faut dire que Monk et son équipe se lançaient dans des trucs compliqués, des changements de ton inattendus, des enchaînements imprévisibles, et tout le monde se plantait. Alors les bœufeurs, qui venaient souvent là pour frimer un peu et se faire voir, quittaient le podium et les vrais " pros ", les grosses pointures, leur succédaient : suivant les soirs, Dizzy, Charlie Parker, Denzil Best, Harold West, Shadow Wilson, Sir Charles Thompson, Bud Powell, Don Byas et tant d'autres. C'était une leçon profitable pour les bœufeurs présomptueux auxquels il ne restait plus qu'à rentrer chez eux travailler leur instrument s'ils voulaient se montrer à la hauteur une prochaine fois. Cette période a été remarquable en ce sens qu'elle a encouragé les jeunes à devenir de meilleurs musiciens.

« Je suis né en Louisiane, et bien entendu pour moi le jazz y est né aussi. Mais en ce temps-là, les types jouaient d'oreille et d'instinct, n'ayant ni le temps ni l'occasion d'étudier. S'ils aimaient la musique, ils choisissaient un instrument, bien souvent au hasard des circonstances, et finissaient par en jouer de manière totalement autodidacte. Il n'y avait pas de professeurs pour vous diriger. Dans les orchestres Dixieland, au début, chacun se débrouillait comme il pouvait, et tout le monde jouait en même temps. Une sorte de " collective " improvisée. Et peu à peu, la notion de l'enchaînement des accords de base s'est installée, ainsi que l'idée de soliste prenant des chorus sur cette trame harmonique, au lieu de s'en tenir à la confusion de la " collective ", surtout quand il s'agissait de musiciens aussi forts que Louis Armstrong. Et quand on arrive à Coleman Hawkins, on a enfin un soliste accompagné par une section rythmique, c'est-à-dire une sorte de cellule qui fonctionne avec cohésion et dont les membres sont interdépendants : le soliste improvise sur les harmonies que le pianiste joue, et celui-ci écoute attentivement les idées du premier pour le soutenir avec efficacité.

« Dizzy, lui, a innové en ce sens qu'il a commencé à s'écarter de la mélodie initialement écrite pour en élaborer une autre à partir des mêmes harmonies, une ou plusieurs autres d'ailleurs, si l'on a l'inspiration. On ne reconnaît plus le thème d'origine, mais il s'agit pourtant du même. Diz, Parker, moi-même et quelques autres pratiquions beaucoup ce genre de " démarquage " dans les années quarante. Il fallait donc être très à l'aise sur les harmonies d'un morceau, les changements de ton et les accords de transition pour pouvoir jammer avec nous.

« Vous voyez le chemin parcouru depuis le Dixieland, le blues traditionnel, et la période swing. Cela va de jouer " à la feuille ", c'est-à-dire d'oreille, à improviser sur des harmonies complexes avec une cohésion intelligemment pensée entre les solistes et la rythmique, dont le batteur avait appris lui aussi à " écouter ". Diz et ses disciples avaient l'avantage d'une éducation musicale sérieuse, et d'un héritage légué par leurs prédécesseurs : deux éléments qui permettent de construire du neuf.

« Vous savez, il faut être très fort pour jouer avec Dizzy maintenant. Les dons et l'oreille ne suffisent pas quand on veut devenir un grand musicien. Il faut apprendre, apprendre dans les méthodes, les manuels, et travailler sans relâche. Dizzy était bourré de talent, mais il a eu la sagesse d'ajouter les connaissances à ses dons.

« On a appelé ce nouveau style le " bebop ". Un nom comme un autre. De toute façon, c'est de la musique, une musique qui a su évoluer de ses débuts à maintenant. Le reste est une question d'interprétation personnelle, d'individualité. Des modèles? Coleman Hawkins? Louis Armstrong? Essayer d'être soi-même? Diz y est parvenu, et ce n'est pas si simple, en musique ni dans d'autres arts. J'ai suivi son évolution dès le début des années quarante, et je l'ai vu travailler, progresser, fignoler, et arriver où il en est à présent. Ce que j'admire le plus chez lui, c'est qu'il a su garder intégrité et discipline, tant comme jazzman que comme être humain. »

MARY LOU WILLIAMS (pianiste)

« J'allais souvent écouter Dizzy au Minton's quand je me suis installée à New York, après avoir quitté l'orchestre d'Andy Kirk. J'ai donc assisté aux débuts de ce qu'on a baptisé plus tard le " bop ". Dizzy avait déjà ce surnom, et voyez-vous, les gens ont tendance à y voir le reflet de sa personnalité. Ce n'en est qu'une facette et Dizzy est un type fantastique et très généreux qui m'a toujours aidée autant qu'il pouvait. Il savait que je ne travaillais pas beaucoup à New York et je me souviens qu'il m'avait refilé une affaire dans la 149e Rue, une soirée dansante où il m'avait confié la direction d'un groupe qui comprenait Illinois Jacquet, Oscar Pettiford, Klook Kenny Clarke, et moi au piano bien entendu. Ils avaient placardé des affiches dehors avec mon nom en vedette et tout un laïus sur mon passage dans l'orchestre d'Andy Kirk, qui avait une grosse cote à New York. Bref, la salle était comble, mais c'était le genre d'affaire pas tellement bien rémunérée, cinq à six dollars par musicien je crois. Alors quand j'ai vu tout ce monde, j'ai dit aux copains : " Bon, on s'arrête de jouer, on fait la pause ", et j'en ai profité pour faire un scandale auprès du patron parce que les musiciens étaient sous-payés. Je l'ai menacé de ne pas reprendre après l'entracte s'il ne nous augmentait pas, et j'ai obtenu gain de cause. Je crois même qu'il m'a donné vingt dollars parce que j'étais le chef. Mais ce que j'ignorais, c'est qu'il y avait des délégués du syndicat dans la salle, et j'ai été convoquée huit jours plus tard pour avoir accepté une affaire extra-syndicale. Mais comme j'avais pris la défense des musiciens et que tout le milieu en parlait, ils ont compris que j'avais du poids et m'ont intégrée à l'union sans que j'aie à attendre les trois mois réglementaires. Oui, Dizzy a toujours pris soin de moi.

« Au début du Minton's Playhouse, Thelonious Monk et sa clique refusaient de jouer en dehors de Harlem, de peur que d'autres les copient et tentent de commercialiser leur style et leurs œuvres. Vous savez, les créateurs noirs n'ont jamais été tellement reconnus. Alors même en étant modeste, quand on s'aperçoit que d'autres se sont approprié vos idées et en tirent gloire et profit, il y a de quoi être écœuré. Je les voyais faire, moi, dans le club. Ils venaient écouter et gribouillaient des notes sur des bouts de papier, et après ils essayaient de reproduire ça ailleurs et à leur manière.

« Les jams étaient fantastiques, et duraient la nuit entière. La direction payait un trio à demeure, mais personne d'autre. Les bœufeurs venaient pour le plaisir, et il y avait toujours foule. Oui, tout a démarré au Minton's, jusqu'à ce qu'ils aillent jouer dans les clubs de la 52e Rue.

« Il faut quand même signaler que Dizzy n'a pas connu un accueil chaleureux du public et de la critique au tout début. On ne lui a pas déroulé le tapis rouge et il a fallu qu'il se batte. Mais il n'en a jamais gardé d'amertume ou de rancune, contrairement à tant d'autres que je ne nommerai pas, et qui ne travaillent presque plus à l'heure actuelle.

« Diz a toujours été très attentif aux autres. Et s'il a décidé de former un musicien, il s'y consacre jusqu'au bout, avec beaucoup de patience et de gentillesse, et il lui en coûte d'avoir à renvoyer un musicien qui ne fait pas l'affaire. Pour moi, c'est le plus grand, un géant comme j'en ai rarement rencontré.

« J'ai traversé toutes les grandes périodes du jazz, celle où le feeling et l'instinct remplaçaient la technique, celle où le blues était roi, celle du swing où les pianistes devaient avoir une très bonne technique de main gauche, celle-ci ayant autant d'importance que la droite. L'esprit du blues, lui, est resté le lien évident entre les styles successifs, depuis les " spirituals " jusqu'aux phrases délirantes de Coltrane. Dans le " bop " aussi, bien entendu, avec son déluge de notes et sa technique poussée. Ils avaient même élargi la structure harmonique du blues avec des accords plus riches, plus sophistiqués. Quant à Diz, il donnait l'impression de jouer des milliers de notes dans une même mesure. Mais en tout cas, ça swinguait toujours... et quand on les écoutait tous au Minton's, on ne pouvait s'empêcher de marquer le tempo de la tête ou du pied! »

DIZZY

Charlie Parker mérite une mention spéciale, parce qu'il n'était pas là, en fait, au début du mouvement. Quand il est arrivé à New York en 1942, le nouveau style était né, mais il lui a apporté une dimension supplémentaire par sa contribution extrêmement originale et si difficile à décrire. J'ai pourtant vu des types jouer du sax avec une éblouissante vélocité, mais jamais comme lui. Et puis ses idées, son attaque, son swing! Moi qui ai toujours été un fou du piano, c'est sur cet instrument que j'ai montré à " Yardbird " comment nos idées s'imbriquaient dans la structure du nouveau style. Il avait un phrasé très personnel, essentiellement basé sur l'accentuation, et l'esprit " bluesy "; alors que les autres avaient un jeu plus égal, plus uniforme. Moi je suivais très bien sa démarche, car outre mes connaissances pianistiques, je m'intéressais en particulier à l'élément rythmique, m'appuyant toujours sur le batteur et ponctuant mon phrasé d'accents clés. La contribution de Charlie Parker à notre courant musical se situe surtout au niveau de l'interprétation des thèmes, de l'accentuation dans le phrasé, et de l'esprit " bluesy " qu'il avait parfaitement assimilé. Ses inflexions aussi, et ses lignes mélodiques! Prenantes. Profondes. Des mélodies aussi belles et émouvantes que tout ce que Beethoven a écrit. Et puis, il avait toujours des trouvailles de thèmes originaux sur les accords d'un autre thème connu, ou encore il savait glisser des citations à l'intérieur d'un morceau, sans jamais faire la moindre erreur d'harmonies. Ma femme me disait souvent : " J'aime bien les petites phrases que Charlie Parker cite dans des morceaux. Pourquoi ne le fais-tu pas? Tu sais, par exemple glisser *O Sole Mio* dans *Dizzy Atmosphere,* ou un truc de ce genre! "

130

« Quand la presse a commencé à s'intéresser à nous et au nouveau style, les critiques ont prétendu que jalousie, envie et discorde nous opposaient, Charlie et moi. C'était absolument faux.

« Oui, Charlie Parker c'était vraiment quelqu'un ! Et il venait jouer avec nous au Minton's. »

« Little John Special »

J'avais perdu l' « affaire en or » en quittant Cab Calloway, c'est vrai, mais je n'étais pas abattu pour autant. J'avais confiance en moi et je savais que beaucoup de musiciens considéraient mon style comme très nouveau et d'une originalité marquante. Grâce à l'intérêt que ma musique novatrice éveillait, je pouvais espérer obtenir l'argent, le respect et la notoriété mérités. Fort de cette réflexion, je décidai de ne plus accepter des affaires mal payées qui dépréciaient mon talent et ma valeur de soliste. A l'époque, les jazzmen travaillaient pour des salaires de misère, quand ils n'étaient pas à la tête d'une petite formation ou d'un grand orchestre. Pendant environ un an, j'ai joué dans plus de dix orchestres, refusant de rester trop longtemps dans le même, et essayant d'obtenir le cachet que je souhaitais. Si l'on me refusait ce traitement de faveur, j'allais ailleurs.

Vers la fin de 1941, je suis passé pendant une semaine au Kelly's Stables sur la 52e Rue, avec Coleman Hawkins. L'épisode fut assez drôle. Je voulais soixante-quinze dollars par semaine au lieu des soixante-six proposés, et je le dis à Coleman. « Tu as tout à fait raison. Tu les mérites », me dit-il. Seulement, ce n'était pas lui qui me payait et il ne pouvait que défendre ma cause auprès du patron. Lui, il touchait davantage, bien sûr, parce qu'il revenait d'Europe et que c'était le chef. Mais les musiciens avaient le tarif syndical. Alors, à la fin de la première semaine, quand j'ai reçu mes soixante-six dollars, je leur ai dit : « Vous allez être obligés de chercher un autre trompette, parce que moi je veux soixante-quinze dollars, sinon je me taille. » J'avais calculé un peu au-dessus du tarif régulier en raison de ma valeur de soliste. Eh bien, ce fut ainsi que se termina mon engagement avec Coleman Hawkins. Je pense que si Coleman avait été le patron, il m'aurait donné ce que je demandais...

Plus tard, j'ai rejoué au Kelly's Stables avec Benny Carter cette

132

fois, et un merveilleux septette : John Collins à la guitare, Charlie Drayton à la basse, Sonny White au piano, Kenny Clarke à la batterie, Al Gibson à la clarinette, et bien sûr Benny Carter. Une chouette équipe, dont tous les membres composaient des thèmes qu'on jouait ensuite avec enthousiasme. L'ensemble sonnait très moderne, surtout grâce à Kenny Clarke et Sonny White. Sonny était un inconditionnel de Teddy Wilson et ne s'est jamais engagé à fond dans le « nouveau genre », comme le fit Bud Powell, mais il restait ouvert aux suggestions et jouait avec une grande sensibilité. Kenny et moi avions maintenant affirmé notre style et Benny Carter, qui nous considérait comme les chefs de file du mouvement, nous octroyait une grande liberté d'expression au sein de sa formation. Benny est un grand musicien, et il avait compris que notre entreprise était valable. Il n'y a jamais eu de problèmes avec lui. Ce fut une longue et belle entente cordiale.

J'ai fait une grosse impression sur lui, semble-t-il, et moi je le considère comme un sacré musicien aux multiples facettes. Benny jouait de tous les instruments à anche, et de la trompette par-dessus le marché, avec un très beau son. Quand il se mettait à souffler dedans et à prendre des chorus, il se passait des tas de choses, croyez-moi ! Il écrasait tous ses trompettistes.

Mais quand je suis entré dans son orchestre, sa nouvelle passion était le saxophone ténor. Il sonnait comme Ben Webster plus tard, qui a d'ailleurs été très influencé par lui. Peu de gens savent que Benny Carter jouait du ténor avant Ben Webster. De l'alto, bien sûr, tout le monde le sait ; mais pas du ténor. De toute façon, à mes yeux, Benny Carter est le chef de file de tous les saxophonistes.

Quand je travaillais avec lui, j'avais remarqué qu'il ne voulait pas jouer de la trompette en même temps que moi. Il évitait. Une façon à lui d'exprimer son respect et son admiration. Une élégante réaction de musicien. Alors, un soir, je suis allé dans la loge de l'orchestre et j'ai trouvé sa trompette. Il ne l'avait pas touchée depuis si longtemps que je n'arrivais pas à pousser les pistons. Je les ai nettoyés avec soin, graissés, et je lui ai apporté le biniou sur le podium.

« Que veux-tu que j'en fasse, vieux !

— Tu vas jouer avec moi. J'y tiens beaucoup. »

Et on a joué comme des fous, en prenant des quatre-quatre* et des huit-huit. Un grand moment, ce duo de trompettes ! Le pied !

---

* Quatre-quatre : prendre des quatre-quatre signifie que les solistes improvisent à tour de rôle pendant quatre mesures. Huit-huit : idem, sur huit mesures (*N.d.A.*).

JOHN COLLINS (guitariste)

« C'est moi qui ai branché Benny Carter sur Diz. Je lui ai dit :
" Engage ce mec, il est génial ! " Il ne le connaissait pas. " Mais qui
est-ce, ce Diz ? — Engage-le, je te dis. " On jouait en petite
formation et il avait besoin d'un trompettiste. Cela devait se situer
vers 1941-1942, car après, Benny a monté un grand orchestre pour
passer à l'Apollo.

« Je n'ai pas beaucoup de souvenirs de cet engagement sur la
52e Rue, parce que je me suis retrouvé dans l'armée peu après.
Benny m'avait accompagné au bureau de recrutement, dans l'espoir
de m'aider à m'en tirer. Mais du coup, il a failli être incorporé lui
aussi. Ils lui ont posé des tas de questions sur son salaire, ses impôts,
bref, il n'a pas insisté et il est parti en vitesse.

« Musicalement parlant, la démarche de Diz s'est située sur le plan
de la recherche harmonique. Il a été le premier trompettiste à
improviser sur une trame complexe. Jusque-là, tout le monde avait
suivi Louis (Armstrong) et ensuite Roy (Eldridge) déjà plus moderne.
Et Diz est arrivé, avec son truc à lui, son utilisation nouvelle des
accords, et il a soufflé tout le monde. Je me souviens qu'il venait
souvent chez moi, pour jouer, simplement. Lui, Ben Webster et moi,
on jouait comme des fous dans ma chambre. Sa conception d'un
thème, sa façon de l'exposer, et son improvisation étaient délirantes. »

BENNY CARTER (saxophoniste, compositeur, chef d'orchestre)

« J'ai rencontré Dizzy au début des années quarante, alors que je
revenais d'une tournée en Europe. Je crois qu'il jouait encore avec
Cab Calloway. Je l'ai entendu avec l'orchestre, et aussi dans des jam-
sessions. J'étais très emballé, et quand j'ai eu l'occasion de lui offrir
une place au sein de ma formation et qu'il l'a acceptée, j'ai été ravi.
Il apportait un style neuf, débordant d'audace et d'originalité, et il
possédait une technique étonnante qui lui permettait d'accomplir des
prouesses que personne n'avait jamais tentées sur cet instrument.

« L'engagement au Kelly's Stables fut suivi d'un au Famous Door.
Irving Alexander, un des patrons de ce club à l'époque, me
demandait tous les soirs : " Mais qu'est-ce qu'il joue, votre
trompette, là ? Où l'avez-vous déniché ? " De toute évidence, il
n'accrochait pas au style de Dizzy, et il n'était pas le seul. Tandis
que maintenant tout le monde le trouve fantastique, bien sûr. Je
répondais à Alexander : " Mais c'est de la musique, de la vraie
musique... le nouveau style, vous savez bien. "

134

« Enfin, Dizzy a quand même été mondialement reconnu par la suite et a eu une influence majeure sur toute la génération suivante, comme Louis Armstrong et quelques autres sur la précédente, à cela près que l'on retrouve celle de Dizzy chez d'autres instrumentistes que les trompettistes. Oui. Et quand Diz et Bird se sont rencontrés, il en a résulté une collaboration bien spontanée. A eux deux, ils ont vraiment transformé le panorama du jazz.

— *Quand vous avez engagé Dizzy dans votre orchestre, il jouait déjà dans ce style novateur. Qu'en pensiez-vous alors?*

— Tout me semblait nouveau, révolutionnaire même, surtout ce qu'il réussissait à faire avec son instrument... L'inventeur de la trompette en connaissait forcément les limites techniques. Mais Diz, lui, n'avait pas dû en être informé et accomplissait des prouesses jugées impossibles, avec toute l'audace de l'inconscience.

« Je trouvais sa démarche musicale digne d'intérêt, mais j'ignorais quel en serait l'aboutissement, et quel accueil le public lui réservait. Il faut vous dire que je ne sortais guère. Me croirez-vous si je vous avoue que je n'ai jamais assisté à une jam au Minton's? Ne me demandez pas pourquoi. Je devais être débordé. J'écrivais beaucoup à l'époque, et je rentrais chez moi après le travail. Si quelqu'un lisant ces lignes se souvient m'avoir vu au Minton's une seule fois, qu'il me le fasse savoir.

« Il est indéniable que Dizzy a été une figure de tout premier plan dans l'histoire du jazz, et qu'il a révolutionné la technique à la trompette. Il n'en joue pas comme les autres, et il a dû se fabriquer un doigté à lui. Je pense que c'est ça. Comme je tâte un peu moi-même de cet instrument, c'est mon impression. Mais je ne sais pas exactement de quoi il s'agit... En tout cas, pas de ce qu'il est convenu d'appeler un " doigté factice "... Non, je ne dirais pas " factice " mais plutôt " différent ", " autre "... De toute évidence, Dizzy a étudié la question à fond.

« Dizzy a tort de prétendre que j'écrasais tous mes trompettistes, d'autant plus que j'en ai eu de très forts. Mais c'est vrai que j'adore cet instrument, encore aujourd'hui, et que j'aimais bien en jouer. Néanmoins, quand Diz est entré dans l'orchestre, j'ai jugé que c'était le moment pour moi de ne plus y toucher. C'est vrai aussi qu'il m'a poussé à jouer en duo avec lui. Bien sûr, j'arrivais bon second, mais c'était la fête quand même. Et vous voyez, je remettrais bien ça aujourd'hui, si j'avais encore des lèvres... juste pour le plaisir. Je joue encore un peu en ce moment, mais je n'ai pas assez de temps pour vraiment travailler l'instrument; et je ferais mieux de penser à mon sax que je n'ai pas touché depuis longtemps aussi. En tout cas, je le répète, jouer avec Dizzy dans n'importe quelles circonstances, c'est le pied! »

Pendant la période où j'ai travaillé avec Benny Carter, je me suis réconcilié avec Cab Calloway. Depuis mon départ de l'orchestre, deux ou trois ans auparavant, Cab refusait de m'adresser la parole. Quand je le rencontrais par hasard et que j'allais lui dire bonjour, il détournait la tête. Sympa! Mais un jour, tout s'est arrangé.

J'habitais alors au nº 2040 sur la 7e Avenue, et Cab avait un engagement au Community Center de Westchester. Le car qui transportait les musiciens et leur matériel partait de l'hôtel Theresa, et je suis passé devant juste au moment où ils embarquaient. Tous les copains étaient contents de me revoir... peut-être aussi parce que je commençais à faire parler de moi sur la 52e Rue. Quoi qu'il en soit, et dans la mesure où Cab ne voyageait pas avec ses musiciens, je suis monté pour bavarder cinq minutes avec eux, et les deux clowns de service, Tyree Glenn et Milton Hinton, m'ont aussitôt entrepris :

« Tiens, qu'est-ce que tu deviens? me demanda Tyree.

— Je fais relâche, ce soir.

— Alors, tu viens avec nous à Westchester! décida Milt Hinton.

— Ecoute, vieux, tu sais comment est Cab... Je ne tiens pas à...

— Dis donc, sale nègre, t'as les jetons?

— Pas vrai. Cab ne me fait pas peur. Je l'emmerde! »

Finalement, le car a démarré avec moi dedans, et à l'arrivée nous sommes tombés sur Cab qui descendait de sa voiture particulière. Quand il m'a aperçu, il a levé les yeux au ciel et s'est avancé vers moi. Personne ne savait qu'il m'ignorait, jusque-là, quand on se rencontrait. J'allais souvent chercher Lorraine à l'Apollo où elle travaillait pour Cab, mais les copains n'avaient pas remarqué qu'il m'évitait. Cette fois, ils étaient tous autour de nous. Cab s'est approché et m'a mis la main sur l'épaule.

« Comment vas-tu, vieux?

— Très bien.

— Je m'en doute. J'entends beaucoup parler de toi, ces temps. Ça me fait plaisir de voir que ça marche pour toi. »

Je faillis répliquer : « La meilleure idée que j'ai eue depuis longtemps, c'est d'avoir quitté ton orchestre! » Mais je me suis abstenu...

Un peu plus tard, l'occasion se présenta pour moi de partir en tournée au Canada et dans le Midwest avec un orchestre blanc, celui de Charlie Barnet. A cette époque, la discrimination raciale se faisait moins sentir dans le milieu du jazz que dans les autres couches de la société. Cela dit, elle avait quand même cours puisqu'il n'y avait guère qu'un grand orchestre blanc qui engageait des musiciens noirs de façon permanente, celui de Benny Goodman. Inutile de préciser que les orchestres blancs récoltaient la plupart des affaires les mieux payées, alors que les jazzmen noirs, pourtant des créateurs exceptionnels, en étaient évincés. Toutes les excuses paraissaient bonnes pour justifier cette iniquité : les incidents que pourraient provoquer des orchestres mixtes (Blancs/Noirs) auprès de certains clients ou patrons de boîtes racistes ; les complications qu'entraînaient au sein d'un orchestre blanc la présence d'éléments noirs dans des lieux publics comme les hôtels, les toilettes, les bars, appliquant les lois ségrégationnistes. Mais à mon avis, la raison majeure était que la plupart des orchestres blancs acceptaient sans protester cet état de choses, se protégeant ainsi de la dangereuse concurrence des musiciens noirs. Le fait de prendre cette place que m'offrait Charlie Barnet était un peu une manière à moi de lutter contre la discrimination raciale.

Charlie Barnet était connu pour ses idées libérales. Il avait déjà employé Lena Horne comme chanteuse, et plus tard le bassiste Oscar Pettiford et le tromboniste Trummy Young. Mais du temps de mon engagement, j'étais le seul Noir. Je me souviens qu'une fois on jouait dans un grand hôtel d'Indianapolis, une ville réputée pour son racisme où les Noirs n'avaient même pas le droit de payer leur place dans la salle de spectacle locale. Un jour je montais dans la pièce réservée aux musiciens, à l'hôtel, quand un garde de service m'interpella pour savoir où j'allais.

« Dans la loge des musiciens.

— Et pour quelle raison ? insista-t-il.

— Je suis un membre de l'orchestre, et...

— Mon œil ! »

Il fallut qu'un des musiciens vienne le convaincre de me laisser passer pour aller à la répétition. A la suite de cet incident, j'ai quand même persuadé Charlie Barnet d'engager Joe Guy, histoire de me sentir moins seul. J'espérais aussi qu'avec deux « membres » de la communauté noire dans l'orchestre, les gardes ou autres représentants de l'ordre se feraient une raison... En tout cas, Charlie accéda à ma requête et avec Joe Guy, de la confrérie des « membres », ce fut la grosse fête pour moi en tournée.

Une autre anecdote amusante : à Detroit, où nous passions, il y avait un trompettiste blanc dans l'orchestre de fosse local qui me voyait tenir ma trompette pavillon vers le bas pour lire mes partitions.

« Il faut redresser ta trompette, m'expliqua-t-il. Le pavillon doit passer au-dessus du pupitre pour que le son sorte bien. Tiens ta trompette en l'air !

— D'accord. Je tâcherai d'y penser. »

C'était drôle, car dès que j'oubliais de le faire, il levait les mains, paumes vers le haut, pour me rappeler à l'ordre. Et au bout des deux semaines de notre engagement à Detroit, j'avais pris l'habitude de tenir mon instrument correctement. Comme quoi, l'homme blanc est parfois de bon conseil.

Cette tournée me fit aussi prendre conscience de la différence de travail entre les orchestres blancs et les orchestres noirs. Avec ces derniers, il fallait savoir modifier son jeu, l'adapter à chaque fois car ils avaient tous leur style et leur phrasé particulier. Tandis que dans les orchestres blancs comme Charlie Barnet ou Boyd Raeburn, tout était plus standardisé et un musicien n'avait pas besoin de changer grand-chose en passant de l'un à l'autre. L'expérience que j'ai acquise en travaillant dans des orchestres noirs m'a été extrêmement précieuse.

Une autre différence qui mérite d'être mentionnée, c'est que les musiciens blancs étaient salariés, et touchaient un cachet supplémentaire s'ils faisaient des « extras » en dehors du travail régulier. Toutes les semaines, les musiciens de Tommy Dorsey ou de Benny Goodman par exemple recevaient un fixe. Alors que les musiciens des grands orchestres noirs étaient payés en fonction de la durée des engagements, à la semaine, à la soirée, mais ne gagnaient rien s'ils ne jouaient nulle part. Ils avaient seulement le droit de demander une avance sur cachet. Ce fut Les Hite, à la tête d'un orchestre noir, qui le premier paya ses musiciens même quand il n'y avait pas de travail. Une belle initiative.

Les Hite était originaire de Californie et avait la chance d'être financé par une riche Américaine, une Blanche, qui investissait son argent dans l'orchestre. Cela permettait à Les de donner un fixe chaque semaine à ses musiciens, oh pas très important, mais enfin c'était régulier. Personnellement, c'était la première fois que cela m'arrivait. Les dirigeait l'orchestre permanent du Cotton Club, et assurait la musique des spectacles à Culver City. Il avait le meilleur orchestre de Californie à l'époque. Lionel Hampton avait fait un passage chez lui. Quant à moi, j'avais eu la place grâce à un ami qui devait plus tard jouer un rôle important dans mon évolution, et qui en 1942 était à la fois l'arrangeur et le directeur musical de l'orchestre : Walter Gilbert Fuller.

Les Hite aimait bien notre nouvelle musique et mon style, mais je lui faisais un peu peur à cause de l'incident avec Cab. Il me considérait comme un type un peu « bizarre dans sa tête », et nous ne communiquions pas beaucoup, lui et moi. Il me payait; c'était l'essentiel.

Mais les choses se gâtèrent à cause du batteur, Oscar Bradley, qui

138

me faisait systématiquement des tas de figures classiques derrière mes chorus, des trucs lourds du genre méthode de tambour, vous voyez ce que je veux dire, ou des « flas » et des « double flas », un peu l'école de Cozy Cole, le type qui connaît bien sa leçon sans une once de fantaisie. Et moi, j'étais habitué au jeu de cymbales léger de Klook, et à ses accentuations à la grosse caisse. Alors j'ai fini par craquer et je lui ai dit : « Ecoute, vieux, arrête tes a-ra-ta-ta-drrr, quand je prends mon chorus et fais-moi seulement chink-a-ching sur la cymbale. — D'accord », promit-il.

Mais un jour, à l'Apollo, dès le début de mon solo il a commencé ses ra-ta-boum-boum, et je me suis rassis sans jouer. Les Hite me jeta un regard lourd de signification, sans rien dire, peut-être à cause de ma réputation. Il s'est contenté de virer tout l'orchestre, oui, de renvoyer tout le monde pour pouvoir réengager ensuite les musiciens de son choix. Ça se pratiquait assez couramment à l'époque, et ce n'était pas une si mauvaise idée : dissoudre un orchestre entier, et aussitôt après ne reprendre que certains des éléments. C'était plus élégant que de pointer un index courroucé vers un musicien en lui disant : « Toi, je ne veux plus te voir ! » Mais ça fait quand même drôle de penser que Les Hite a utilisé ce subterfuge pour se débarrasser de moi.

WALTER GILBERT FULLER (arrangeur)

« Après son départ de l'orchestre de Cab Calloway, Dizzy jouait un peu avec tout le monde à New York, et je le rencontrais de temps à autre. A ce moment-là, je travaillais comme arrangeur et directeur musical pour Les Hite, en d'autres termes je composais, j'écrivais des arrangements, mais je m'occupais aussi d'engager ou de renvoyer les musiciens, et de l'organisation en général. C'est ainsi que j'ai pu engager Dizzy quand l'orchestre de Les Hite est venu à New York. Les musiciens touchaient un fixe de 35 dollars par semaine, même quand il n'y avait pas de travail. Ce n'était pas grandiose, mais à l'époque...

« Les s'est un peu inquiété quand j'ai voulu engager Dizzy dont la réputation lui faisait peur, mais je l'ai raisonné : " Ecoute, il sait parfaitement lire une partition et jouer en orchestre, en outre on a sacrément besoin d'un soliste. Alors, ne t'occupe pas du reste. "

« Mais Les n'a été convaincu que le jour où Diz est venu faire un essai et a tout déchiffré à vue, toutes les partitions du répertoire. Il n'y avait plus rien à dire. Et puis il avait une aisance étonnante sur son instrument. Sa sonorité n'était pas excellente, à mon avis, mais sur le plan de la technique il était le roi. C'est cette qualité qui lui a permis de créer ce nouveau style que l'on a appelé plus tard le bebop. Il avait déjà tous les éléments en lui, et les quelques enregistrements qu'il a faits en 41-42 avec l'orchestre de Les Hite le montrent bien.

« Mais le jour où Dizzy s'est arrêté en plein milieu d'un chorus, Les s'est mis dans une colère terrible. Il décida de dissoudre l'orchestre, renvoya tout le monde excepté moi, et me chargea ensuite de récupérer certains éléments. Oui, il s'est vraiment fâché cette fois-là, et Fluffy aussi. C'était elle qui finançait l'orchestre, une raison suffisante pour justifier sa fureur.

« Vers 41-42, Diz et moi sortions pas mal ensemble. On écumait les clubs. Il portait une veste de cuir et un de ces chapeaux de chasseur que j'appelle un " taïaut ! taïaut ! ", vous savez ce genre de couvre-chef style britannique qu'arborent les cavaliers dans les chasses à courre. Il faut dire que Dizzy a le chic pour porter des coiffures invraisemblables ! Sa veste de cuir aussi, c'était quelque chose. Je m'en souviendrai toute ma vie. Et puis il y avait le petit couteau qu'il gardait toujours dans sa poche et dont le manche ressemblait à une patte de lapin, avec du poil dessus. Pas un de ces trucs à cran d'arrêt, non ; et pourtant, quand il le sortait, il en faisait jaillir la lame avec la rapidité de l'éclair. Comme s'il appuyait sur un bouton. Mais c'était un simple couteau. Il avait le coup de main, c'est tout.

« Il faisait très froid à New York cette année-là, je m'en souviens. J'allais souvent à l'Apollo avec lui, en coulisses, pour voir Lorraine. Et après, on faisait la tournée des clubs avec d'autres copains, surtout au Theresa et au Minton's. C'était la belle époque où on se retrouvait, comme ça, entre musiciens après le travail pour jammer et discuter ensemble. Mais en 1943, j'ai été enrôlé dans l'armée et j'ai perdu Dizzy de vue jusqu'à mon retour à New York plus tard. Car bien entendu, une fois le service terminé, je suis revenu à New York. C'était là que tout se passait. »

DIZZY

Quand j'étais encore dans cet orchestre, Joe Wilder, un autre trompettiste que je connaissais depuis Philadelphie, me dit un jour :

« Regarde bien Les. Il a trois dentiers de rechange.

— Qu'est-ce que tu veux dire ?

— Il en a un pour le " sourire de commande ", l'autre pour le " ricanement de mépris " et le troisième qui signifie : " Je n'en crois pas un mot. " Il les a en réserve et il sort l'un ou l'autre suivant les circonstances. »

J'ai trouvé la remarque hilarante. C'est vrai que Les Hite était un curieux personnage.

Après mon renvoi, j'ai fait de courts passages dans différents orchestres : Claude Hopkins, Fess Williams, Calvin Jackson, Boyd Raeburn, et Fletcher Henderson. Avec ce dernier, j'ai dû exiger qu'il arrête son accompagnement du genre « oom-pa, oom-pa » derrière mes solos. Je lui ai même crié sur scène à l'Apollo : « stroll! », un terme qui dans le jazz signifie que la section rythmique doit jouer sans le piano, seulement la basse, la batterie, et la guitare s'il y en a une. Prez * pratiquait beaucoup le « stroll » avec ses chorus. Roy Eldridge aussi. C'est même lui qui m'a montré la voie. Le piano le gênait souvent dans ses solos, et Roy criait : « stroll! » pour en être débarrassé. Je n'ai pas tellement travaillé avec Fletcher Henderson, un week-end par-ci, un soir par-là, mais à chaque prestation j'ai été obligé de lui demander de ne pas jouer pendant mes solos parce que l'accompagnement de piano me bridait. Or j'étais bien décidé à ne laisser personne interférer avec mon style d'improvisation. Personne!

Je crois que mon travail sur les enchaînements harmoniques constitue ma contribution majeure à notre musique. J'ai montré des astuces d'accompagnement à Al Haig, George Wallington et à bien d'autres pianistes. De nos jours, ceux de la nouvelle génération comme Herbie Hancock et Chick Corea ont apporté d'autres innovations, des idées délirantes, mais qui reposent néanmoins sur les mêmes bases, sur ces fondations que nous avons établies pour structurer notre style, le bebop, dans les années quarante. Selon moi, les saxophonistes et autres instrumentistes pouvaient également s'inspirer de ces principes.

Mon meilleur moment avec l'orchestre de Les Hite a sans doute été mon solo lors de l'enregistrement de *Jersey Bounce* (Hit 7001) en juin 1942.

Ce même été 42, j'ai retrouvé un engagement avec Lucky Millinder qui m'avait entendu jouer au Savoy avec différents orchestres. Lucky était un curieux personnage, mais il avait un immense talent de chef d'orchestre. Il ne lisait pas la musique, mais il avait une oreille extraordinaire et une mémoire ahurissante. Il connaissait les arrangements par cœur, et si jamais un musicien ratait une note, il lui jetait un mauvais regard. Un comble, non? Incapable de déchiffrer sur une portée, mais connaissant chaque morceau dans le détail. Il savait aussi à quel instant précis tel ou tel instrument devait faire son entrée. Les musiciens n'avaient pas besoin de compter. Par exemple, si vous aviez cinq ou sept mesures à vide, vous

---

* Prez, abréviation de President. On appelait ainsi le saxophoniste Lester Young (*N.d.T.*).

pouviez dormir sur vos deux oreilles. Lucky vous faisait signe de vous préparer deux mesures avant, et d'attaquer sur la division de temps exacte, qui pouvait se situer sur la seconde note d'un triolet, ou un truc aussi délicat que ça. Après quoi, vous suiviez votre partition. Oui, un bonhomme assez extraordinaire, quand on sait qu'il ne déchiffrait pas. Extraordinaire !

C'est avec cet orchestre que j'ai enregistré *Little John Special* (Brunswick 03406) dont l'arrangement contenait un riff de mon invention, une phrase répétitive que j'introduisais en fond rythmique derrière un chorus de saxophone, ou que la section de saxes reprenait derrière le bassiste. Ce même riff est devenu par la suite très important car il a servi de structure à un de mes thèmes les plus célèbres : *Salt Peanuts*.

Lucky était un peu braque aussi, avec des idées bizarres sur l'organisation interne. Il avait la manie du vidage. Je ne crois pas qu'un seul de ses musiciens y ait échappé. Il prenait les types en grippe les uns après les autres, et il les vidait. C'est tout juste s'il ne se virait pas lui-même en voyant sa tête dans une glace ! Moi j'y ai eu droit aussi, bien entendu, sous prétexte que mes lèvres me lâchaient ! Il a vraiment raconté à qui voulait l'entendre que je n'avais plus de lèvres, et il m'a donné un préavis de deux semaines.

En général, un musicien se doutait qu'il allait se faire virer parce qu'un soir sur le siège voisin dans sa section il y avait un nouveau venu qui jouait ses partitions. Et quand arrivait le moment du solo, c'est à celui-là que Lucky faisait signe de se lever. A partir de là, on savait que la sortie n'était pas loin. Oui, Lucky m'a vidé ; mais j'en ignore toujours la ou les raisons réelles. Il n'en avait peut-être aucune, d'ailleurs. C'était un maniaque du vidage, c'est tout.

Mais toute la dernière semaine de mon préavis, j'ai joué comme un fou, et je prenais tous les solos, même si Lucky ne me désignait pas. J'ai vraiment « mis le paquet » comme jamais. Et un soir Lucky m'a fait venir dans sa loge.

« Dis donc, à propos de ce préavis... J'y ai repensé... Finalement j'aimerais bien que tu restes.

— Mais Lucky, je ne peux pas. J'ai trouvé un autre boulot.

— Ecoute, je te donne cinq dollars de plus par soirée. »

Ça alors, ça ne s'était jamais vu ! J'en gagnais déjà dix-huit pour une soirée à l'époque. Les tarifs variaient d'ailleurs, suivant qu'il s'agissait de prestations isolées, que l'on restait sur place, ou que l'on partait en tournée. Bref, son offre après m'avoir signifié mon congé etait vraiment incroyable ! Un drôle de type quand même, ce Lucky... Mais j'ai refusé. J'avais un autre engagement. Il a commencé à me traiter de tous les noms, et je l'ai arrêté dans son élan.

142

« Lucky, c'est toi qui m'as mis à la porte, ce n'est pas moi qui l'ai prise. Alors, désolé, vieux, mais je m'en vais. »

Il ne me connaissait pas! J'avais déjà décroché un engagement au club Downbeat à Philadelphie, que tenait Nat Segal. J'étais connu à Phila, j'y avais vécu à une époque, et on m'y considérait un peu comme une vedette. Nat Segal me donnait ce que j'avais demandé : cent cinquante dollars par semaine, pendant sept semaines, et le choix d'une section rythmique locale qu'il payait aussi. A Philadelphie et dans les environs, il y avait alors une pépinière de musiciens blancs très intéressés par mon style et ma technique, comme Charlie Ventura, Buddy De Franco, et un certain Ellis Tollin qui jouait de la batterie et qui tient maintenant un important magasin de musique. Il y avait aussi un petit gars, Red Rodney, un trompettiste qui allait plus tard jouer avec Charlie Parker. Il n'avait pas le droit d'entrer dans le club parce qu'il était trop jeune, alors il se planquait dans l'escalier pour écouter... jusqu'à ce qu'on le vide. C'est pendant cet engagement à Philadelphie que j'ai connu Stan Levey, un jeune batteur blanc qui était gaucher, et qui venait faire un bœuf avec nous de temps en temps. En quelques années, il avait pigé et assimilé le style de Max Roach. Plus tard, il est venu à New York et a travaillé avec moi. C'est sûrement le batteur blanc qui avait le plus de feeling, parmi ceux qui se sont mis assez tôt au style moderne comme Shelly Manne, Irv Kluger et Dave Tough. Dave Tough aurait pu être le fils d'un pasteur. Il y avait en lui cette spiritualité profonde et sereine. Il devint plus tard le batteur vedette de l'orchestre de Tommy Dorsey, et épousa une Noire qu'il emmenait partout en tournée avec lui. Cela se passait bien avant l'époque de Martin Luther King et des « sit-in » dans les snack-bars de Caroline du Nord, mais c'était déjà le début de l'ère des revendications civiques dont Paul Robeson, précurseur de l'illustre Révérend, se fit le porte-parole. Détail tristement ironique, les Noirs à l'époque n'adhéraient pas facilement aux innovations des leurs dans quelque domaine que ce fût, y compris donc celui de la musique.

Une autre anecdote piquante : Norman Dibbles, le batteur de Frankie Fairfax avec qui j'ai joué à une époque, passait toujours pour un Blanc, comme Bama auquel il ressemblait étonnamment, à cela près que Dibbles avait les cheveux clairs et Bama, foncés. Mais la couleur de peau était la même, et Bama jouait souvent dans des orchestres de Blancs sans que personne s'aperçoive qu'il était Noir. Cette méprise lui permettait de recueillir des tas de renseignements intéressants. Et parfois, quand il me voyait discuter avec quelqu'un, il venait me dire après :

Qu'est-ce qui te prend de parler à cette espèce d'enculé!

— Je pensais que c'était un mec régulier.

143

— T'es pas bien. Il vomit les nègres ! »

En revanche, Dibbles, une fois installé à New York, est devenu Blanc jusqu'au bout des ongles, si j'ose m'exprimer ainsi. Il a toujours refusé de travailler à Harlem, et vivait à Forest Hills avec sa femme Isabel, tout aussi blanche que lui sinon plus. Sa mère aussi était du même acabit. Tous plus blancs d'esprit que les Blancs ! Dibbles ne voulait à aucun prix subir les désagréments du racisme, et il a même été jusqu'à changer son nom en Dibb Norman. Il est inscrit sous ce nom dans l'annuaire du syndicat, mais il s'appelle Dibbles Norman. Il a vraiment joué la carte blanche jusqu'au bout !

« Pickin' the Cabbage »

Je me suis mis à écrire des arrangements grâce à ma connaissance du piano, et quand je n'avais pas assez pour manger, c'est avec ma plume que je faisais reculer le spectre de la famine...

Je connais des types qui s'installent devant leur papier à musique pour écrire, comme ça, direct. Ça me dépasse. Moi je m'assois d'abord au piano, et j'essaie différentes combinaisons harmoniques, je cherche les meilleurs renversements d'accords, bref, c'est très rare que j'écrive comme ça — tac — ce qui me passe par la tête. Seulement bien entendu, cela prend plus de temps, et pour cette raison même je me faisais payer très cher.

Ainsi une fois, le manager de Jimmy Dorsey était venu me trouver pour m'acheter quelques-uns de mes arrangements.

« C'est cent dollars par morceau.

— Quoi ! Cent dollars...

— Oui, et si ça ne vous plaît pas, je reprends ma musique, et c'est inutile de discuter, ai-je déclaré en ramassant mes partitions.

— Attendez, attendez... On peut parler quand même...

— Pas question. Il n'y a rien d'autre à dire. »

Je savais très bien qu'il avait besoin de mes arrangements qui sonnaient moderne. Et il a payé le prix, au bout du compte !

Good night, my love a été mon premier arrangement pour grand orchestre, et c'est un des plus beaux thèmes jamais écrits de par sa structure harmonique. Je l'avais initialement arrangé pour Frankie Fairfax à Philadelphie, et plus tard Ella Fitzgerald l'a chanté avec l'orchestre de Chick Webb. J'adore cette version.

Quand je me suis installé à New York, j'ai commencé à composer des petits thèmes pour Teddy Hill, plutôt des motifs simples à partir desquels on élaborait ensuite un arrangement « de tête » pour l'orchestre. Je me souviens d'un qui avait été baptisé *Dizzy Crawl,* et quand Shad Collins a quitté Teddy Hill pour aller chez Count Basie, il l'a emporté avec lui et ils l'ont enregistré sous le titre de *Rock-a-*

bye Basie. Mais c'était *ma* composition. Bien sûr, il s'agissait d'un « riff », une phrase, un motif répétitif, mais enfin cela représente quand même un thème sur lequel on construit un arrangement. Je ne l'avais pas déposé, pour les droits d'auteur, parce que c'était un riff et que j'avais simplement expliqué aux gars de l'orchestre ce qu'ils devaient jouer, comme ça, de tête. Je n'avais donc aucune preuve valable, sinon ma bonne foi. Quand on écrit la moindre ligne, il faut aussitôt la signer et la déposer, croyez-moi. Je n'ai donc pas touché de royalties sur ce thème qui était mon idée et que l'on m'avait volé. Sauf très très longtemps après. Je pense que Shad a dû finir par leur dire, vraiment bien plus tard... et j'ai reçu une petite somme quand même. Basie a prétendu que Shad lui avait apporté ce thème en disant qu'il était de lui. Ben merde, alors ! Plus tard, ils m'ont tout de même baptisé coauteur, et j'ai touché quelques royalties, mais rien depuis ces quinze dernières années, en tout cas.

Il y a souvent des thèmes ainsi « volés » par des chefs d'orchestre. Je l'ai peut-être même fait moi aussi plus tard, mais jamais jusqu'au bout. Il faut expliquer comment cela se passe : au cours d'une séance, on décide de fabriquer un arrangement « de tête », de l'improviser collectivement en quelque sorte ; quelqu'un lance l'idée d'un thème/riff, autour duquel viendront s'agencer les idées d'autres musiciens de l'orchestre. Tout le monde participe à l'élaboration du morceau, mais il n'empêche que celui qui a créé le riff initial en reste l'auteur. Le nouveau thème s'inscrit au répertoire régulier, et si personne ne prend la peine de l'écrire note pour note, on en attribue généralement la paternité au chef. Ce genre d'arrangements « de tête » repose essentiellement sur le feeling de toute l'équipe. Pas besoin de savoir déchiffrer, dans ce cas précis. Mais si par hasard, un des musiciens quitte l'orchestre, il emporte le riff dans sa tête et peut le jouer ailleurs. On pratiquait beaucoup ces arrangements improvisés chez Minton ou chez Monroe. Une grande partie du répertoire de Basie à l'époque était constituée par certains riffs au titre aussi célèbre que *Jumpin' at the Woodside*, ou aussi évocateur que *One o'clock Jump*.

En effet, aux Etats-Unis, les soirées dansantes ont lieu de vingt et une heures à une heure du matin. Donc quand une heure (*one o'clock*) sonne, il est temps de quitter les lieux. On jouait toujours ce thème en « clôture ».

COUNT BASIE

« *Diz raconte que Shad Collins vous a apporté un thème de lui,* Dizzy Crawl, *que vous avez enregistré ensuite sous le titre de* Rock-a-bye Basie. *Comment se fait-il?*

146

— Je n'en sais rien, sincèrement je n'en sais rien. Il y a tellement longtemps ! Qui raconte ça ?

— *Dizzy Gillespie. Il dit aussi que vous avez rajouté son nom plus tard.*

— Alors, tout va bien. C'est normal. Si le thème est de Diz et que j'ai mis son nom dessus, tout est en ordre. Diz ne s'amuserait pas à réclamer sans raison. Ce que je pense de Diz ? Qu'il a contribué pour 75 p. 100 à la musique moderne. Voilà. C'est un des plus grands. »

DIZZY

Deux de mes premières compositions et leurs arrangements, *Pickin' the Cabbage* et *Paradiddle*, écrits pour Cab Calloway et Cozy Cole furent enregistrées à Chicago en mars 1940 (Vocalion 5467). Ces thèmes ont apporté quelque chose à l'orchestre de Cab, et si l'on écoute attentivement mon arrangement et mon solo dans *Pickin' the Cabbage*, on y trouve les germes de certaines compositions ultérieures, telles *A night in Tunisia* et *Manteca*. Et avec une oreille au-dessus de la moyenne, on remarquera également dans *Pickin' the Cabbage* que mon orientation musicale est déjà toute tracée. On y relève l'influence sud-américaine et, pour la première fois sans doute depuis les débuts du jazz, l'utilisation de la polyrythmie. Tous les éléments de synthèse entre le « swing » de la musique afro-américaine et les divers rythmes d'Amérique du Sud et des Caraïbes s'y trouvent réunis.

MILTON HINTON

« Il a révolutionné l'orchestre de Cozy Cole, et il a ouvert de nouveaux horizons à Cab — lui et Chu Berry d'ailleurs — en lui démontrant que l'orchestre pouvait être autre chose que le simple support des thèmes qu'il chantait ; il fallait l'utiliser plus largement.

« On se réunissait dans la loge, Diz, moi et quelques gars de l'orchestre pour essayer des petits trucs que Dizzy écrivait. Et Cab nous entendait de temps en temps. Quand il trouvait que ça sonnait bien, il nous disait : " On va jouer ça, les gars. " Et pour la première séance d'enregistrement où Cab a vraiment fait jouer l'orchestre — vous voyez ce que je veux dire, pas seulement en fond derrière ses petits couplets chantés —, eh bien il a laissé Dizzy faire son thème *Pickin' the Cabbage*. C'était à Chicago, je m'en souviens. Par la suite, tout le monde s'y est mis. Tyree a fait *Bye Bye Blues*, et Cozy Cole a eu droit à un solo de batterie dans *Crescendo and Drums* et

Paradiddle. Quant à moi, j'ai pris un solo de basse dans *Ebony Silhouette*. Tout ça, grâce au côté créateur et entreprenant de Dizzy qui avait dit à Cab : " Tu sais, tu as un bon orchestre et tous ces types peuvent vraiment faire quelque chose. Laisse-les jouer un coup. Va reposer tes cordes vocales dans les coulisses, et reviens après. Ce sera encore mieux. " Et on a gardé cette formule, même après le départ de Diz. Mais c'était bien lui qui avait innové. »

DIZZY

Notre musique commençait à devenir un truc à la mode. Tout le monde voulait faire du bebop et me téléphonait. Tadd Dameron était devenu l'arrangeur bop numéro un, délaissant son instrument pour l'écriture; moi, je préférais jouer le plus possible et j'écrivais surtout quand j'avais vraiment besoin d'argent. Alors là, BOUM, je pondais un arrangement. Sinon, j'allais plutôt « souffler » dans un des clubs de ma Rue (la 52e) comme le Yeah Man, où sévissait un pianiste du nom de Fletcher Smith qui jouait ter-rible, vraiment super. Il a accompagné Cootie Williams pendant des années.

Le fait d'écrire des arrangements m'entraînait automatiquement à composer des thèmes. En 1942, Woody Herman m'en commanda un qu'il intitula *Swing Shift* et qu'il plaça chez son éditeur attitré, Charling Music Publishers, chargé de reverser par la suite les royalties dues au compositeur. Je ne me souviens même plus de la mélodie. Le suivant pour Woody fut baptisé *Down Under,* en hommage à l'Australie. Il a utilisé aussi une de mes compositions dans un film, mais j'ai oublié laquelle. Ensuite, j'écrivis un thème pour Jimmy Dorsey, *Grand Central Getaway*. Tous ces grands orchestres voulaient du bebop à leur répertoire, c'était devenu une mode, comme le rock maintenant; mais quand je leur apportais mes thèmes et mes arrangements, ils avaient souvent du mal à les jouer, surtout les musiciens de Jimmy Dorsey, au style encore très conservateur. Il faut dire que notre conception de l'articulation était nouvelle, très inhabituelle, et c'est ce qui les gênait le plus. Il fallait leur expliquer longuement comment « phraser », car cette notion ne peut être transcrite et dépend du feeling. Avec l'orchestre de Woody Herman, c'était plus facile parce que les gars avaient vraiment envie de se mettre au bebop et il y avait une section de trompettes composée de jeunes comme Markowitz. Tandis que ceux de Jimmy Dorsey n'étaient pas dans le coup et trouvaient mes thèmes trop difficiles.

« Ce n'est pas compliqué... c'est l'articulation qui fait tout », leur disais-je. Et le lendemain, je revenais avec ma trompette et je leur montrais. Ils retenaient bien la leçon, et comme c'était de vrais

148

professionnels, ils réussissaient une bonne exécution... pas tout à fait comme je l'aurais exigée d'un orchestre à moi, mais bien quand même.

Chez Woody Herman, l'interprétation avait plus de naturel. Il est vrai que tous les trompettes voulaient jouer comme moi et les batteurs comme Kenny Clarke ou Max Roach. Woody s'en rendait compte et devait penser que mieux valait intégrer ce genre de musique à son répertoire, parce que c'était ce que ses musiciens avaient envie de jouer, de toute façon. Il essaya même de m'avoir comme arrangeur attitré.

WOODY HERMAN (clarinettiste, chef d'orchestre)

« On ne peut pas vraiment parler d'esprit de compétition. Nous étions tous de bons copains et jusqu'à un certain point nous cherchions un peu dans la même direction, musicalement parlant.

« Je me souviens que Diz avait écrit *Down Under,* un truc en l'honneur de l'Australie ou quelque chose comme ça. C'était au début des années quarante, et c'est un exemple type de ce qu'il faisait déjà à cette époque. Et puis il venait aussi nous dépanner de temps à autre, quand on passait à l'Apollo par exemple, et qu'il nous manquait un type. Il s'amusait beaucoup avec nous. Et quand on parlait un moment ensemble de choses et d'autres, je lui disais toujours qu'il ferait mieux d'écrire des arrangements et de composer, plutôt que de jouer de la trompette... Vous vous rendez compte ? Quelle erreur je faisais !

« Mon orchestre a été l'un des premiers à utiliser ses arrangements. Je trouvais personnellement que sur ce plan il avait d'immenses possibilités, alors que des instrumentistes, ça courait les rues ! Je pensais que Diz avait vraiment un don d'arrangeur, et il l'a d'ailleurs prouvé plus tard au sein de son grand orchestre. C'est drôle, il y a deux ans environ (1974), je l'ai appelé pour lui suggérer d'écrire une nouvelle version de certaines de ses anciennes compositions et il m'a répondu : " Tu plaisantes ! Je ne veux pas m'embarquer dans cette galère ! " Cela ne doit plus être important pour lui à présent, et ma foi je le comprends car chacun évolue à sa manière et passe par différentes phases. J'ai de toute façon pour lui le plus grand respect et beaucoup d'amitié.

« Diz a marqué le début d'une époque, comme Pops (Louis Armstrong) l'avait fait avant lui ; et si vous voulez mon avis, entre ces deux géants, il n'y a eu personne de très important. Diz s'est associé avec des musiciens qui pensaient comme lui, Parker, Monk, etc., et ils ont ouvert une ère qui est toujours en cours aujourd'hui. Les

149

jeunes, ici ou ailleurs dans le monde, ne s'en rendent pas compte. Ils entendent cette musique comme ça, à la radio ou à la télé, et ils ignorent qu'elle a été jadis créée par une poignée de types audacieux. Exact, non ? Pour moi, je le répète, il y a eu un premier géant : Pops, et puis un second tout aussi écrasant : Diz, dont il est difficile d'évaluer l'impact qu'il a eu sur la musique de jazz. »

DIZZY

Personnellement, je ne vois pas une grande différence, sur le plan de la valeur musicale bien sûr, entre des compositions de tête et celles que l'on écrit sur le papier. Le musicien de jazz, bien qu'on ne le fasse guère remarquer, ne cesse de composer chaque fois qu'il improvise, et pourtant aucune des innombrables mélodies ainsi créées ne sont transcrites. Songez à l'immense volume de musique inédite que représente n'importe quelle bonne prestation de jazz. Une fantastique création permanente ! Il faudrait pouvoir mettre tout cela de côté et s'en servir. Les jazzmen devraient avoir toujours sur eux un enregistreur miniaturisé auquel ils confieraient, pour les réécouter plus tard, toutes ces improvisations, tous ces matériaux utiles à de futures compositions. Muni de ce genre de gadget en 1942, j'aurais pu écrire un thème par semaine sans perdre une seconde de mon précieux temps d'interprète et d'improvisateur, un double rôle qui contribue à former l'essence même d'un musicien de jazz.

Certaines de mes meilleures compositions à l'époque sont nées de mes improvisations. *Salt Peanuts,* par exemple, n'était initialement qu'un riff, un motif simple, répétitif, qu'il faut inventer en cours de séance quand on est pris par le temps. J'avais eu l'idée de celui-là pendant un enregistrement avec Lucky Millinder, en 1942, pour le morceau intitulé *Little John Special*. Et à partir de ce motif, j'ai travaillé avec Kenny Clarke à l'élaboration d'un thème complet. On essayait un truc, et si l'un décidait : « Non, vieux, ça ne va pas », on essayait autre chose : « Là, ça, ça colle bien », et par remaniements successifs on arrivait à obtenir le résultat voulu. Je ne sais même plus pourquoi on a appelé ce thème *Salt Peanuts,* que Kenny et moi avions cosigné en 1943. Je l'ai enregistré pour la première fois avec mon orchestre en 1945 (Manor 5000).

Très tôt, certaines de mes compositions ont reflété mon penchant pour les musiques sud-américaines. Drôle de mélange parfois. Imaginez de la sauce piquante sur des petits pois, ou du piment rouge dans les nouilles... Bien sûr, j'avais été influencé par Mario Bauza et Alberto Socarras, mais j'ai toujours éprouvé une attirance

150

instinctive pour la superposition des rythmes, dont seule une sérieuse psychanalyse permettrait sans doute de découvrir en moi les causes lointaines. En tout cas, j'ai toujours eu ça « dans le sang »... peut-être une sorte de « survivance africaine » par-delà l'esclavage en Caroline du Sud, un héritage ancestral dont je serais le dépositaire.

En 1941-1942, lors de mon engagement au Kelly's Stables avec Benny Carter, ce dernier fut sollicité pour faire un de ces petits films qu'on appelait je crois des « nickelodéons » et que l'on regardait en introduisant une pièce dans une machine. J'ai donc participé à cette séance en tant que musicien de l'orchestre de Benny. Il y avait également Maxine Sullivan. Pendant une pause, je me suis mis au piano et j'ai plaqué quelques accords, en étudiant des enchaînements, des accords de treizième et leur résolution, et peu à peu, en égrenant les notes, je me suis aperçu qu'elles formaient presque une mélodie, à laquelle il ne manquait plus qu'un pont et un support rythmique. Dès que je suis sorti de cette séance, j'ai vite noté mon idée. Le thème sonnait assez « oriental », et la structure rythmique s'élaborait à partir des ponctuations particulières au bebop, le tout conduisant à une ligne de basse qui ne marquait plus chacun des quatre temps (« boom-boom-boom-boom ») mais devenait syncopée (« boom-be, boom-be »). Des horizons nouveaux pour de nombreux bassistes !

Ce thème, intitulé tout d'abord *Interlude*, sonnait tellement exotique qu'un gus génial l'a rebaptisé *A night in Tunisia*, nettement plus approprié. De toute façon, l'important, c'est que le morceau était devenu rapidement très populaire dans la 52e Rue. Par la suite, Frank Paparelli a transcrit mes solos pour les faire éditer, et c'est en quelque sorte pour l'en remercier que j'ai ajouté son nom comme coauteur, mais il n'a pas participé à l'élaboration du thème.

Earl Hines prétend que c'est lui qui a trouvé le second titre, mais c'est un mensonge car j'avais déjà enregistré *A night in Tunisia* avec Boyd Raeburn et je l'avais joué avec l'orchestre de Benny Carter en 1942, avant d'entrer dans celui de Earl Hines.

En couveuse

Vers la fin de 1942, alors que je faisais mon entrée dans l'orchestre de Earl Hines, notre musique nouvelle-née parachevait son développement, tel un bébé prématuré. Elle avait maintenant acquis une dimension valable et répondait à certaines caractéristiques bien définies. Ses rouages essentiels, les musiciens, tenaient un rythme constant de création et de productivité, déjà suivis par un groupe de disciples fervents, encore restreint mais en pleine expansion. La question était de savoir si le nouveau style avait des possibilités de survie commerciale autonome. Pour essayer de m'en rendre compte, j'avais accepté l'engagement au Downbeat de Philadelphie, après avoir quitté Lucky Millinder. J'y étais suffisamment connu et apprécié pour passer en vedette, accompagné par une rythmique locale. L'affaire me convenait sur un plan commercial et personnel, et pendant sa durée notre groupe attira un public vaste et enthousiaste. Mais ce test ne permettait pas de prévoir si nous allions tous pouvoir vivre uniquement de notre musique avant-gardiste, en coupant tout lien avec les grands orchestres de danse qui nous nourrissaient jusque-là. Le public nous accepterait-il au point de rendre l'aventure commercialement rentable?

Me trouvant ainsi à la maison avec ma mère, et bénéficiant d'un bon salaire pour la durée de cet engagement où je jouais ce qui me plaisait, je ne pensais plus guère à une place dans un grand orchestre... jusqu'à l'offre que me fit Earl Hines. Plusieurs années auparavant, quand je jouais chez Frankie Fairfax, Trummy Young avait déjà essayé de me faire entrer chez Hines; mais je n'avais pas envie de quitter Phila à l'époque, et maintenant je ne le souhaitais pas tellement plus. Seulement, l'orchestre de Earl Hines comprenait de nombreux éléments jeunes qui ne pensaient qu'à jouer moderne, comme Billy Eckstine et Shadow Wilson, les deux inséparables avec lesquels j'étais moi-même très copain. Shadow était l'ancien batteur

152

de Frankie Fairfax, avant que je n'entre dans l'orchestre. Quant à Billy, je l'avais connu à New York. Ces deux rigolos étaient venus me relancer jusqu'à Philadelphie pour me convaincre de prendre la place chez Earl Hines.

Ils avaient dit à Bird : « Diz va jouer avec nous », et à moi : « On aura Bird dans l'orchestre. » Après quoi, ils ont persuadé Earl Hines de m'offrir vingt dollars par soirée en tournée, et j'ai accepté. De son côté, Billy Eckstine réussit à convaincre Charlie Parker. En réalité, Earl cherchait un saxophoniste ténor, et Charlie jouait de l'alto ; mais les deux compères l'ont décidé à se mettre au ténor, et du coup Earl Hines lui en a acheté un. Je suis arrivé dans l'orchestre deux semaines environ avant Bird.

BILLY ECKSTINE (trompettiste, chanteur)

« Dizzy est mon ami depuis 1939-1940. Déjà, à cette époque, on voyait qu'il savait où il allait. Il étudiait sans arrêt, ayant conscience que la musique doit s'étudier, comme toute autre discipline.

De toute façon, Diz n'a jamais été quelqu'un qui se repose sur ses dons. Il a toujours cherché à les étayer et à les élargir en étudiant. Un peu plus tard, nous avons emménagé dans le même immeuble, au 2040 de la 7e Avenue. Diz avait l'appartement juste au-dessus du mien, avec un vieux piano sur lequel il travaillait sans arrêt.

« Voyez-vous, le problème avec les jeunes d'aujourd'hui, c'est qu'ils essaient d'imiter Diz. Ils connaissent ses clichés, ses astuces de style, et ils les reproduisent. Jusque-là, tout va bien. Mais dès qu'ils veulent s'en écarter pour créer et improviser, il leur manque les connaissances nécessaires. Diz sait toujours parfaitement ce qu'il fait. Il a l'expérience et le savoir. Eux n'ont ni ce savoir, ni le métier, en tout cas pas suffisamment ; et ils se plantent, ils se paument. Diz lui ne risque pas ! Il possède la maîtrise totale de son instrument.

« Il travaillait beaucoup sur les harmonies, les différents enchaînements, les substitutions possibles, les renversements d'accords, au lieu de s'en tenir à ceux indiqués sous une mélodie. Il cherchait aussi des interprétations différentes d'un thème, et des contre-chants. On lui doit vraiment de belles choses ! »

EARL « FATHA » HINES (pianiste, chef d'orchestre)

« J'ai connu Dizzy quand il jouait avec Cab Calloway et que moi je passais au Grand Terrace. Plus tard, il a quitté Cab et est venu dans mon orchestre où il connaissait certains des gars, comme le petit Benny Harris et Budd Johnson.

« Je suis un curieux bonhomme, voyez-vous, je n'engage jamais un musicien sans une raison très précise. Il faut qu'il ait une qualité personnelle. Ainsi à l'époque, dans mon orchestre, chacun avait sa petite spécialité, sa place bien définie. Diz était un champion de la technique sur son instrument, d'autres savaient obtenir une très belle sonorité, d'autres encore étaient de bons chefs de pupitre, ou de bons seconds. Oui, tout le monde avait sa place. Diz exposait tous les thèmes rapides du répertoire, et ceux où il fallait " mettre le paquet ". Dans ce genre, il était imbattable. Il savait qu'il n'avait pas une sonorité remarquable, et ne faisait pas vraiment chanter son instrument; mais s'il utilisait la sourdine et jouait bouché, ça c'était quelque chose! C'est un grand artiste qui sait se tirer de toutes les difficultés, et je tiens à saluer en lui un musicien hors pair. »

DIZZY

Quel orchestre merveilleux, celui de Earl Hines! Earl est un maître, qui sait vous apprendre des tas de choses, comme l'auto-discipline et le sens de l'organisation. Une fois, on jouait pour un spectacle de Noël et Earl avait monté tout un numéro. Il avait demandé à Don Redman, un autre géant, un arrangement sur *Jingle Bells* dont tous les musiciens devaient chanter le refrain en chœur.

L'orchestre comprenait Gail Brockman, Shorty McConnell, Benny Harris et moi-même dans la section de trompettes, ainsi que Jesse Miller à un moment; dans la section de trombones : Bennie Green, Junior Chappell et Howard Scott; dans la section de saxophones, « Scoops » Carry et « Goon » Gardner jouaient de l'alto, tandis que Charlie Parker et Thomas Crump jouaient du ténor, et John Williams, l'ex-mari de Mary Lou Williams, du baryton; Connie Wainwright était le guitariste. Earl Hines tenait le piano, Shadow Wilson la batterie, Billy Eckstine et Sarah Vaughan se partageaient les thèmes chantés.

Earl Hines, notre chef, était aussi notre pianiste, et croyez-moi, il connaissait bien son affaire! On l'encourageait à prendre plus de chorus, et souvent même on ne reprenait pas au signe convenu pour qu'il soit obligé d'en jouer un autre. Il nous jetait un regard entendu, et continuait le sourire aux lèvres. Il ne se démontait jamais. C'était un modèle du genre, un grand seigneur aussi, avec une classe que je n'ai jamais trouvée chez quelqu'un d'autre.

Charlie Parker s'était mis au ténor pour pouvoir entrer dans cet orchestre, et nous sommes très vite devenus amis, lui et moi. Nous étions toujours ensemble, en train de jouer dans les chambres d'hôtel, en tournée, ou d'aller faire des jams. Nous ne nous quittions pratiquement pas, excepté quand il se mettait à fréquenter des gens qui ne me plaisaient pas, ceux du milieu de la drogue. Sinon, il était toujours avec moi. « Yard » était un drôle de bonhomme. Il n'a jamais fait usage de drogue devant moi. Bien sûr, il fumait des joints, ou des bricoles diverses, mais il ne s'est jamais défoncé sous mes yeux. Je ne pourrais pas affirmer sous serment qu'il se droguait, puisque je ne l'ai jamais vu faire, bien que nous ne nous quittions guère.

Une fois, à Pine Bluff dans l'Arkansas, l'orchestre jouait dans une de ces soirées dansantes organisées pour les Blancs. Comme les musiciens n'avaient pas le droit d'aller dans la salle pendant les pauses, ils restaient dans les coulisses. Ce soir-là, je m'étais assis au piano et je me distrayais en arpégeant quelques accords, quand un type s'est approché et m'a jeté une pièce de 5 cents en me disant : « Dis donc, après la pause, jouez-moi donc... » suivait le titre d'un morceau que j'ai oublié. Mon regard est allé de la pièce au type, et puis je l'ai ramassée et je l'ai balancée par-dessus mon épaule. Après quoi, je me suis remis à pianoter sans m'occuper de lui.

Le bal fini, et croyant que tout le monde était parti, je suis allé aux toilettes qui, pendant la danse, étaient entièrement réservées aux Blancs, hommes ou femmes. Et comme j'en ressortais, j'ai senti une présence dans mon dos et un truc qui m'arrivait sur le crâne. C'était une bouteille. Je l'ai aperçue juste à temps pour esquiver tant bien que mal et prendre le coup sur la nuque. Je n'étais pas complètement assommé, mais j'en ai quand même vu trente-six chandelles. J'ai aussitôt attrapé un magnum sur une table voisine et j'allais massacrer le type, quand cinq mecs me sont tombés dessus et m'ont retenu. J'ai essayé de me débattre, mais je n'y voyais plus clair car le sang coulait à flots de ma tête. Et Charlie Parker est arrivé à point. Il s'est planté devant le type qui m'avait frappé et il lui a dit dans un anglais impeccable : « Vous avez pris mon ami au dépourvu, sinistre paltoquet ! » Oui, il a eu le culot de le traiter de paltoquet. Si ça se trouve, le type ne connaissait même pas ce mot. J'en suis presque sûr, ce sale Blanc l'ignorait. Après ça, il a fallu m'emmener à l'hôpital où on m'a fait neuf points de suture !

Entre Charlie Parker et moi, il y avait une sorte de rencontre spirituelle. Nos idées se rejoignaient, et nous inspiraient réciproquement. Cela m'est difficile de déterminer l'influence qu'il eut sur moi. Il avait de multiples talents. Une chose certaine, c'est qu'il ne fut pour rien dans le choix de mon instrument. Sur le plan harmonique j'étais un peu plus fort que lui, mais sur le plan rythmique il était très en avance et avait un sens étonnant du phrasé, une qualité essentielle dans le jazz. Oui, il faisait preuve d'une conception rythmique très originale, et structurait ses phrases comme personne avant lui. Et peu à peu, à force de le côtoyer, j'ai joué davantage en m'inspirant de cette conception. C'est en ce sens que l'on peut parler de son influence sur moi, et sur nous tous d'ailleurs. Voyez-vous, ce qui fait le style d'un musicien ce n'est pas *ce* qu'il joue, mais *comment* il le joue.

EARL HINES

« En tournée, entre les représentations, ils s'amusaient à échanger leurs méthodes, chacun travaillant les exercices de l'autre. C'est là-dedans qu'ils prenaient toutes leurs idées. Diz a créé un style, à l'époque assez déroutant même pour une oreille avertie. En fait, il allait chercher tout ça dans ses recueils d'études. Seulement, être capable d'introduire correctement ces fragments d'exercices* dans les thèmes et les solos, il faut le faire! Diz avait une mémoire photographique qui lui permettait d'enregistrer ces traits dans sa tête, et il avait aussi le grain de folie nécessaire pour les replacer dans ses improvisations. C'était exactement la même chose pour Charlie Parker, qui avait une mémoire visuelle extraordinaire. Et tous les deux savaient insérer dans ce qu'ils jouaient ces phrases acrobatiques qu'ils avaient travaillées et répétées ensemble. Cela donnait un effet curieux. Ce qui est drôle, c'est que dans ce temps-là beaucoup de jeunes musiciens croyaient ferme que plus on jouait n'importe quoi, n'importe comment, plus on était moderne et plus ça faisait " bop ". Mais par la suite, ils ont compris leur erreur, ils ont compris qu'il faut étudier beaucoup au contraire pour maîtriser ce style.

« Si vous êtes un chef de file, avec toute votre expérience personnelle, vous avez une mission à remplir dans ce monde : quand vous rencontrez des gens qui ont quelque chose à exprimer, il faut leur en donner l'occasion. Moi, on me l'a donnée, jadis, sinon personne n'aurait entendu parler de moi. Il faut savoir passer le flambeau, offrir une chance aux autres. Le tort de la plupart des gens, c'est de se replier chacun dans sa coquille en décrétant : " Tout pour ma petite personne. Les autres, rien à foutre! " Mais ce n'est pas une façon de raisonner.

« Si vous le remarquez, je m'arrange toujours pour mettre les membres de mon orchestre en valeur. Chacun a la vedette à un moment donné. Même sans moi, ils pourront continuer d'exploiter mon idée et se lancer dans la création personnelle. C'est, je crois, une saine attitude. »

---

* Cette remarque de Earl Hines sur nos improvisations tirées des recueils d'exercices est tout à fait inexacte (D. G.).

SARAH VAUGHAN *(chanteuse)*

« Dizzy était déjà dans l'orchestre de Earl Hines quand je suis arrivée en 1942. Je venais de gagner le tournoi des amateurs à l'Apollo, et c'est Billy Eckstine qui m'a présentée à Earl Hines. Ce fut mon premier engagement. Il y avait Dizzy et Charlie Parker, Fats Navarro, Gene Ammons, Dexter Gordon, et le petit J. J. (John Jackson) de Kansas City. Je ne me souviens plus si Bennie Green y était à ce moment-là. En tout cas, j'ai eu beaucoup de chance de me trouver dès mes débuts au milieu de pareils musiciens !

« C'était la naissance du bebop... oui... le tout début. Et les gens nous regardaient un peu comme des bêtes curieuses parce que notre musique les déroutait. Mais avec le temps, ils ont " reçu le message ".

« Moi, j'adorais ! Vous savez, pour moi c'était une véritable école de musique. Je n'avais pas besoin de fréquenter la Juilliard, parce que je me trouvais au cœur de l'action. Mais ça me plaisait, d'étudier. J'avais travaillé le piano, de sept à quinze ans, et puis l'orgue. Je jouais dans les églises. Bref, pour en revenir à Dizzy, sa musique me fascinait. Toutes ces idées délirantes, sur les harmonies... Et Charlie Parker, quelle virtuosité ! Quelle maîtrise du saxophone ! Si l'on y pense, les notes sont en nombre limité mais en l'écoutant j'avais l'impression qu'il en rajoutait de nouvelles. Une image, bien sûr, mais cela vous donne la mesure de sa vélocité, de son éblouissante technique. Même remarque pour Diz, d'ailleurs. Je n'avais jamais entendu ça. Et depuis ce temps-là, je n'ai jamais cessé d'écouter cette musique.

« Je ne pense pas qu'ils aient eu une influence sur mon style, mais ils m'ont appris des choses... tant et tant de choses. Je les regardais, je les écoutais, totalement fascinée. Billy Eckstine et moi restions assis sur le podium pendant les morceaux instrumentaux, et on swinguait avec tout l'orchestre ! Quelquefois, Dizzy n'y tenait plus : il quittait la section de trompettes et venait me prendre par la main pour m'entraîner dans un jitterbug effréné ! Je vous assure que ça swinguait.

« Dizzy, qui porte bien son surnom, joue les hurluberlus naïfs quand il en a envie. Mais il est malin comme un renard et très vif d'esprit... »

BILLY ECKSTINE

« Je dois dire que c'était la fête. Une ambiance exaltante, un peu folle, mais dans le bon sens du terme. Tout le monde débordait d'enthousiasme, et notre musique le reflétait. Le concept même du bebop comprenait l'innovation, l'apprentissage et le travail en commun. Je me souviens qu'en tournée, par exemple, on se mettait à répéter à trois heures du matin dans la chambre d'hôtel, jusqu'à l'aube. Bird décidait de faire travailler la section de saxes, et personne ne tapait à la cloison. Des nuits entières, parfois. C'était une bonne école pour nous tous.

« Il faut reconnaître à Earl Hines une immense qualité : il a toujours été favorable aux innovations. Ce n'est pas le genre de personne à vivre dans le passé, ni sur ses lauriers. Prenons un exemple qui me concerne directement : à l'époque, le rôle du chanteur d'orchestre consistait à faire une transition entre les morceaux instrumentaux ; eh bien Earl, lui, intégrait ses chanteurs à l'ensemble orchestral, comme de véritables instrumentistes, et nous laissait en outre entièrement libres de nos idées.

« Bird jouait avec une spontanéité étonnante. Tout sortait... boum... d'un jet, naturellement. Bird était un génie. C'est simple. Diz avait autant de qualités, mais il lui fallait travailler davantage, méthodiquement. C'était plutôt un technicien qui s'acharnait pour arriver à une maîtrise complète de son instrument. Mais il avait moins de facilité que Bird. Durant les sept années que Bird a passées dans l'orchestre de Hines puis dans le mien, j'ai écouté tous les soirs ses improvisations, mais je n'ai pas entendu une seule fois la même chose que la veille. S'il prenait cent chorus, c'était cent chorus différents. Il y a des gens, comme ça... Quand on lit la vie des grands maîtres et des génies, on retrouve des particularités de ce genre qui peuvent paraître étonnantes. Bird appartenait à cette catégorie du génie à l'état pur !

« Une fois, à Chicago, Bird avait mis son sax en gage, et le soir nous avions décidé d'aller faire un tour au Club 65 en face de notre hôtel avec un de nos amis, Bobby Redcross. Bobby possédait un ocarina, vous savez ce petit instrument qui ressemble un peu à une patate. Bird le lui a emprunté, et une fois dans le club il est allé au micro et a joué de l'ocarina comme s'il avait fait ça toute sa vie, en swinguant comme un fou. C'était la première fois qu'il y touchait ! Voilà, on en revient toujours à ces génies qui sont là sur terre, pour un temps défini, le temps de faire ce qu'ils ont à faire, et qui nous quittent après. Je l'ai souvent remarqué... ils ne restent jamais très longtemps.

« Quant à John, il n'a pas cessé de créer, et s'il en avait le temps et le désir, il pourrait s'arrêter de jouer pour écrire. Il serait toujours aussi grand. »

BOB REDCROSS *(ingénieur du son, road manager)*

« J'ai connu John en 1942-1943, quand il jouait avec Earl Hines. Earl revenait d'une tournée sur la côte Est et avait décidé de réorganiser l'orchestre. Billy Eckstine, avec lequel j'étais très ami, et quelques autres musiciens comme Budd Johnson, formaient une petite équipe influente, et je crois que c'est un peu sur leur conseil qu'Earl a engagé Diz. Ils l'avaient donc ramené à Chicago, et c'est là que j'ai fait sa connaissance. Mais je l'avais déjà vu à New York.

« La situation était un peu spéciale à Chicago. Roy Eldridge avait quitté Fletcher Henderson et monté son propre orchestre qui travaillait au Three Deuces. Roy tenait le bastion, et pour n'importe quel trompettiste il était difficile de faire une percée dans la place à l'époque. Diz avait d'ailleurs à ses débuts fortement subi l'influence de Roy, mais il commençait maintenant à élaborer la structure interne du bebop avec un petit noyau de types. C'est qu'ils n'étaient pas nombreux, alors, à pouvoir jouer dans un style aussi progressiste. John et Bird se sont " trouvés ", comme on dit. La qualité qui me renversait le plus chez Diz était sa technique instrumentale. Il jouait avec une vélocité incroyable, et montait très haut dans l'aigu, encore un peu " à la Roy * ", mais si peu ! Il allait maintenant beaucoup plus loin que lui dans toutes les directions, donnant déjà ses racines au futur style bebop.

« Je tenais un petit bar sympa à Chicago, le Tootie's, fréquenté surtout par des musiciens et des gens du spectacle. Mais j'avais aussi la chance de posséder une des rares machines à enregistrer disponibles à l'époque pour un particulier. Après leur boulot, les gars venaient jammer dans ma chambre d'hôtel, où je laissais cet appareil en permanence. Je repiquais aussi les retransmissions de jazz du College Inn ou de certains grands hôtels, où passaient John Kirby, Duke Ellington et d'autres orchestres. Au début des années quarante, je connaissais à Chicago toutes les petites boîtes où les gars pouvaient faire le bœuf, ce qui était interdit par le syndicat de façon très stricte. Mais moi, je connaissais les bonnes planques pour emmener les gars jammer. Par contre, tous les enregistrements avaient lieu dans ma chambre d'hôtel.

« C'est au Savoy Hotel que Bird a créé ce thème intitulé *Redcross*. J'ai le disque d'origine. J'ai rencontré Teddy Reig récemment et il m'a appris qu'il avait tout ressorti sur la marque Savoy, y compris ce fameux *Redcross***. Je sais que j'en ai un exemplaire quelque part, dans mes vieux 78 tours dont je refuse de me défaire et que je

---

* En français dans le texte *(N.d.T.)*.

** *Redcross* a été mal orthographié sur les disques et est devenu *Red Cross (N.d.A.)*.

trimballe à chaque fois que je déménage. Comme je l'ai dit à Diz il y a quelque temps, j'ai encore les enregistrements qui furent gravés dans ma chambre. Je ne sais pas s'ils sont audibles. La dernière fois que je leur ai jeté un coup d'œil, la cire commençait à se décoller. Pensez, ils ont été faits pendant la guerre, à une époque où toute la production du métal était réservée à l'effort de guerre. Certains ont un support verre, d'autres un support aluminium, ou tout autre métal disponible, que l'on recouvrait de cire. Il s'agissait d'enregistrements privés, réalisés avec les moyens du bord, des vingt-cinq centimètres standard dont certains pesaient six ou sept fois plus lourd que les vingt-cinq centimètres normaux du commerce. On a utilisé le support verre quand le métal est devenu absolument introuvable. L'appareil dont je me servais pour graver était un Silverstone, si j'ai bonne mémoire, avec un burin que l'on abaissait sur la galette de cire et qui gravait les sillons au fur et à mesure. Tout ce que les gars jouaient s'imprimait directement sur la cire. Bien sûr, avec les années, ce système a bénéficié de nombreuses améliorations !

« Ce thème de Bird, *Redcross*, s'intitulait d'abord *The Devil in 305*, trois cent cinq étant mon numéro de chambre. Mais il a été rebaptisé d'après mon nom par la suite. C'était un riff, qu'ils ont élaboré et sur lequel ils improvisaient. Diz y était. Ils faisaient tous partie de l'orchestre de Earl Hines à cette époque, mais quand Billy Eckstine l'a quitté il a entraîné tout le monde à sa suite et a fondé son propre groupe. »

BILLY ECKSTINE

« Quand j'ai décidé de tenter ma chance dans les clubs de la 52e Rue, tout le monde m'a suivi, y compris Sarah. De toute façon, on ne se quittait pas, même en dehors du travail.

« Il se trouve que certains de mes disques avaient bien marché, comme *Jelly, Jelly, Jelly* avec Earl Hines, et j'avais une certaine cote auprès du public noir. Poussé par les agents artistiques, j'ai décidé de monter mon orchestre avec ceux qui m'avaient suivi : Diz, Shadow, Bird, etc. A l'époque, c'était la meilleure manière pour un musicien noir de se faire vraiment un nom. Diz a été mon premier directeur musical, et quelques-unes de ses plus anciennes compositions devenues très célèbres par la suite remontent à cette période : *Bebop*, *Groovin' High*, par exemple. Et si je l'ai choisi, c'est parce qu'il était de loin le plus qualifié pour cette tâche. J'ajouterai qu'on voulait tous jouer ce genre de musique. »

DIZZY

Earl Hines nous laissait une grande liberté d'expression et a tout fait pour nous aider à nous affirmer. En tant que musicien et créateur, il savait en saluer un autre à l'occasion. Travailler avec lui s'est révélé une expérience agréable et enrichissante. La seule raison pour laquelle j'ai quitté l'orchestre est que j'étais très lié avec Billy Eckstine, et qu'il m'a offert ce poste de directeur musical à vingt-cinq dollars par soirée. Je crois que c'est ce que lui gagnait chez Earl comme chanteur vedette pour interpréter des succès comme *Jelly, Jelly, Jelly, Stormy Monday Blues*, et *I'm falling for you*. Je pense que je devrais me mettre à chanter des ballades... C'est assez payant, quand même !

On ne danse plus

Il se peut que ce soit Wallace Jones qui m'ait recommandé auprès de Duke Ellington. Wallace, premier trompette de Duke, avait joué chez Willie Bryant à l'époque où je travaillais moi aussi avec cet orchestre au Savoy. Quoi qu'il en soit, Duke m'engagea pour un remplacement de quatre semaines, quatre curieuses semaines essentiellement agrémentées par la présence de Lena Horne qui passait en vedette avec Duke au Capitol Theater dans Broadway, et faisait une merveilleuse prestation.

Jouer la musique de Duke, la musique d'un maître comme Duke Ellington sous sa direction, est une expérience qui sort de l'ordinaire. Tout d'abord, il faut faire table rase, oublier ce que vous avez appris ailleurs et qui ne vous sert à rien parce que le propos de Duke est autre. Vous devez ensuite vous conformer à sa conception musicale et être suffisamment réceptif pour l'assimiler.

Les gars de l'orchestre n'étaient pas tellement sympas et ne faisaient rien pour vous aider non plus. Aux répétitions, par exemple, ils ne m'auraient pas dit qu'il fallait sauter de « A » aux trois premières mesures de « Z » puis remonter à « Q », en jouer huit mesures, passer à la lettre suivante et enchaîner avec le solo. Pas un mot d'explication. Cootie Williams, Rex Stewart et Wallace Jones siégeaient au pupitre tels d'inaccessibles grands prêtres, et il fallait que je me débrouille tout seul.

Duke utilisait tout son orchestre comme un instrument pour en tirer certains effets, notamment de coloration sonore, de nuances, mais pas seulement cela. L'apport de Duke a été immense, et il suffit pour s'en rendre compte de se pencher sur une seule phrase de son œuvre. Il a su sortir des instruments qui composaient son orchestre des sons jamais entendus dans l'histoire du jazz, et que l'on n'entendra plus jamais, en direct du moins. C'est le même phénomène avec Lester Young et Charlie Parker. Tous des rois, trônant au sommet, et qui seront toujours parmi nous. Le roi est mort, vive le roi. Il sera toujours présent, quoi qu'il arrive.

Avant sa disparition, personne n'avait jamais eu l'occasion de voir les scores orchestraux de Duke Ellington, hormis bien entendu Billy Strayhorn qui lui-même ne les montra jamais non plus. D'un commun accord, ils en gardaient le secret et personne ne sait comment ils procédaient, pas même les gars de l'orchestre. Les Baha'is croient en l'unité, mais une unité qui n'exclut pas la diversité pour la rehausser. Il faut toujours essayer d'améliorer les choses. Duke avait réalisé l'unité parfaite de son orchestre, et il en obtenait une exécution impeccable à n'importe quel moment. Il a opéré une sorte de révolution orchestrale, mais personne ne peut reprendre le flambeau parce que personne ne sait comment il procédait. Bien sûr, de nombreux experts ellingtoniens se sont penchés sur le problème pour tenter de l'analyser, mais c'est peine perdue. Ce sont les musiciens de Duke qui ont le mieux dépeint sa musique, mais il faudrait aller interroger dans leur tombe les trois sans lesquels le tableau est incomplet : Bubber Miley, Johnny Hodges et Harry Carney. Dans l'orchestre, je ne prenais aucun solo jusqu'au jour où l'un de mes collègues, j'ai oublié lequel, n'est pas venu. Duke m'a fait signe, et j'ai joué à la place de l'autre; et puis Duke m'a fait signe de continuer et j'ai pris un autre chorus, et encore un autre, jusqu'à ce que je n'aie plus rien à dire. Alors je me suis rassis.

C'est à peu près à cette époque que j'ai écrit *Woody'n You*. Le thème m'est venu comme ça, lors d'une séance avec Coleman Hawkins qui avait réuni pour l'occasion Max Roach, Victor Coulson, Don Byas, Budd Johnson, Leo Parker, Oscar Pettiford, Ray Abrams, Clyde Hart, Leonard Lowry, Ed Vandever et moi-même. Pendant une pause, je me suis assis au piano et j'ai travaillé un enchaînement d'accords qui me préoccupait depuis quelque temps déjà. « Je vais faire un thème là-dessus tout de suite! » m'écriai-je. La mélodie s'articulait bien, et m'inspira aussitôt un contre-chant. J'ai intitulé ce morceau *Woody'n You* en l'honneur de Woody Herman qui adorait mes compositions.

Woody'n You est parti d'un accord de sixième mineur suivi d'un accord de septième de dominante. On retrouve là l'influence de Monk. Si bémol mineur sixième avec la sixte à la basse, allant sur do septième. Puis la bémol mineur sixième avec la sixte à la basse, allant sur si bémol. Une progression normale par quartes. De sol à do, il y a une quarte. On passe ensuite à la, soit une quinte au-dessous de do, à une autre quarte, et on continue ainsi de suite jusqu'à la tonique, ré bémol, le ton du morceau. Et puis j'ai trouvé un contre-chant. C'est ainsi qu'est construit *Woody'n you* : chant/contre-chant. Rien de spécial, l'inspiration m'est venue des accords, mais ça sonnait vraiment bien et nous avons enregistré le jour même, le 16 février 1944 (Apollo 751).

Je fis une autre séance d'enregistrement, le 13 avril 1944, avec Billy Eckstine cette fois et quelques-uns des membres de son futur orchestre. Trois plages seulement, parmi lesquelles un arrangement que j'avais écrit pour Billy sur *Good Jelly Blues* (Deluxe 2000, 3000) et qui est un de mes meilleurs. Le premier aussi avec tempo doublé. Dans notre style moderne, où les thèmes étaient en général des riffs au départ, nous avions l'habitude de doubler le tempo, sauf dans les parties qui comportaient des phrases avec des rondes. Dans *Good Jelly Blues* par exemple, c'était les saxophones qui tenaient les notes des accords derrière Billy Eckstine, pendant que nous improvisions en fond. Un très bon résultat. Il y avait d'ailleurs d'excellents musiciens à cette séance : Al Killian, Shorty McConnell, Freddie Webster et moi dans la section de trompettes; Budd Johnson et Jimmy Powell à l'alto; Wardell Gray et Thomas Crump au ténor; Rudy Rutherford au baryton; Clyde Hart au piano; Connie Wainwright à la guitare; Oscar Pettiford à la basse; Shadow Wilson à la batterie; et bien entendu le chanteur, Billy Eckstine.

Au cours du même printemps, j'ai travaillé à l'Aquarium dans la 52ᵉ Rue avec le sextette de John Kirby, contrebassiste, qui comprenait George Johnson à l'alto, Ben Webster au ténor, Billy Kyle au piano, Bill Beason à la batterie. Le répertoire se composait principalement de standards, mais incluait aussi quelques thèmes modernes. Un amateur en a même fait un enregistrement radio le 23 mai 1944. Mais je n'avais toujours pas trouvé ce que je cherchais : un club sur la Rue où je pourrais jouer uniquement du moderne. C'était sympa de jammer tantôt chez Minton, tantôt chez Monroe, mais au point où nous en étions de notre évolution musicale, vers 1944, tout cela n'était plus guère valable sur le plan artistique et commercial. Il nous fallait toucher maintenant un public plus vaste, et la 52ᵉ Rue semblait le lieu rêvé pour tenter cette expérience.

PETE MIGDOL (critique)

« Diz et moi avons le même âge, et vers 1940-1941 il jouait avec Teddy Hill dans des clubs comme le Savoy et ailleurs; moi, je travaillais pour la revue *Metronome,* diffusée dans tout le pays et qui s'intéressait à tous les hauts lieux de la musique, excepté... celui où il se passait sans doute dix fois plus de choses qu'ailleurs : Harlem. J'avais donc suggéré aux responsables de cette publication de me laisser " couvrir " ce secteur, et mon projet fut approuvé. Ce fut à l'occasion de ma fréquentation assidue des clubs de Harlem que je rencontrai Dizzy. Il s'est trouvé en outre que nous avons " accroché " tout de suite et sommes devenus amis.

« Si ma mémoire est exacte, Diz a commencé à s'orienter vers ce qui allait devenir le bop au tout début des années quarante. Oui, si tôt que cela. Il travaillait alors avec la formation de Benny Carter au Kelly's Stables. Plus tard, il a fait sensation dans les clubs de la Rue, et a pu alors s'y produire avec son propre groupe.

« Pour beaucoup de gens, ce style que Diz a élaboré s'est affirmé, comme ça, du jour au lendemain. Mais c'est une erreur. Il a fallu trois ans pour que la Rue, c'est-à-dire le secteur le plus " hip " de la ville au mètre carré, pige ce qui se passait. La Rue... ah, c'était quelque chose! De nos jours, je ne vois rien de comparable... pas d'équivalent. C'était la Rue des vedettes. Il y avait de quoi devenir dingue d'aller d'un club à l'autre et de tomber sur une tête d'affiche encore plus époustouflante que la précédente. Oui, c'était la Rue des grands talents, et celle qui donnait leur chance aux novateurs de cette période.

« Je mentirais en disant que j'ai tout de suite accroché au nouveau style. La plupart des oreilles n'étaient d'ailleurs pas préparées à recevoir ces sons nouveaux, insolites. Mais j'allais écouter très souvent, et attentivement. C'est quand même dans la Rue que le mouvement a pris naissance, et c'était aussi l'endroit par excellence où ce nouveau style devait faire ses preuves. Bien sûr, j'en avais déjà reçu les premiers échos au Minton's Playhouse, dont la devise aurait pu être : " Ayons l'oreille à l'écoute de tout ", mais l'épreuve décisive était la 52e Rue. Et j'ai attendu que la Rue ait donné sa consécration. Il m'a bien fallu six à huit mois pour me familiariser avec ce qui sortait des instruments, tant les idées étaient déroutantes et audacieuses.

« Dizzy a quasiment révolutionné notre monde musical, avec les rythmes d'Amérique latine, son style d'écriture, et tant d'autres choses. On aurait pu croire à un moment qu'il allait jouer à pile ou face sa carrière de compositeur-arrangeur, mais c'était par ailleurs un tel maître, un tel virtuose de la trompette. Ce fut l'instrument qui l'emporta... »

DIZZY

Finalement, Billy Shaw, l'imprésario, décida que Billy Eckstine devait monter son grand orchestre. Il commença par le programmer en soliste dans les clubs de la Rue, et ce faisant tâta le terrain auprès d'agences de spectacle dans d'autres villes pour récolter des avances. Les fonds une fois réunis, il put monter l'orchestre. A l'époque, les répétitions n'étaient pas payées. De nos jours, les musiciens exigent qu'elles le soient. C'est minable! Dans ce temps-là en tout cas, ils répétaient de leur plein gré parce que c'est le seul moyen de tendre vers la perfection. Après les répètes, on jouait notre musique à nous. En tout cas, pour en revenir à Billy Eckstine, son orchestre ne sonnait comme aucun autre. Le découpage, les respirations, le phrasé et l'attaque nous distinguaient des autres. On faisait du « bebop », le nouveau style. C'était un orchestre unique au monde, vraiment très spécial.

Une fois où l'orchestre passait au Plantation Club à St. Louis, un type m'a entraîné dans les sous-sols et m'a dit : « Tu vas allumer la lumière, quand je te le dirai. » Et un instant plus tard, il m'a dit : « Vas-y. » J'ai obéi et il a sorti son pistolet et a tiré sur un gros rat qui passait par là.

Le Plantation Club était réservé aux Blancs, et tout l'orchestre s'est fait virer parce qu'on voulait nous faire passer par l'entrée de service alors que nous on avait décidé d'entrer par la porte de devant avec nos instruments. St. Louis était un des fiefs du gangstérisme dans ce temps-là, et on nous expliqua qu'on avait intérêt à « aller voir ailleurs ». George Hudson, avec lequel jouait Clark Terry, permuta avec nous.

Une autre fois, pendant la guerre, on se rendait à un engagement par le train, installés dans la section réservée aux Noirs. Et nous avons repéré le manège du garçon de service, un Noir du genre Oncle Tom, qui faisait la navette pour aller raconter au chef de train tout ce qu'on faisait.

« Il y a une bande de petits malins, là, monsieur... mais j'ai l'œil sur eux. »

On était bien décidés à le balancer hors du train s'il revenait nous espionner, avec son torchon à la main. Et le train filait à 150 à l'heure! Personne n'aimait les mouchards, chez nous!

Mon souci majeur avec cet orchestre était de veiller à ce que tout le monde soit à l'heure, surtout Yard qui avait un grave problème d'exactitude et avait en outre une énorme influence sur les autres. Une fois, du temps de l'orchestre de Earl Hines, Yard avait décidé de coucher sous la scène pour se trouver sur place le lendemain. Mais il ne s'est pas réveillé, pas même pendant la première représentation... alors que tout le monde le cherchait partout! Une autre fois, la section de saxes, composée de Leo Parker, Charlie Parker, Junior Williams, Gene Ammons, Dexter Gordon, a carrément oublié de venir à une affaire en Louisiane. Seuls les cuivres et la rythmique étaient présents...

Sarah Vaughan se conduisait comme n'importe quel mec de l'orchestre... comme un musicien, quoi, et croyez-moi, c'était une

166

vraie musicienne, aussi forte que nous tous. Elle jouait du piano, connaissait les harmonies à fond et nous accompagnait merveilleusement bien. Ella (Fitzgerald) ne s'est jamais conduite comme « un des gars de l'orchestre », mais au contraire jouait les grandes dames. Sarah, pour nous, c'était un peu le « moussaillon », qui utilisait le même langage que nous.

A St. Louis, il y avait souvent des sacs de nœuds terribles. Une fois, au Club Riviera, Billy avait balancé un type en bas de l'escalier ; j'ai oublié pour quel motif... et le mec avait un revolver. Mais comme tous les gars de l'orchestre en avaient un aussi, ce n'était pas très gênant. Quand on descendait dans le Sud, on avait intérêt à emporter chacun un revolver et plein de munitions ! Pourtant, nous, on était avant tout des musiciens, et de joyeux lurons aimant la tranquillité. Ah, les gangsters ! J'en ai connu un paquet tout au long de ma carrière !

BILLY ECKSTINE

« Dizzy a joué avec moi pendant sept mois. C'est lui le premier qui m'a encouragé à monter un orchestre.

« C'était le " new sound " de l'époque. Enfin, pas vraiment non plus. Je devrais plutôt appeler ça une nouvelle " couleur ", avec une conception harmonique moderne à laquelle Diz travaillait. Et comme Bird se trouvait là aussi, il se passait des tas de trucs entre eux. On utilisait beaucoup les contre-chants. En tout cas, tous mes musiciens, y compris les chanteurs, participaient au travail d'élaboration. Sarah Vaughan avait le même esprit de recherche que moi dans les thèmes chantés. Bien sûr, les critiques ne nous épargnaient pas ! Certains imbéciles prétendaient que la mélodie nous échappait complètement... En fait, Sarah et moi improvisions autour de la ligne mélodique pour nous en évader, justement ; mais ces gens-là n'étaient pas capables de s'en rendre compte. Mon orchestre était trop en avance sur son temps pour avoir du succès. Personne ne lui prêtait vraiment attention. C'était le vilain petit canard de la couvée des grands comme celui de Jimmy Lunceford, auquel nous avait opposé une fois une de ces batailles musicales très en vogue à l'époque. Pourtant, je peux le dire aujourd'hui sans prétention, aucun orchestre ne swinguait comme le mien. Certains soirs, c'était à ne pas en croire ses oreilles. Mais justement, les gens n'entendaient pas ce qui se passait et ne se rendaient pas compte de ce qu'on leur offrait. Quand même, c'était quelque chose ! Moi je le savais, bien sûr, et les musiciens aussi.

« Ce n'était pas facile de passer la rampe ! Notre genre de musique tenait assez du concert de jazz. Les gens commençaient à danser, et puis s'arrêtaient pour écouter. Je dois avouer que le tempo de certains morceaux ne les rendaient pas dansables non plus. Par exemple, Diz avait écrit un arrangement sur *Max is makin'wax* complètement délirant et qu'il jouait avec Bird. Impossible de danser là-dessus. Et à cette époque-là, vers la fin de la guerre, les gens n'étaient pas prêts à " recevoir " un concert de jazz. Ils préféraient la musique de danse.

« Bien sûr, nous avions comme supporters les jeunes musiciens. Ils pigeaient et aimaient notre musique. Mais le public en général, les patrons de clubs, et les tout-puissants qui signaient les contrats, étaient habitués à un autre genre, plus traditionnel, et ne voyaient pas arriver d'un bon œil une bande de jeunes types enthousiastes, voire fanatiques, qui se faisaient les interprètes de ce style avant-gardiste.

« Je me souviens même qu'une fois le patron d'un club m'a offert de l'argent pour que j'aille acheter des arrangements standard pour grand orchestre chez le marchand de musique du coin. " J'ai de quoi me les payer, si je veux, ai-je répliqué, mais voilà, je ne veux pas! " Il nous arrivait souvent des histoires du même genre. Heureusement, le jeune public nous appréciait.

« Je ne crois pas que Diz ait eu une influence sur mon style vocal; mais il m'a sûrement influencé d'un point de vue plus vaste, lui, Bird et quelques autres aussi. Il s'agissait davantage d'échanges bénéfiques, d'atmosphère ambiante, que d'une influence précise. Tout le monde en profitait, un peu comme dans une école de musique ou un atelier de travail où les idées des uns inspirent les autres, aboutissant à une création collective et à l'homogénéité de l'ensemble.

« En outre, on s'amusait comme des fous. Souvent, quand je chantais au micro, je voyais des gens qui riaient dans la salle. Automatiquement, je me retournais vers Diz, mais il regardait droit devant lui, imperturbable... Et j'apprenais après qu'il faisait le clown dans mon dos, avec des mimiques destinées à faire croire au public que j'avais un dentier, ou que j'étais un pédé et qu'on était en ménage, lui et moi... Mais dès que je me retournais, il avait un visage impassible, le regard fixé sur l'horizon. Ah, on a bien rigolé, ensemble! J'adore Diz. C'est mon copain.

« Sa contribution à la musique moderne est tellement vaste qu'on ne peut la définir. Diz est un maître, je dis bien un *Maître*, capable à tout moment d'analyser ce qu'il est en train de jouer si on le lui demande, parce qu'avant d'en arriver là il a appris, étudié, " fait ses gammes ". Ce serait trop long de parler de son apport au jazz, qu'il s'agisse de son style, de ses improvisations, de son sens harmonique ou de son écriture musicale.

« Il a, entre autres, révolutionné l'art de la trompette, allant bien au-delà de ce que les méthodes vous enseignent pour faire de vous un virtuose. Il a accompli des prodiges sur son instrument, comme personne avant lui; et il a servi de moule à toute une génération, et même aux jeunes musiciens d'aujourd'hui. Prenons Miles Davis, par exemple. Je me souviens de Miles nous suivant partout quand nous étions venus jouer à St. Louis où il vivait encore chez ses parents. A l'époque, on n'entendait même pas le son de sa trompette au-delà de la section de saxes. Oui, Diz a eu une énorme influence sur Miles et sur Freddie Hubbard, en fait, pratiquement sur tous les trompettistes actuels. Diz est leur source, celui grâce auquel ils sont là. Bien sûr, ils ne veulent pas tous le reconnaître, mais les racines sont évidentes et on les retrouve çà et là dans leur jeu, même s'ils n'en sont pas conscients.

« Diz et Bird ont été les plus grandes figures et les plus importants promoteurs du jazz moderne. Dans le domaine vocal, c'est Sarah Vaughan qui a le plus innové. Quant aux contrebassistes actuels, leur style est l'héritage de Jimmy Blanton et d'Oscar Pettiford. Mon pianiste préféré était Art Tatum. On retrouve beaucoup son influence chez Oscar Peterson, et c'est bien normal car on subit tous une influence quelconque à partir de laquelle on essaie ensuite de voler de ses propres ailes. Monk est un autre grand maître qui a eu un apport très original en matière de style, d'accompagnement, et de conception rythmique. Bud Powell aussi, bien sûr, a largement contribué à ce mouvement avant-gardiste, essentiellement par son jeu de main droite. Bud a été un grand innovateur au niveau de son instrument, le piano. De toute façon, et sans entrer dans des détails techniques, les sources restent Diz et Bird, qu'il s'agisse de style ou d'improvisation. Et je ne pense pas que l'un ait eu plus d'importance que l'autre. Je les place au même niveau. Ils ont eu des échanges fructueux, tant sur le plan de la conception que sur celui de la réalisation. »

WALTER GILBERT FULLER

« Au Brooklyn Armory, l'orchestre de Jimmy Lunceford occupait un côté de l'estrade, et celui de Billy Eckstine l'autre. Ils jouaient à tour de rôle à l'occasion d'une " joute musicale ". Et pour moi cette soirée-là fut déterminante et a changé la situation établie. De 1936 à 1944 en gros, Jimmy Lunceford était le " grand patron ". Ce soir-là au début, les gens allaient d'un orchestre à l'autre, suivant lequel jouait. Mais au bout d'un certain temps, ils sont restés devant le podium du côté de Billy Eckstine, fascinés. Diz était son directeur musical à l'époque. Et j'ai compris soudain que la révolution venait d'avoir lieu... Cette nuit-là, pour la première fois, c'était évident. Jimmy Lunceford était dépassé. »

SARAH VAUGHAN

« Pour moi, cet orchestre n'a jamais représenté une entreprise expérimentale. Les musiciens jouaient la musique qui leur convenait, qu'ils ressentaient bien. Si ça marchait tant mieux, sinon tant pis. Mais ça a marché.

« On essayait d'éduquer l'oreille du public, en jouant pour la danse. Il y avait ceux qui pigeaient vite, une minorité, et qui dansaient le jitterbug comme des fous dans un coin de la salle; et puis les autres, ceux que notre musique déroutait et qui venaient se planter devant nous en nous regardant avec des yeux ronds. Mais ça n'avait aucune importance. Nous, on se régalait en jouant ainsi.

« C'est sûr que ça a pris du temps pour que les gens reçoivent le message! Mais enfin, on y est arrivé. Le jazz n'a peut-être pas la place qu'il devrait avoir, mais il vit toujours, et il n'est pas près de mourir, voyez-vous. Quant à nous, peu nous importait en fait l'opinion du public. L'essentiel c'était que l'orchestre existe, et nous avec.

« La contribution de Diz dans ce domaine? Un excellent arrangeur, avec un sens aigu des enchaînements harmoniques. Et puis un technicien hors pair, et qui a quelque chose à dire. Parce que j'en ai entendu quelques-uns, qui " font l'inventaire " de leur instrument, mais... ils n'ont rien à dire. Diz et Charlie, eux, avaient vraiment des choses à exprimer. Des trouvailles, des audaces harmoniques. Pour moi, ils ont tout inventé dans ce domaine. Et pour chanter avec eux derrière, il fallait de solides connaissances musicales, croyez-moi, ou une oreille tout à fait exceptionnelle. J'aimais ça, j'adorais! Je recommencerais bien!

« En tournée, il nous arrivait des tas d'histoires. Par exemple, on revenait du Sud par le train et à cette époque les wagons avaient une partie réservée aux Blancs et l'autre aux Noirs. Et il y avait un type qui mangeait du poulet froid, un Blanc, assis près de la porte, et qui s'amusait à balancer les os par-dessus son épaule dans notre secteur. Mais avec nous, il y avait des copains de Billy, des vrais " durs " de Washington qui nous suivaient de temps en temps en tournée pour le plaisir. Ils n'ont rien dit au type jusqu'à Washington. Et là, une fois en gare... ils lui ont " causé ", et je suis sûre qu'après ça, il n'a plus jamais balancé ses os de poulet sur ses voisins!

« Dizzy est tellement drôle quand il chante! Il me fait rire, et je

170

l'adore. Et puis quel arrangeur ! Dizzy a toutes les qualités qu'un bon musicien doit avoir. Et j'aime tout ce qu'il fait : qu'il joue, qu'il chante, qu'il fredonne. Il peut être très drôle, ou sérieux s'il veut. Je voudrais bien chanter comme il joue. C'est mon rêve... »

ART BLAKEY (batteur)

« J'ai d'abord connu Diz à travers sa musique. Je l'avais entendu dans des enregistrements avec Cab Calloway et d'autres orchestres. Et puis je l'ai rencontré en 1944, quand je suis entré chez Billy Eckstine.

« Au début, je ne savais pas trop que penser du nouveau style. Tout allait trop vite et je n'avais pas le temps d'y réfléchir. Seulement celui de jouer. De toute façon, c'était ce qu'il y avait de mieux à faire : jouer. A cette époque-là, Diz était le directeur musical. Le vrai patron, quoi. C'était l'orchestre de Billy Eckstine, mais c'était Diz le chef, qui s'occupait de toutes les questions musicales...

« Une fois, je me souviens, j'essayais des trucs à la batterie, un genre de " shuffle ", et il m'a arrêté en plein milieu, avec les gens sur la piste, et tout, pendant que les autres musiciens continuaient...

« Blakey, qu'est-ce que tu cherches à faire ?

— Je n'en sais rien...

— Alors, pourquoi le fais-tu ? Si on avait voulu un shuffle derrière nous, on aurait engagé Cozy Cole. Si tu es là, c'est pour jouer à ta manière. »

« Voilà le genre de bonhomme qu'est Diz. Extra. Très drôle, cette petite histoire.

« Dizzy, Monk, Bird, et Bud. Voilà. On a fait le tour. Et avant, Coleman Hawkins, Don Byas, Lester Young. Voilà. Les grosses pointures. Ceux qui ont tout compris, qui ont donné l'exemple. Et Diz était l'un de ces chefs de file. Peu importe qui dirigeait quoi. Ils ont joué, tous, comme des fous. Et ils nous ont transmis l'héritage. Des types fantastiques. Ils jouaient, et ça suffisait. Dizzy continue, d'ailleurs. C'est un des plus grands, au monde. Et pas seulement comme trompettiste, mais aussi comme musicien complet et comme personnage. Je l'adore. Et je lui dois énormément, dans des tas de domaines, en particulier celui de la musique.

« Dizzy et Bird ? Tous les hommes sont différents. C'est comme les empreintes digitales. Ils jouaient bien, ensemble. Ils cherchaient, ils s'y sont vraiment mis, et c'est devenu une sorte de mouvement, comme une école. Ils étaient très jeunes tous les deux, et ils sont devenus légende à leur propre époque. Ils ont bouleversé, révolutionné leur monde musical. C'étaient les chefs de file. Bien sûr, ils n'étaient pas tout seuls, d'autres les entouraient. Mais ils étaient à l'origine du mouvement, à la tête, au premier plan, vous comprenez ? Je les trouve fantastiques. Tous, Monk, Diz, Bird, et un autre très très grand musicien qui est mort depuis : Oscar Pettiford. Il y avait Bud Powell, aussi. Tous ont participé, tous avaient quelque chose à dire. Mais les chefs de file ont été Dizzy Gillespie et Charlie Parker. »

BOB REDCROSS

« Diz m'a toujours impressionné. Et ce qui me frappait le plus chez lui, c'est qu'il n'était pas tellement " Dizzy ", si ce terme a vraiment une signification précise. En général, on qualifie quelqu'un de " dizzy " quand on le considère comme un instable, un peu dingue, et même avec une case en moins. Or Diz ne correspond pas du tout à cette définition, bien au contraire. Il est très réfléchi et profond. Bien plus que la plupart des types de son temps, parce qu'ils étaient plutôt légers, dans le genre. Pas grand-chose dans le citron. Des petits rigolos d'une vingtaine d'années et même moins qui aimaient surtout " déconner ". C'était mal porté de se conduire sérieusement, de toute façon. Diz, lui, jaugeait les gens. Il avait une drôle de manière de vous regarder, en écarquillant tout grand les yeux ; bizarre, quand on ne savait pas, un peu comme un type en transe. En réalité, il vous évaluait. Tout le monde le trouvait curieux, mais moi, je me suis rendu compte qu'il réfléchissait, et aussi qu'il possédait un immense pouvoir de concentration. Si quelque chose l'intriguait ou le fascinait, il en gardait l'empreinte dans un coin de son esprit.

« Une fois, dans un spectacle, l'orchestre accompagnait une chanteuse. A St. Louis peut-être... je ne sais plus. Bref, la fille chantait d'assez jolies mélodies, des standards quoi. Et dans un de ces morceaux, il y avait un interlude entre deux reprises, un passage qui ne demandait qu'à être rempli. Diz le sentait très bien et il s'est mis à improviser des trucs très chouettes. Mais son intervention gênait la fille, de toute évidence, et elle est venue se plaindre à Billy Eckstine après le premier spectacle : " Soyez gentil de dire à votre trompette de se taire, là, à ce passage. " Et Billy a pris Diz à part et lui a transmis le message. Eh bien, pendant toute la semaine, il n'a pu s'empêcher d'y penser sans arrêt. Au moment de l'interlude, il tournait et retournait son instrument, le posait, le reprenait, bref, il fallait qu'il sorte d'une façon ou d'une autre ce qu'il imaginait à cet endroit précis. Moi je l'observais, et je voyais bien qu'il le

172

fredonnait, ou le jouait à vide, ou simplement dans sa tête, et les gars de l'orchestre l'entendaient aussi, mais personne d'autre. Ça, c'était Diz.

« Je pense aussi qu'il a joué un rôle important dans l'évolution d'Art Blakey. C'est que je l'ai bien observé, Diz. Et puis j'ai toujours eu un faible pour les trompettistes et les chanteurs. Roy Eldridge était mon copain aussi. Et à force d'observer Diz, j'ai remarqué des petits trucs, comme chez Roy justement quand il s'amusait avec Harold West en marquant l'emphase sur certains temps et en le poussant à les souligner par une " pêche ". Diz, lui, se levait de son siège et venait se planter devant Blakey, la tête presque dans la grosse caisse, et il scandait : " ooo-bop-she-dow-ooo-bop-bop ", pour lui indiquer des accentuations intéressantes.

« Diz écrivait beaucoup pour l'orchestre, dont il était le directeur musical. Gail Brockman aussi écrivait des arrangements et les dirigeait, ainsi que le pianiste Jerry Valentine, qui jouait également du trombone. Et puis il y avait Budd Johnson, le bras droit indispensable et efficace. C'étaient les éléments principaux, autour desquels tout s'agençait. Mais il y avait des gus qui se sentaient complexés à cause de ce que jouaient les autres, et qui n'arrivaient pas à sortir une note. Moi, j'ai entendu la section de saxes s'arrêter net et laisser Bird jouer tout seul. Il les affolait complètement par ses idées délirantes, et ils n'osaient plus continuer derrière lui. Même plan avec Diz. Il se mettait à improviser comme un fou, et toute la section de trompettes abandonnait, ou presque.

« Diz et Bird vivaient en une sorte de symbiose musicale, chacun nourrissant l'autre de ses trouvailles. Diz sortait une idée dans un chorus à un certain moment, et Bird en donnait sa version un peu plus loin, là où il pouvait la replacer. Oui, ils étaient très complémentaires, et se respectaient mutuellement.

« Diz était un type très naturel, et très rangé, contrairement à beaucoup de ses confrères à l'époque. Je veux dire, dans sa vie privée. Bird, lui, brûlait la vie par tous les bouts. Vous comprenez? Mais pas Diz. Jamais ce genre de choses. Vous savez, les jeunes musiciens blancs étaient très influencés par ces deux-là; surtout ceux de l'orchestre de Woody Herman, je m'en souviens bien. Ils étaient béats d'admiration, médusés de les entendre improviser des choses aussi délirantes, et ils les regardaient comme s'ils étaient des dieux. Mais ils croyaient que pour arriver à jouer comme eux, il fallait mener la même vie qu'eux... vous comprenez? Et ils faisaient ce qu'ils pensaient que Diz faisait. Seulement ils se trompaient, parce que Diz ne touchait jamais à ce genre de truc. Tenez, je me souviens entre autres du petit trompettiste blanc de Woody, Red Rodney, avant qu'il suive Parker qui était son dieu. Et puis tous les autres aussi.

173

Tous persuadés que Diz et Bird menaient une drôle d'existence et se livraient à des expériences un peu spéciales. Pour Bird, c'était vrai. De toute façon, c'était un étrange personnage qui aimait bien pousser les autres à faire des bêtises et qui se moquait d'eux après. Des trucs cons, à la mode. Diz, lui, ne s'est jamais laissé prendre par ce qui était " in ". Il a toujours été réfléchi et sérieux. Il fut l'un des premiers à s'intéresser à la franc-maçonnerie. Il lisait beaucoup. Sur ce point, Bird et lui se rejoignaient. Bird était un type profond, qui pouvait discuter de n'importe quoi à n'importe quel niveau, et vraiment à fond. On se demandait même comment il réussissait à faire tout ça, où il trouvait le temps ! Ils avaient toutefois des tas de points différents, lui et Diz. Pas dans le domaine de la musique, parce que là c'était tous les deux des innovateurs, des créateurs. Seulement, après leur boulot, s'ils ne trouvaient pas un coin pour aller jammer, Diz rentrait chez lui alors que Bird cherchait n'importe quelle manière de se distraire, de s'occuper l'esprit, de fournir à son cerveau une hyperactivité sans trop se soucier du moyen. Ça, ce n'était pas le truc de Diz.

« En tout cas, il y avait entre eux plus que du respect... une affection profonde, une grande tendresse.

« Encore une chose, à propos de Diz : il n'était ni envieux ni méchant. Par exemple, si quelqu'un disait d'un autre musicien pas très doué : " Ce type-là est vraiment mauvais ! ", Diz trouvait toujours une qualité à mettre en avant : " Ne dis pas ça, il a souvent de belles idées. " Ou si un type mettait en cause le manque de volume d'un autre et décrétait qu'il était incapable de " souffler " dans son biniou, Diz soulignait d'autres points positifs. Comme pour le petit Benny Harris, par exemple, qui adorait Diz et auquel Diz le rendait bien. Benny n'avait pas les lèvres de Diz, ça c'est sûr, ni l'articulation ou le volume, mais il avait quand même des choses intéressantes à exprimer à son niveau personnel, et Diz lui jetait des regards admiratifs souvent, et ça l'encourageait bien sûr. Diz sent des choses à côté desquelles les autres vont passer... Il voit sous la surface. Il va au fond. Bird était comme ça aussi. Il reconnaissait tout de suite l'effort sincère et les capacités, qu'il encourageait alors sans se moquer.

« Il y avait toujours des bagarres pas possibles en tournée. A Boston, je me souviens que Diz avait coiffé quelqu'un avec sa trompette. L'orchestre se battait partout avec tout le monde, le public, les patrons de boîtes... Il faut dire que la musique n'était pas très dansable. A St. Louis, un soir d'ouverture, le patron est venu trouver Billy Eckstine après le premier set :

« Dites, jouez-nous donc *Stardust,* hein ?

— D'accord », fit Billy.

174

Et l'orchestre joua *Stardust,* mais à sa manière. Et le type revint se plaindre :

« Vous n'avez rien compris, ce n'est pas ça que je vous demande. Je veux des trucs lents.

— Désolé, on le joue comme ça, répliqua Billy.

— Eh bien, je n'aime pas votre musique.

— Et nous, on n'aime pas votre boîte. »

L'orchestre plia bagage, bien sûr. C'était d'ailleurs une histoire à répétition, parce que les gens n'avaient pas l'habitude du nouveau style et voulaient des trucs plus dansants. Mais les jeunes accrochaient bien, en général. Ils étaient soufflés par la virtuosité des musiciens que ce genre de thème mettait en valeur. Les jeunes s'adaptent plus facilement. Ils étaient vraiment impressionnés et restaient plantés devant l'orchestre, comme s'ils n'en croyaient pas leurs oreilles ! Mais personne ne dansait.

« Une autre fois, il y avait eu une bagarre au bal des chauffeurs de taxis de St. Louis, entre chauffeurs de quartiers différents. Et apparemment, c'était de tradition... le bal et la bagarre... Et puis il y avait les endroits où il ne fallait pas jouer le blues après minuit, parce que c'était le signal d'une mêlée générale où tous les coups étaient permis. Tout cela se passait en tournée, dans le car ou à l'hôtel. Et puis d'autres petites choses qu'on ne peut pas raconter...

« Dans cet orchestre, Diz était le moteur qui fait tourner la machine, bien entouré par une section de trompettes " en béton ", et assurait l'homogénéité de l'ensemble avec toute la compétence d'un vrai professionnel. Quand il est parti, ils ont eu la chance de pouvoir le remplacer par Fat Girl (Fats Navarro), ce qui évita un trop grand vide. Mais malgré tout, c'était John le vrai moteur, et celui qui apportait la touche finale, le détail qui donne la classe.

« Dizzy enseignait aux autres, leur donnait des conseils, comme à Benny Harris, son petit préféré, et il leur infusait un peu de son savoir. Lui aussi avait appris en partie sur le tas, à l'école des grands orchestres, quand il avait débarqué à New York, je suppose.

« Je me souviendrai toute ma vie d'une soirée à Gary dans l'Indiana. L'orchestre était déchaîné. Je n'ai jamais entendu ça depuis ! Inimaginable. Tout le monde avait plus ou moins fumé et ça planait très haut. Le répertoire entier y est passé, tous les arrangements de Tadd, de John et de Budd Johnson, plus certains que Basie avait refilés à B, comme *Air Mail Special.* Ils ont vraiment mis le paquet, croyez-moi, et le public était en transe, littéralement en transe !

« Une autre fois, c'était le soir de la première au Downtown Theater à Chicago. A l'époque, il y avait un des musiciens qui se shootait (qui se piquait). Voyez-vous, ils voulaient tous essayer, mais ils ne tenaient pas le coup comme Bird. Bien sûr, Bird le faisait, mais il était quand même capable de se lever, de prendre ses chorus, de se rasseoir et de s'endormir aussi sec après. Il suffisait de lui toucher l'épaule pour qu'il se mette à jouer, juste à la mesure prévue. Les autres? Ecoutez, ils jouaient l'intro de *Air Mail Special*, le morceau d'ouverture; et tout de suite après, le premier chorus était pris par le gars dont je vous parlais, et qui était complètement défoncé ce soir-là. Il s'est levé, il est descendu jusqu'à l'avant-scène, il a porté son instrument à ses lèvres, et puis brusquement, au lieu d'attaquer, il l'a rabaissé et il s'est mis à vomir en plein sur le premier rang. On a tout juste réussi à empêcher B* de le massacrer. Billy était tellement en colère qu'il l'attendait au pied de l'estrade, prêt à lui taper dessus!

« A propos, détail curieux, cet orchestre n'a jamais été correctement enregistré; enfin, tel qu'il sonnait. Aucun bon disque. Moi, je n'en ai jamais eu l'occasion, en tout cas pas l'orchestre au complet, seulement certains de ses éléments. Il faut dire qu'à l'époque, il y avait la grève des studios. Manque de chance. Alors bien sûr, on faisait quelques séances pirates, mais les moyens n'étaient pas à la hauteur de l'orchestre. Je me souviens qu'un jour, pour une séance de ce genre, il a fallu grimper dix-huit étages à pied avec tous les instruments, et les redescendre après. Il y avait aussi une grève des ascenseurs. Enfin, je ne sais pas si la faute en incombe au matériel ou aux techniciens, mais cet orchestre n'a jamais bien rendu sur disque. Pourtant, quel orchestre! Et tellement en avance sur son temps! »

BUDD JOHNSON (saxophoniste ténor, arrangeur)

« Billy Eckstine et moi sommes de très bons amis. C'est moi qui l'ai fait entrer dans l'orchestre d'Earl Hines, et qui écrivais tous ses arrangements. Billy me disait toujours : " Budd, on va faire équipe, tous les deux. Dès que j'aurai mon propre orchestre tu écriras toute ma musique, et en plus je te donnerai 20 p. 100 sur les affaires. " Ça me paraissait très bien, tout ça, et j'étais d'accord. Quand j'ai quitté Earl Hines, Billy est resté encore quelque temps et puis il a décidé de former son propre groupe.

« Mais quand plus tard on est allés présenter l'idée de notre association à Billy Shaw, de l'agence William Morris, je me suis fait couper l'herbe sous le pied en beauté. Plus question une seconde de toucher 20 p. 100. Par ailleurs, Billy avait engagé Dizzy comme directeur musical, je ne sais pas exactement sur quelles bases

---

* B : Billy Eckstine. On l'appelait aussi Mister B. (*N.d.T.*)

financières. En tout cas, c'est lui qui est parti en tournée avec l'orchestre, qui commençait vraiment à devenir excellent. Moi, j'écrivais toujours un peu pour eux, surtout quand ils venaient enregistrer à New York. Mais la section de saxes posait des problèmes. La plupart se défonçaient à mort et on ne pouvait jamais compter sur eux pour être à l'heure quelque part. Ils rataient le train, l'avion, bref, très ennuyeux quoi. Et un jour, Billy Shaw me fit appeler à l'agence.

« Budd, tu vas reprendre cet orchestre en main parce que Dizzy s'en va. Tu dois pouvoir les secouer un peu, et éviter qu'ils ratent l'avion ou le train. On nous menace de procès sans arrêt parce que l'orchestre arrive rarement au complet.

— Alors je veux trois cents dollars par semaine, qu'il y ait du travail ou non. »

« Ils me les ont accordés sur-le-champ, et j'aurais même sans doute pu demander davantage. Mais enfin, ce n'était pas si mal en 1944. Voilà comment j'ai repris la succession de Diz et suis resté directeur musical de cet orchestre pendant presque un an. »

DIZZY

Ayant mûri comme il se doit après quarante ans de métier, j'ai compris récemment qu'une musique est le reflet d'une époque. La mienne a vraiment pris son essor pendant la seconde guerre mondiale, et est à l'image de cette période agitée : une lame de fond déchaînée, avec son explosion harmonique. Elle a même pu faire songer à une anarchie totale, mais c'était là une fausse impression car elle s'est toujours appuyée sur les bases, comme par exemple la progression do, fa, si bémol, mi bémol, la bémol, ré bémol, etc., du cycle des quintes. Toute ma musique repose sur ce genre de système, à partir duquel elle peut s'évader. Si l'on veut enfreindre les règles, il faut d'abord bien les connaître. Le même principe s'applique d'ailleurs à toutes les lois de l'existence, et s'il n'est pas respecté, les risques courus sont graves.

A l'Onyx

Avant de quitter l'orchestre de Billy Eckstine en 1944, j'avais recommandé Fats Navarro pour me succéder, qui s'avéra être un remplaçant plus qu'honorable. Peu après, j'acceptai un engagement comme coleader d'une petite formation avec Oscar Pettiford à l'Onyx Club, sur la 52e Rue. Bien sûr, l'association idéale restera pour moi celle avec Charlie Parker ; mais enfin, ce groupe avec Oscar Pettiford était excellent aussi, et c'est quand même celui qui nous a mis à l'avant-scène. Notre premier soir à l'Onyx a ouvert l'ère du bebop, et notre long passage dans plusieurs clubs de la Rue nous permit de faire entendre notre message à un plus grand public.

Oscar et moi avions d'abord décidé de faire venir Charlie Parker. On lui avait câblé à Kansas City où il était retourné pour un certain temps. Mais notre câble est resté sans réponse pendant plusieurs mois, et le premier groupe fut donc composé de Max Roach (batterie), Oscar Pettiford (basse), George Wallington (piano) et moi. Nous aurions vraiment voulu avoir Charlie Parker, mais il nous a appris par la suite qu'il n'avait en fait jamais reçu le télégramme. Je suis sûr qu'autrement, il serait venu jouer avec nous. Quelque temps plus tard, la direction de l'Onyx engagea Don Byas comme soliste pour jouer du ténor avec le trio d'Al Casey qui partageait l'affiche avec nous. Mais notre quartette tournait tellement bien que Don vint à nos répétitions et choisit de s'intégrer à l'équipe.

Je me suis vraiment disputé avec Don une fois. Il lui arrivait de se soûler et alors il n'en touchait pas une. En revanche, quand il était à jeun, quel musicien ! Donc ce jour-là, j'étais assis et je le regardais pendant qu'il prenait un solo en cafouillant lamentablement. Je ponctuais ses phrases de « tss, tss, tss » désapprobateurs. « Qu'est-ce que tu regardes comme ça, hein ? me demande-t-il. — Toi. Je te regarde. — Pourquoi ? Il y a quelque chose qui ne te plaît pas ? » Et je lui réponds : « Tu joues comme un cochon. Tu n'en touches pas une. » Sur quoi il m'attaque : « Et toi, c'est pas terrible non plus! — Moi, au moins, je fais de mon mieux, je suis à jeun. » Suivit un échange d'insultes du genre : « Je t'emmerde... Moi aussi... Va te faire... », etc. Et pour finir, je lui dis : « Don, si tu crois une seconde que ton état va m'empêcher de te donner une leçon, tu te trompes lourdement. Tu es complètement pété, mais si tu te lèves et que je te vois faire le moindre geste, je te massacre. Tu entends? Je profiterai de ce que tu es rond et que tu ne peux même pas te battre! » Et du coup, il s'est calmé. Mais c'était vraiment un groupe épatant.

Sy Barron, le propriétaire de l'Onyx, nous avait demandé de monter ce groupe ensemble parce qu'Oscar avait reçu le Gold Award et moi le New Star Award au référendum de la revue *Esquire* en 1944. Ainsi, il n'y avait que des vainqueurs à l'Onyx cette année-là, car Billie Holiday avait également gagné le Gold Award et le trio Al Casey une autre récompense. Donc trois vainqueurs, quatre en réalité avec moi, mais « on » n'avait pas jugé utile de l'indiquer sur l'affiche parce que la catégorie «new star » était la moins importante. En tout cas, c'était mon orchestre et celui d'Oscar, et nous pouvions enfin jouer dans ce nouveau style auquel j'avais beaucoup apporté depuis sa naissance.

Je pouvais être content, d'ailleurs. L'ère des concerts était enfin arrivée. Notre musique avait maintenant un public d'auditeurs purs, et dans les clubs on nous réservait une partie de la salle avec une estrade, toutes les tables autour, et pas de piste de danse. Dans une autre partie, les consommations n'étaient pas obligatoires et les amateurs pouvaient simplement s'asseoir pour écouter. L'attrait majeur n'était plus la danse avec la musique derrière, mais la musique elle-même. J'ai toujours aimé la danse, pourtant, mais on peut aussi se régaler sans danser. Et puis, au niveau de l'émotion, il n'y a pas de comparaison : danser ne vous fera jamais pleurer; tandis qu'après avoir entendu quelqu'un jouer, il peut vous arriver de dire : « Ça m'a fait pleurer. J'étais assis là, j'écoutais, et j'ai pleuré. » Il y a même des fois où vous êtes complètement tourneboulé.

Billie Holiday chantait à l'Onyx en alternance avec nous, accompagnée par Al Casey. Elle avait beaucoup d'admirateurs dans le monde du cinéma. Elle attirait par son côté chaleureux et vibrant. C'est une des personnes les plus merveilleuses que j'aie jamais rencontrée. Dans ce club, il se passait toujours quelque chose : un client qui se roulait sous la table, des gens qui se pâmaient devant Billie Holiday, des vedettes de cinéma qui débarquaient. Toujours de l'animation. J'ai joué plusieurs fois derrière Billie Holiday pendant son tour de chant, mais nous n'avons jamais enregistré ensemble.

Je me souviens que Leonard Feather passait souvent à l'Onyx, et

Oscar Pettiford lui disait : « Dis donc, pourquoi tu n'écris pas quelque chose sur Dizzy ? Tu devrais. — Pardon ? » faisait Leonard. « Ouais, écris donc un article sur lui. C'est vraiment quelqu'un, tu sais, ce type. »

Oscar aimait bien l'asticoter un peu et le mettre mal à l'aise, car Feather parlait surtout de musiciens plus anciens comme Coleman Hawkins, Teddy Wilson et Benny Goodman. Il ne pigeait pas vraiment notre musique, ni notre comportement.

LEONARD FEATHER (critique de jazz et promoteur)

« J'avais organisé une séance d'enregistrement avec Helen Humes, une séance de blues. Pete Brown, un sax alto, devait prendre les solos, et je lui avais adjoint Jimmy Hamilton, le clarinettiste de Benny Carter, et Dizzy, trompettiste du même orchestre. Je les avais pris tous les deux parce qu'ils étaient en ville à ce moment-là et que j'allais souvent écouter Benny Carter en 1942. A mon éternel regret, et tout de même parce que la séance était consacrée au blues, j'ai décidé qu'il ne convenait pas de confier des solos à Dizzy. J'admirais déjà beaucoup son talent, mais je ne pensais pas qu'il se fondrait bien dans un tel contexte. C'est ainsi que la discographie de jazz a perdu par ma faute un témoignage précoce du travail de Dizzy en petite formation, car à l'époque il n'avait encore jamais enregistré selon cette formule.

« J'ai eu ensuite l'occasion de mieux le connaître lors de son passage dans les orchestres d'Earl Hines et de Billy Eckstine. Un jour, je l'avais rencontré par hasard sur Broadway près de la Rue, avec un disque sous le bras. C'était un souple, et Dizzy me demande : " Vous avez entendu la fille qui chante avec Billy Eckstine, Sarah Vaughan ? " J'avais déjà entendu Sarah, qui m'avait fait grande impression. Diz essayait par tous les moyens de la faire enregistrer. Il m'a entraîné ce soir-là dans un studio pour me faire entendre la maquette. Je crois qu'il s'agissait de Night in Tunisia ; en tout cas, je fus très impressionné. J'ai entamé des démarches auprès. de petites compagnies de disques pour les convaincre d'organiser une séance, mais ce n'était pas facile. Personne ne semblait très intéressé par une jeune chanteuse inconnue qui travaillait avec Earl Hines ou Billy Eckstine. J'ai fini par décrocher une séance avec une compagnie, Continental Records, et l'enregistrement eut lieu le jour de la Saint-Sylvestre en 1944, avec Dizzy, et Georgie Auld au ténor, une sorte de all-star sans pianiste car je ne disposais que d'un très petit budget. J'ai décidé de me mettre moi-même au piano, bien obligé ! Il y avait quatre morceaux prévus, dont Night in Tunisia ; mais pour ce dernier, assez complexe, mon oreille n'était pas à la hauteur et je n'étais pas non plus un bon lecteur. Bref, je n'arrivais pas à m'en sortir et c'est Dizzy qui a dû me remplacer pour une partie de ce morceau dans lequel il jouait aussi de la trompette.

« Cinq mois plus tard, j'organisais une autre session avec Sarah, entourée cette fois de Bird et Diz. J'enrageais d'être obligé d'enregistrer Dizzy pour ces petites compagnies, mais finalement, à la fin de l'année, je réussis à convaincre Steve Sholes de chez RCA de me laisser mettre sur pied une séance all-stars dirigée par Dizzy.

« Mon respect pour le talent de Dizzy s'était entre-temps doublé d'une certaine admiration pour sa position à l'égard des problèmes sociaux et raciaux. Il fut un des premiers chefs d'orchestre noirs à engager ses musiciens sans considération de race, et à s'élever publiquement avec courage contre le sectarisme et les préjugés qui s'étaient infiltrés jusque dans le monde de la musique. »

DIZZY

Oscar Pettiford était un Indien, enfin, un Noir avec du sang indien, issu d'une famille de musiciens. Ses sœurs, père, mère et frère, étaient tous très doués et avaient monté un petit orchestre baptisé Doc Pettiford, qui circulait dans le Sud. Ils étaient souvent passés près de chez moi, à Cheraw, mais je ne connaissais pas Oscar à l'époque. Oscar allait devenir LE bassiste de notre musique, du nouveau style.

J'avais rencontré Max Roach pour la première fois à l'Uptown House où il jouait avec Ebenezer Paul, Allan Tinney, Ray Abrams, Victor Coulson et George Treadwell. Max était encore un petit jeune, originaire de Brooklyn; mais croyez-moi que lui et ces gars-là connaissaient déjà bien leur affaire! Et puis Charlie Parker est venu se joindre au groupe. Ils jouaient après la fermeture régulière, des petites sessions hors syndicat, quoi. De toute façon, à partir de cette heure-là, le syndicat n'avait pas à s'en mêler. On l'emmerdait!

Dès que j'ai eu entendu Max, je me suis dit : « Il me le faut... ». Kenny était parti dans l'armée, si j'ai bonne mémoire. Donc, si je ne pouvais pas l'avoir, il me fallait Max. Je l'avais appelé une fois, mais il était en tournée avec Benny Carter.

Max sait ce que je pense de son jeu, car même dans ce temps-là, alors qu'il était tout jeune, je lui avais dit : « Max, tu fais partie de mon groupe, à présent. Alors, même si l'ange Gabriel te demande de venir jouer avec lui, tu restes avec nous derrière ta batterie. Ta place est ici. » A l'Onyx, tous les batteurs qui venaient voulaient faire un bœuf, mais je ne les laissais pas s'installer. Même les caïds comme

Big Sid Catlett et autres. Je veillais à ce que personne ne prenne la place de Max. Ces types-là savaient jouer, bien sûr, mais Max connaissait tous nos thèmes et nos arrangements. Si j'étais aussi intransigeant, c'est parce que notre passage dans ce club était un grand départ pour le jazz moderne, et je voulais que le groupe soit parfait. Donc, Max Roach et personne d'autre.

MAX ROACH (percussionniste)

« Ma première rencontre musicale avec Dizzy s'était. en fait produite par l'intermédiaire d'un autre trompettiste qui essayait de jouer ses thèmes et de copier son style en disant : " Voilà le genre de truc que joue Dizzy Gillespie. " Ensuite, je suis allé l'écouter au Minton's ou à l'Apollo quand il travaillait avec Cab Calloway et c'était à chaque fois un événement pour moi. J'y allais avec des copains musiciens, et les solos de Dizzy étaient toujours attendus avec impatience. Chez Minton, il y avait aussi Thelonious Monk, Scotty et des types de ce calibre qui venaient jammer. Et puis je l'ai rencontré, quelque temps plus tard. A l'époque, je faisais partie d'un petit groupe avec Bud Powell, Allan Tinney et quelques autres. Diz avait dû m'entendre jouer chez Minton ou à l'Uptown House, et un jour il m'a annoncé que quand il partirait de chez Cab Calloway, ce serait pour monter son propre orchestre, et qu'il aimerait bien m'en voir faire partie. C'était pour moi un sacré compliment; parce que déjà à cette époque Dizzy était une légende dans le monde du jazz. Et il tint parole. Dès qu'il a eu décidé de former son groupe, il m'a appelé, et ce fut le début de notre collaboration. Pour lui la formation idéale devait se composer de Charlie Parker, Oscar Pettiford, Bud Powell, lui et moi-même. La suite appartient à l'Histoire. En fait, cette formation précise n'a jamais joué réellement, car l'un de nous s'est toujours trouvé indisponible; et le premier quintette qui s'est produit à l'Onyx comprenait Don Byas, Oscar Pettiford, Dizzy, George Wallington et moi-même. »

DIZZY

George Wallington était un jeune pianiste blanc que notre style fascinait et qui l'étudiait patiemment parmi nous. Il voulait jouer du jazz moderne et avait décidé de venir me trouver. Je l'ai engagé, et il a appris ainsi sur le tas, notre groupe étant une sorte d'école de musique permanente. Bien sûr, de temps à autre il ratait des accords et Oscar lui tombait dessus en l'injuriant : « Espèce d'enc... de

Blanc... sait même pas jouer...! » Je passais mon temps à le protéger d'Oscar.

George essayait de jouer comme Bud Powell, dont le style émanait de celui de Billy Kyle sur le plan de la technique pianistique, mais dont les sources majeures d'inspiration étaient réellement Charlie Parker et moi. Avec Max et Oscar, ce n'était pas utile pour le groupe d'avoir un pianiste solide chargé de nous montrer le chemin. Nous n'avions pas besoin de Bud. Les pianistes à cette époque jouaient des accords pour guider les solistes; mais comme chacun de nous élaborait constamment la structure de ses solos au fur et à mesure de leur développement, il fallait avant tout que le pianiste ne nous bride pas. Donc, le meilleur pour nous était celui qui savait s'effacer, ne pas se mettre en travers. C'est pourquoi George Wallington s'intégrait si bien : il nous laissait les coudées franches. Mais quand c'était son tour de prendre un chorus, il se rattrapait et l'étoffait sacrément. On aurait cru entendre Bud.

L'importance majeure de Bud a été celle d'un grand soliste, plutôt que d'un accompagnateur. Il était bien trop indomptable pour ce dernier rôle. D'une manière générale, les pianistes bebop ne jouaient pas un accompagnement traditionnel. Certains, comme Monk, compliquaient et enrichissaient les harmonies; et si un soliste ne les connaissait pas bien, il ne pouvait que s'en repentir, car ce n'était pas Monk qui allait les lui faire entendre...

Notre style commençait à prendre vraiment forme, et nous cherchions sans cesse plus avant. A partir de standards ou de succès populaires, notre démarche consistait à créer de nouvelles mélodies et des accords plus élaborés, ce qui nous faisait connaître les procédés des compositeurs par l'analyse de leurs morceaux. Nous avons travaillé de cette manière sur des thèmes comme *Night and day, How high the moon, Lover, What is this thing called love?* et *Whispering.* Dans la paraphrase d'un standard, nous ajoutions ou modifions tellement d'accords que l'auditeur moyen ne reconnaissait pas la mélodie initiale. Ainsi *How high the moon* devint *Ornithology* et *What is this thing called love, Hot house.*

Je fus le premier bopper à jouer *How high the moon* que Nat Cole m'avait appris en 1942 au Kelly's Stables, quand j'étais encore avec Benny Carter. Art Tatum y partageait l'affiche avec le King Cole Trio, et je pense qu'à eux tous ils ne devaient pas gagner plus de trois mille dollars. Dès que Nat m'a eu appris les harmonies de cet air qui me plaisait, je me suis précipité chez Monk pour les lui montrer. « Ecoute, vieux, écoute ça. » Et c'est ainsi que *How high the moon* fut inscrit à notre répertoire, et que Benny Harris écrivit dessus une paraphrase fort prisée des boppers.

Dans *Whispering,* au lieu du mi bémol et du ré septième respectifs de la première et deuxième mesure (dédoublées), on avait étoffé la seconde en la mineur, mi augmenté, la mineur septième et ré septième. Après quoi, j'ai composé *Groovin'High* sur ces accords plus élaborés. De la même manière, il doit exister des milliers de démarquages de *I got rhythm*, et Tadd Dameron eut l'idée de *Hothouse* à partir de *What is this thing called love*.

Il ne s'agissait nullement de plagiat. Quand on avait décidé de modifier les accords d'un de ces standards, il fallait bien créer une autre mélodie qui « collait » mieux. Et dans la mesure où le thème était nouveau, il était normal de le signer et de le déposer. C'est ce que nous faisions, et aucun éditeur ne nous a attaqués.

Les auteurs de succès populaires utilisaient essentiellement les accords de base, sans les quintes diminuées un peu trop modernes pour leur goût. Dans notre idée, les modifications apportées par notre style à la musique populaire l'amélioraient en lui donnant une dimension supplémentaire. Les arrangeurs appliquent le même principe de nos jours. Je retrouve souvent dans des films ou à la télévision des exemples de la musique que nous avons créée à cette époque.

Le trait le plus important de notre musique était bien entendu le style ; l'enchaînement, l'articulation des notes, le phrasé, et une conception nouvelle tant sur le plan harmonique que rythmique. C'est fondamental. Jouées différemment, les mêmes notes ne contiennent plus le même message, et ce n'est plus du bebop.

A l'Onyx Club, le groupe jouait de nombreuses compositions originales qui n'avaient pas de titre et comprenaient une introduction et un premier exposé de thème. Il me suffisait d'en fredonner le début : « dee-da-pa-da-n-de-bop » pour mes collègues, et on démarrait. Les gens qui voulaient entendre un de ces morceaux dont ils ignoraient le titre — et pour cause — demandaient simplement « le bebop ». La presse s'empara du terme et baptisa ainsi notre style. C'est pendant notre séjour à l'Onyx que ce mot se trouva imprimé pour la première fois.

Le thème intitulé *Bebop* a d'ailleurs été écrit à peu près à cette époque, car il nous en fallait un approprié à cette étiquette. J'avais composé un morceau rapide que j'ai donc baptisé *Bebop* le jour de l'enregistrement (Manor 5000). J'avais écrit également deux autres thèmes : *Things to come* et *Things are here*, en me plagiant d'ailleurs moi-même, car tous deux étaient construits sur les mêmes accords que *Bebop*. Un peu dans la même veine, *This is the way* était une ballade conçue pour mettre en évidence mon sens des enchaînements harmoniques tout en restant fidèle aux bases.

184

MAX ROACH

« La musique des Gershwin et autres compositeurs de ce genre ne survécut pendant cette période que parce que tous les artistes noirs comme Billie Holiday, Ella Fitzgerald, Dizzy Gillespie, Charlie Parker, Thelonious Monk, Coleman Hawkins, etc., l'interprétaient et en maintenaient la diffusion. Je trouve assez méprisant et condescendant d'avoir appelé notre style " bebop ", mais nous l'avons apparemment accepté. En dehors des harmonies et des thèmes révolutionnaires il faut aussi prêter attention aux titres, comme *Things to come, Woody'n You, A night in Tunisia,* qui évoque l'Afrique, *Con Alma (Avec âme),* et le *Now is the Time* de Charlie Parker. Leur sens en dit long.

Pour en revenir à notre musique et à cette appellation, il faut parler du moment où elle commença à s'exporter de Harlem vers le sud de Manhattan. Jusque-là, personne n'avait songé à l'affubler d'un nom à sa naissance, au Playhouse de Minton. Personne n'avait parlé de " bop " avant qu'elle n'ait émigré plus au sud. C'est seulement à ce moment-là, pour la déprécier et en minimiser l'importance, que l'on commença à lui chercher des étiquettes. Celle de " bebop " l'emporta. Si nous tenons à remettre ces points en question, c'est que les mots ont une grande importance pour nous tous. Il serait normal que revienne aux créateurs le soin de baptiser leurs œuvres, ou de trouver un qualificatif à leur apport. C'est un moyen de garder en main les rênes de sa destinée.

« L'aspect économique est encore une autre affaire. Quand notre musique s'est déplacée vers Manhattan, où les Blancs constituaient la majeure partie de la clientèle, l'argent circulait plus facilement que dans les clubs de Harlem, bien qu'il faille tenir compte de la guerre et des taxes qu'elle entraînait. Les gens qui fréquentaient les clubs voulaient entendre des airs qui leur étaient familiers, qui faisaient partie de leur environnement quotidien, comme *How high the moon, What is this thing called love?*, etc. Mais tout en jouant ces thèmes qu'on leur réclamait, les musiciens noirs étaient conscients du fait que les royalties allaient dans la poche des gens de l'ASCAP, des Jerome Kern et des Gershwin. D'où cette idée révolutionnaire : écrire des paraphrases sur la structure harmonique de standards. Puisqu'il fallait jouer tel ou tel morceau demandé, autant créer sa propre mélodie sur les mêmes accords. Si les auditeurs paraissaient surpris : " Tiens, qu'est-ce que c'est ? ", on pouvait répondre : " Vous avez bien demandé *What is this thing called love?*, non? Eh bien, c'est ça. " Ce fut vraiment une petite révolution. Et quand on enregistrait ce genre de morceau on pouvait affirmer : " C'est une composition originale. " »

Certains grands noms de la profession, comme Jimmy Dorsey, commençaient à venir nous écouter à l'Onyx et en repartaient complètement époustouflés. Le monde de la musique ne pouvait plus continuer à ignorer le nouveau courant. Jimmy Dorsey voulait en apprendre davantage sur notre style, sachant qu'il n'arriverait pas à assurer la transition nécessaire avec seulement un ou deux arrangements qu'il m'avait achetés, au moment où la musique populaire dans son ensemble paraissait vouloir s'orienter vers le moderne. La première fois qu'il était venu à l'Onyx, Jimmy Dorsey s'était soûlé de désespoir parce qu'il ne pouvait en croire ses oreilles ! Et encore, Charlie Parker n'était pas parmi nous. Mais le second soir, Jimmy resta sobre et m'invita ensuite à venir bavarder dans son appartement de l'hôtel Astor, à l'angle de Broadway et de la 42e Rue, en face du Paramount.

« J'aimerais vraiment t'avoir dans mon orchestre... si ta peau n'était pas si foncée.

— Tu connais beaucoup de trompettistes blancs qui jouent comme moi ? Alors... décide-toi. »

Il se contenta de rire.

D'une façon générale il y avait peu de problèmes de discrimination raciale dans les clubs de la 52e Rue, pour la bonne raison que la plupart des orchestres étaient noirs. Même la clientèle montrait rarement des tendances racistes, et c'était sans doute le seul endroit à New York. Mais franchie cette limite, mieux valait être prudent.

Je prenais souvent le métro pour rentrer chez moi à Harlem, où nous habitions tous. J'allais à pied jusqu'à la station à l'angle de la 6e Avenue et de la 50e Rue, tout près du club. Mme Bricktop venait de rentrer d'Europe, et un soir Oscar Pettiford, Bricktop et moi bavardions avec elle devant le cinéma RKO. Il faut préciser que Bricktop est roux et a la peau claire. Oscar était fin soûl, comme à son habitude. A un moment trois marins, des Blancs, s'avancèrent vers nous et l'un d'eux nous interpella : « Hé les négros, qu'est-ce que vous faites avec cette Blanche ? » Oscar lança un coup de poing dans la direction du type, mais perdit l'équilibre et s'écroula. La Rue était devenue le point de rendez-vous de tous les racistes venus du Sud et en partance vers les théâtres d'opérations outre-mer. En fait, ils venaient là pour chercher la bagarre, et ils la trouvaient généralement, car tout le monde était prêt à les recevoir. J'étais donc là avec ma trompette sous le bras, mais j'avais aussi sur moi un couteau avec une lame recourbée en forme de crochet de tapissier. J'étais toujours bien équipé, pour la 52e Rue. Quand Oscar a essayé d'assommer le type et s'est écroulé, j'avais l'intention de les laisser régler leur petite affaire entre eux. Si Oscar avait trop bu, tant pis pour lui. Mais en le voyant au sol, les autres marins se sont avancés et je me suis planté devant lui, en sortant ma lame.

« Attention, il a un couteau! a crié l'un d'eux en apercevant l'éclat du métal.

— Oscar, debout, grouille-toi, debout! »

Oscar a fini par se mettre sur ses pieds en grommelant et a couru dans la rue pour héler un taxi, pendant que je tenais les autres en respect. Il s'en est arrêté un et je me suis précipité à l'intérieur avec Oscar. Mais le chauffeur ne voulait pas aller à Harlem. Entre-temps, d'autres marins étaient arrivés sur les lieux. J'ai demandé au chauffeur de nous emmener n'importe où du moment que c'était ailleurs, mais il a refusé de démarrer. Finalement, j'ai entraîné Oscar par la portière du côté opposé, jusqu'à la bouche de métro sur l'autre trottoir. « Avance, Oscar, fonce, fonce, je vais les retenir. » Il a dégringolé les marches en vitesse et a escaladé le tourniquet. « Fonce, je m'occupe d'eux. »

Les marins ont enlevé leurs vestes et me les ont jetées dessus pour me faire lâcher mon arme. L'un d'eux y réussit, et mon couteau a glissé jusqu'au bas des marches. Je l'ai cherché mais je n'ai pas pu le retrouver, et au moment où je levais les yeux, j'ai aperçu un des marins qui plongeait dans ma direction, tête la première. J'ai eu juste le temps de me redresser et de tendre mes muscles. Le type s'est écroulé sur mon dos et a roulé par terre. Je tenais toujours ma trompette sous le bras, dans sa housse. J'ai saisi le type par son revers d'une main, et de l'autre je me suis mis à cogner comme un dingue avec ma trompette, en me servant des pistons pour essayer de lui mettre le nez à la place de l'oreille. Le sang ruisselait, et pendant tout ce temps-là j'encaissais dans le dos les coups de ses copains qui y allaient de bon cœur. J'ai fini par me dégager et courir en me protégeant la bouche d'une main. Mais ils étaient toujours sur mes talons. Alors j'ai sauté la petite barrière au bout du quai, et j'ai continué sur l'espèce de passerelle étroite qui sert aux équipes d'entretien. C'était très sombre, et je me faisais le plus petit possible, car la passerelle n'avait guère plus de soixante centimètres de large. Je me disais qu'au moins je n'en aurais qu'un à affronter à la fois, parce que, à cause du rail électrifié qui longeait, les autres ne pouvaient pas contourner. Je me suis tenu prêt, ma trompette à la main, bien décidé à cogner et à balancer sur la voie le premier qui se présenterait, et puis le second, et ainsi de suite. Mais la police du métro est arrivée et les a embarqués avant qu'ils nous trouvent.

Quelque temps après cette aventure, Oscar et moi nous sommes séparés. Il buvait beaucoup trop. Un jour où il était complètement pété, je lui ai dit pendant qu'il jouait : « Tu sais ce qui ne va pas chez toi ? T'es capricieux comme une prima donna ! » Ça l'a fait exploser, et il m'a lancé : « Mon père m'a dit la même chose un jour, et j'ai quitté la maison. — Eh bien, qu'est-ce que t'attends pour prendre la porte ? J'étais là quand t'es arrivé, et j'y serai encore quand tu partiras. »

Peu après cette petite scène, nous avons décidé de mettre fin à notre association. J'ai remonté un groupe avec Budd Johnson pour jouer au Downbeat, de l'autre côté de la Rue, tandis qu'Oscar engageait Joe Guy à l'Onyx. Le whisky poussait vraiment Oscar à faire des tas de choses qui n'avaient rien à voir avec la musique.

Au Downbeat

Le Downbeat se trouvait juste en face de l'Onyx Club. Les deux groupes sonnaient de la même manière et jouaient aussi les mêmes morceaux, le nôtre avec Budd Johnson au saxophone ténor, l'autre avec Don Byas. Je connaissais Budd depuis l'époque où il jouait dans l'orchestre de Earl Hines. Lui et Trummy Young avaient essayé de me faire entrer chez Hines avant mon départ de Philadelphie. Budd Johnson vivait à New York en jouant à droite et à gauche et en écrivant quelques arrangements, à peu près comme moi. C'était déjà un musicien de tout premier plan, bien avant que l'on ne parle d'aucun d'entre nous, car il appartenait à l'époque de Lester Young dont il avait été l'un des premiers à découvrir le style cool et fluide. Leur façon de jouer était très similaire. Je considérais Budd depuis toujours comme un excellent musicien.

Il n'était pas de notre temps, mais faisait quand même partie de l'équipe car son style se fondait bien avec le nôtre. Pour un musicien, l'important n'est pas tellement la structure des accords sur lesquels il joue, mais ce qu'il en tire, comment il improvise dessus, et essentiellement la mise en place. Ainsi, j'ai entendu Ben Webster dans des circonstances et des contextes très différents, mais il faut l'écouter jouer une ballade. Personne n'a jamais fait mieux que lui dans le genre et de tout temps.

Clyde Hart a dit un jour à Ben : « Frog, tu devrais suivre tes instincts profonds et te faire pédé! », tellement Ben joue avec tendresse. Mais attention, une tendresse musclée qui jaillit juste au bon endroit et vous file un vrai coup au creux de l'estomac.

Clyde Hart, notre pianiste, était un musicien très complet lui aussi, bien que ne jouant pas dans notre style, contrairement à Bud Powell. Clyde connaissait bien notre système harmonique, mais son jeu s'apparentait à celui de Teddy Wilson, émaillé d'idées personnelles. Leonard Gaskin, le bassiste, n'avait pas la puissance d'Oscar Pettiford mais faisait néanmoins très bien l'affaire. Max, évidemment, était un batteur idéal.

Au Downbeat, j'étais complètement absorbé par la création musicale et n'avais pas le temps de penser à des aspects non négligeables, comme la publicité. Budd Johnson, lui, outre sa valeur de musicien et d'arrangeur, avait le sens des affaires, ce qui rendait très efficace notre association de coleaders du groupe. Budd avait déjà joué avec nous à l'Onyx, et avant cela, le 14 février 1944, nous avions enregistré ensemble pour un disque avec Coleman Hawkins, du jazz plus classique (Apollo 752).

A cette époque-là, il se passait de grandes choses sur le plan musical. En plus de notre engagement au Downbeat Club, il y avait les sessions du dimanche après-midi au Kelly's Stables dans Greenwich Village, organisées par Monte Kay, un producteur qui fut aussi le manager du MJQ et s'occupe maintenant de Flip Wilson. J'allais y jouer même quand je travaillais à Philadelphie. On me donnait environ huit dollars, et je devais payer mon voyage. Monte Kay, avec Pete Cameron et Jerry Hurwitz, fut un des premiers organisateurs de jam-sessions modernes. A peu près à la même époque, un certain Ed Harris présentait à New York le premier concert de jazz moderne. Il y avait des jams à longueur de nuit au Village et au Kelly's Stables, dans lesquelles on pouvait toujours ramasser un peu d'argent.

Je m'intéressais surtout à enseigner aux jeunes les bases du nouveau style. Ils étaient tous pleins de bonne volonté, mais dès qu'ils se mettaient à jouer, ils avaient tendance à oublier les accords fondamentaux, comme do mi sol, accord majeur. Quant à l'utilisation des quintes diminuées, c'est parfait d'en jouer une de temps en temps quand elle tombe juste et que vous la sentez bien, mais les sortir à longueur de soirée! Je leur montrais ce qu'il fallait faire, en leur donnant les explications au fur et à mesure.

Quelques années plus tard, nous étions en train de jouer avec le JATP (Jazz at the Philarmonic) un thème intitulé *I'm through with love* et Ray Brown m'a entendu faire des notes qui lui semblèrent appartenir à un autre accord. « Tu as joué un la bémol mineur septième, me dit-il. — Non, tu te trompes. — Mais si, j'ai bien entendu. » Je niai encore. Et après un « Ah bon! », il n'insista pas, car il était incapable de prouver ce qu'il prétendait, et dans ce cas-là mieux vaut se taire.

Miles aussi me demandait souvent : « Dis donc, où vas-tu chercher ces notes? » Et je répondais : « Au piano. Si tu ne sais pas jouer un peu de piano, tu as forcément des problèmes au niveau des accords et des notes que tu veux faire. Bien sûr, tu peux tomber dessus par hasard sur ton instrument. Mais si tu connais le piano, tu n'auras pas

190

besoin de les chercher. Tu sais où elles se trouvent, tu peux même les voir. »

Chez moi, c'était toujours plein de monde. Miles venait. Il n'y couchait pas parce qu'il n'y avait pas la place pour son lit mais sitôt levé, il était là. Kinney Dorham, Max, Monk, tous ceux de cette période venaient chez moi. Mon appartement était devenu la plaque tournante de notre musique, bien que trop petit pour y répéter — Teddy Hill nous laissait le faire au Minton's —, mais on y discutait beaucoup de théorie à propos de jazz moderne, avec démonstration au piano car j'en avais un chez moi. La femme de Chu Berry me l'avait donné à la mort de Chu. Ils vivaient à l'étage au-dessous, et Chu n'en avait jamais joué, de toute façon. Alors, grâce à ce piano, je montrais aux autres ce que je savais. Mais quand moi j'étais plus jeune, les anciens ne nous aidaient pas et ne nous montraient jamais rien... ou alors, des trucs faux!

BUDD JOHNSON

« Coleman Hawkins revenait d'Europe. Il avait entendu parler de ce nouveau style et voulait s'entourer de ses interprètes, travailler et enregistrer avec eux pour essayer de comprendre. L'influence de cette musique se montrait très forte, au point de modifier le style de Hawk. Quoi qu'il en soit, il me commanda un arrangement. Puis il engagea également Dizzy qui écrivit pour lui *Woody'n You,* que nous avions déjà joué avant, mais dont il fit un arrangement spécial pour Hawk. Le jour de la séance d'enregistrement, celui-ci avait réuni des jazzmen choisis parmi ceux de la 52e Rue, dont Dizzy bien entendu, au lieu de l'habituel orchestre de studio. Hawk voulait ainsi attirer l'attention, et avoir l'air de prendre le train le premier dans le wagon du jazz moderne. Il avait lui-même écrit certains des arrangements. A cette époque, j'habitais dans la 152e Rue, tout près de chez lui à l'hôtel King Haven dans la 153e, et j'allais souvent lui rendre visite. Je l'avais toujours beaucoup admiré. Un jour il me dit : " Tiens, j'ai une idée. Tu sais, *Body and Soul* est un gros succès et est devenu un peu *mon* tube, alors je vais le reprendre différemment, le modifier légèrement et je l'appellerai *Moon Mist,* ou un truc comme ça. " Et le morceau fut enregistré lors de cette même séance*. Coleman Hawkins, Dizzy et moi nous nous étions partagés les arrangements. Moi, j'avais écrit avec Clyde Hart un air appelé *Buh De Daht,* et voyez-vous, le fait d'écrire ainsi nos thèmes, de les transcrire noir sur blanc, était une grande première, parce que jusque-là les musiciens les

---

* Le titre fut en fait *Rainbow Mist* (N.d.A.).

apprenaient d'oreille, du genre : " Tu joues un riff, là, et je l'attrape à la feuille. " Mais dès que l'on a commencé à les écrire, il a fallu agencer les voix pour les instruments, trouver les parties adéquates, donc connaître quelque chose de l'harmonisation. En ce sens, Dizzy m'a beaucoup appris.

« La façon dont le mot " bebop " est né ? Selon moi, Dizzy essayait d'expliquer quelque chose, de montrer comment jouer tel passage et il le fredonnait sur des onomatopées : " Ecoute, pas comme ça. Essaie que ça donne : de-be-de-bop-be-bop-be-doo-dop-de-be-bop. " Et à force, les types venaient trouver Dizzy et lui disaient : " Joue nous donc encore de ton bebop, là... " tout simplement parce que c'était sa manière de scatter, et la seule façon pour eux de décrire ce qu'ils lui demandaient de jouer. Bien sûr, Dizzy, malin comme il est, a poussé dans ce sens et le mot a fait fortune... la sienne en particulier.

« Aujourd'hui, des tas de gens prétendent que le bebop, c'était Charlie Parker. Eh bien, je ne suis pas d'accord. Ils venaient souvent chez moi, lui, Monk et tous les autres. Bien sûr, Charlie avait ses propres idées à cette époque. Mais moi, je me souvenais bien de lui et de ses origines. J'avais vécu à Kansas City et joué dans un orchestre dirigé par George E. Lee. Nos répétitions avaient lieu chez sa mère. Et Charlie Parker m'a dit une fois : " Tu ne te souviens pas de moi, mais à Kansas City je faisais partie de la bande de gamins qui jouaient au base-ball avec des bâtons devant la maison de la mère de George ; et quand vous commenciez à répéter, on se rassemblait sous la fenêtre pour écouter... " Quand il disait " on ", il voulait parler des Businessmen of Rhythm qui ont fini par mettre au point un numéro de danse épatant..., et de lui-même bien sûr. Ça se passait sur Euclid Avenue à Kansas City.

« Quand Charlie a commencé à jouer à droite et à gauche à Kansas City, je me souviens que les types disaient en le voyant arriver . " Oh non, pas lui... ça suffit ! " Ce fut d'ailleurs pareil avec Miles Davis dans la 52e Rue : " Si ce type remet le pied sur l'estrade, moi j'arrête de jouer, vieux ! " Il était mauvais à ce point-là. Charlie a été mortifié par ce genre de remarque, et il est reparti " faire ses gammes ".

« Je connaissais un sax alto nommé Buster Smith, depuis mon enfance à Dallas au Texas, donc bien avant que j'émigre à Kansas City ou ailleurs. Buster Smith jouait également de la clarinette et un peu de piano. A l'alto ça donnait des phrases dans le genre : " be-oop-un-doop-be-oop-em-bop-be-oop-em-bop-deedle-e-oop-em-do ", etc. Buster est parti à Kansas City où il a joué dans l'orchestre de Benny Moten, puis avec les Blue Devils, l'orchestre de Walter Page, qui devait devenir celui de Basie. Eh bien, Charlie Parker s'est

192

inspiré de lui, voyez-vous, et ce n'était pas exactement le style de Dizzy Gillespie... Mais dans les débuts à New York, Charlie et Dizzy travaillaient souvent ensemble. A mon avis, Charlie a beaucoup appris avec Dizzy, et Dizzy aussi avec Charlie. Ils avaient pourtant des styles différents, mais quand ils ont commencé à jouer ensemble cette musique fantastique dans les clubs de la 52e Rue, tout s'est cristallisé naturellement.

« Si je raconte ça, c'est pour montrer que Dizzy joue Dizzy, c'est tout. Je me souviens aussi qu'il me disait toujours : " Tu sais, si je pouvais trouver un pianiste capable de me faire les accords dont j'ai besoin pendant que j'improvise, je me lancerais dans des idées encore plus délirantes, j'irais plus loin encore, c'est ma conception de la musique. " Et c'est pour ça qu'il faisait travailler des pianistes comme Tadd Dameron, George Wallington et bien d'autres. Quand Diz venait se joindre à une jam dans un club, il laissait tout le monde jouer avant lui, et pendant ce temps il expliquait des trucs au pianiste : " Tu vois, quand tu arrives à cet endroit, tu fais tel accord, et tel autre, etc. " Et quand Dizzy prenait enfin son solo, le pianiste avait appris de nouveaux enchaînements et Dizzy faisait crouler la baraque et enterrait tout le monde. Les autres demandaient après au pianiste : " Dis donc, tu ne pourrais pas jouer comme ça derrière moi aussi ? " Oui, Diz était fantastique. C'est un géant !

« Le jour où Oscar Pettiford a décrété qu'il emmenait le groupe à l'Onyx, on lui a répondu : " Bon, d'accord ", et Diz a ajouté : " Moi, je vais jouer avec Budd. " Alors Diz et moi avons monté une petite formation et avons traversé la rue pour aller au Yacht Club. Diz était le directeur musical et moi le manager. Nous avions aussi engagé un certain Monte Kay et un autre nommé Mal Braveman, chargés de s'occuper de notre publicité et qui nous prenaient trente-cinq dollars par semaine. Ils ont quand même fait parler de nous dans les chroniques de Archer et de Winchell, mais guère plus, et je les ai virés. Diz et moi avons continué ensemble quelque temps. Et puis un jour, il m'a dit : " J'ai l'occasion d'entrer à l'agence William Morris. Je vais signer avec eux. " Je lui ai répondu : " Formidable. " Vous savez, il n'y avait rien d'écrit entre nous deux. Pas de contrat. C'est inutile entre amis. Moi je voulais seulement le voir réussir. A l'époque, tous ceux qui avaient envie de s'améliorer, ou de s'instruire sur le nouveau style, venaient chez Diz. C'était incroyable. Toujours une vingtaine de musiciens dans son appartement, et lui au milieu en train de faire une conférence. Tadd Dameron était un de ses élèves à l'époque. Il demandait conseil à Diz : " Dis donc, j'écris un arrangement pour Untel et je fais ceci : ... " Et Diz corrigeait : " Non, tu ne devrais pas utiliser ces accords. Je vais te montrer autre chose. " Il se mettait au piano et passait aussitôt à l'application pratique. Tadd n'aurait jamais écrit plus tard comme il l'a fait, sans Dizzy. Il s'agissait de tout un système à assimiler et à suivre. Diz a de la musique plein la tête, et c'est un excellent arrangeur, très astucieux. Du temps où nous écrivions tous les deux pour Boyd Raeburn, Diz allait au milieu de l'orchestre pour montrer aux trompettes comment il fallait interpréter les partitions. Moi ça m'énervait plutôt et je lui disais : " Qu'est-ce que tu fiches à faire le professeur ? Laisse tomber ces mecs. " Mais en fait, il adorait ça.

« Il s'asseyait au pupitre et expliquait, après avoir joué un passage : " Voilà, c'est ça que je veux. " Evidemment, ayant écrit l'arrangement, il avait à cœur de l'entendre sonner correctement. Si les types étaient arrêtés par les doigtés au-dessus du contre-ut il leur donnait les indications nécessaires. Personne ne connaît les doigtés à la trompette mieux que lui. Il joue aussi fort bien de la basse et de la batterie, sans parler du piano. Je crois qu'il pourrait s'attaquer à n'importe quel instrument, s'il voulait. C'est pour cela qu'il a eu tant d'influence sur tous ces jeunes musiciens. Fats Navarro, par exemple, est presque tombé raide la première fois qu'il l'a entendu. " Ecoutez-le, mais écoutez-moi ça ", criait Fats. Il avait d'ailleurs décidé qu'il jouerait comme ça un jour, ou en mourrait ! Finalement il est devenu un très grand musicien, dans la lignée de Dizzy.

« Ma première rencontre avec Dizzy m'a rappelé une rentrée au collège. C'est vrai. Qu'on l'admette ou non, Diz avait la mentalité d'un enseignant. Il a appris à tous ces types tout ce qu'il fallait savoir sur la musique qu'ils voulaient faire. Et la raison pour laquelle je prétends que Diz est aussi grand, sinon plus grand, qu'Armstrong, c'est que ce dernier était certes un musicien génial, avec un jeu très personnel et tout ça, mais pour l'imiter il fallait être capable de transcrire d'une manière quelconque ce qu'il jouait. Et bien qu'ayant inspiré de nombreux musiciens, lui-même n'aurait pas pu leur expliquer en théorie ce qu'il faisait. C'était seulement un soliste. Tandis que Diz est à la fois un instrumentiste au style très personnel, et un musicien complet, capable d'expliquer ce qu'il fait et de l'écrire pour la postérité. Or ce dernier point est très important. Il a d'immenses connaissances musicales qu'il peut transmettre parce qu'il a ce don de la pédagogie.

« Monk était là, lui aussi. Je dois d'ailleurs lui donner un coup de chapeau, car indiscutablement à cette époque il innovait de son côté. Bien qu'un peu différent de Dizzy, ils avaient des points communs bien sûr : l'harmonie moderne, et autres terrains de recherche. Monk aussi avait déjà écrit des thèmes. Je me souviendrai toujours d'une soirée au Minton's. La petite formation comprenait un certain Scotty au ténor, un Texan, Joe Guy à la trompette, Kenny Clarke à la batterie, Nick Fenton à la basse, et Monk bien entendu. Ils jouaient ces thèmes insolites, de leur nouvelle musique. Lester Young et Ben Webster avaient entendu parler du Minton's et s'y étaient précipités en arrivant en ville. Je revois encore Prez montant sur le podium, lui qu'on appelait le Président, et les autres l'assaillant avec ce style révolutionnaire dont il ignorait tout. Il n'a pas pu aller au-delà des quatre premières mesures ! Il fallait avoir ce genre de thème écrit sous les yeux pour le jouer, pas question de l'attraper d'oreille... C'était à la fois drôle et pitoyable, mais aussi une bonne leçon.

« Scotty, le ténor du groupe, connaissait cette musique à fond, lui, bien qu'ayant fait d'abord partie de la lignée de Hawk. C'était drôle de voir tous les autres monter sur l'estrade pour jouer et se " ramasser " l'un après l'autre, y compris les Ben Webster et les Prez. Dizzy n'avait pas ce problème, bien entendu, car il comprenait ce qui se passait à chaque instant de cette musique qu'il avait aidé à créer. C'était son " plan ". Il se passait aussi des tas de choses au club de Clark Monroe, l'Uptown House. Il y avait là un jeune type, Vic, Victor Coulson, qui jouait comme un fou lui aussi. Terrible. Il n'avait pas l'aigu, ni les connaissances musicales de Dizzy, mais il était dans le coup depuis le début et avait bien assimilé le nouveau style. Tout le monde se précipitait dans ces clubs, et on avait droit à une vraie bataille musicale tous les soirs. Personne n'était payé, mais on s'amusait bien. Pour moi, ces nuits-là sont les meilleurs souvenirs de mes premiers temps à New York. Ayant entendu ça, j'ai eu assez de bon sens pour rester en retrait et me contenter d'absorber le plus possible, au lieu de sortir mon sax et d'aller me faire écraser.

« On ne parlait pas de bebop, alors. Même Monk ne pouvait analyser cette musique. Seul Dizzy en était capable. Je me souviens que Monk n'appréciait pas d'entendre attribuer la paternité du nouveau style à Charlie et Dizzy uniquement. Quand j'allais le voir chez lui, il me confiait, devant un verre de vin : " Viens écouter ce que je fais. Tu verras, je vais les laisser continuer dans ce style, mais moi j'en créerai un autre. " Et pendant que sa mère nous préparait à manger, il jouait pour moi seul. Une musique complexe, insolite, déjà différente de ce qu'il faisait peu avant. Je lui disais : " Mais c'est incroyable. Qu'est-ce que c'est ? Comment appelles-tu ça ? " Il me répondait : " Je n'en sais rien. C'est un truc qui me vient... comme ça... tu vois ? " Je n'ai jamais considéré Monk comme un grand virtuose, mais simplement en cherchant sur le clavier il trouvait des accords dissonants extraordinaires qu'il agençait savamment. Je n'arrêtais pas de lui dire : " Mais c'est dingue ! " et il répliquait : " Tu sais, maintenant, je vais progresser dans cette nouvelle voie, celle de *ma* musique. " Et il disait vrai. Il a continué, et une oreille attentive remarquera que son style est un peu différent de celui de Diz, et l'était d'ailleurs dès le début. Mais malgré tout, ils ont tous emprunté à Diz. Bien sûr quand on connaît les bases, la théorie, les audaces harmoniques et le reste, il n'est pas très difficile de sortir quelque chose. Mais quand il s'agit de créer un style tout neuf, sans devoir rien à personne, ça devient ardu. Et c'est là que résidait la grande différence entre Dizzy et les autres. En outre aujourd'hui, avec tous les voyages qu'il a faits à travers le monde, il a entendu d'innombrables musiques et les a vraiment assimilées au point de pouvoir les intégrer à ses connaissances antérieures, ce qui lui permet d'avoir toujours du nouveau à offrir. La musique des Noirs d'Afrique, les tams-tams, celle des Cubains, des Brésiliens, de toute l'Amérique latine... il les comprend toutes, il sait de manière infaillible où doivent se situer les accentuations essentielles, ce qui n'est pas évident pour un musicien moyen dans certaines de ces musiques typiques. Oui, Dizzy est un personnage colossal. »

MAX ROACH

« Dizzy est un musicien hors pair. Il a inspiré un nombre incalculable d'instrumentistes, et pas seulement des trompettistes, mais aussi des saxophonistes, des percussionnistes. C'est un musicien complet, un compositeur, un arrangeur et un soliste des plus novateurs. Donc, il est hors pair. Inégalé. Il appartient à cette catégorie de gens qui jalonnent l'histoire de notre musique. Les étapes clés. Par exemple, il y a eu Buddy Bolden, et King Oliver, et puis Louis Armstrong, et encore Roy Eldridge et Dizzy Gillespie, tous ces grands noms qui ont marqué des étapes par leur propre personnalité. Dizzy est une clé de voûte de notre édifice musical.

« Cela a toujours été une expérience des plus exaltantes que de se trouver aux côtés de Dizzy, qu'il s'agisse de cette époque-là ou d'aujourd'hui, puisque nous avons retravaillé ensemble récemment. Il possède encore le même pouvoir de stimulation, fait preuve d'autant d'audace musicale. Tenez, remontons à son *Night in Tunisia,* ou *Con Alma,* à son premier grand orchestre : tout a été un défi depuis le début, une création permanente, une perpétuelle innovation, avec bien sûr son extraordinaire personnalité, reflet de son talent. Un génie créateur, avec tout ce que cela implique. En outre, comme tous les " grands " aidés par leur propre assurance, il est généreux de sa personne, il ne regarde pas à se dépenser pour les autres et a pris le temps de faire part de son savoir et de montrer la voie à Miles Davis, Clifford Brown, Fats Navarro, et même à d'autres instrumentistes, des pianistes, des bassistes, des batteurs comme moi. Après, chacun n'avait plus qu'à trier et mettre toutes ces informations à profit comme bon lui semblait.

« C'est lui qui a parlé de moi à Coleman Hawkins, et j'ai donc fait grâce à lui mon premier enregistrement avec Hawk. Diz avait écrit certains des arrangements pour cette séance. Ce fut pour moi la naissance d'un nouvel univers, tant sur le plan de l'interprétation que de la création. Dizzy a joué un grand rôle dans l'éclosion de certains talents, lui, Bird, Monk et Klook ont en quelque sorte engendré Bud Powell, J. J. Johnson, Ray Brown, moi-même, et d'autres encore.

« Qui a inventé le bebop? C'est une question ridicule. Comment peut-on savoir réellement qui a inventé quoi? Il faut avoir un autre genre de mentalité. Qui a découvert l'Amérique? Colomb? Pour moi Dizzy représente l'une des contributions majeures de la culture afro-américaine au monde musical. Que l'on parle de la musique des années quarante, cinquante, soixante et même soixante-dix, Diz est toujours là au premier plan, et son style toujours aussi jeune. Quand j'entends quelqu'un dire : " Qui a inventé le bebop? ", je commence par répondre : " Le bebop? Connais pas. " Mais je peux vous affirmer que, dans les années quarante, il s'est passé quelque chose dans le jazz et que les responsables de cet événement musical ont pour nom : Dizzy Gillespie, Charlie Parker, Thelonious Monk, Kenny Clarke et Clyde Hart. Les chefs de file. De sacrées pointures, croyez-moi ! »

La tournée Hepsations' 45

En 1945, le bebop commençait à prendre une valeur commerciale et je décidai de monter mon premier grand orchestre avec l'appui financier de Billy Shaw, qui avait déjà lancé celui de Billy Eckstine, et de son fils Milt Shaw, qui devint mon imprésario. L'orchestre devait accompagner la revue Hepsations' 45 pour une tournée, avec de grosses vedettes comme les Nicholas Brothers, Harold et Fayard, devenus des têtes d'affiche depuis l'immense succès de leur film *Stormy Weather*. Deux comiques, Patterson et Jackson, la chanteuse June Eckstine, la femme de Billy à cette époque, une danseuse de music-hall, Lovey Lane, et quelques girls complétaient la troupe. Je m'efforçai de réunir les meilleurs jazzmen disponibles et de veiller au moindre détail d'organisation, de façon à faire entendre aux gens le « gratin » du nouveau style. La plupart de mes recrues venaient de chez Billy Eckstine qui se préparait à dissoudre son orchestre et me fit même cadeau par la suite de tout son matériel : ses arrangements, ses pupitres, ses micros. « Tu veux les uniformes aussi ? » me proposa-t-il. Billy était las de diriger une formation de jazz moderne en étant obligé constamment de demander au public d'écouter au lieu de danser. Moi, j'avais encore le moral pour me lancer. Je ne suis pourtant pas un fana du grand orchestre, mais c'est quand même merveilleux de sentir la chaleur qui se dégage de tous les gars. C'est plus évident qu'en petite formation, bien sûr. Les habitués de la 52e Rue semblaient prêts à adopter le bebop à petite dose, et j'espérais patiemment réussir là où Eckstine avait échoué : imposer avec succès un grand orchestre de jazz moderne. Ainsi naquit le premier orchestre de Dizzy Gillespie, initialement destiné à accompagner une tournée dans le Sud. Cette formule avait l'avantage de fournir du travail à un plus grand nombre de musiciens tout en diffusant la musique de notre choix; mais pour convertir le grand public au bebop, il fallait d'abord y amener la masse de la population

198

noire du Sud en faisant une tournée dans les principaux Etats. Malheureusement les choses ne se passèrent pas comme je l'avais souhaité, et ce premier grand orchestre reste pour moi un souvenir que je préfère oublier.

Notre style et notre répertoire dans son ensemble, avec des orchestrations très modernes, étaient destinés à un public de concert. Alors imaginez ma surprise et ma déception, quand je me suis aperçu qu'en dehors d'accompagner la revue, notre prestation consistait à jouer pour la danse partout où nous passions. L'agence de New York nous avait annoncé une série de concerts, mais en réalité il s'agissait de « faire les bals », et il fallait voir avec quel genre de clients ! Ils se plaignaient que notre musique n'était pas dansable... Moi, je pouvais facilement danser dessus, et même comme un fou. Eux aussi d'ailleurs, s'ils avaient vraiment essayé. Le jazz doit être une musique sur laquelle on peut danser. C'est la base même, et si le tempo est trop rapide, le rythme devrait au moins vous inciter à bouger. On ne doit pas rester statique, sinon c'est trahir l'idée fondamentale. Et je me suis toujours efforcé de faire de la musique dans cet esprit. Seulement, les inconditionnels du blues, dans le Sud, ceux qui refusaient d'ouvrir leurs oreilles à autre chose, n'étaient pas de cet avis. Ils ne se donnaient même pas la peine de nous écouter. Vous voyez, c'est pourtant loin tout ça, mais j'entre encore en fureur rien que d'en parler.

WALTER GILBERT FULLER

« Ça a commencé un jour où je suis allé chez Minton voir un peu ce que faisait mon copain Dizzy. Et il était là avec huit gus qui répétaient des arrangements.

« Je monte un orchestre et on part en tournée avec les Nicholas Brothers.
— Et où il est, ton orchestre ?
— Tu le vois bien, là, sur l'estrade.
— Ecoute, vieux, c'est pas un orchestre, ça. »
« Et je suis allé trouver Milt Shaw pour lui demander :
« Peux-tu réunir un peu d'argent ?
— Combien ?
— De quoi louer un car pour le transport quotidien des musiciens, et de quoi les nourrir d'un sandwich à midi. A part ça, pas besoin de les payer. Donc cinq à six cents dollars devraient suffire.
— Je ne sais pas, fit Milt, je vais demander au vieux. »
« Et il alla aussitôt expliquer la situation à son père.

« Les gars n'avaient pas de fric. En fait, tout le monde était fauché et on a commencé par changer le lieu des répétitions en allant aux studios Nola. Et puis, par le bouche à oreille, j'ai fait savoir qu'un grand orchestre se montait, et une centaine de types se sont vite pointés, prêts à répéter. Ils voulaient tous jouer dans le grand orchestre de Dizzy. Il s'agissait maintenant de lui trouver un style personnel. Alors j'ai pris tous les thèmes qu'il avait composés, comme *Blue'n Boogie, Salt Peanuts, Shaw'Nuff* et *Night in Tunisia*, et j'ai écrit des arrangements spécifiquement conçus pour lui, sans tenir compte de ma propre personnalité. Il fallait avant tout éviter qu'une grande formation noire sonnât comme n'importe quelle autre. Ça ne se serait pas vendu. Pour un orchestre blanc, un arrangeur pouvait écrire ce qu'il voulait, ça se vendait de toute façon ; mais pas pour un orchestre noir. Leur style était essentiel.

« Et puis Billy Shaw nous avait induits en erreur en nous disant qu'il s'agissait d'une série de concerts. En réalité, au cours de cette tournée, l'orchestre devait jouer pour la danse. Tous les engagements avaient été signés à cette condition, et bien sûr le public comptait là-dessus. Je me souviens qu'une fois, je crois que c'était à Bluefield en Virginie de l'Ouest, un type nous a crié : " Eh ben les nègres, vous pouvez pas jouer le blues ! " On avait très peur qu'ils se mettent à nous balancer des bouteilles, ou même à tirer et à déclencher une émeute. Un des promoteurs a été jusqu'à téléphoner à Billy Shaw pour lui dire : " Ne nous envoyez plus jamais Dizzy Gillespie. On n'en veut plus ! "

« Mettons aussi les choses au point en ce qui concerne Tadd Dameron et ses arrangements pour l'orchestre de Dizzy. Il n'en a écrit aucun... pas le moindre, en tout cas pour cet orchestre-là, le premier. C'est moi et Diz qui avons réuni tous les thèmes qu'il avait déjà enregistrés et qui avons écrit ces arrangements ensemble. Par exemple pour *Bebop* qui n'avait pas été signé, je trouvais un peu dommage de laisser l'éditeur ramasser les royalties. Il fallait écrire une autre mélodie sur les mêmes harmonies. On s'y est mis tous les deux, lui surtout pour modifier le thème et moi pour écrire l'orchestration. C'est devenu *This is the way*. Un peu dans l'esprit de *Caldonia* de Woody Herman, qui marchait très fort à l'époque et collait assez au style de Diz comme tout ce que jouait Woody, d'ailleurs. Ils piquaient les trucs de Diz et les utilisaient avec leur sauce, à tel point que pas mal de gens croyaient que l'arrangement était de Dizzy. Et puis il y avait aussi les musiciens qui savaient écrire et qui piquaient les scores pour les analyser. Après quoi, ils réécrivaient quelque chose à partir du même schéma, du même découpage, et prétendaient être l'auteur de l'arrangement. Mais c'était du plagiat réussi. J'en ai souvent fait les frais.

« Pour essayer d'éclipser l'orchestre de Woody Herman, nous avons écrit un peu plus tard *Things to come*, beaucoup plus brillant et rapide que tout ce qu'il jouait. D'ailleurs, une fois que les musiciens de Diz l'ont eu répété, celui-ci ne cessait d'augmenter le tempo... au point que le pied n'arrivait même plus à marquer le rythme. Tout le monde était soufflé, et se demandait comment on pouvait jouer aussi vite. Comment des trompettistes arrivaient à articuler aussi vite. Ça les dépassait. Mais c'était un fait.

« En tout cas, comme je l'ai déjà dit, Tadd Dameron n'a absolument pas travaillé pour Diz dans ce premier orchestre, en 1945. Hepsations' 45! Une tournée dans tous les Etats du Sud, avec ce spectacle. »

CHARLIE ROUSE (saxophoniste ténor)

« Toute cette période a représenté une sorte d'apprentissage pour les jeunes musiciens, un peu comme à l'école. Moi, je venais de finir mes années de collège à Armstrong dans l'Etat de Washington, quand Billy Eckstine m'a engagé. John Malachi et Tommy Potter faisaient partie de l'équipe, et Diz était le directeur musical. Il écrivait les arrangements avec Tadd Dameron et s'occupait du répertoire. Quand il a quitté l'orchestre, il m'a dit qu'il allait en monter un à lui et m'a demandé de le suivre.

« ... Quand je suis revenu de chez moi à New York, Diz était effectivement en train de former son orchestre, le premier. Il y avait Max Roach, Bird, qui n'est pas resté très longtemps, Leo Parker au baryton, Leo Williams à l'alto, tous deux de Washington; Freddie Webster et Benny Harris dans la section de trompettes. Un sacré orchestre!

« Un style tout neuf, encore jamais entendu, un peu comme du temps de Louis Armstrong et Ben Webster dans un autre genre. Bird, Dizzy et Thelonious avaient créé un nouveau système harmonique. Et croyez-moi qu'au premier abord c'était assez déroutant, même affolant. Enfin, tout le monde participait à la recherche, et échangeait des idées. Comme à l'école. C'est cela, l'orchestre était un véritable atelier musical.

« J'y ai amélioré mes notions de la mesure, et j'y ai appris à me projeter, en improvisant sur les bonnes harmonies et en soignant la précision. Et vous savez, on jouait des trucs ultra-rapides, comme *Bebop* ou *Salt Peanuts*. C'est Diz qui m'a appris à mieux compter, pour que je ne me perde pas dans les mesures! »

MAX ROACH

« A l'époque de son premier grand orchestre, moi j'étais en pleine défonce, et salement! Et Dizzy m'a pris en charge. Il m'a emmené dans le Sud et m'a soigné et bichonné comme un bébé jusqu'à ce que j'arrive à décrocher. Je travaillais tous les soirs, mais il veillait à ce que je fasse un peu de natation, à ce que je mange correctement, bref, il a vraiment pris soin de moi. Ça n'a pas été facile tous les jours, mais il s'est montré patient et j'ai fini par décrocher. Quand je pense qu'il arrivait à s'occuper ainsi de moi alors qu'il avait toute la responsabilité de l'orchestre, avec les répètes, les numéros à accompagner, et tout. Je me souviens que Lorraine disait : " Tu pourrais aussi coucher avec lui! " Ça, je ne l'oublierai jamais. C'était sa manière à lui de me convaincre que j'avais une certaine importance. Et si j'ai fini par laisser tomber la défonce, c'est parce que je me suis dit : " S'il m'accorde autant d'importance en me consacrant autant de son temps, avec toutes les emmerdes que je lui cause, c'est que je dois vraiment être quelqu'un! " Et voyez-vous, en règle générale, tous les mecs qui ont la grande classe peuvent se permettre de décider : " Quand je monterai mon orchestre, je prendrai Clifford Brown, Miles Davis, Kinney Dorham et Fats Navarro ", par exemple. Et quand Dizzy a eu son premier orchestre c'était à peu près la section de trompettes : Freddie Webster, Kinney Dorham, Miles Davis et Fats Navarro. »

MILES DAVIS (trompettiste)

« Tout le monde apprenait avec lui, mais moi, je n'y arrivais pas. Ça allait trop vite. Une allure d'enfer! Avant que je sois engagé, j'allais tous les soirs avec Freddie Webster écouter Diz, et si on en ratait un seul on ratait forcément quelque chose. On allait s'en mettre plein les oreilles dans la 52e Rue! Au bar, on jetait une pièce en l'air et quand elle retombait sur le comptoir il fallait trouver le nom de la note. On se posait des colles, comme ça. C'est que ça bougeait à cette époque, et il ne fallait pas s'endormir!

« Mon style n'était pas différent de celui de Diz, mais je jouais plus dans le grave. Je lui disais toujours :

« Pourquoi je n'arrive pas à jouer comme toi?

— Mais si, tu y arrives. Seulement tu joues dans le grave ce que moi je joue dans l'aigu. »

« Et puis il m'a aussi conseillé d'apprendre à jouer du piano, parce qu'un jour je lui ai demandé : " Dis donc, comment tu fais pour improviser sur cet accord ? " et il m'a répondu : " Apprends donc à jouer du piano, putain ! "

DIZZY GILLESPIE. — Prenez Freddie Webster... eh bien Freddie avait certainement la plus belle sonorité qu'on puisse avoir à la trompette depuis l'invention de cet instrument...

MILES DAVIS. — ... la plus belle qu'on ait jamais entendue.

D. G. — Tout ça bougeait, vivait, ça bouillonnait. Et on traînait toujours tous ensemble.

M. D. — Oui, on était toujours ensemble tous les soirs, et ça profitait à tout le monde. Chacun déteignait sur son voisin.

D. G. — On échangeait les idées nouvelles. Par exemple Miles arrivait et nous disait : " Tenez, je viens de trouver un truc au piano, écoutez ça... "

M. D. — Tu te rappelles la gamme mineure égyptienne que je vous ai expliquée à tous ? J'avais trouvé ça dans des ouvrages de documentation et je m'étais dit que j'allais montrer ça à Diz.

D. G. — C'est vrai. Je me souviens de cette gamme égyptienne. A l'époque, Miles fréquentait la Juilliard School. Vous savez, la musique c'est un domaine tellement vaste... Tous les rythmes, les harmonies, rien que dans notre musique... Si déjà vous n'étudiez que cette branche et ce qu'elle a produit, c'est un sujet inépuisable !

M. D. — Moi, un jour, j'ai arrêté d'aller à l'école. Mon père m'a vu débarquer chez nous à St. Louis et a explosé : " Nom de dieu, qu'est-ce que tu fous ici ? " Et j'ai essayé de lui expliquer : " Eh bien voilà... il y a un certain Dizzy Gillespie, et aussi Charlie Parker, surnommé Bird, Yardbird... " Et mon père a demandé : " Yardbird Parker et Dizzy Gillespie... et qu'est-ce qu'ils font ceux-là ? — Eh bien, ils jouent un nouveau genre de musique et... je ne peux pas apprendre ça à la Juilliard. " En fait, je n'avais plus rien à apprendre à la Juilliard. »

FAYARD NICHOLAS (danseur)

« J'ai entendu des disques de Dizzy pour la première fois dans les années quarante... vers 1945, je crois, et j'ai tout de suite accroché à cette musique, au bebop, comme on l'a appelé depuis. Son style me fascinait. Très personnel, original, comme celui de Duke Ellington. On peut écouter du Duke Ellington sans le voir, les yeux fermés, on sait aussitôt que c'est lui. Même chose pour Dizzy. Il ne rappelle personne, et il suffit d'écouter pour le reconnaître immédiatement. C'est cette originalité que j'aime chez un musicien... Dizzy... Duke... la grande classe.

« Grâce à nos films, mon frère et moi étions devenus des vedettes, et l'agence William Morris décida d'organiser une tournée. " Vous avez la cote dans le Sud, les gars, et vous allez passer dans tous les principaux Etats. Ce serait une bonne idée de vous adjoindre Dizzy et son orchestre. Il vient d'en monter un, et on pense qu'il va faire un tabac. "

Et nous : " Avec joie! On adore Dizzy et le nouveau style. Excellente idée. " C'était en fait la première chance qui s'offrait à Diz de se faire connaître. Nous avons donc monté ce spectacle qui est passé dans les grands Etats du Sud, l'Alabama, le Mississippi, le Tennessee, le Texas, et bien d'autres. Beaucoup de succès pour la revue. Beaucoup de succès.

« Moi, j'écoutais bien ce que jouait Diz et je cherchais des nouveaux pas qui collaient avec son style; ou bien je reprenais d'anciens pas et j'essayais de les adapter en les modifiant légèrement. Ça marchait. Vous savez, il suffit de vouloir et de s'y mettre...

Ah, Dizzy! Tous les soirs on l'écoutait quand c'était son tour sur scène, au lieu d'aller nous détendre dans notre loge. Et chaque soir était différent de la veille. Il ne jouait jamais deux fois de la même manière, et ça sonnait toujours mieux, ce qui est assez extraordinaire. Il y avait aussi Charlie Parker à l'alto, et il jouait absolument dans le même esprit que Diz. Fantastique!

« Mais à cette époque, ce genre de musique les dépassait un peu tous dans le Sud... Partout où le spectacle se donnait, les salles de danse, les théâtres, les salles de concert. Trop avant-gardiste pour ce public, mais pas pour nous. Nous, on se régalait. Et Dizzy jouait comme un fou... comme un fou. Un grand bonhomme.

« Je me souviens qu'au début de la tournée... j'ai un peu oublié l'endroit exact... peut-être bien à Savannah en Georgie, bref le spectacle passait dans des lieux où les gens pouvaient danser, avant ou après. Et ce premier soir c'était avant, justement, dans une salle pleine à craquer. L'orchestre se tenait prêt, sur scène, rideau baissé. Quand le rideau s'est levé et qu'ils ont vu ce grand orchestre, ils en ont eu le souffle coupé et sont venus se masser devant le podium. Une voix a annoncé depuis les coulisses : " Et maintenant, mesdames et messieurs, voici Dizzy Gillespie et son orchestre. " Dizzy a attaqué avec *Bebop*. Ils ont joué du tonnerre. Tout le monde écoutait, médusé. Et puis des voix se sont élevées : " Oh, c'est emm... cette musique. " Et les gens ont commencé à tourner le dos à l'orchestre. Ils ne comprenaient pas. Le bebop les dépassait, parce qu'ils ne voyaient pas comment danser dessus! Et la même réaction s'est produite partout ailleurs. Ils ne pigeaient pas. Dans le Sud vous savez, à part le blues, à l'époque... Le reste leur passait au-dessus de la tête. En revanche, notre revue les emballait.

« Mon frère et moi présentions le spectacle. Dizzy devait le faire, à l'origine, mais après la première soirée, le directeur de la salle a préféré que ce soit nous. Il faut dire que Dizzy n'avait pas encore le baratin nécessaire pour la présentation. Une fois devant le micro, il se fermait comme une huître et ne pensait qu'à jouer.

« Nous annoncions ainsi " Miss June Eckstine ", qui était ravissante. Une beauté, June. Tous les mâles dans le public étaient déjà conquis avant qu'elle ait ouvert la bouche... mais dès qu'elle commençait ça se gâtait, parce qu'elle aussi chantait trop moderne pour eux. Ils n'accrochaient pas. En revanche, notre petite danseuse Lovey Lane, qui se tortillait avec art, plaisait beaucoup, ainsi que les deux comiques, Patterson et Jackson, qui pesaient dans les cent trente kilos chacun ! Mon frère et moi passions à la fin, en vedette. Et après il y avait un genre de final qui réunissait tous les artistes et où l'on improvisait sur un morceau comme *Salt Peanuts* que jouait l'orchestre de Dizzy derrière.

« Après les remerciements au public et quelques mots d'adieu, on annonçait : " Place à la danse. " Mais les gens ne pouvaient pas danser sur les thèmes de Diz. J'avais beau lui dire : " Pourquoi ne leur joues-tu pas des trucs dansants... des airs qu'ils connaissent ? ", il me répondait invariablement : " Ah non ! Je veux jouer ma musique. — Je sais bien, mais tu pourrais glisser un air par-ci, par-là, pour leur faire plaisir. Et tu reprendrais ton répertoire après. Un petit compromis, tu vois. Par exemple tu leur joues *Stormy Weather* ou un truc aussi connu... et ensuite tu y vas avec ton bebop. Si ça se trouve, ils l'apprécieront mieux parce que tu leur auras fait plaisir avant. Mais si tu ne leur donnes que du jazz moderne, ça les déroute et ils vont tourner le dos à chaque fois... "

« C'est ce que je lui disais à l'époque. Enfin, je suis quand même bien content que Diz ne se soit pas laissé décourager. »

DIZZY

De toute façon, rien n'aurait pu me décourager, et je refusais de me laisser abattre sous prétexte que nous n'attirions pas les foules. Le jazz n'a jamais convaincu ni rassemblé le grand public, comme le rock et ses chanteurs. Le jazz est un art, et il y aura toujours une barrière entre cette musique et d'autres genres qui ne peuvent être considérés comme une expression créatrice. Ce sont des produits clinquants, attirants, coulés dans le même moule et fabriqués à la chaîne.

Dès notre retour à New York, j'ai dissous mon orchestre. Le public n'était pas encore prêt à recevoir le bebop joué par une grande formation. Il l'acceptait mieux en petite formation, et je décidai donc de monter un groupe avec Charlie Parker, Max Roach, Bud Powell, Ray Brown, et un peu plus tard Milt Jackson, pour passer au Three Deuces. Il paraît qu'il faut savoir faire des concessions. Si l'on veut gagner de l'argent il faut savoir se plier à certaines exigences. Dans mon jeune temps, je me suis activement occupé à créer, et je n'avais pas le loisir de penser aux concessions !

Au Three Deuces

Notre expression musicale connut son apogée au cours de notre passage au Three Deuces avec Charlie Parker. Après l'expérience du grand orchestre, nous avions fini par trouver ensemble la formule idéale pour notre style : le quintette, au début avec Max Roach, Bud Powell et Curley Russell, outre Yard et moi bien sûr. Un groupe explosif! Puis quand Max nous quitta pour aller avec Benny Carter, ce fut un de ses disciples, Stan Levey, qui le remplaça.

Bud Powell fut LE pianiste incontesté de la période bebop. Il « collait » avec nous mieux que quiconque, entre autres à cause de la merveilleuse fluidité de son phrasé et de l'esprit dans lequel il jouait. Curley Russell fut notre premier bassiste, auquel succéda Ray Brown. Curley n'était pas un bon lecteur, mais il swinguait dur. Tout le monde aimait jouer avec lui — Yard, Coleman Hawkins, etc. — même si ce n'était pas un soliste de la classe de Jimmy Blanton, d'Oscar Pettiford ou de Ray Brown.

Sur le plan musical, Yard et moi étions comme des jumeaux. On jouait tous nos trucs dans le même esprit *. Je me sentais plus proche de lui que de Monk, car avec Yard il y avait une sorte de complémentarité parfaite... un peu comme les fraises et la chantilly. Avant ma rencontre avec Charlie Parker, j'avais déjà approfondi mon style, mais Yard a quand même eu une influence majeure sur l'ensemble de ma carrière, et réciproquement. Cette interaction se remarque déjà dans nos premiers disques comme *Groovin'High*, *Shaw'Nuff* et *Hothouse*. Par moments, j'avais même du mal à reconnaître qui jouait quoi, tant les notes de nos phrases s'imbri-

---

* Ce fut l'époque de *All the things you are* avec Charlie Parker, et une introduction devenue depuis un classique du genre, que tout le monde a utilisée (Musicraft 488). Plus tard, je m'en suis lassé et j'ai réécrit une nouvelle version sur une autre progression harmonique (*D. G.*).

quaient parfaitement. Mais Yard suivait déjà cette orientation alors qu'il débutait à Kansas City et n'avait pas encore entendu parler de moi.

Sa façon de couler une phrase, d'enchaîner les notes, est une qualité qui lui était tout à fait personnelle. C'est son apport, sans lequel je n'aurais jamais eu l'idée... tant j'étais influencé par Roy Eldridge dont la conception était très différente et m'avait servi de base auparavant. Charlie Parker est incontestablement celui qui a apporté à notre musique le modèle d'un phrasé parfait.

MAX ROACH

« Quand Dizzy écrivait un thème, il le voulait interprété d'une certaine manière. Charlie Parker aussi. Et cela nous obligeait tous à pousser notre technique dans une certaine direction. Dans les années quarante, quand des taxes dues à la guerre sont venues frapper certains secteurs du monde du spectacle — danse, numéros de comédie, revues —, les projecteurs se sont tournés vers les ensembles instrumentaux et les solistes. Les virtuoses eurent soudain la vedette, et du coup tout le monde travaillait avec acharnement pour améliorer sa technique car il n'y avait pas de place pour les débutants. En raison de la guerre on avait droit à une taxe de 20 p. 100, plus une taxe municipale, et une taxe d'Etat. Plus question de maintenir un grand orchestre, parce qu'il jouait pour la danse et tombait sous le coup des taxes sur le spectacle. Count Basie faisait des tournées avec une formation très réduite. La seule grande formation qui réussit à survivre fut celle de Duke Ellington. La guerre entraînait des catastrophes. Mais curieusement, par ailleurs, elle favorisa l'épanouissement de la virtuosité instrumentale comme celle de Art Tatum, Coleman Hawkins, Dizzy Gillespie et Charlie Parker, rendant la compétition sévère. Il était indispensable de connaître son instrument à fond. Les gens venaient à présent pour écouter de la musique. Ils s'asseyaient, et écoutaient. De toute façon, il n'était plus question de danser dans les clubs : si quelqu'un se levait pour chanter au micro ou faire un pas de danse sur scène, l'endroit se voyait frappé d'une surtaxe de 20 p. 100. N'importe quelle forme de spectacle y était condamnée. Les clubs se contentaient donc d'offrir un plateau de musiciens. Une période faste pour les instrumentistes, qui en outre faisaient de sérieux efforts pour se dépasser et trouver des idées neuves.

« Comme il s'agissait surtout de petites formations, trios, quartettes, quintettes, le volume devenait un problème et il fallait travailler plus à fond l'ampleur et l'homogénéité du son. Il était

208

également indispensable de donner une plus large place aux improvisations. Bref, autant de détails qui exigeaient des efforts personnels constants, que ce fût dans les clubs ou dans les studios d'enregistrement. Durant la période précédant la nôtre, des musiciens comme Jo Jones, Sidney Catlett et Chick Webb avaient démontré leur étonnante virtuosité. Nous ne faisions qu'approfondir et étoffer cette qualité. Ceux qui ont prétendu que notre jeu a marqué un changement radical étaient les critiques musicaux de l'époque, mais en réalité nous suivions la voie tracée pour atteindre à certains critères élevés déjà définis avant notre entrée dans le monde de la musique.

« Une période stimulante. Il y avait des musiciens afro-cubains dans les petits ensembles de la 52e Rue avant la renaissance des grands orchestres, et c'était fascinant d'écouter les sections rythmiques. Bien sûr, Dizzy a enrôlé Chano (Pozo) quand ils ont commencé à passer à Broadway, après la grande vogue de la 52e Rue. Mais ces musiciens jouaient déjà avec nous auparavant. Je me souviens d'un concert avec Dizzy et Charlie Parker dans les salons de l'hôtel Diplomat en face de l'hôtel de ville à New York, en l'honneur d'un groupe de percussions africain en visite aux USA. Dizzy, Parker et moi avons joué avec eux ce soir-là, six ou sept percussionnistes, pas de piano ni de contrebasse. Et savez vous ce que nous avons joué ensemble? Nos thèmes de la 52e Rue : *Woody'n You, Tunisia,* etc. »

MILES DAVIS

« Ils improvisaient exactement sur le même schéma harmonique, les mêmes enchaînements. Ils jouaient des phrases tellement identiques qu'elles se confondaient. Incroyable! Simplement, Bird avait la vélocité d'un saxophoniste. Et quelle vélocité! Et quel saxophoniste! Soufflant. A vous laisser sur le c...

D. G. — Tu te souviens quand il " bourrait " au maximum? Il partait sur un tempo d'enfer, et il bourrait en triplant le tempo initial, l'enfoiré... comme ça en plein milieu d'un morceau. C'était dingue.

M. D. — Ah les triolets, ça défilait! Quelque chose! De toute façon, les gars se sont mis à jouer plus vite à cette époque. Par exemple, beaucoup de trompettistes du genre plutôt paresseux se sont bougés après avoir entendu Diz et ont commencé à travailler pour essayer de l'imiter. Tu ne crois pas, Diz?

D. G. — Tout ce mouvement a tendu vers une recherche et un

approfondissement dans toutes les directions, la technique, les idées, les harmonies. Par exemple, au lieu de jouer sur un seul accord, on essayait d'en glisser deux, et pour passer de si bémol septième à mi bémol, on intercalait si mineur septième et mi.

M. D. — Et ça vous obligeait à jouer des traits un peu plus vite. Oui, Diz a vraiment transformé le panorama de notre musique. Une révolution. De nos jours, dans des émissions de télé, on entend des clichés à lui, des idées qu'il avait trouvées dans ces années-là. Il a aussi bouleversé les notions d'arrangements pour grand orchestre. Et comment il les jouait, ces arrangements! Bref, il a été la plaie des musiciens, de tous les musiciens qui ont voulu l'imiter et qui s'y sont cassé les dents. Sauf moi, parce que je n'ai pas essayé. Mais les autres ont voulu jouer comme Dizzy Gillespie, et tous ceux-là se sont ramassés.

D. G. — Toi aussi, dis donc, tu as posé des problèmes à des tas de musiciens...

M. D. — Bof...

D. G. — Mais si, mais si... De toute façon, il y a toujours un mec plus fort qui pose des problèmes à toute une génération. Prends Louis Armstrong, par exemple. Après lui, ils voulaient tous atteindre une centaine de contre-ut à la file! Parce que Louis était réputé pour les enchaîner, comme ça, au kilo, bam-bam-bam... Les types les comptaient, un, deux, trois, quatre! Cet enfoiré de Louis s'en payait toute une série comme ça, et il terminait par un contre-fa, histoire de s'amuser un peu!

— Il y a un mystère que je souhaiterais éclaircir à propos d'une séance d'enregistrement avec Bird. Des versions différentes ont circulé sur lequel de vous deux jouait de la trompette dans Ko-Ko, Diz, *ou* Miles? Lequel?

M. D. — Toi, Diz.

D. G. — C'est vrai. Miles n'a jamais joué *Ko-Ko*. C'était Yard et moi. Miles ne connaissait pas cette introduction. Moi, je l'avais travaillée avec Yard (Savoy MG 12079).

M. D. — L'intro la plus époustouflante que j'aie jamais entendue!

D. G. — Laissez-moi vous dire que toutes ces notes ont été retranscrites plus tard grâce aux travaux de certains types, et là on se rend compte de ce que Charlie Parker jouait réellement. Des notes que d'autres musiciens n'entendent même pas passer! On peut parler de perfection. Perfection de la mélodie sur des harmonies données. Rien à changer. La perfection, oui, de toutes ses phrases! »

DIZZY

Yard et moi n'avons jamais eu de mots ensemble, à aucun moment et sur aucun sujet. Ce sont les journalistes qui ont prétendu qu'il y avait de l'eau dans le gaz. Une seule fois, il y a eu un problème. Yard m'avait demandé quelque chose, de l'argent je crois, et j'avais refusé. Il a pris ma pipe, l'a jetée par terre et elle s'est cassée. Babs Gonzales a essayé de me pousser à me battre, mais je ne l'ai pas écouté. Ça m'aurait avancé à quoi? La pipe était cassée. Et alors? Pas grave. Tout de même, j'étais assez furieux, comme je l'étais aussi quand Yard arrivait en retard.

Sur le plan de la conception, de la théorie, nous étions très proches, mais il s'agissait essentiellement d'une entente musicale. Je ne fréquentais pas les mêmes cercles que lui, ni ne menais son genre de vie. Je n'appartenais pas au petit groupe d'intimes. Et en fait, des tas de types qui se défonçaient devaient connaître mieux que moi l'autre aspect de son existence. En tout cas, Yard a toujours nié devant moi qu'il se défonçait. Je lui disais : « Dis donc enfoiré, tu planes, ce soir ! » Il hochait la tête, sans répondre, et j'ajoutais : « Quand vas-tu te décider à décrocher, vieux ? » et il répliquait : « Diz, tu sais bien que je ne prends rien. » Il était là à dodeliner de la tête et à prétendre qu'il était net. Je dois avouer que personnellement, je ne l'ai jamais *vu* faire. Je n'ai pu que constater les symptômes.

MAX ROACH

« Bird n'arrivait jamais à l'heure et ça énervait Diz, mais en général cela se passait sans casse, Dizzy étant du genre à émettre ses critiques sur les autres et sur lui-même sous forme de longs sermons. Pourtant ce soir-là, la coupe devait être pleine. Bird est arrivé en retard, et au lieu de monter directement sur le podium où nous avions commencé à jouer, il est allé aux toilettes. Après le premier morceau, nous en avons attaqué un autre. Diz a pris un chorus, et puis pendant que la rythmique jouait seule, il a quitté l'estrade et a poussé les portes battantes des toilettes qui se trouvaient juste à côté. Il a sans doute passé la tête par-dessus le box où Bird avait dû s'enfermer pour se shooter, car il en est ressorti l'air très secoué et nous a dit sans prendre garde aux micros ouverts : " Vous savez ce que cet enfoiré est en train de faire? Il se shoote là, derrière. " Ses paroles ont été diffusées par tous les haut-parleurs de la salle. Même Bird les a entendues dans les toilettes. D'un coup, il y a eu un silence

de mort. Et puis Bird s'est ramené en vitesse, et il a dit à Diz :
" Diz, pourquoi tu me fais un coup pareil ? "

« Là, ça avait vraiment été loin ! Mais Bird acceptait les critiques et
un peu plus tard le même soir nous étions tous autour de lui dans la
loge, essayant de lui expliquer ce qu'il représentait pour nous, pour
notre race, notre musique, et que c'était stupide de foutre sa vie en
l'air, comme ça. Il nous a répondu : " Ecoutez, maintenant que j'ai
une certaine célébrité, je peux aussi m'en servir pour attirer les
regards et montrer aux jeunes et aux autres qu'il ne faut pas se
droguer et gâcher sa vie comme moi... "

« Voilà. Diz se faisait beaucoup de souci pour Charlie Parker et
essayait de le piquer au vif, comme ça, même si cette fois-là il a pris
des risques à cause des micros ouverts. Tout le monde a eu les
jetons, parce que l' " envoyé " aurait pu débarquer dans le club.
Mais Diz était ainsi. Il avait essayé trente-six manières de faire
comprendre à Bird que chacun de nous n'a qu'une vie et qu'il faut la
ménager. On se le doit, et on le doit aux siens. C'est ça la famille. Et
c'est ce genre de liens qu'avaient Diz et Charlie Parker. »

RAY BROWN (bassiste)

« Je venais d'arriver à New York ce jour-là. Je voulais essayer de
m'y installer après avoir quitté l'orchestre de Snookum Russell en
Floride. On m'avait proposé une place dans celui d'Andy Kirk, et je
devais habiter chez une tante en attendant que mes affaires se
précisent. Elle avait un fils de mon âge auquel j'ai demandé aussitôt
où se trouvait la 52e Rue. " Je t'y emmène ", me dit-il. Et après
dîner, je me suis retrouvé dans cette rue, avec des clubs de tous les
côtés ! Au Spotlite, il y avait Coleman Hawkins, accompagné par une
section rythmique. Billy Daniels chantait, en plein milieu de la piste,
et Hank Jones était au piano. Je le connaissais parce que nous avions
séjourné ensemble quelque temps au YMCA de Buffalo. Il se
souvenait de moi, et nous avons bavardé un moment. Et soudain, il
me dit : " Tiens, voilà Dizzy Gillespie. " Je le connaissais de
réputation, bien sûr, et j'avais entendu ses disques, mais je ne l'avais
jamais vu en personne. " J'aimerais bien lui être présenté ", dis-je à
Hank qui appela aussitôt Diz.

Dizzy s'approcha et Hank lui dit :

« Je voudrais te présenter un ami. Un bassiste fantastique.

— C'est vrai ? Tu joues aussi bien que ça ? me demanda Dizzy.

— Ben... »

« Que voulez-vous dire dans ces cas-là !

« Et tu cherches du boulot ?

212

« — Ben... oui. »

Il me tendit une carte sur laquelle il avait écrit : " Chez moi, demain soir à une heure, pour répétition. " Et le lendemain, je me suis pointé, bien sûr, et il y avait Bud Powell, Max Roach, Dizzy et Bird ! Je croyais rêver ! Et on s'est mis aussitôt au travail. Le tout, c'est de se trouver au bon endroit, au bon moment...

« C'était affolant, pour moi. Ces types jouaient des trucs tellement évolués par rapport à tout ce que j'avais fait jusque-là ! Mais je possédais à la fois l'enthousiasme et l'énergie indispensables. Ils prenaient des tempos très rapides, ce qui ne me gênait pas. Je tiens toute une nuit sans problème à ce régime. Ce qui était moins facile, c'était leur système harmonique. Diz agençait les accords selon sa conception, utilisait des renversements précis, et avait besoin d'un bassiste qui joue une ligne de basse adéquate. Il m'a donc fallu apprendre les notes qu'il voulait. C'était un peu comme à l'école. Une chose formidable avec Diz, c'est qu'il vous traîne toujours au piano pour vous expliquer ce que vous n'avez pas compris. C'est de cette manière que nous avons tous énormément appris.

« Le groupe était au complet ou presque, car quinze jours plus tard Dizzy a rajouté un élément en nous annonçant qu'il s'agissait d'une vraie " pointure ", un certain Milt Jackson... On n'a pas été déçus ! Vous voyez, Diz cherchait toujours de nouveaux talents, dans le genre délirant, " dissy " comme lui. Ce premier groupe était ainsi composé de musiciens qui ont fait une sacrée carrière par la suite. Ce n'est pas toujours le cas d'un premier orchestre dont on se demande après ce que ses membres sont devenus. Mais là, chacun de nous a vraiment joué un grand rôle dans le monde de la musique. Bud, Max, Milt et moi-même étions les cadets. Dizzy et Bird nos aînés. Ce fut une expérience qui vous marque pour la vie, croyez-moi.

« Ce qui me plaît chez Diz, c'est son oreille mélodique. Il compte sur la rythmique pour lui fournir les accords selon une disposition précise, les notes des renversements qui lui conviennent le mieux, et stimuler ainsi son imagination d'improvisateur. C'est une relance merveilleuse sans cesse renouvelée par les gars de la rythmique. Bien sûr, il a fallu qu'il nous explique minutieusement à tous ce qu'il attendait de nous... comme à des élèves. Sa conception mélodique, son approche d'un solo sont fantastiques. Quelles idées dans cette tête !

« Il serait bien difficile pour moi d'établir une échelle des valeurs dans ce groupe. Mais en tout cas, je me souviens que Milt et moi nous nous précipitions toujours au club avant l'heure tant nous attendions avec impatience le moment de jouer. Dans mes débuts avec Dizzy, tous les regards du premier rang étaient braqués sur moi. Je les sentais. Plus tard, avec l'expérience, je me suis régalé à raffiner mon jeu derrière lui, à lui tendre des perches intéressantes sous forme de notes qui faisaient rebondir ses idées; et bien sûr, son oreille les captait et les mettait aussitôt à profit, croyez-moi. C'était la fête! »

DIZZY

Ce qui était le plus frappant dans ces clubs de la 52e Rue, c'était la profusion des orchestres, des petites formations, et des programmations très diverses. Ainsi, sur un trottoir, les affiches annonçaient : Coleman Hawkins, Art Tatum, Billie Holiday, Al Casey, Benny Carter, et d'autres grands noms sur le trottoir d'en face. Un jour, quelqu'un demanda à Roy Eldridge : « Tu as entendu ce groupe avec Dizzy, de l'autre côté de la rue? »...

Roy avait une certaine attitude. Il appartenait à la vieille école et ne connaissait pas la musique dans sa continuité, dans sa logique. Il ignorait comment les choses s'enchaînent et engendrent des types comme lui ou moi. Il a toujours dû croire que cela venait tout seul, comme ça, un don du ciel. Mais c'est inexact. Ce serait trop simple. Roy avait été inspiré par Louis Armstrong, Rex Stewart, Red Allen et autres. Il ignorait la chronologie, ne cherchait pas à savoir d'où ces types venaient, pourquoi, comment. Il ne m'a jamais très bien accepté, personnellement. Il m'arrivait de le croiser devant le Three Deuces et de lui dire : « Salut, Roy. » Mais il faisait semblant de ne pas m'entendre... Il m'ignorait, et pourtant tous les jeunes trompettistes essayaient déjà de jouer comme moi, pas comme lui. Roy Eldridge a l'esprit de compétition le plus acharné que j'aie jamais rencontré. S'il embouche sa trompette en présence d'un confrère dans une jam, il faut qu'il essaie de l'écraser à tout prix. Moi, je n'ai jamais agi ainsi. Je jouais. Je jouais comme je le sentais, c'est tout. Dans ces jams, tout le monde transpirait, se donnait à fond, moi le premier, mais jamais avec l'idée de scier quelqu'un.

Roy, lui, venait dans un club et nous voyait sur le podium en train de jammer civilement entre nous, les trompettistes de la jeune génération. Depuis l'entrée de la salle, il embouchait son biniou et soufflait un contre-si bémol, enchaînait sur un chorus en avançant vers l'estrade, et tous les regards se tournaient vers lui. Voilà, ça c'était Roy. Il montait sur scène en jouant et en interrompant n'importe qui. Quand je suis arrivé à New York, je sortais avec Charlie Shavers, Little Bobby, Benny Harris et Bama. Et dans les jams, on avait adopté la formule de se suivre à trois ou quatre, en jouant huit mesures chacun. Avec ce principe on tenait toute une nuit, pendant que les autres s'épuisaient à prendre chorus sur

214

chorus... Ainsi on arrivait à se mesurer avec des grands noms comme Roy, Lips Page, Red Allen, Rex Stewart. C'était une bonne expérience. Roy nous enfonçait tous quand il jouait dans l'aigu. Il me mettait au défi. De nos jours, les trompettistes réputés pour leur aigu doivent également faire leurs preuves sur d'autres points. Plus question de se lever pour souffler hystériquement dans le suraigu... même si le public reste toujours impressionné par ce genre de démonstration, comme celui du JATP par exemple, qui vient pour manifester bruyamment.

DUKE GARRETT *(trompettiste)*

« J'ai été pendant dix ans dans l'orchestre de Lionel Hampton, et c'est moi qui ai réussi à faire jouer Dizzy avec nous une fois. Ce jour-là, Joe Morris a fait le malade. Il croyait que l'orchestre allait s'écrouler sans lui. C'était d'ailleurs un grand trompettiste, qui est mort depuis. Mais enfin, lui et Cat Anderson pensaient que l'on ne pouvait se passer d'eux. Et justement, j'ai rencontré Dizzy sur la 125e Rue près de la 8e Avenue, qui sortait d'une séance d'enregistrement. Je l'ai traîné vite fait au studio de la radio, et il a joué les partitions de premier trompette pour Hamp. Et il s'est trouvé que mon Joe Morris écoutait la retransmission. Il a failli avoir une attaque! Il voulait savoir qui jouait à sa place, persuadé qu'il avait perdu l'affaire. Mais en fait, Diz n'a joué que cette fois-là. Quand je suis revenu au Braddock Hotel, Joe était avec Billie Holiday et quelques autres, et ils m'ont tous demandé : " Duke, qui est-ce qui a joué? " Et j'ai dit à Joe Morris : " Ecoute, vieux, tu ferais bien d'aller voir Hamp et de récupérer ta place... vite... sans perdre une minute. " J'étais moi-même intéressé dans cette affaire, bien sûr. " Allez, file voir Hamp. "

« Chacun sait, dans le monde de la musique et même en dehors, que Diz a été le petit génie du mouvement avant-gardiste de l'époque. Les trompettistes jouaient tous encore à la Roy Eldridge, qui s'était lui-même inspiré de Louis Armstrong. Et Dizzy est arrivé, héritier des deux précédents, mais offrant en plus un apport personnel immense. Il a provoqué une telle révolution de l'instrument et de la musique que la plupart des trompettistes ne s'en sont pas remis. Bien sûr, on n'a pas enregistré de suicides, mais l'hécatombe fut néanmoins sévère. Sans vouloir citer de noms, je peux affirmer avoir vu de mes yeux certains musiciens se lever et aller noyer leur chagrin au bar, ou certains rester à la porte d'un club sans se décider à entrer. Quand des types comme Miles, ou Fats (Navarro) et d'autres jeunes restaient assis, leur biniou sur les

215

genoux, à écouter et regarder Diz comme si c'était Dieu le Père, en 1944, personne n'osait se pointer. Je l'ai vu, j'y étais ; j'ai même chez moi des photos qui le prouvent... moi, Dizzy et Charlie Parker... moi et Dizzy au Three Deuces, moi et lui dans tous ces lieux.

« Le jeu de Diz était quelque chose de nouveau, de différent, avec une recherche poussée de la structure harmonique. Avant lui, les trompettistes se contentaient de souffler comme des forcenés pour voir qui jouerait le plus fort et le plus aigu. Et Diz a montré ce qu'était l'élaboration intelligente d'un solo sur une progression harmonique, ainsi que son exécution, pas si simple et qui exigeait un travail sérieux de la technique instrumentale. Moyennant quoi certains d'entre nous, même à ce jour, n'ont toujours pas réussi à acquérir sa virtuosité.

« Dizzy, et Charlie... c'était comme des frères pour moi, plus que des frères, même. Charlie Parker comprenait toujours ce que Dizzy recherchait car celui-ci savait expliquer, étant un technicien et un musicien complet. Il y a une énorme différence entre un type qui joue d'un instrument, et un musicien ; de même qu'entre un type qui sait conduire une voiture, et un mécanicien. Diz est à la fois un instrumentiste accompli et un musicien complet, ce qui dans les termes de notre comparaison signifie qu'il sait tenir le volant mais connaît aussi tous les rouages de la machine et peut la réparer. Charlie Parker, lui, savait " tenir le volant " et sans doute mieux que n'importe quel saxophoniste de tous les temps. Mais il ignorait comment tout cela marchait, et pourquoi. Plus tard, il a appris, étudié, et il a compris le fonctionnement. Un peu comme si vous me dites quels fils il faut connecter sous le capot de ma voiture, et que vous soyez un chef mécanicien. L'ordre bien expliqué par vous, je saurai l'exécuter mais vous serez quand même le " cerveau ". Et Diz était ce cerveau, en ce qui concernait ce style révolutionnaire. Charlie Parker transmettait le message, Monk aussi, magnifiquement. Mais Diz est celui qui a ouvert la brèche. Après quoi Louis Armstrong et même mon chef, Lionel Hampton, se sont convertis, ou disons ont subi quelque peu l'influence. Lionel Hampton ne nous avait jamais fait jouer *How High the Moon* avant que je lui aie parlé de Diz. Je l'ai même amené sur les lieux et il n'en croyait pas ses oreilles. Il raconte d'ailleurs toujours à tout le monde que c'est moi qui l'ai branché sur le moderne.

« Une fois que l'on a eu trouvé un son à l'orchestre, il a engagé Kinney Dorham, Benny Bailey et Fats Navarro dans la section de trompettes, et puis Charlie Mingus à la basse, qu'il a fait venir de Californie.

« La plus belle prestation de Diz à laquelle il m'a été donné d'assister a eu lieu bien des années plus tard. Mon ami Charles

216

Mingus avait écrit un livre dans lequel il affirmait que Thad Jones était le plus grand trompettiste au monde. Dizzy l'a appris. Quelqu'un s'est empressé de le lui raconter, ou bien il a lu le bouquin... bref, peu importe. Count Basie passait chez " Pep " à Philadelphie et venait d'inscrire à son répertoire l'arrangement sur *April in Paris* dans lequel Thad prenait un solo remarquable. Et voilà mon Dizzy qui arrive dans le club. Toute la section de trompettes est là, au grand complet : Reunald Jones, Wendell Culley, Joe Newman, et Thad Jones, personne ne voulant lui céder sa place, surtout pas Thad. Finalement, Joe Newman descend du podium et demande à Dizzy de jouer ses partitions.

« On attendait tout excités, personne ne voulant rater le règlement de comptes pour rien au monde ! Basie a pris un chorus, et puis il a laissé la section de trompettes continuer. Et Diz a commencé à enterrer tout le monde. Il a doublé le tempo dans son chorus. Je ne savais même plus où il en était. Les gars de New York n'en revenaient pas ! Et Charlie Mingus restait là, bouche bée. Alors les autres ont essayé de contrer Diz dans l'aigu, mais il montait plus haut. Ils sont passés dans le registre moyen, mais là aussi il les a ratatinés. Alors Basie lui a dit : " Eh bien, Diz, vas-y, continue tout seul. " Et Diz a joué au moins quatorze chorus... et seulement à ce moment-là Basie a ordonné à l'orchestre de reprendre.

Ce fut une sacrée rentrée, pendant que Diz jouait toujours ! Et après le point d'orgue final quelqu'un a demandé à Mingus : " Alors, tu crois que tu as gagné, ce soir ? " Et Mingus était prêt à se battre, parce que tout le monde le mettait en boîte à cause de la performance de Dizzy.

« De nos jours, ce genre de bataille musicale n'est plus à la mode, mais de mon temps ça marchait très fort. Si Dizzy entrait dans un club où Roy Eldridge était en train de jouer, celui-ci l'attendait de pied ferme. Et si Roy n'avait pas le dessus, il partait se soûler au bar et se mettait à injurier tout le monde : " Espèce d'enfoiré... pas foutu de jouer une note... hip ! mon cul, oui... " Vous voyez le genre.

« Charlie Parker et Dizzy cachaient leur biniou sous leur pardessus et faisaient les clubs de la 52e Rue pour débusquer Coleman Hawkins ou Illinois Jacquet. Une fois sur le podium, ils ratatinaient tout le monde. Mais si les mecs les voyaient arriver avec leur biniou à la main, ils quittaient le podium avant la débâcle, sinon, les deux autres attendaient le milieu d'un morceau, se glissaient dans les rangs et n'en faisaient qu'une bouchée * ! Ah c'était la belle époque ! La 52e Rue, ça swinguait dur, tous les soirs ! »

---

* On appelait cela un guet-apens (*D. G.*).

DIZZY

En 1946, j'ai découvert que je pouvais faire un contre-si bémol. Roy était présent, ainsi que Georgie Schwartz. Il jouait dans l'orchestre d'Artie Shaw à cette époque. C'était pendant une séance et nous étions en train de jouer *Sweet Georgia Brown*. Moi, j'avais une partition avec des trucs à faire dans toute l'étendue du registre. Jusque-là, Roy ne m'avait jamais entendu dépasser le contre-fa ou le contre-sol. Mais ce jour-là, je suis monté au contre-si bémol, et il a failli avoir une attaque. Il s'est retourné vers moi et a crié : « Qu'est-ce qui lui prend, à cet enfoiré ! » J'étais mort de rire. Je m'en souviendrai toujours, toute ma vie, de la tête de Roy entendant mon contre-si bémol ! Mais, cela dit, j'ai toujours eu beaucoup d'affection pour lui. Il a été mon idole, jadis, voyez-vous. Je voulais seulement lui prouver que son influence avait eu d'heureux résultats... Au bout d'un certain temps, quand mon style s'est vraiment affirmé et personnalisé, on faisait enfin la différence entre Roy et moi, alors qu'au début avec mon jeu c'était impossible.

« Fats Girl », c'est-à-dire Fats Navarro, avait lui aussi cet esprit de compétition. Il disait souvent à Benny Harris en parlant de moi : « Je vais me le faire, un jour. Je vais me le faire, et vite. — Laisse tomber, conseillait Benny. — Non, non, je veux l'écraser, ce soir. Il va voir, l'enfoiré ! » Mais moi, j'arrivais avec de nouveaux trucs, plein d'idées inédites, et je le laissais loin derrière. Bien sûr, il avait analysé mon jeu. D'ailleurs, ça se remarque quand on l'écoute. Mais ce n'est pas suffisant. Quand on veut coincer des types comme Don Byas, Ben Webster, Coleman Hawkins ou Lester Young, si on le fait dans un bon esprit, tout va bien. Mais il ne faut surtout pas leur donner l'impression que vous cherchez à les éclipser. Sinon, ce sera la loi de la jungle, et vous aurez du mal à piéger un type qui est un maître. Ce sont des fanas de la compétition. Ils s'en repaissent comme des grands fauves.

Interlude californien

Nous avions porté le jazz moderne au pays des merveilles : la Californie; et ces huit semaines durant lesquelles je jouai là-bas avec Charlie Parker furent un enchantement perpétuel, ou presque. Hollywood, nous t'avons alors offert des instants incomparables, tenant de la magie, et qui ne furent pas toujours appréciés comme ils le méritaient. Je me suis souvent demandé ce qui donne à une phrase ou à une note sa cohérence, son poids, sa raison d'être, bref ce qui permettra à quelqu'un d'autre que son auteur d'en saisir l'importance. Qu'est-ce qui fait vibrer l'auditeur? Le déclic peut être provoqué par le public lui-même, ou par les musiciens qui vous entourent; en tout cas, il y a des fois où le phénomène se produit comme cela, juste au moment idéal, sans explication possible. Avec un peu de chance, cela risque de vous arriver une fois dans votre vie.

Quoi qu'il en soit, l'atmosphère extraordinaire qui régna tout au long de cet engagement provenait de l'orchestre, de cette petite formation dont les membres avaient été soigneusement choisis. J'avais engagé Charlie Parker parce qu'il était sans conteste un génie, mon frère siamois, ma « moitié » musicale. Milt Jackson était un jeune vibraphoniste qui « montait », et se mettait très rapidement à notre style, avec un jeu percutant, plein d'invention rythmique, et débordant d'inspiration chaleureuse. De loin mon meilleur élève. Ray Brown jouait les lignes de basse modernes les plus solides, mais aussi les plus souples et inventives... exception faite d'Oscar Pettiford. Il fut très remarqué que j'avais engagé deux Blancs : le pianiste Al Haig et le batteur Stan Levey, ce qui devait paraître étrange à l'époque de la ségrégation. Les gens semblaient oublier qu'il s'agissait là de deux excellents musiciens, fervents du nouveau style. Je ne choisissais pas les membres de mon groupe en fonction de leur couleur de peau, mais de leurs qualités musicales. Tous ces jeunes Blancs comme Shelly Manne, Irv Kluger, Jackie Mills et Stan Levey étaient des batteurs de réserve, derrière Max Roach dont ils étaient les émules et connaissaient tous les trucs. Il faut dire également que cet engagement en particulier ne payait pas lourd et que Kenny Clarke avait choisi d'aller jouer avec Red Allen, et Max avec Benny Carter. C'était mieux payé, comparé aux clopinettes que je leur proposais.

Je m'élève ici contre les bruits qui ont couru que Charlie Parker n'appréciait pas du tout le fait de travailler pour moi. C'est absolument faux. Yard était heureux de ne pas avoir la responsabilité de cet engagement, car il n'était pas sûr de pouvoir le respecter. J'avais d'ailleurs emmené six musiciens en Californie, au lieu des cinq indiqués sur le contrat, sachant que je ne pouvais pas compter sur Yard avec certitude, pour les matinées entre autres. Charlie Parker était un grand musicien, si grand qu'il lui arrivait de se perdre dans la nature et de nous rejoindre vraiment très tard au club. Dans ces cas-là, le patron me disait avec un regard entendu : « Votre contrat indique cinq musiciens, mais il n'y en a que quatre sur le podium. Il faut déduire une part du cachet. » J'ai donc engagé Milt Jackson en supplément chez Billy Berg, pour être sûr que nous serions toujours cinq. Parfois, quand Charlie Parker ratait la matinée, Billy Berg venait me trouver : « Où est Charlie Parker ? » Je répliquais : « Ecoute, il n'y a pas son nom sur le contrat. Tout ce que tu exiges, c'est cinq types sur le podium, et tu les as. » Il finissait par s'écraser, et Charlie par arriver... plus tard. Mais enfin c'était mon groupe, le Quintette de Dizzy Gillespie, dont Charlie Parker n'était qu'un membre éminent. C'est moi qui réglais les factures et prenais les décisions.

Il y a eu de grands moments dans ce club, pour nous sur le podium en tout cas, des moments que je n'oublierai jamais. Malheureusement, le public n'était pas très « hip » et ne se rendait pas vraiment compte de ce qui se passait du point de vue musical. Dans un autre genre, nos auditeurs étaient encore plus déconcertés par notre style que ceux du Sud. Perdus, déroutés. Et ils venaient pourtant nous écouter, tous ces gens déroutés... Incompréhensible. A l'affiche avec nous, il y avait Slim Gaillard et Harry « the Hipster » Gibson, de grosses vedettes sur la côte Ouest.

Un jour, il y a eu une vraie bagarre entre Slim Gaillard et moi. Un type m'avait demandé : « Alors, vous aimez la Californie ? » et j'avais répondu : « Non, je n'aime pas ce coin, et je serai bien content quand notre engagement sera fini. — Et pourquoi donc ? a insisté le type. — C'est plein de Noirs genre " Oncle Tom ", et de nullités musicales... »

Il s'est trouvé que la femme de Slim Gaillard m'avait entendu et a cru que mes paroles concernaient son mari, auquel elle s'est empressée d'aller tout raconter. Et Slim est venu me demander des comptes dans les toilettes. Je proteste : « Qu'est-ce que tu racontes, je n'ai même pas prononcé ton nom une seule fois depuis que nous jouons ici! » Il s'est obstiné : « Ce n'est pas vrai, sale menteur! » Et de toute évidence, il était décidé à ne pas en rester là. J'ai essayé de me glisser doucement vers le comptoir des eaux de toilette et des parfums, tandis qu'il avançait sur moi d'un air menaçant. Il a voulu me frapper, mais j'ai esquivé et j'ai répliqué. J'ai cogné, et il s'est écroulé. J'étais prêt à le mettre en bouillie. La bagarre avait dû faire un certain bruit, et sa femme nous avait vus. Elle est allée aux cuisines chercher un couteau de boucher pour me frapper dans le dos! « Fais gaffe... » a crié quelqu'un J'ai attrapé une chaise en fer et je voulais encadrer le portrait de cette bonne femme avec, mais on nous a séparés avant qu'il y ait vraiment du dégât.

En tout cas, j'ai sacrément ratatiné Slim Gaillard ce jour-là, d'un seul coup d'un seul. Après quoi, nous sommes devenus de bons amis. J'ai même fait quelques enregistrements avec lui et Charlie Parker.

Tout le gratin de Hollywood venait au club. Bien sûr, n'importe quel genre de nouveauté les attirait. Ils voulaient tous être dans le coup, mais ils n'ont commencé à comprendre un peu notre musique que plus tard. En Californie à l'époque, les chanteurs étaient les grosses vedettes.

AL HAIG *(pianiste)*

« J'étais à Boston et une nuit, très tard, j'ai entendu un programme de jazz sur une station de New York. Ce genre de musique m'intéressait déjà beaucoup, mais cette fois-là le style était tellement nouveau, audacieux, bref je fus conquis sur-le-champ. J'avais à peine vingt ans, et tout en écoutant je me suis dit qu'il fallait à tout prix que je suive ce courant. Je suis venu à New York par la suite et je me suis mis en quête de Dizzy. Si j'ai bonne mémoire, il n'avait pas d'engagement fixe à l'époque, dans la 52e Rue, mais il venait souvent faire des jams; alors dès que j'avais fini mon propre travail, j'allais écumer les clubs de la Rue pour le trouver. Je l'ai finalement rencontré un dimanche au Kelly's Stables. Je me suis présenté et lui ai dit toute mon admiration. Il m'a invité à venir le revoir ailleurs, où il jouait. Et puis, j'ai trouvé un engagement avec Tiny Grimes dans la 52e Rue, et un soir Dizzy est arrivé avec Charlie Parker et a joué avec nous. Dizzy a annoncé qu'ils allaient monter un groupe, et m'a demandé si j'étais disponible. Ma réponse fut positive.

« Je me trouvais avec Charlie Barnet quand j'ai reçu un télégramme de Dizzy : " Veux-tu rejoindre l'équipe?... " Quand j'ai débarqué en Californie, à Hollywood, j'ai reçu tout de suite un coup de fil de Dizzy à l'hôtel et je me souviens que je lui ai demandé : " Comment va Bird? " Il m'a répondu : " Il est à côté de moi et va te dire un mot. " Et Bird a pris son sax et a joué une petite phrase pour moi, au téléphone. C'était touchant. A partir de ce genre de souvenirs, je serais tenté de dire que tout allait bien. Ils avaient dû venir ensemble de New York, et je crois qu'il y avait une bonne entente entre eux à ce moment-là.

« En revanche le patron du club, Billy Berg, semblait être une source d'ennuis. On lui avait " vendu " un groupe de jazz " avant-gardiste ", s'il faut employer ce qualificatif, et de toute évidence Berg ne s'intéressait qu'à la musique commerciale, celle qui se vendait et rapportait. Son club était un peu le bagne. Pas de libertés, juste le boulot. Une certaine ambiance de camaraderie entre musiciens, au bar situé sur le côté du podium, mais à part cela aucune chaleur. Je n'ai pas souvenir de m'être jamais assis à une table avec des fans, comme cela se passait parfois ailleurs. On ne nous invitait jamais, et de toute façon Billy Berg aurait sans doute réprouvé ce genre d'intimité. Mais après tout, il avait acheté le groupe et il payait. Le public avait souvent des réactions imprévisibles, face à la musique que Dizzy leur offrait; mais je n'en ai jamais discuté avec lui. Il faut dire que Diz et Bird innovaient en permanence sur le plan rythmique et harmonique.

« Notre petit groupe n'a guère fait de tournées, et je n'ai donc pas eu tellement l'occasion d'étudier ce qui se passait en profondeur, notamment dans la tête de Charlie Parker. A mon avis, personne ne le savait vraiment, excepté peut-être Dizzy. Je ne pense pas que beaucoup de gens aient eu une idée des motivations exactes de Bird, ni du fonctionnement de sa pensée intime. Dizzy était un personnage beaucoup plus extraverti. Et puis Charlie Parker faisait régner autour de lui un climat assez lourd et ambigu. Sa fréquentation intime impliquait d'accepter son emprise, comme plusieurs personnes m'en ont fait la remarque. " Si tu veux entrer dans le clan, il faut faire tout ce que je fais. " C'était un peu l'idée générale, alors que Dizzy n'avait pas du tout ce genre d'attitude. C'était un être chaleureux, très amical. En ce qui me concerne, de toute façon, mes relations avec eux sont toujours restées d'ordre purement musical. Tout se passait sur le podium. C'était très bien ainsi d'ailleurs, et la bonne compréhension régnait. Bien sûr, je n'étais pas du tout rompu à un style aussi novateur, et je faisais plutôt figure d'élève auquel il fallait patiemment tout expliquer. Tel fut mon rôle pendant un certain temps, pas si longtemps d'ailleurs car en y repensant j'ai surtout joué avec Bird après que Dizzy eut remonté son grand orchestre. Quelques mois à peine, en fait, ce qui semble incroyable avec le recul. Il y eut des concerts, par la suite, Bird, Diz, Max, moi-même et d'autres, mais mon rôle s'est toujours borné à celui d'un élève appliqué.

« Dizzy m'a beaucoup appris en ce qui concerne la manière de traiter un thème quelconque sur le plan rythmique, harmonique, et même esthétique, ainsi que la façon de le " sentir " intuitivement. C'est un bonhomme fantastique, communicatif et très astucieux, un ensemble de très grandes qualités. C'est aussi quelqu'un qui a su se maintenir constamment à flot dans l'univers musical, alors que tant d'autres se sont noyés en route. Il a su mener sa barque. Il ne boit pas, suit bien droit sa ligne de conduite et a toujours fait preuve d'une bonne influence sur les musiciens.

« En Californie, je crois qu'il y a eu une salade quelconque et Bird a disparu subitement. Si j'ai bonne mémoire, Lucky Thomson avait été appelé pour renforcer le groupe et Bird a dû être vexé. Mais ça, c'est une supposition qui n'engage que moi. Bird ne devait pas être dans un état normal. Je vais être très franc avec vous, même si je vous parais d'une incroyable naïveté, j'ignorais à l'époque ce qu'était l'héroïne! Plus tard, je l'ai appris, bien sûr. Mais du temps de ce contrat en Californie, je ne savais pas que Charlie Parker était embringué là-dedans. Je sais que c'est difficile à croire, mais c'est la pure vérité. Je n'avais que vingt-deux ans, et en dehors de la musique rien ne m'intéressait.

« Non, je ne sais pas quel fut le problème exactement. Je ne fais que des suppositions. A l'origine, seuls Diz et Bird jouaient les thèmes, et selon moi ce quintette fut une formation très homogène, très dense et solide, bien plus que le sextette ou le septette, bref que l'ensemble qui finit par se trouver réuni sur le podium chez Billy Berg. Encore une fois... Bird s'est peut-être senti vexé que Diz ait ajouté d'autres éléments... je n'en sais rien... je n'en ai jamais discuté avec Charlie à l'époque, et quand je l'ai revu, il s'était écoulé un an au moins et Billy Berg était déjà loin. Cela n'avait plus aucune importance, et entre-temps le nouveau style avait gagné la partie. »

STAN LEVEY (percussionniste)

« Je devais avoir seize ans, et Dizzy passait au Downbeat Club à Philadelphie, tout près de l'Earle Theatre Dizzy était jeune aussi, vingt-quatre ans je crois. Il jouait avec son quartette.

« Détail important : Dizzy a toujours encouragé les jeunes musiciens, et continue de le faire. Je n'ai jamais rencontré quelqu'un aussi désireux de communiquer son savoir aux autres. Il est merveilleux sous cet angle. Je suis allé le trouver et je lui ai dit : " Je suis batteur. — Eh bien, viens jouer quelque chose avec nous. " Je crois qu'il a aimé ce que j'ai fait ce jour-là, et il m'a aussitôt mitraillé de questions : " Tu connais Shadow Wilson? " Non, je ne le connaissais pas. Alors Diz s'est assis à la batterie et il a joué. " Tiens, écoute ce que fait Shadow. " C'était extraordinaire. Je devais avoir un brin de talent et il m'a aussitôt donné des conseils, des tuyaux, il m'a pris sous son aile en quelque sorte, comme tant d'autres jeunes types. Un bonhomme unique en son genre. Fantastique. Je venais régulièrement au club, et un jour il m'a demandé : " Tu veux travailler un peu? — Oui, bien sûr! " Je crois que l'affaire était payée dix-huit dollars par semaine.

« Quand je l'ai revu, c'était à New York en 1945. J'avais fait ma demande de carte au syndicat, après les six mois réglementaires. Je suis tombé sur Diz pour la seconde fois, et depuis, nous ne nous sommes plus jamais perdus de vue. Je lui téléphone ou je le vois à chacun de ses passages en ville.

« Il m'a appris une chose essentielle, à mon avis, c'est de considérer la batterie comme un instrument mélodique et pas seulement rythmique. Jusque-là, tout le monde écoutait Gene Krupa et les " cogneurs " de son espèce. Ils étaient tous d'ailleurs très forts, mais sans dimension musicale. Grâce à Diz, la batterie est devenue " musicale ", comme un instrument mélodique. Et puis, Diz voulait aussi entendre des ponctuations, comme dans un paragraphe, pour souligner ce que lui jouait. Ainsi le batteur s'intégrait beaucoup plus à l'ensemble, dans ce style si nouveau qui fut baptisé bebop... puisqu'il faut utiliser des étiquettes! C'est grâce à lui que le rôle du batteur ne se borna plus à marteler l'éternel " clonk...clonk... clonk... " mais devint partie intégrante du travail des solistes, comme Diz, Charlie Parker, ou autres, contribuant ainsi à l'homogénéité du groupe. Un pas de géant pour les batteurs, car les anciens comme Jo Jones et autres n'avaient pas fait évoluer l'instrument, ne l'avaient pas sorti de l'ornière du tempo à assurer, sans plus. Ce martèlement traditionnel ne suffisait pas à Dizzy qui exigeait d'un batteur plus d'initiative, plus d'interventions personnelles. C'était formidable, car cela ouvrait grandes les portes à l'innovation, si l'on avait un peu d'imagination et de moyens bien sûr. Il encourageait sans cesse : " Formidable, vas-y. Lance-toi. Très chouette, ça... " Il était ouvert à tout ce qui ajoutait à la qualité musicale de l'orchestre. Très peu de musiciens à cette époque s'en préoccupaient.

« Il fallait aussi faire preuve d'une grande vélocité pour jouer avec Diz, car il prenait des tempos extrêmement rapides. J'avais la chance de posséder cette qualité. La vitesse ne me gênait pas et je pouvais

224

" assurer " dans les rapides autant que Max Roach. Il y avait très peu de batteurs dans ce cas, à l'époque. Dizzy avait des motifs, des découpages rythmiques bien à lui. Il a toujours été fasciné par les rythmes de toute sorte. Il s'est intéressé à la conga et l'a introduite dans le jazz vingt ou trente ans avant les autres. Et cette pensée rythmique qui l'habitait constamment, il essayait de la traduire pour le batteur en la lui chantant. Si celui-ci était pourtant incapable de la jouer, alors Diz s'installait à la batterie et faisait lui-même la démonstration. Incroyable !

« Dans *Salt Peanuts*, il avait tout arrangé de telle manière que la partie de batterie s'intégrait au morceau comme une pièce de puzzle, avec des petites phrases d'intervention qui s'imbriquaient parfaitement, et tout cela sur un tempo d'enfer. Ces idées bouillonnaient dans sa tête. " Tiens, voilà ce qu'il faut faire ", disait-il au batteur en s'asseyant à la batterie comme il le faisait aussi bien au piano pour montrer quelque chose au pianiste. Extraordinaire, non ?

« Nous avons fait partie du premier ensemble " mixte " (Noirs et Blancs) à jouer dans une boîte en Californie. Les gens semblaient assez déconcertés. " Qu'est-ce que ça signifie ? Qu'est-ce que c'est que ce mélange ? " Il y avait le pianiste Al Haig et moi, au milieu de cinq musiciens noirs. A cette époque, et surtout en Californie où ils étaient de toute façon en retard de dix à quinze ans sur tout, ce " mélange " n'était pas de bon ton et nous a valu quelques " mauvaises ondes " d'emblée. Mais hormis ce détail, l'orchestre était excellent et la musique fabuleuse.

« Il n'y eut aucun sévice corporel, entendez-moi bien ; seulement, l'accueil réservé à notre musique fut plutôt frais. Le public là-bas était habitué à écouter *Slim and Slam*, ou l'orchestre de Eddie Heywood qui n'avait rien à voir avec le bebop. Tout le monde réclamait le " chanteur de ballades ", et le comique qui allait les faire rire. Bien sûr, les puristes, les vrais fanas de jazz étaient aussi là pour nous soutenir, mais ils n'étaient pas en majorité... loin de là. Heureusement, Diz avait beaucoup d'admirateurs dans le milieu du cinéma. Ils venaient l'écouter et donnaient ainsi un côté " mode " au club.

« Il y avait une retransmission radio tous les soirs, de chez Billy Berg, et un inconnu a tout enregistré. Quelqu'un ici possède ce témoignage musical.

« Pour en revenir à cet engagement, la seule chose qui agaçait prodigieusement Diz était de voir l'un de nous arriver en retard. C'est un vrai " pro " qui ne supporte pas ce genre d'attitude. L'inexactitude est impensable pour lui. Un musicien doit être à l'heure. Sur un plan purement musical, s'il engageait quelqu'un, c'est qu'il en appréciait les capacités. Il se montrait toujours très franc à ce sujet et ne donnait pas de vague espoir du genre : " On verra suivant ce que tu feras... " S'il y avait la moindre réserve, il ne se lançait pas dans une offre. Tout était très net. Mais il était impitoyable en ce qui concernait les horaires. Je crois que c'est ce qui a été très dur avec Charlie Parker. D'ailleurs, dès le début de l'affaire en Californie, Diz a ajouté Lucky Thomson au groupe pendant quelques jours, parce que Charlie n'arrivait jamais avant onze heures un quart et on démarrait la série en retard. Ce fut une très mauvaise période dans la vie de Parker. Il était déjà malade et complètement déphasé dès le départ. Or Diz avait monté ce groupe et en était responsable. Il ne roulait pas sur l'or, mais il avait quand même investi dans cette affaire et s'occupait de ses intérêts. C'était à la fois un musicien et un businessman. Tandis que Charlie était un irresponsable qu'il fallait attraper au filet pour s'assurer de sa présence. Seulement son talent, son génie faisaient oublier le reste. Alors Dizzy avait adopté à son égard l'attitude de parents qui ont sur les bras un enfant prodige, un petit génie, qu'il faut tout de même bien surveiller comme les autres enfants. Bon, il ne jouait pas les pères non plus; disons, un tuteur plutôt. Il ne fallait pas laisser à Charlie tout son argent, ne pas lui donner tout d'un coup, sinon il l'aurait dépensé aussitôt et ne serait pas revenu.

« Mais Charlie avait son caractère lui aussi, et une forte personnalité. Il savait ce qu'il voulait. Et bien sûr, leurs rapports étaient tendus parce que Dizzy en vrai " pro " décrétait : " On attaque à neuf heures trente. C'est comme ça, et pas autrement. " Mais Charlie n'attaquait jamais à neuf heures trente. S'il arrivait à onze heures trente, c'était déjà beau! Et cette attitude a mis un frein à leur amitié, car Dizzy ne la supportait pas. Il avait de l'ambition, voulait réussir à tout prix, devenir une vedette et gagner beaucoup d'argent; tandis que Charlie s'intéressait surtout à la drogue et se préoccupait de son approvisionnement. C'était incompatible.

« Vers la fin de notre engagement en Californie, Parker était une véritable loque humaine. Comme il n'avait pas réussi à se procurer ses drogues habituelles, il s'était rabattu sur des équivalents mexicains! Croyez-moi, c'était une ruine, un être complètement détruit. Il a fini à Camarillo. Nous devions faire la fermeture au club le vendredi, et le mercredi personne n'avait vu Charlie, ni chez Billy Berg ni à son hôtel. Il avait disparu dans la nature, paumé quelque part. Dizzy est quand même allé prendre nos cinq places sur l'avion. Le vendredi, toujours pas de Charlie, ni de nouvelles de lui. C'était le dernier jour. Dizzy m'a dit : " Saute dans un taxi. Voilà vingt dollars et son billet d'avion. Essaie de le retrouver. Cherche-le partout, fais tout ce que tu peux. Promis? "

« J'ai écumé la ville. Tous les endroits où il aurait pu aller se planquer. Mais en vain. Je suis revenu bredouille, et Dizzy a laissé le billet d'avion à la réception de notre hôtel. Je connais bien des chefs d'orchestre qui n'auraient pas pris tant de peine et se seraient plutôt dit : " Et merde, après tout il nous a fait faux bond... tant pis pour lui. " Mais Diz voulait essayer de l'aider, même si Bird lui avait donné maintes fois du fil à retordre en arrivant en retard ou en ne venant pas du tout. En se préoccupant de lui ainsi, Diz espérait que l'affaire ne se terminerait pas trop mal pour Bird. Il a fait son devoir et à mon avis s'est montré profondément humain. Un grand bonhomme. »

RAY BROWN

« Notre musique n'était pas très bien accueillie, c'est le moins qu'on puisse dire. Les gens ne comprenaient pas. Notre style les dépassait complètement. Nous devions rester plus d'un mois, mais à la fin de la première semaine, le dénommé Billy Berg nous a dit : " Il va falloir faire un effort, les gars... chanter, par exemple, je ne sais pas, moi. " Je n'oublierai jamais cet épisode : Bird a écrit rapidement deux ou trois arrangements simples où tout le groupe chantait en chœur. Je me demande ce que Dizzy en pensait au fond de lui-même. J'ai tendance à croire que cela ne lui plaisait guère. Mais en tout cas, il n'en a rien laissé paraître devant nous. Les autres artistes à l'affiche du club étaient Slim Gaillard et Harry " the Hipster " Gibson, des grosses vedettes en Californie. Bien sûr, il y avait des musiciens qui venaient nous écouter... Je me souviens avoir vu Art Tatum quatre ou cinq soirs chaque semaine. Et Benny Carter... et d'autres encore qui, eux, comprenaient ce que nous faisions. Mais le public moyen était dépassé, largué ! Ce qui est drôle, c'est que Dizzy est retourné là-bas quelques années plus tard et a fait un malheur. Pourtant, c'était le même public et il a joué la même musique... ce qui prouve qu'elle était tout à fait valable, seulement il fallait donner aux gens le temps de s'y habituer et de comprendre.

« Tout le monde sait que Bird était accroché depuis l'âge de quatorze ans. Cette dépendance prenait une grande partie de son temps extra-musical et de sa vie sociale, lui imposant aussi un certain genre de fréquentations pour pouvoir se procurer ce dont il avait besoin. Diz et Bird trouvaient en fait leur point de rencontre sur le podium quand ils jouaient. On aurait dit un même individu bicéphale. Je crois qu'il n'y a jamais eu un duo d'instrumentistes aussi extraordinaire que Diz et Bird dans le jazz. Et quels solistes, quels novateurs ! »

DIZZY

J'ai refréné une violente envie de frapper Billy Berg qui nous demandait de chanter en chœur. J'ai gardé mon calme, mais je n'ai fait aucune concession, à l'exception de *Salt Peanuts* bien entendu. Vers 1945, l'Amérique entière était rétrograde, tant sur le plan musical que racial. Ceux qui voulaient faire évoluer cet état de choses n'avaient pas la vie facile, mais enfin certains esprits forts ont persévéré sans se démonter et je pense n'avoir déçu personne sur ce point. Je me sentais en paix avec moi-même, bien que n'étant affilié à aucun groupement religieux à l'époque, et très « cool ».

Charlie Parker n'a jamais pensé un seul instant que je l'avais abandonné et nous sommes restés très proches jusqu'à sa mort. Au moment où nous devions rentrer à New York, il préférait rester sur la côte Ouest. Alors je lui ai laissé son billet d'avion et son argent. C'est vrai, d'ailleurs ma femme était présente et peut en témoigner. Maintenant, ce qu'il en a fait, je l'ignore. Il souffrait d'une dépression nerveuse et a été interné à l'hôpital de Camarillo. Une fois de retour à New York, j'ai engagé Sonny Stitt qui était lui aussi un merveilleux musicien.

Au Spotlite
(le grand orchestre, 1946)

La popularité du bebop avait soudainement fait un bond en avant, et mon nom s'étalait partout avec la mention de grand trompettiste. Le moment était venu de remonter un grand orchestre. Les patrons du Spotlite et du Three Deuces dans la 5e Rue me suppliaient de signer des engagements de longue durée à mon retour de Californie, et j'acceptai celui du Spotlite, le plus grand des deux clubs. Son propriétaire, Clark Monroe, un Noir qui tenait également l'Uptown House, me fit l'offre suivante : « Pour commencer, huit semaines en petite formation, avec Sonny Stitt par exemple ; et les huit suivantes avec un grand orchestre que tu pourrais roder sur place. » Ainsi fut fait. La petite formation comprenait à mes côtés Milt Jackson, Ray Brown, Sonny Stitt en remplacement de Charlie Parker, Stan Levey et Al Haig.

Un moment capital pour la suite de ma carrière fut le soir où Randy Brooks vint au Spotlite. C'était un chef d'orchestre et trompettiste réputé pour son aigu extraordinaire. Il avait souffert d'un kyste à la lèvre et avait consulté le docteur Irving Goldman, le meilleur chirurgien esthétique de New York à l'époque et également spécialiste du nez et de la gorge. J'avais moi-même une crevasse à la lèvre et quand je la pressais le matin en me réveillant, elle suppurait. Au club, entre deux sets, j'allais aux cuisines et je la nettoyais avec de l'eau bouillie additionnée de bicarbonate de soude. Après quoi ça allait mieux pour la soirée, mais le lendemain c'était toujours douloureux. « Il faut aller voir un toubib, vieux, me dit Randy. Tu ne trouveras pas mieux que le docteur Goldman pour ta lèvre. Je me charge de te prendre un rendez-vous. »

Le cabinet du docteur Goldman n'était pas loin, au 121 Est 60e Rue. Pas de clientèle noire. D'ailleurs, dès mon arrivée, l'infirmière me fit asseoir dans un petit salon, tout seul. Je ne fis pas de réflexion, et me plongeai dans les magazines étalés. Quand le docteur eut examiné ma lèvre, il marmonna « Mmmm » et alla chercher une curette et un produit blanc avec lequel il commença par nettoyer la plaie. Puis il travailla sur ma lèvre supérieure à l'aide de sa curette, et remit du produit blanc qui me brûla légèrement. Ma lèvre s'est ensuite cicatrisée rapidement, et j'ai continué à jouer sans ennui. L'intervention du docteur Goldman était une réussite, mais à chacune de mes visites de contrôle il m'a toujours fait attendre dans le petit salon à l'écart. Cela se passait en 1946 et depuis — je touche du bois — je n'ai jamais eu d'ennuis sérieux avec mes lèvres. Elles ont fini de se « former » vraiment durant l'engagement au Spotlite où mon aigu s'est remarquablement développé et où ma vitesse d'articulation progressait sans cesse. Tous les trompettistes cherchaient à m'imiter.

Pour le grand orchestre, j'avais engagé Bud Powell au piano et Max Roach à la batterie. Les finances passaient par des hauts et des bas, et Bud Powell encore plus... au point qu'il me fallut prendre une décision et le remplacer par Monk. Pas de problèmes avec lui... enfin, pas trop, car il n'arrivait jamais à l'heure, lui non plus. On aurait dit que l'exactitude était pour lui une infraction !

Billy Shaw s'occupait de toutes les questions matérielles. Les répétitions eurent lieu au Spotlite, et je partis finalement en tournée avec cet orchestre de 1946 à 1949. Nous avions voulu un orchestre durable, avec un personnel stable, et la période de préparation ne fut pas de tout repos, croyez-moi ! Heureusement, Walter Fuller se chargea des arrangements et de l'organisation musicale en général. Personne ne lui arrive à la cheville dans l'un et l'autre de ces domaines.

La plupart du temps, un compositeur s'adjoint un arrangeur par paresse, parce qu'il n'a pas envie de s'asseoir à une table et d'écrire lui-même les orchestrations. Avec Walter Fuller, il me suffisait d'écrire le thème en lui indiquant par endroits des structures harmoniques précises et en lui expliquant comment j'envisageais le déroulement de l'arrangement. Il se met au travail et si vous lui faites confiance et lui laissez une grande initiative, il vous rendra une orchestration exactement telle que vous la souhaitiez. Parce qu'il comprend, il sent. Pas complètement, bien sûr. Aucun musicien ne peut s'identifier totalement à la pensée d'un autre. D'ailleurs, on reconnaît dans le répertoire de cette époque les arrangements qui sont de moi et qui diffèrent des siens. Mais enfin, un compositeur a besoin d'un arrangeur, et dans ce cas il faut que l'entente soit aussi parfaite que possible. Prenez Duke et Billy Strayhorn, par exemple. Billy avait tellement pénétré la personnalité de Duke que ses arrangements semblaient être de celui-ci. J'ai eu la même chance en m'adjoignant Walter Fuller pour écrire les arrangements et prendre en main l'organisation de l'orchestre en 1946. Parallèlement, je continuai à écrire des orchestrations pour Ina Ray Hutton, Jimmy Dorsey et Boyd Raeburn, mais c'était dans un but alimentaire.

En ce qui concerne le grand orchestre, Walter et moi voulions lui faire parler le même langage que celui de la petite formation avec Charlie Parker.

WALTER GILBERT FULLER

« En fait de huit semaines pour tout mettre sur pied au Spotlite, nous avons eu huit jours, car peu après les débuts de la petite formation, ils ont voulu un grand orchestre et nous ont donné quelque chose comme une semaine et demie pour le monter ! Dizzy ne se rappelle plus comment ça s'est passé, et pour cause : il n'a pas mis les pieds aux répétitions, sauf le vendredi, le jour de la première.

« Je me souviens d'un incident à l'époque : une fille, blanche et mineure en plus, avait été ramassée dans la Rue, blessée. Ça s'était passé soi-disant dans le club. Elle était d'une bonne famille. Quand ils l'ont interrogée sur ce qui lui était arrivé, elle a répondu : " Je suis allée dans ce club pour écouter la musique, et j'ai rencontré tous ces musiciens... " Ils lui ont demandé de préciser lesquels, et elle a dit : " Oh, je connais bien Dizzy Gillepsie... " Il n'en fallait pas plus aux flics qui sont allés arrêter Dizzy chez lui sur l'accusation d'incitation d'une mineure à la débauche. Heureusement, Billy Shaw se chargea de le faire relâcher sur l'heure. Il s'agissait peut-être d'un coup monté, je n'en sais rien.

« Bref, Billy Shaw nous avait demandé de mettre cet orchestre sur pied et nous avions les crédits. Mais cette fois, je n'allais pas recommencer à auditionner cinquante types. Diz et moi les avons choisis ensemble, sans jamais nous trouver en désaccord. Une seule fois, il y eut une discussion sur un choix à faire entre Monk et John Lewis. Nous en reparlerons plus loin.

« Nous avions déjà un certain répertoire, mais comme Billy Eckstine n'avait plus d'orchestre, j'ai eu une idée et suis allé le voir. " Dis donc, Dizzy doit être prêt à ouvrir au Spotlite la semaine prochaine. Si tu nous passais quelques morceaux ? Tu te souviens qu'il t'avait donné un sérieux coup de main, alors ce serait chic de le payer de retour. " Il me répondit : " Fuller, je te donne tout ce que tu voudras. Tiens, voilà la clé. Va chercher ce qu'il te faut. Combien veux-tu d'orchestrations ? — Dix. — Eh bien, tu les prends, tu les copies et tu me les rapportes. " Par-dessus le marché, il nous a passé ses pupitres, les micros, tout, quoi. Il m'a même demandé si nous voulions des uniformes.

« Je suis donc allé jeter un coup d'œil à leur répertoire et j'ai finalement pris *Stay on it, Our Delight, Cool Breeze* et *Good Bait,* des morceaux vraiment explosifs, ce qu'il avait de mieux, quoi. Billy en avait aussi fait écrire quelques-uns par d'autres arrangeurs, comme *Minor Walk* de Linton Garner, mais j'ai vraiment choisi les meilleurs parmi lesquels ceux de Tadd Dameron cités plus haut. Tadd n'a pas écrit un seul arrangement pour Dizzy à l'époque, parce qu'il voulait être payé et que nous n'avions pas d'argent. On ne nous finançait pas pour monter le répertoire, ce qui était une grave erreur. Sans argent, il ne nous restait plus qu'à nous débrouiller.

« L'orchestre avait un son différent de celui de Billy Eckstine, qui se produisait surtout au début du nouveau courant, à un moment où l'on n'avait pas encore entendu suffisamment Bird pour que son influence se fît déjà sentir. Elle ne s'est vraiment exercée qu'à partir de la création de la petite formation avec Diz, lorsque lui et Bird commencèrent à enregistrer ensemble.

« Pour en revenir à notre sujet, il fallut bien nous atteler nous-mêmes au travail durant cette première semaine. Diz et moi avons donc écrit ensemble *Things to come.* Je me souviens que lui et Lorraine étaient venus dans mon bureau à Broadway, Lorraine était assise sur une chaise et attendait en montrant des signes d'impatience pendant que nous discutions de ce que nous allions faire. Finalement, j'ai obtenu des indications suffisantes et j'ai dit à Diz : " Allez, ça ira. File avec Lorraine. " Et nous avons écrit ainsi *Things to come, One Bass Hit, Ray's Idea* et *Oop-bop-sha-bam* qui fut le premier " tube " bop de Dizzy enregistré en petite formation avec Sonny Stitt dont c'était la première séance. *That's Earl, Brother* en faisait également partie. Sonny Stitt jouait de l'alto comme Charlie Parker. Absolument fantastique, croyez-moi.

« Bref, j'ai donc fait répéter l'orchestre pendant les quatre premiers jours de la semaine, de une à six heures de l'après-midi. Après quoi je rentrais chez moi pour gratter sur du papier à musique afin d'étoffer notre répertoire. Puis Diz et moi nous sommes attaqués à l'indicatif indispensable et dans lequel se trouva inséré *Shaw 'Nuff.* Max, dans le fond, s'activait énergiquement sur ses cymbales et Dizzy faisait alors son entrée. Plus précisément, tandis que Max couvrait l'orchestre avec une vieille cymbale très large, Diz sortait des coulisses en attaquant un contre-fa. L'orchestre jouait feutré derrière lui, et puis la tension et le volume montaient progressivement, et c'était l'explosion. Après l'indicatif, ils enchaînaient sur un truc assez lent. Je vous assure que le public en a pris plein les oreilles, ce soir-là !

« Au début de la semaine, quand Dizzy s'est pointé pour jouer avec les gars à la répète, je lui ai dit : " Fous-moi le camp. Je ne veux pas te voir. Lorraine, débarrasse-moi de lui jusqu'à vendredi. " Je le connaissais assez pour savoir qu'il pouvait jouer tout ce qu'on lui mettait sous les yeux. Pas de souci de ce côté, il lisait n'importe quoi. Le vendredi, je lui ai dit : " Bon, maintenant il faut que tu diriges les gars pour qu'ils s'habituent à toi, pas à moi. " Je lui ai expliqué quelques trucs, il a jeté un coup d'œil sur la musique et j'ai vu son sourire. Je me suis dit : " Ça marche, voilà une question réglée. " Et Dizzy a commencé à jouer les parties écrites pour lui. Jusque-là, les autres ne s'étaient pas rendu compte de ce que donnaient vraiment les arrangements, parce que la partie de Dizzy manquait. Ils jouaient des fonds, qu'ils avaient soigneusement répétés et connaissaient sur le bout des doigts, croyez-moi. Ça tournait comme une horloge. Nous y avons passé l'après-midi, et Dizzy a tout pigé en ces quelques heures, sans une erreur, alors que les autres avaient passé la semaine dessus.

« Vers dix heures du soir, le public est arrivé au club en foule. Monroe avait fait beaucoup de battage pour cette première : " LE GRAND ORCHESTRE DE DIZZY GILLESPIE " en lettres gigantesques, devant le club. Et comme le Three Deuces et le Yacht Club juste à côté étaient ouverts, tout le monde avait vu l'écriteau. Tous les gens qui l'avaient déjà entendu sur la 52e Rue et l'admiraient étaient venus écouter ce qu'il allait leur offrir avec ce grand orchestre. Ah! là, là, quelle première! De la dynamite. Personne n'attendait pareille explosion : un grand orchestre dans une petite salle, attaquant le premier morceau par une note à l'unisson! Tout le monde a sursauté quand Dizzy a levé le bras pour faire démarrer. Une véritable bombe. Et quand les gens eurent repris leurs esprits, croyant que cela se calmait, il y eut une deuxième bombe, puis une autre et encore une autre. Max était lancé comme un fou. Après cet indicatif, n'importe quel morceau semblait une ballade. Ils jouèrent ensuite *Things to come* pour faire remonter la tension. Finalement, le répertoire comprenait des tas d'arrangements dont une bonne partie n'a jamais été enregistrée. De bons thèmes.

« Au début pour le Spotlite, nous avions engagé Monk, Max à la batterie bien sûr, Ray Abrams, Warren Luckey, Cecil Payne au baryton, Ernie Henry, Howard Johnson le sax alto. Howard avait une belle sonorité, savait mener une section, et avait été dans tous les bains possibles. Une sacrée équipe, croyez-moi!

« C'est Kenny Clarke qui a fait entrer John Lewis dans l'orchestre. Un jour il me dit : " Walter, ce gus était avec moi dans l'armée, essaie-le, donne-lui sa chance. — D'accord, dis-lui d'apporter des trucs qu'il a faits. Mais tu sais, on n'a pas de fric. Préviens-le. On ne peut pas lui donner plus de cinquante dollars pour un arrangement, et encore ce n'est pas certain. " A l'époque, cinquante dollars, c'était une somme ! John apporta un arrangement et quelques thèmes de sa composition. Il avait une façon très particulière d'harmoniser, d'agencer les différentes parties instrumentales. Ce n'était pas exactement notre style, mais pas non plus ce que les anciens avaient l'habitude de faire. Alors avec Diz, on s'est dit : " Il y a peut-être quelque chose à prendre là-dedans. " On a joué l'arrangement et ça sonnait pas mal du tout. On a engagé John Lewis.

« Monk n'arrivait jamais à l'heure, mais il écrivait des trucs fabuleux qui faisaient oublier son inexactitude. C'était un monstre quand il s'agissait de créer un thème, des tas de thèmes étranges et variés, comme *Playhouse* par exemple. De toute façon, on les prenait tous, mais je n'ai jamais réussi à écrire des arrangements dessus parce que tout m'arrivait en même temps et j'étais débordé. Je fournissais six ou sept autres orchestres à cette époque, mais je refusais d'écrire mes arrangements pour eux dans le même style que pour Dizzy. Ils essayaient bien de m'en persuader, mais je ne marchais pas : " Non, les gars, jamais je ne ferai ça. "

« Quoi qu'il en soit, Monk nous était très précieux pour tous ces thèmes splendides comme *Ruby my dear* et autres. Lui et Bud Powell aussi, d'ailleurs. Tous les deux composaient des thèmes extraordinaires. Vous vous rappelez *Tempus Fugit*, que Bud avait joué avec la petite formation après le retour de Diz de Californie ?

« Bref, Monk s'obstinait à ne pas arriver à l'heure et cela rendait Dizzy furieux. Chaque fois que nous attaquions, c'était sans le pianiste. " Où est Monk, encore ? " Pas de Monk, et Dizzy prenait son coup de sang.

« Un jour, John Lewis lui a dit : " Moi, je joue mieux que Monk. " Et il est allé répéter la même chose à Lorraine. En outre, c'était un type adorable. Alors Lorraine a pris Diz à part et lui a dit : " Après tout, pourquoi te ronger les sangs comme ça ? Engage donc John Lewis. "

« Et c'est ainsi que John est entré dans l'orchestre et que Monk en est sorti. Je ne l'ai jamais pardonné à Dizzy. Je sais que Monk n'était pas un technicien du piano comme Oscar Peterson, mais il créait des thèmes qui nous convenaient parfaitement ; or il était indispensable de monter un répertoire aussi vaste que possible, et cela rapidement.

« Charlie Parker, de retour à New York, fut repris dans l'orchestre qui avait un engagement dans une salle du Bronx. Il y avait aussi Freddie Webster, Miles, et Kinney Dorham dans la section de trompettes. Mais ce fut la dernière apparition de Charlie Parker avec nous. Il est arrivé à ce McKinley Theatre dans le Bronx, défoncé jusqu'aux yeux, et est resté assis dans son coin jusqu'à son solo. Le moment venu, il a pris son sax, l'a porté à ses lèvres et... a crachouillé dedans n'importe quoi.

« Et Diz, devant la salle comble, s'est écrié sur scène : " Sortez-moi cet enfoiré! " Il ne voulait pas donner de l'orchestre l'image d'une bande de drogués, vous comprenez? Et il refusa tout net de me laisser le reprendre plus tard. Diz n'était absolument pas d'accord sur ce genre de chose. Il faut dire que Bird se défonçait tout le temps, et sur scène il s'endormait à moitié en dodelinant de la tête et tombait en avant. On se retrouvait à jouer toute une série sans premier alto, car il n'arrivait même plus à redresser sa tête. Voilà en gros ce qui s'est passé.

« Dizzy ne l'a pas vidé. Pas vraiment. Il est venu me dire de le faire et de ne plus le laisser remonter sur l'estrade. Voilà.

« De toute façon, Charlie avait une mauvaise influence sur les autres, les jeunes qui l'admiraient. Il somnolait un peu sur le podium. Souvent des musiciens venaient parler à Diz, croyant qu'il était embringué dans le même truc que Parker parce que musicalement lui et Bird ne faisaient qu'un. Ils semblaient vraiment branchés sur la même longueur d'ondes. Alors une mise au point devenait nécessaire, mais en fait ça ne servait pas à grand-chose.

« Oui, c'était un sacré orchestre. Mais là aussi, Charlie Parker nous était très utile à cause de ses compositions. J'ai même suggéré à Dizzy : " Il vaudrait mieux lui filer cent dollars par semaine pour trouver des thèmes et rien d'autre, plutôt que de nous empoisonner l'existence avec ses problèmes. " Seulement à cette époque, nous ne les avions pas, et personne ne pouvait nous les avancer. L'orchestre restait inconnu tant que nous n'avions pas enregistré quelques titres à succès, et eu la possibilité de faire des tournées. Tout le monde redoutait de jouer éternellement les mêmes arrangements. Mais dès que certains morceaux eurent commencé à marcher, tout fut effacé et l'orchestre tourna un peu partout.

« Nous voulions retrouver le son de Diz et Bird transposé pour grande formation. Afin de l'obtenir, et d'éviter toute ressemblance avec d'autres orchestres connus, la première décision fut de bannir tout vibrato de la section de saxes, le lead excepté. Cette initiative heureuse conféra une sonorité très particulière à la section. Quant aux trompettes, c'est Diz qui leur donnait les indications, et les quatre jouaient exactement ce qu'il voulait, du genre notes suggérées... Vous savez, celles qui ne sont pas jouées mais que l'on croit entendre, deviner... Il les a pris tous, les uns après les autres, pour obtenir le résultat cherché.

« Moi, mon travail consistait à trouver un son nouveau, caractéristique de l'orchestre, permettant de l'identifier immédiatement. Et Dizzy a pu le conserver, pour la bonne raison que j'ai refusé d'écrire pour les autres en même temps. J'ai décliné les offres des orchestres blancs ou autres de 45 à 48, date à laquelle j'ai quitté Diz. Le son était là, spécifique, bien à lui, et si par hasard j'écrivais pour un concurrent dans un but alimentaire, je n'harmonisais pas de la même manière les parties instrumentales pour éviter de donner le même son à l'ensemble. Je savais que si toutes les grandes formations se mettaient à sonner comme celle de Diz, je me retrouverais au chômage.

« J'avais retenu la leçon de Fletcher Henderson léguant sa sonorité à Benny Goodman, et Sy Oliver transmettant le son de Lunceford à Tommy Dorsey; Eddie Durham aussi, apportant sa pierre à l'édifice Glenn Miller en utilisant la clarinette comme lead. Bien avant, il l'avait fait chez Lunceford avec Willie Smith qui jouait si fort qu'il couvrait toute la section de saxes avec sa clarinette. En fait, un arrangeur qui écrivait pour Lunceford ne pouvait faire autrement car s'il essayait d'intégrer Willie Smith aux parties intérieures, celui-ci finissait toujours par couvrir tout l'orchestre avec sa sonorité dure et perçante !

« Pour la formation de Dizzy, j'ai toujours utilisé des accords ouverts, larges pour les saxes, et au contraire serrés pour les trompettes, et des parties espacées pour les trois trombones. Une méthode qui a conféré aux cuivres ce gros son bien gras. Personne, pas même Dizzy, ne savait comment je m'y prenais. Pour Hepsation's 1945, j'ai pris *Blue'n Boogie, All the things* et je les ai arrangés pour grand orchestre. Alors quand on entend raconter des choses comme : " En tout cas, les idées de base venaient de Dizzy ", cela signifiait simplement qu'il s'agissait de son orchestre et non du mien. Il fallait que j'écrive des arrangements permettant d'identifier l'orchestre au style de Dizzy, et c'est d'ailleurs ce qui en faisait *son* orchestre. Bien sûr, je ne le lui ai jamais dit. Ne le lui répétez pas non plus.

« La plus grave critique que je pourrais faire à son sujet est qu'il n'avait pas mon expérience en matière d'organisation générale, et ne traitait pas les aspects commerciaux de l'entreprise comme je l'aurais fait. Au début, je n'ai eu aucun mal à le convaincre de me laisser toute initiative. La plupart du temps, c'est moi qui choisissais les morceaux pour les concerts, et Diz approuvait toujours. Nous étions d'accord sur tout. Mais personne ne voudra jamais le croire.

« Etant responsable de l'organisation, il fallait bien que je fasse la police, que je fasse remarquer à un type qu'il était en retard, et d'autres trucs de ce genre. Cela m'est arrivé avec Freddie Webster et Max Roach. Obligé de leur dire en les regardant droit dans les yeux : " Ça suffit comme ça, les gars. On n'attend pas après vous, vous savez. " Ou comme à des gosses : " Alors, on arrive en retard? " Et je les mettais à l'amende en leur faisant payer vin, whisky, bière et cigarettes à tout le monde. Les copains de l'orchestre pouvaient demander n'importe quoi, la poire étant le retardataire qui devait sortir son portefeuille pour se faire pardonner d'avoir fait perdre leur temps aux autres. J'avais ainsi instauré une bonne discipline. L'histoire avec Freddie Webster et Max Roach s'était passée à Chicago, je m'en souviens encore. L'orchestre attaquait à une heure, et ils sont arrivés dix minutes avant, n'ayant donc rien répété. Max étant le batteur et Freddie notre premier trompette, on ne pouvait absolument rien faire sans eux à la répétition. Impossible de laisser passer ce genre de conduite, sinon c'est la débandade d'un orchestre. Petit à petit, on a dû remplacer un certain nombre de types et on s'est retrouvés avec des gus moins connus mais bons musiciens quand même, comme Dave Burns, Elmon Wright, Matthew McKay, tous très sympas en outre, et arrivant à l'heure, ce qui a réglé au moins ce problème.

« Je n'aimais pas trop les goûts de Dizzy en matière de chanteurs. Il avait choisi une fille, Alice Roberts, qui selon moi n'était pas une vraie chanteuse de blues parce qu'elle avait une voix trop légère. On l'a quand même prise pour quelques enregistrements. Par la suite, elle n'a jamais donné ce qu'a donné une Dinah Washington par exemple, et mis à part ces disques avec nous je crois qu'elle n'en a pas fait d'autres.

« Dizzy n'avait pas la sonorité des autres trompettistes. Il se concentrait davantage sur la technique, et n'avait ni le volume ni le son d'un Freddie Webster que Miles Davis lui-même cherchait à imiter au début, mais en plus feutré. Objectivement, Miles n'avait pas la facilité de Dizzy qui pouvait se permettre n'importe quelle acrobatie sur son instrument. Lorsqu'on veut se perfectionner dans un domaine précis, on néglige forcément un peu les autres, à mon avis. C'est une spécialisation, en quelque sorte. Pour Dizzy c'était la technique, pour d'autres la sonorité. Il avait parachevé ses connaissances harmoniques et sa technique au détriment d'une recherche de sonorité, si l'on veut lui trouver un point faible. Je ne me gênais d'ailleurs pas pour le lui faire remarquer : " Tu as une sonorité pourrie, vieux! " Mais à l'époque, il n'y attachait pas une grande importance, et ne tenait pas une note assez longtemps pour se préoccuper de sa qualité sonore, beaucoup plus intéressé par la vélocité et l'invention harmonique.

« Une autre chose : il ne pouvait s'empêcher de jouer sans arrêt pendant les répétitions, sans se demander si c'était bien la bonne façon de faire progresser l'orchestre. Il se tenait tranquille une ou deux minutes, et puis son tempérament nerveux et débordant d'énergie reprenant le dessus, il se mettait à jouer; ou si un des musiciens n'arrivait pas à se sortir de sa partie, Diz allait dans la section et la jouait à sa place. Ce genre de substitution m'énervait,

car à quoi servait l'autre type si Dizzy lisait sa partie et l'interprétait ?
Je n'avais plus besoin de lui.

« Bien sûr, avec Dizzy j'étais gâté : j'écrivais un arrangement, je le
lui donnais, et du premier coup il le déchiffrait sans une erreur. Il se
montrait d'ailleurs très indulgent avec les autres, et leur expliquait
comment faire. Mais là aussi, il s'étendait et nous faisait perdre du
temps. Nous n'avions que trois heures de répétition et je ne pouvais
pas en consacrer une ou deux à des détails de ce genre.

« J'admirais beaucoup le doigté que Dizzy utilisait, avec des
astuces incroyables, un doigté factice inconnu de la plupart des
trompettistes. Par exemple, là où certains jouaient un la bémol avec
le deuxième et le troisième piston en se servant de deux doigts, Diz
faisait la même chose d'un seul doigt. De la magie.

« Et puis Dizzy s'amusait avec les harmonies d'un morceau.
Prenez Roy Eldridge, il jouait comme Jimmy Lunceford et les autres
sur des accords de septième ou de neuvième. Ils n'allaient guère plus
loin. Avec Diz, le jazz a commencé à remuer vraiment, parce que lui
s'est lancé dans les onzièmes augmentées, les quintes diminuées, tous
ces trucs que personne d'autre n'osait taquiner, les treizièmes aussi,
et les neuvièmes mineures. Bref, on n'avait jamais entendu ça, et on
le traitait de " trompettiste aux fausses notes " !

« Lui, il restait au piano au lieu d'aller se coucher. Dès qu'il voyait
un piano quelque part il s'y installait et travaillait sur un morceau en
disant : " Tiens, écoute, voilà comment je vais transformer ça. " Et
il modifiait les accords sous la mélodie qui restait la même. Quand
l'orchestre jouait des standards, c'était sur ses harmonies ou sur
celles que nous avions mises au point ensemble. Cela rénovait
complètement un morceau, qui devenait vraiment quelque chose
d'autre. Nous cherchions sans arrêt à sortir des sentiers battus de ces
accords simples de sixte, de neuvième et de septième majeure. Dans
One Bass Hit, par exemple, au moment où il arrivait au bridge, les
saxes attaquaient un accord de quinte diminuée, ou de onzième
augmentée si vous préférez. Cela surprenait et les gens se demandaient ce qui se passait, mais ça sonnait bien et on ne pouvait pas
dire que c'était faux. »

HOWARD JOHNSON

« La première fois que Dizzy est venu à New York, je lui ai fait
bon accueil, sans aller jusqu'à me mettre en quatre pour lui. J'ai été
sympa et ne l'ai jamais traité avec hostilité. Plus tard, il m'a rendu la
pareille en m'engageant dans son orchestre. Ça prouve qu'il a de la
mémoire et sait apprécier certaines choses. Je ne me sous-estime pas

et je sais que je joue bien, mais je pense qu'en 1946 quand il m'a engagé, c'était beaucoup par amitié.

« Voilà ce qui s'est passé : je suis revenu à New York en 1946, après avoir été démobilisé — j'étais dans la marine. Et je suis allé écouter Billy Eckstine au Cotton Club, avec un ami. Dizzy se trouvait là aussi et est venu s'asseoir à notre table.

« Qu'est-ce que tu deviens ? me dit-il.

— Je bricole à droite et à gauche. Je travaille pendant les week-ends avec Harry Dial chez Small's.

— Je remonte un grand orchestre et il nous faut un bon premier.

— C'est d'accord.

— En fait, on commence à répéter demain.

— J'y serai », dis-je, et n'y pensai plus de la soirée.

« J'habitais alors sur la 124e Rue près de Broadway, et Walter Fuller juste au coin dans LaSalle Street. De retour chez moi après une nuit passée à faire la foire, j'avoue que j'avais complètement oublié la répétition. Heureusement, Walter Fuller est passé me prendre car Dizzy lui avait téléphoné. Il m'a réveillé et nous voilà partis.

« Mon premier contact avec le bebop avait eu lieu à San Francisco, à mon retour d'outre-mer, en écoutant les premiers disques de Charlie et Dizzy. Je m'étais dit : " Bon sang, la musique a fait un sacré bond ! J'aimerais jouer ce genre de chose... " mais je craignais que ce soit un peu hors de ma portée.

« La seule chose que le bop ne possédait pas à l'époque c'était ce qu'on appelle le " beat ", le rythme fondamental. Cette pulsation qui permet de danser faisant défaut, le public moyen ne suivait pas. Je me souviens que souvent dans les soirées dansantes, les gens se rassemblaient autour de nous pour écouter, mais ils n'arrivaient pas à danser sur cette musique. Et si un autre orchestre beaucoup moins bon que nous jouait en alternance, les gens se lançaient sur la piste parce qu'ils retrouvaient leur " beat ". Le bop a prouvé en tout cas que le jazz était aussi une musique que l'on écoutait, que l'on ressentait. En fait, le " beat " connut une éclipse de quelques années, jusqu'à ce que Fats Domino le ramène. Pour moi, le " beat " a disparu du jazz pendant quatre ou cinq ans. Or il fait partie intégrante du jazz, voyez-vous, et le bop c'est aussi du jazz.

« En ce qui me concernait, le concept bop était tout neuf, car je n'avais jamais joué de musique " progressiste ". Les notes, je les lisais ; alors que d'autres musiciens ne déchiffraient pas bien, mais en revanche ils avaient le feeling pour ce nouveau style. De toute façon, Dizzy ne voulait jouer que de la musique écrite, un répertoire soigneusement préparé, et il lui fallait des musiciens accomplis. C'est ce qui m'a permis de rentrer dans l'orchestre. Ce ne fut pas trop difficile, et une fois la mise en route passée tout a très bien marché. J'ai même écrit un ou deux arrangements dans le nouveau style, parce que j'aimais vraiment ça. C'était complètement fou! Et puis ce fut la première au Monroe's sur la 52e Rue. Je me souviens que Duke Ellington est venu ce soir-là et nous sommes allés bavarder un peu avec lui, après avoir joué des tas de thèmes délirants, comme *Things to come* et autres. Et Duke nous a dit : " J'aime toute la musique. Elle raconte toujours une histoire. " Ce qui était sa façon d'avouer : " Ça me dépasse un peu, mais j'apprécie toujours ce que j'écoute. " Duke était un homme très courtois, vous savez. Il a ajouté : " Ils tiennent quelque chose de neuf. Et c'est contenu dans le titre de leur indicatif : *Things to come* * ". »

TED KELLY (*trombone basse*)

« Vous savez, quand on débute, on n'est jamais un musicien extraordinaire. On a plus d'audace que de talent, en général. Moi, je vivais dans l'immeuble à côté de celui de Thelonious, et j'allais de temps en temps jouer dans des clubs à Harlem. Un jour, au Minton's, j'ai eu le culot de faire le bœuf... faute d'autres moyens. Et à la fin du set, Thelonious m'a dit : " Ecoute, vieux, passe donc chez moi demain, je vais essayer de t'aider. Parce que tu joues n'importe quoi, mais vraiment n'importe quoi ! "

« C'est ainsi que j'ai commencé à aller chez Monk, sur la 63e Rue. J'habitais au 247, et lui au 243. J'y allais tous les jours pour travailler, et à la longue je me suis familiarisé avec leur nouveau style. Un jour, il m'a dit : " Ça te plairait de travailler avec Dizzy ? — Oui, bien sûr ! — Il monte un orchestre. " Monk m'a emmené au Minton's où ils répétaient. " Il faut que tu engages mon gars, là ", a-t-il dit à Diz. Et voilà comment j'ai débuté. Cela devait être vers 1946, parce que c'est l'époque à laquelle je devais recevoir mon diplôme de chimiste du City College. Il faut dire que j'avais aussi étudié la musique au collège et je jouais d'un instrument depuis l'âge de sept ans, en ayant commencé par le violon. Après de nombreuses répétitions, Dizzy annonça que l'orchestre partait en tournée pour soixante et un concerts dans le Sud, une ville par jour ! Alors, je n'ai jamais assisté à la remise des diplômes... Je suis parti dans le Sud avec Dizzy où nous avons fait ces soixante et un concerts.

« Au retour, nous sommes passés au McKinley Theatre dans le Bronx pendant une semaine. Sarah Vaughan faisait partie de l'orchestre à l'époque, encore à peu près inconnue. Je la revois avec

---

* *Les choses à venir (N.d.T.).*

240

son petit chemisier et sa jupe. Il y avait également Freddie Webster, Bird, et Benny Harris. De sacrés musiciens! Ah, ça carburait dur... »

ELMON WRIGHT (*trompettiste*)

« Quand j'ai rencontré Dizzy pour la première fois, il était chez Cab Calloway. Mon père, Lamar Wright Sr., qui faisait aussi partie de cet orchestre, m'emmenait aux répétitions quand j'étais gosse, et parfois même aux concerts. Je n'avais donc pas encore commencé à jouer quand j'ai connu Dizzy. Et puis en grandissant, je me suis intéressé de plus en plus à la musique et me suis mis à la trompette. Mes classes finies — j'étais un travailleur acharné —, je suis passé dans différents orchestres, entre autres celui de Don Redman, puis l'occasion se présenta d'entrer dans celui de Dizzy. C'était en 1945 et il s'agissait d'accompagner une tournée avec les Nicholas Brothers. Dizzy auditionnait des musiciens, entre autres pour jouer premier trompette. J'ai eu la chance de faire l'affaire, et j'ai eu la place. Diz m'avait connu tout petit, et je pense que ça a aidé un peu. Le coup de pouce, vous savez.

« J'avais dix-sept ans, et je trouvais cette musique fantastique. Les premiers arrangements comme *Disorder at the Border,* avec " Bean " (Coleman Hawkins), quand j'ai entendu ça, mon vieux, je suis devenu dingue! Mais les gens ne comprenaient pas vraiment. C'était un peu trop avancé à l'époque, en 45, pour la plupart en tout cas. Je me souviens que dans le Sud on nous disait souvent : " Mais jouez donc autre chose que votre be-bop-a-de-bop, là... "

« A la fin de la tournée, j'ai quitté Dizzy pour Roy Eldridge pendant six ou sept mois, puis je suis revenu chez Dizzy. Je me trouvais par hasard devant le Braddock Bar sur la 8e Avenue et je l'ai rencontré. Il avait besoin d'un trompettiste. " Qu'est-ce que tu fais en ce moment? me demanda-t-il. — Rien. Je viens de quitter Roy Eldridge. — Amène-toi. Le car part dans quarante minutes exactement. "

« Vous pensez si j'ai couru jusque chez moi faire ma valise. Le car attendait devant le 2040 de la 7e Avenue. C'était en 1946, et je suis resté dans l'orchestre jusqu'à sa fin, en 50. En quelque sorte, j'y suis resté du début jusqu'à la fin, avec une interruption de quelques mois. Dans ces années-là, Dizzy était au sommet de sa forme. Epoustouflant! Il l'est toujours, d'ailleurs. Je me rappelle particulièrement une soirée à Chicago. On jouait dans les salons d'un hôtel et notre invité d'honneur était Charlie Parker. J'ai oublié en quelle année exactement, mais c'était avant les bandes magnétiques puisqu'on enregistrait sur fil. Une nuit délirante, croyez-moi. Diz et

Bird, ensemble. Bird, c'est le maître, ça ne fait aucun doute. Et Diz a dû se dire ce soir-là dans sa tête : " Je ne vais pas me laisser écraser, mais alors pas du tout. " Et les voilà partis, avec le grand orchestre derrière eux. Dingue ! Un gus avait tout enregistré sur fil et nous l'a fait écouter après. J'en ai eu des frissons dans le dos. Et je ne vous parle que d'une fois. Il y en a eu bien d'autres. Miles aussi a joué avec nous en quelques occasions. Le pied. Terrible ! Oui, il y en a eu, des bonnes soirées...

« Diz a créé un style. Avant lui, tout le monde jouait plus ou moins comme Roy Eldridge et, comprenez-moi bien, je ne cherche pas à diminuer qui que ce soit. Je tiens aussi à préciser que j'ai beaucoup d'admiration pour Roy. J'ai travaillé avec lui et c'est un type formidable, lui aussi. Mais disons qu'après avoir entendu Diz, ce fut la révolution du jour au lendemain chez les trompettistes : le phrasé, le découpage d'un morceau, les accentuations, les passages de transition. Bref, Diz a été aux trompettistes ce que Charlie Parker a été aux saxophonistes. Il a tout changé.

« Et Diz a eu une influence sur n'importe quel trompettiste moderne. Il est capable de faire des choses dans l'aigu que je n'ai jamais entendues chez un autre. Quand on écoute bien, on se dit : " Mais c'est impossible ! Comment peut-il faire ça ? Il n'a que trois pistons ! "

« Diz s'amusait souvent à aiguillonner les saxes : " Dites donc, vous avez une clef pour chaque note, les gars, mais nous on n'a que trois pistons, et on les joue toutes quand même... "

« Je crois que ce qui le maintient au sommet, c'est qu'il est toujours prêt à tenter l'impossible. »

DAVE BURNS *(trompettiste)*

« J'ai vu Dizzy pour la première fois au Minton's Playhouse. Je devais avoir seize ou dix-sept ans, moins de vingt en tout cas. Je faisais alors partie d'un orchestre de jeunes dans le New Jersey, et nous étions tous allés écouter ce phénomène qui ne jouait comme personne d'autre, entraînés par notre chef un peu plus âgé que nous et qui nous avait dit : " Il faut absolument y aller. Vous n'avez jamais rien entendu de pareil. " Naturellement, à l'époque j'étais un fan de Louis Armstrong, et mon musicien favori était Roy Eldridge. J'imagine d'ailleurs qu'il en était de même pour Dizzy avant qu'il trouve son propre style. Quoi qu'il en soit, nous voilà tous au Playhouse où il jouait avec Monk, Kenny Clarke et un certain Kermit Scott, de San Francisco je crois. C'était avant la venue de Bird à New York, vers 1938.

242

« Monstrueux! Le trompettiste le plus phénoménal que j'aie entendu de ma vie. En ce qui me concerne, il a tout bouleversé. Personne à l'époque n'improvisait sur des accords aussi progressistes, ni ne se lançait dans des enchaînements aussi audacieux. Aujourd'hui, bien sûr, tout le monde joue comme lui. Peut-être pas exactement le même style, mais en tout cas ses dérivés. Personne n'a échappé à son influence. Sans lui, il n'y aurait jamais eu un Miles Davis. Cette énorme influence ne s'est pas seulement étendue aux cuivres, mais à la musique de jazz tout entière Lui et Parker sont les deux plus grands, je crois que c'est indiscutable. Tout musicien digne de ce nom, je veux dire tout jazzman bien sûr, a pris Diz ou Bird comme modèle et s'est inspiré largement de tout ce qu'ils ont créé. C'est ce qui fait d'eux les géants d'aujourd'hui.

« Je suis entré dans l'orchestre de Dizzy en 46, à ma sortie de l'armée, et j'y suis resté jusqu'à fin 49. Puis j'ai rejoint celui de Duke Ellington en 1950.

« Trois ans avec Dizzy m'ont semblé trois mois, tant ce fut une fête permanente. C'était le grand orchestre à cette époque, et les arrangements avaient été écrits par Gil Fuller. Diz est un grand, un très grand bonhomme, plein d'imagination. Un génie.

« Puis John Lewis, qui devait plus tard créer le MJQ*, est devenu notre pianiste. Je me souviens de son arrivée, après le départ de Monk. Cela a apporté un changement sensible, car John était complètement plongé dans son propre style et dans une pensée musicale tout à fait différents de ceux de Monk. Il s'est mis à écrire des arrangements, comme *Two Bass Hit*, et d'autres remarquables aussi, et puis certains moins bons. C'était l'époque où il apprenait à harmoniser un morceau, à écrire les voix des différents instruments. Je me rappelle que certaines des choses qu'il nous apportait aux répétitions nous faisaient grincer des dents, et on entendait des : " Ah non! pas encore un de ces trucs-là! " Si John était devant moi aujourd'hui, je dirais la même chose, et je suis sûr qu'il en rirait... »

JOHN LEWIS (pianiste)

« J'ai connu Dizzy en 1946 par Kenny Clarke. Kenny et moi avions été dans l'armée ensemble, en France. A ma démobilisation, je suis venu à New York, en 45, vers Noël. Mais j'avais déjà écouté une retransmission depuis le club de Billy Berg en Californie, qui m'avait renversé. Je crois qu'à New York et sur la côte Est, ils n'ont jamais eu l'occasion d'entendre ce groupe-là qui comprenait Milt

---

* Modern Jazz Quartet (*N.d.T.*).

Jackson, Charlie Parker, Ray Brown, Al Haig et Stan Levey. Absolument incroyable! J'étais chez moi, à Albuquerque au Nouveau-Mexique, d'où l'on pouvait capter les émissions de Californie. Croyez-moi, celle-là fut une de mes expériences les plus fantastiques. Inouïe!

« Pendant les années de guerre, tout le monde avait cherché à acquérir une certaine virtuosité. Il y avait déjà l'exemple des grands d'avant la guerre, comme Lester Young, Ben Webster, et le maître : Art Tatum. Eh bien, dans l'orchestre de Dizzy, chacun devait être un virtuose.

« Il arrive que des virtuoses ne trouvent pas un matériel musical à leur hauteur, mais chez Diz ce n'était pas le cas. La musique était justement écrite pour des virtuoses, et non pour des musiciens ordinaires. Et cela, c'était un changement important. Avant, la musique pour grand orchestre était surtout fonctionnelle, conçue pour la danse et pour les " shows ", avec de rares apparitions de l'orchestre sur scène et d'encore plus rares concerts. L'exception étant Duke Ellington, le principal artiste se produisant en concert, et le meilleur à mon avis. Mais Diz a vraiment apporté un bouleversement radical dans cette structure.

« J'étais donc venu à New York pour entrer dans une école de musique, et j'ai rencontré Diz en 1946. Kenny avait été démobilisé un peu après moi, vers janvier. Il est passé prendre quelques-uns de mes arrangements que nous avions joués ensemble dans l'armée, pour les apporter à Diz qui les a trouvés bons. C'est ainsi que j'ai commencé à écrire pour l'orchestre.

« Comme vous devez le savoir, Diz a pratiquement tout appris par lui-même. Et moi, j'avais l'avantage immense d'avoir Diz pour m'expliquer tout ce qu'il savait. Il me montrait au piano ce que je lui demandais, ou me l'écrivait. Mais j'avais aussi l'avantage de fréquenter une école pour y étudier d'autres choses, de celles qui ne s'apprennent ni dans la rue ni dans les clubs. Cette double formation est indispensable. Dizzy apportait toujours une multitude d'idées neuves, enthousiasmantes, notamment pour les lignes mélodiques. Au lieu des anciennes basées sur des airs populaires pour la plupart, et plutôt lourdes, il en créait des fluides, pleines d'audace. Oui, il a tout transformé; lui et Charlie Parker, naturellement. Diz avait une manière très personnelle d'agencer les parties instrumentales, et puis il avait un toucher remarquable au piano. En fait, je pense qu'il aurait mieux fait d'assurer la plus grande partie de l'écriture pour l'orchestre et de trouver quelqu'un pour se charger du reste. De cette façon, je suis presque certain que cet orchestre serait encore aujourd'hui l'un des plus en vue, et sûrement le plus original. Mais Diz ne pouvait tout faire, il était débordé.

« J'ai appris tellement de choses avec Dizzy que je serais bien incapable de les énumérer. Mais c'est cette multitude d'éléments réunis qui finit par faire de vous un créateur, dans la mesure où vous vous en imprégnez et les réutilisez naturellement.

« Mes impressions les plus profondes restent celles que m'ont laissées nos prestations avec l'orchestre, et certains sommets dans le jeu de Dizzy. Je me souviens entre autres d'un soir à Detroit où il a joué *I can't get started,* puis un autre thème, avec le grand orchestre derrière lui. C'était tellement fantastique, définitif, une apothéose, quoi, qu'à la fin j'ai dit à Diz : " C'est parfait. On finit en beauté ce soir ", et je m'apprêtais à aller mettre mon pardessus pour rentrer chez moi. Je croyais que c'était le dernier morceau de la soirée. Et il s'est écrié : " Mais non, vieux, il y a encore une série... " »

JAMES MOODY (*saxophoniste ténor*)

« La première fois que j'ai rencontré Dizzy, je portais l'uniforme. J'étais dans l'armée de l'air à Greensboro en Caroline du Nord, et Diz, qui passait au Big Top en ville, était venu donner un concert dans notre camp. A cette époque, la ségrégation était appliquée dans l'armée. Moi, je jouais dans le petit orchestre de la base, avec Dave Burns et Linton Garner, le frère d'Erroll. Nous avons parlé à Dizzy et il nous a dit qu'à son retour à New York, il allait former un nouvel orchestre. Ça devait se passer en 46, et nous allions être libérés dans quelques mois. " Eh bien, venez donc faire un essai à ce moment-là ", nous a-t-il dit.

« Nous avions des disques de Dizzy et de Charlie Parker, *Hothouse* et autres thèmes de ce genre, et je nous revois dans les baraquements en train d'essayer de les jouer. Et puis nous avons passé les auditions. C'était Walter Fuller qui s'en occupait. Dave Burns a été engagé, mais pas moi *. Et je suis retourné à Newark. Deux mois plus tard, à peine, j'ai reçu un télégramme. Je rentrais chez moi un soir et ma mère était en train de repasser. Elle a eu un large sourire

---

* Walter Fuller : « Oui, je me rappelle qu'il n'a pas fait l'affaire. Dave l'avait amené en me disant : " Donne-lui donc sa chance ", et j'avais répondu : " Tu sais, je la lui donnerai s'il fait l'affaire, et j'en serai ravi. " On a demandé à Moody de s'asseoir et de s'accorder. Et il a sorti un son, " Fffuuuit ", un peu comme un oiseau. C'est tout juste si on l'entendait. Et il nous a affirmé qu'il jouait aussi fort qu'il pouvait. Il a recommencé. Même chose. Alors j'ai été obligé de lui dire : " Ecoute, il faut que tu souffles plus fort. Montre que tu as quelque chose dans le pantalon. Si on te prend maintenant, personne ne s'apercevra de ta présence ! " Et puis il avait un trac épouvantable et comme prévu, à l'essai avec tout l'orchestre, on ne l'a pas entendu. Je lui ai donné un conseil : " Ecoute, Moody, entraîne-toi et dès que tu es prêt la place est à toi. Il faut que tu te trouves des poumons, une sonorité, et là tu pourras jouer... " »

en me voyant et comme je lui demandais pourquoi, elle m'a répondu : " Comme ça... tiens, regarde sous cette pile de draps. " Et j'ai trouvé le télégramme qui disait : " Tu commences avec nous ce soir. " C'était au Spotlite, si j'ai bonne mémoire. J'étais drôlement impressionné. Pensez, dans l'orchestre il y avait Milt Jackson, Monk, Ray Brown, Howard Johnson, Talib Dawud, bref, rien que des grosses pointures !

« Jusque-là, voyez-vous, j'avais surtout écouté Charlie Barnet, Jimmie Lunceford, Chick Webb, et puis comme soliste Jimmy Dorsey à l'alto. Déjà le jour où j'ai entendu Count Basie avec Lester Young, je me suis dit : " Oh là, là... pas pareil, ça ! " Alors, vous imaginez ce que j'ai pu penser quand j'ai connu le nouveau style. J'étais soufflé. Je me suis demandé ce qui se passait. Je me souviens d'un des premiers solos de Diz, je crois que c'était avec Cab Calloway. Ça sonnait tout neuf et j'étais emballé. Je voulais absolument jouer dans ce style...

« J'ai beaucoup appris, musicalement et intellectuellement, avec Dizzy. Il m'expliquait des compositions d'accords et des tas d'autres choses. Et la manière dont il espaçait ses phrases m'avait frappé aussi. Voyez-vous, les déluges de notes ne sont pas nécessaires. On peut improviser sur un accord et laisser passer le suivant sans jouer ; et dans un autre chorus, on fait l'inverse. Diz prétend qu'il faut à un musicien " une vie entière pour apprendre où mieux vaut ne *pas* jouer. On ne peut pas improviser sans arrêt. Alors il faut savoir aérer ses phrases en prenant son temps ". J'ai aussi appris à jouer un peu de piano. C'est très instructif car toutes les notes sont là sous vos yeux, concrètes, alors que sur un sax ou un cuivre c'est différent. En fait, il vaudrait mieux commencer par le piano avant de passer à un autre instrument.

« Beaucoup de gens prenaient Diz pour un farfelu, qui s'amusait à " détonner " dans le cadre des harmonies d'un thème. Un type est venu me dire un jour : " Quand je pense à tous ces gens qui viennent écouter Dizzy et sa nouvelle musique... et ce qu'il leur offre c'est n'importe quoi, mais il a trouvé un filon et il l'exploite, à mon avis. Oui, c'est un bon musicien mais il exploite ses fautes. "

« Quand on entend des trucs pareils, ce n'est même pas la peine de répondre. Je me suis contenté d'un " Hum... mmm... " tout en pensant " pauvre mec, va ! ". Mais attention, le " pauvre mec " était en l'occurrence un musicien dont je ne mentionnerai pas le nom...

« Je me souviens aussi d'une tournée avec Ella Fitzgerald. Dizzy et Ella. Vous voyez le programme ! C'était drôle de voir la réaction des gens dans le Sud. Assez spécial. Ils ne comprenaient pas grand-chose au bebop, et ils n'arrivaient pas à danser sur cette musique à l'époque. Alors, ils restaient debout devant l'orchestre et nous

246

regardaient comme si nous étions une bande de cinglés. Une fois un type est venu se planter devant nous et nous a demandé : " Et alors, où est Ella Fitzgerald ? " C'était elle qu'il attendait, vous comprenez, et il n'était pas content de ne pas l'avoir encore vue. " Où est Ella Fitzgerald ? " insistait-il, et pendant ce temps-là nous on jouait, bien sûr. Si je me souviens bien, ce soir-là on a été obligés de sortir en groupe serré pour pouvoir nous dégager. Cela se passait dans une petite ville, et ils ne comprenaient pas ce qu'ils entendaient, alors ça les agaçait. En revanche, quand l'orchestre passait en Californie, à Chicago ou à Détroit, le public marchait à fond. Des queues partout où l'on jouait, comme au Paradise Theatre à Détroit. Un monde ! Des files d'attente pour venir écouter Dizzy. C'était incroyable, fabuleux !

« Mais dans un tas d'endroits, les gens nous regardaient avec stupéfaction. A l'époque, j'étais un peu naïf et je me demandais ce qui se passait. Je suis resté environ trois ans avec l'orchestre, de 1946 à 1949.

« Je voudrais dire aussi que je suis devenu alcoolique à cette époque. C'était la première fois. Par la suite, il y a eu plusieurs rechutes. Mais Dizzy a toujours été très chic avec moi.

« Je me souviens que ma mère lui disait : " Dizzy, voulez-vous avoir la gentillesse de surveiller mon fils pendant la tournée... " Et Diz répondait : " Bien sûr. Je m'occuperai de lui, n'ayez crainte. " Une fois en tournée, un salaud de pédé a essayé de me violer. Mais vraiment. Je lui ai dit : " Dis donc, machin, pas de ça, hein ! " C'était un grand nègre balèze. Finalement, Dizzy a été obligé de me recueillir dans sa chambre parce que l'autre pédé ne voulait pas me lâcher... Il avait envie de se taper un petit jeune.

« Une autre fois en tournée avec Ella Fitzgerald, j'avais bu un peu trop de whisky et l'euphorie me poussait à danser. Et me voilà entraînant une Blanche sur la piste en plein Texas et en 1947... Diz et Lorraine ont dû s'y mettre tous les deux pour me sortir de là et m'embarquer vite fait dans le car. On n'a pas traîné pour quitter la ville ! Quel abruti j'étais !

« Après le grand orchestre, j'ai fait partie de la petite formation avec Dizzy. Je suis donc resté avec lui près de huit ans. »

JOE GAYLES (saxophoniste ténor)

« Oui, on l'a connu quand on était encore dans l'armée, James Moody, Dave Burns et moi. On était allés l'écouter à Greensboro en Caroline du Nord, et après à Danville en Virginie, à soixante-quinze kilomètres du camp militaire.

« Mais on savait déjà ce qu'il faisait parce qu'on avait entendu des disques avant de le voir en direct avec ce premier grand orchestre. Et plus tard, après notre démobilisation, il a fait de nous trois le noyau de son grand orchestre, de 1946 à 1950. James Moody et Dave Burns étaient de l'Est, et moi de Denver, dans l'Ouest. Diz avait besoin d'un gars de plus, et mes deux copains m'ont recommandé auprès de lui. C'est comme ça que j'ai eu l'affaire. Toute cette période fut un peu un retour à l'école, ou plutôt un passage dans un cycle de perfectionnement. A l'époque, il y avait d'autres grands orchestres fantastiques, mais celui de Diz vous donnait une formation supérieure. Des tas d'idées stimulantes, toutes neuves, une conception harmonique et des structures rythmiques différentes.

« Sur le plan musical, on ne pouvait jamais prévoir ce qui allait se passer d'un soir à l'autre. Diz était formidable et tous les musiciens aussi. Je ne voudrais pas tomber dans le compliment classique, mais c'est vrai que je n'ai jamais entendu Diz jouer deux fois la même chose. Et c'est moi qui suis resté le plus longtemps avec lui, quatre ans environ. Cette invention permanente est absolument incroyable. C'était la même chose avec Bird.

« Dizzy et sa femme Lorraine sont des gens épatants, adorables vraiment. Parce que vous savez, ça n'était pas drôle tous les jours pour nous tous, et ne laissez pas Diz vous raconter que tout a toujours baigné dans l'huile. En 1946, il y avait des problèmes. Beaucoup de gens ne comprenaient pas l'évolution de notre musique et la rejetaient plus ou moins. Du coup, les affaires étaient plutôt rares. Mais Diz et Lorraine ont réussi à éviter que l'orchestre se désintègre. C'est bien grâce à eux s'il a survécu. Ils ont été formidables et ont aidé tout le monde.

« Il est difficile de cerner les raisons pour lesquelles les gens ont eu tant de mal à accepter cette musique. Il semblerait qu'ils ne la ressentaient pas. Impossible pour le public de " battre du pied " dessus. Il fallait vraiment se plonger à fond dedans et vouloir apprendre. Même le phrasé était nouveau. Prenez les disques du grand orchestre de Dizzy de l'époque et écoutez-les maintenant, vous constaterez qu'ils sont d'une conception avancée, même à l'heure actuelle. Cette musique est encore la musique d'aujourd'hui y compris dans son phrasé, dans ses modes d'expression.

« Savez-vous que nous étions tous très jeunes, dans cet orchestre. Beaucoup d'entre nous sortaient tout juste de l'université. Et puis il y avait de la tenue et de la discipline. Pas de problème de drogue chez nous, et une très grande camaraderie. Difficile de trouver un groupe comme celui-là où l'on se sentait entre amis. Mieux encore : nous le sommes restés, et après tant d'années nous nous réunissons de temps à autre pour passer un bon moment à évoquer le passé.

Tout le monde était formidable. Et puis, impossible de trouver un meilleur chef que Diz. *Impossible.* C'était la justice même. Pas de favoritisme, pas de vedettes. Simplement un groupe de très bons musiciens. Chacun connaissait bien son instrument, mais aucun n'était une vedette. Certains le sont devenus après avoir quitté l'orchestre et commencé à enregistrer séparément.

« Diz est sans doute la personnalité la plus dynamique que le monde musical ait jamais connue. Le seul qui puisse lui être comparé est Charlie Parker.

« A l'intérieur de l'orchestre, il nous laissait une grande liberté. Je veux dire par là que souvent les sections modifiaient les passages écrits. A la place de ce que Diz attendait, lès gars innovaient. Surtout quand on avait joué le même arrangement soir après soir, une certaine routine s'installait et il devenait nécessaire de trouver d'autres idées à certains endroits. Alors, la section de trompettes mettait sur pied un petit truc nouveau, et les trombones enchaînaient, puis la section rythmique. C'était drôle parce que Diz se retournait soudain et nous regardait comme si nous étions tous devenus fous. Et à la fin de la soirée, c'était de nouveau comme à l'école : il reprenait dans le détail tout ce que nous avions fait et restructurait l'ensemble de façon cohérente alors qu'il n'avait jamais entendu les passages improvisés. Tout cela pour vous donner une idée du talent de ce bonhomme ! Incroyable. »

RAY BROWN

« Ah, que de moments merveilleux, fantastiques, vraiment ! Je me souviens de l'époque où Bird était revenu sur la côte Est après sa sortie de l'hôpital en Californie. Et une fois, il est venu jouer avec l'orchestre de Dizzy au Savoy. Une soirée inoubliable... Mais à mon avis la qualité la plus importante de cette période-là était l'enthousiasme. Je crois que nous compensions nos faiblesses musicales et notre manque d'expérience par un enthousiasme extraordinaire. Par exemple, tout le monde avait tellement envie de jouer qu'on arrivait tous de bonne heure pour commencer plus tôt. Vous imaginez : partir de chez soi en hâte pour aller travailler, et attendre sur le trottoir l'ouverture des portes ! Un enthousiasme plutôt rare, non ? Vous savez, si vous êtes vraiment impatient de monter sur une estrade pour jouer tous les soirs, c'est que vous tenez le boulot qui vous convient. Et ça n'arrive pas souvent, dans la vie.

« Il faut dire que ce sextette dont je vous ai parlé était quelque chose de très spécial. J'étais le moins fort des six, mais ils ont fait de moi ce que je suis devenu. Tous les membres se sont révélés être des types hors classe.

« Le grand orchestre, c'était autre chose. Il n'y en a pas eu de comparable, sauf peut-être une ou deux des formations de Duke Ellington, je parle de celles qui ne comprenaient que des géants qu'il avait d'ailleurs mis des années à réunir. Dans celui de Dizzy, il y avait des tas de bons musiciens. Pas des géants. Mais, voyez-vous, ce qui fait la qualité d'un orchestre, c'est un chef très fort et qui a de l'influence. C'est le premier impératif. Après cela, il faut trois ou quatre bons solistes, et pour le reste, des artisans sérieux. Il ne peut pas y avoir que des grands chefs, il faut bien aussi des soldats derrière. Si vous trouvez un bon premier alto et quatre autres types qui le suivent bien, vous aurez une bonne section de saxes. Bien sûr, vous pouvez aussi réunir cinq géants du sax, mais s'ils ont trop de personnalité et ne suivent pas leur leader, ça ne servira à rien, ça ne sonnera pas du tout. Chez Diz, il y avait un bon saxophoniste, Howard Johnson, plus vieux que nous mais plein d'expérience et parfait pour mener la section. La rythmique du premier orchestre de Dizzy — qui en fait fut à l'origine du MJQ — fut probablement la meilleure de toutes. Elle comprenait Kenny Clarke, John Collins, John Lewis, Milt Jackson et moi-même. Milt, John Lewis, Kenny Clarke et moi avons fait ensemble les premiers disques du MJQ. Puis Kenny est parti en Europe, et moi j'ai quitté le groupe. Percy Heath et Connie Kay nous ont remplacés. Je suis parti de chez Dizzy quand il a accepté la tournée en Europe. Je ne pouvais pas y aller car je venais d'épouser Ella Fitzgerald qui voulait m'avoir à ses côtés en tournée, avec le trio de Hank Jones. Finalement, j'ai décidé de rester. »

ELLA FITZGERALD (vocaliste)

« Je crois que j'ai vraiment commencé à connaître Dizzy au cours d'une tournée commune de six semaines dans le Sud. Ray Brown et " Bags " (Milt Jackson) étaient dans l'orchestre. Une tournée fantastique, pendant laquelle on s'est amusés comme des fous. Quand les musiciens allaient jammer quelque part après le concert, je suivais Dizzy parce que je voulais l'entendre jouer son " bebop ", et c'est comme ça que je me suis mise à ce qu'on appelle maintenant le bop. Il me disait toujours : " Allez, viens au micro chanter avec les copains "... C'est lui qui a fait mon éducation.

« On chantait *Ooo-bop-sha-bam-a-Klook-a-mop*, un des premiers thèmes que je me rappelle, et aussi *She-bop-a-da-ool-ya, She-bop-a-da-ool-ya-coo*. Je trouvais ça fascinant. Quand j'ai senti que je

250

pouvais chanter dans ce style, j'ai eu l'impression d'être vraiment dans le coup. Et je le suivais partout. C'est un peu grâce à lui que j'ai interprété *Lady be good* à ma manière. Au cours de la fameuse soirée ininterrompue baptisée " Make Believe Ballroom " où des tas de musiciens venaient jouer, Diz a attaqué *Lady be good* et j'ai jammé avec eux. Il m'a dit : " Vas-y, lance-toi là-dessus... " Après ça, Decca me l'a fait enregistrer, un disc jockey de Chicago l'a passé à l'antenne, et c'est devenu un de mes plus gros succès avec *How High the Moon*. Pour moi, les tournées avec Diz ont été une véritable école, et je me suis toujours sentie très proche de lui. Il m'a appelée " Sis " depuis le début.

« Je me souviens qu'il demandait toujours à Lorraine de lui faire cuire ses œufs, où que nous soyons. Et dans bon nombre de salles où l'orchestre jouait, mon cousin et sa femme faisaient la cuisine pour toute l'équipe dans les coulisses, et les gens se levaient de leur siège parce que les effluves arrivaient jusqu'à eux! Ah, il s'en est passé des choses... C'est une période qui m'a beaucoup appris parce que je me suis trouvée plongée dans le bain de la musique, avec vue sur l'autre côté du décor aussi, ce qui n'est pas toujours rose, mais ça en vaut la peine.

« Diz est un artiste très complet, sur tous les plans. Par exemple, on dansait beaucoup le lindy hop à l'époque. Dans les villes de la tournée, il y avait toujours au moins un club où nous allions après le concert, et dès que l'orchestre attaquait, Diz et moi nous lancions sur la piste et je vous assure que le lindy hop n'avait pas de secret pour nous. Dizzy dansait très bien, et moi aussi. Nous connaissions tous les pas en vogue au Savoy.

« Je n'ai jamais fait très attention à la voix de Dizzy. Je ne l'ai entendu qu'une fois chanter une vraie ballade un jour dans un club, et j'ai été très surprise. Les gens parlaient, et je ne l'entendais pas assez, mais c'était très joli. Il y a un thème que j'ai toujours beaucoup aimé et qu'il faisait chanter par son chanteur : *I waited for you*. J'adorais cet air. »

ALICE WILSON

« J'ai perdu John de vue quand il a quitté l'école pour aller à Laurinburg, et je n'ai plus entendu parler de lui jusqu'à l'époque où je suivais des cours de vacances à Columbia en Caroline du Sud. Je venais juste de finir le lycée et je voulais entrer au collège.

« Quelqu'un m'a dit : " Alice, il paraît que le type qui donne un concert de jazz ce soir au Township Auditorium est de la même ville que toi. Et il paraît aussi qu'il est très fort. " J'ai demandé son nom aussitôt, et on m'a répondu : " Gillespie ". Je ne voulais pas le croire! Mais ils m'ont emmenée voir un grand panneau où j'ai vu son nom. C'était vrai, et il jouait le soir même. J'ai dit à la camarade qui partageait ma chambre : " Je vais aller tout de suite à l'auditorium pour tâcher de lui parler, tu viens? " Mais elle ne pouvait pas m'accompagner et je suis partie seule.

« Ils étaient en train de répéter et il y avait un cerbère à la porte pour empêcher les gens d'entrer. J'entendais la musique de là. J'ai dit au garde : " C'est bien Gillespie qui est là? " et il m'a répondu : " Oui, mais je suis désolé : il est interdit... — Quand il saura que je suis là, vous verrez bien... " et je lui ai dit qui j'étais. Du coup, il m'a laissée passer en ajoutant qu'il ne m'annoncerait pas, pour la surprise.

« Diz tournait le dos à l'entrée et dirigeait ses musiciens sur scène, en faisant le pitre comme d'habitude. Ha! Je suis arrivée tout doucement derrière lui et les musiciens se sont arrêtés de jouer, l'un après l'autre. Vous voyez le tableau! Diz a hurlé : " Dites donc, qu'est-ce qui vous prend... " L'un d'eux a demandé : " Et qui est-ce qui vient d'entrer? " Alors Diz s'est retourné et m'a vue. Il m'a prise dans ses bras et m'a soulevée en me faisant valser en l'air. Il était costaud, vous savez. Et ses musiciens lui demandaient : " Hé Diz, dis-nous qui c'est... tout de suite... " Alors il leur a expliqué : " C'est Miss Wilson, mon professeur de Cheraw. C'est elle qui m'a appris tout ce que je sais en jazz. C'est elle qui m'a mis sur la voie. "

« Je suis restée quelques instants, le temps de faire connaissance avec tout le monde et puis il m'a dit : " Vous venez ce soir. Je vais vous donner l'argent pour les places, tout de suite, parce que nous n'avons pas d'invitations. " Et il a même ajouté : " Venez avec qui vous voudrez. Vous ne pouvez pas venir toute seule. Voilà de l'argent. " J'étais tellement heureuse!

« Pourtant, je n'ai pas vraiment aimé le concert, parce que j'avais du mal à comprendre cette musique. Je ne savais pas ce qui se passait, j'étais un peu perdue. Voyez-vous, quand j'étais son professeur j'exigeais que la mélodie ressorte bien, tout le temps, de façon à toujours savoir où l'on en était. Par exemple, si on jouait *Side by side*, il y avait plusieurs parties bien sûr, mais je voulais que l'on reconnaisse bien la mélodie.

« Alors quand j'ai entendu leur premier morceau, un truc très percutant dont j'ai oublié le titre, j'ai pensé : " Mais qu'est-ce qu'ils jouent! " Ça ne me plaisait pas tellement, parce que je ne voyais pas comment il était construit. Beaucoup plus tard, j'ai découvert que ce que j'avais appris à Diz était contenu là-dedans, sous-jacent, et avait plus ou moins servi de support à cette musique si avancée. Je ne sais même plus comment ils appelaient ça. Diz m'a dit : " Oui, vous m'avez aidé. C'est grâce à vous que tout a commencé. " Et j'ai répondu : " Ah bon? Peut-être bien, après tout. "

« Mais enfin, ça ne me passionnait pas, parce que comme je vous l'ai déjà dit, j'aime bien savoir de quoi il s'agit quand j'écoute de la musique, et je n'arrivais pas du tout à suivre la mélodie de ses morceaux. Bien sûr ça swinguait, il y avait le " beat ", et c'est ce que les danseurs voulaient. Enfin, tout ça l'a quand même rendu bien célèbre... »

ERNEST GILLESPIE (un cousin)

« Dizzy a dix ans de plus que moi. Il habitait à quatre rues de la mienne et ils répétaient juste au coin. Quand il passait devant chez moi en allant à la piscine, il s'arrêtait toujours pour manger un morceau; et puis il allait travailler quelquefois chez son batteur qui habitait tout près. Pour moi, Diz était un peu un grand frère que j'aimais bien suivre partout. J'aurais voulu aussi prendre part à tout ce qu'il faisait, mais il y avait la différence d'âge.

« Plus tard, Dizzy est venu dans le Sud, avec des orchestres, et je suis allé le voir. C'était dans les années quarante, et il y avait Milt Jackson et John Lewis dans l'équipe. Ils ont joué dans un entrepôt de tabac dont j'ai oublié le nom, une grande bâtisse à Maxton, en Caroline du Nord. Je crois que toute la ville a dû aller l'écouter, ce soir-là. Une occasion rêvée pour des cambrioleurs... toutes les maisons étaient vides. Il y avait d'ailleurs un motif supplémentaire pour faire déplacer tous ces gens : un des musiciens de l'orchestre était aussi de Cheraw, un certain Matthew McKay, dont vous avez peut-être entendu parler. A Cheraw, Matthew, Diz et James Harrington étaient les trois trompettistes locaux, qui habitaient en outre dans le même pâté de maisons. Matthew était devenu un musicien accompli.

« Le concert fut un succès parce que tous les gens des environs, de Laurinburg et de Cheraw, tous ceux qui connaissaient Diz ou Matt McKay se trouvaient là, bien sûr. Je ne sais pas trop ce qu'ils ont pensé de la musique, mais ils étaient tous tellement contents de voir ces deux gars du pays sur scène, vous comprenez. Il y en a même qui ont dansé, et beaucoup d'autres s'étaient massés devant l'orchestre au pied du podium. La salle était comble.

« C'était son premier retour dans sa province natale, à la tête d'un grand orchestre. Après quoi, vers le milieu des années quarante, dans n'importe quel foyer des environs, vous pouviez être sûr de trouver un ou deux disques de Diz.

« A Cheraw même, il n'y avait pas de boutique de disques,

seulement un magasin de radio qui en vendait; et je tannais tellement le patron avec le jazz qu'il avait toujours au moins quelques disques de Diz sur ses rayons. Je lui passais une commande et je venais la prendre dès qu'elle arrivait. J'ai même réussi à placer quelques disques dans les juke-boxes de la ville, et bien sûr avec les copains on les faisait passer. Ils avaient formé un petit club, le Metropolitan Boppers, et on s'y retrouvait tous avec nos 78 tours sous le bras pour les écouter. On connaissait tous ses morceaux par cœur, chorus compris. Beaucoup de jeunes venaient seulement là pour danser, mais après avoir commencé à écouter les disques de Diz et d'autres aussi d'ailleurs, ils se sont vraiment mis au jazz... et leurs parents à leur suite. »

DIZZY

Même les gens du Sud avaient commencé à se montrer plus réceptifs à mon égard vers la fin 46. Nous y avons tourné un petit film, *Jivin' in Bebop,* où l'orchestre et moi étions en vedette et où l'on jouait tous nos nouveaux morceaux. Ça swinguait, et ce fut un beau succès. Dan Burley, le premier Noir qui a écrit un ouvrage sur le jazz moderne* et qui était aussi pianiste, y jouait quelques morceaux, et notre chanteuse Alice Roberts y interprétait un blues dont les joyeuses paroles célébraient la fin de la guerre :

> *Oh, well, oh well, I feel so fine today,*
> *Oh, well, oh well, I feel so fine today,*
> *Cause the man who sends me's coming home to stay.*
> *Got a man over there, and a man overhere*
> *But my man over there*
> *Ooooo-ooo-ooo-ooo ba-ba-leee-bah!*
> *Ooooo-ooo-ooo-ooo ba-ba-leee-bah!*
> *That man I have, he's built for speed,*
> *Got everything that Mama needs*
> *Ooooo-ooo-ooo-ooo ba-ba-leee-bah!*
> *Ooooo-ooo-ooo-ooo ba-ba-leee-bah!*

Kenny Hagood, dit « Pancho », notre chanteur, y interprétait *I waited for you.* Et puis il y avait quelques répliques comiques du genre :

Freddie. — *Dis donc, vieux, j'peux te poser une question?*
Diz. — *Allez, crache...*

---

* Burley, Dan, *Original Handbook of Harlem Jive,* Jive Potentials, New York, 1944. (*D.d.A.*).

254

Mes parents.

L'idole de mon enfance :
Roy Eldridge.

Vers 1940. Avec Lorraine, à Revere Beach, Massachusetts,
à l'époque de notre mariage.

1941. Avec l'orchestre de Cab Calloway à New York, en haut à gauche.
(Coll. Duncan P. Schiedt.)

Avec Don Byas et Oscar Pettiford : c'est pas du gâteau !

Avec Billie Holliday.

L'orchestre d'Earl Hines, 1945, à l'Apollo Theater. *De gauche à droite :*
Diz ; Little Benny Harris (trompette) ; Howard Scott (trombone) ;
Gail Brockman (trompette) ; Shorty McConnell (trompette) ; Gus
Chappell (trombone) ; Earl Hines (piano et chef d'orchestre) ; Bennie
Green (trombone) ; Shadow Wilson (drums) ; Sarah Vaughan (piano

et vocals) ; Andrew Crumps (saxophone ténor) ; Jesse Simpkins (basse) ; Andrew « Goon » Gardner (saxophone alto) ; « Scoops » Carry (saxophone alto) ; Huey Long (guitare) ; John Williams (saxophone alto et baryton) ; Julie Gardner (accordéon) ; Charlie Parker (saxophone ténor). *(Coll. Frank Driggs.)*

Le bebop s'impose à l'Onyx Club, 52e Rue, à New York, en 1944. De gauche à droite : Max Roach (drums), Budd Johnson (saxophone ténor), Oscar Pettiford (basse), George Wallington (piano), Dizzy Gillespie (trompette). *(Coll. Duncan P. Schiedt.)*

1946. Ella Fitzgerald chante avec mon orchestre, un régal ! Ray Brown est à la basse, au fond à gauche. *(Coll. William P. Gottlieb.)*

1950. Avec Yardbird au Royal Roost ou Birdland.
(Photo de Duncan P. Schiedt.)

Maman et moi après un concert.

Bebop.
(Coll. William P. Gottlieb.)

Une pinte de rire avec Monk.

Chez moi, à Corona, État de New York, je reçois Louis Armstrong.

De mes origines nigériennes...
(Photo Charles Stewart.)

De mes aspirations politiques passées... Quand je
rêvais de devenir président des États-Unis. Le
contrebassiste Vernon Alley apporte son concours
à ma campagne.

Miles Davis vint un jour (ou plutôt une nuit)
au Village Gate, et on connaît la suite...

Une séance d'enregistrement avec Sonny Stitt, Max Roach,
Hank Jones, John Lewis et Percy Heath.

Blowin'

Sur la tombe de Charlie Parker,
à Kansas City, Missouri.

Freddie. — *A ton avis, tu crois que Caïn en a voulu longtemps à son frère?*

Diz. — *J' vais t' dire, y Abel urette que c'est réglé!*

Freddie. — *T'es dans l' coup, mec, tu piges sec!*

Diz. — *Et toi, t'as intérêt à piger ce morceau : Oop-bop-sha-bam...*

Une manière humoristique d'annoncer le thème qui suivait. Il y avait également un couple qui dansait sur *Night in Tunisia,* puis je faisais un duo parodique avec Benny Carter sur quelques « grands » compositeurs comme Gilbert et Sullivan, et pour finir l'orchestre jouait *Things to come.* C'était un très bon film qui passe encore de temps en temps dans des cinémathèques.

Jivin' in Bebop avait été financé par William Alexander qui est devenu depuis un grand producteur. Il a même engagé Richard Burton à un moment. Le film ne nous a jamais rapporté grand-chose, mais ce fut une expérience intéressante. Il a eu beaucoup de succès dans les salles réservées aux Noirs, car la ségrégation existait là aussi, à l'époque; mais il y avait un circuit de cinémas « pour Noirs » dans tout le pays. Quand je suis revenu à New York, le Harlem Opera House était terminé et l'Apollo Theatre en pleine activité; à Philadelphie il y avait déjà trois salles, et une quatrième s'ouvrit plus tard.

Ah oui, pendant cette tournée dans le Sud en 46, toute la troupe a joué au Laurinburg Institute, ce qui m'a rendu très fier et m'a rappelé que j'aurais bien pu passer ma vie derrière la charrue.

Fin 46, nous avions déjà conquis le Sud et défié Hollywood, mais je voulais le monde entier.

Les beboppers... Naissance d'un culte

Vers 1946, commencèrent à circuler et même à paraître dans la presse des histoires assez sordides sur les « beboppers ». En un sens, tant de publicité autour de nous me faisait plaisir, mais par ailleurs je m'inquiétais de voir les jazzmen de la nouvelle école et leurs fans dépeints avec malveillance et même une franche hostilité. On ne pouvait pas non plus accuser les journalistes d'avoir entièrement fabriqué cette image défavorable, car bon nombre de nos admirateurs aveuglés par leur fanatisme se livraient à certains actes que la presse reprochait justement aux beboppers. Parfois pire, même. Je me suis d'ailleurs demandé si toute cette publicité d'un goût douteux n'attirait pas vers nous toute une faune bizarre, et ne faisait pas finalement du tort à notre musique. Des jugements stéréotypés sur nos soi-disant tares se répandaient partout, certains relevant de la plainte en diffamation alors qu'il n'était jamais dit un mot de nos bons côtés ni de notre apport novateur à la musique.

Le magazine *Time* du 25 mars 1946 notait que « comme c'est généralement le cas, ce genre de mouvement a pris naissance dans la 52e Rue à Manhattan. Un chef d'orchestre du nom de John " Dizzy " Gillespie, cherchant une manière d'accentuer les notes les plus importantes d'une phrase " swing ", prétend : " Quand vous les fredonnez, vous dites tout naturellement : *bebop-be-de-bop...* "

« Aujourd'hui, poursuivait l'article, le grand pape du Bebop est un dénommé Harry the Hipster Gibson, qui dans ses grands moments de délire pianistique met ses pieds sur le clavier. Le second en titre est un certain Bulee (Slim) Gaillard, un immense Noir toujours vêtu d'un zoot suit, et qui joue de la guitare. Gibson et Gaillard ont enregistré des titres tout à fait " hip " comme *Cement Mixer,* dont plus de vingt mille exemplaires ont été vendus rien qu'à Los Angeles; ainsi que *Yeproc Heresay, Dreisix Cents* et *Who put the benzedrine in Mrs. Murphy's Ovaltine?* »

256

L'article parlait aussi d'une interdiction de passer des disques de bebop à la radio de Los Angeles dont la station KMPC attribuait à cette musique une « influence pernicieuse sur la jeunesse », et racontait comment le club où jouait Gibson et Gaillard était « envahi par une foule de jeunes qui voulaient se convertir au bebop. Mais qu'est-ce que le bebop? Du jazz super-hot accompagné d'un jargon équivoque chargé d'allusions obscènes et de références à la drogue ».

Une fois lancé sur le marché, notre style se trouva manipulé par la presse et l'industrie musicale. En premier lieu, les principaux traits, les manies des musiciens et des fans, semblèrent prendre le pas sur la musique même dans l'esprit du public; puis on entreprit d'édulcorer notre musique : à partir de blues simples ou d'airs populaires, des petits malins rajoutèrent quelques « mop-mop » çà et là, des paroles ambiguës faisant le plus possible référence à la drogue, et baptisèrent le bruit ainsi obtenu « bebop ». Affublé du nom de notre style, cet ersatz se mit à envahir les stations commerciales au détriment de l'original. Malgré la mauvaise qualité de cette imitation, certains jeunes et les gens qui n'avaient pas l'oreille musicale l'appréciaient, et le produit se vendait bien car il avait un « beat » très dansant. La presse m'accusait d'être un des principaux promoteurs de ces outrances. J'aurais dû les attaquer en justice, bien que les chances de gagner eussent été minces. Des saloperies que tout ça...

Toutefois un mensonge bien enveloppé contenant en général un germe de vérité, examinons ensemble les chefs d'accusation et voyons combien parmi ceux-là s'appliquaient à moi.

Accusation numéro un : les beboppers portaient des vêtements excentriques, et des lunettes noires la nuit. Observez donc la mode des années quarante dans les vieux films qui passent tard à la télé : vestons longs, presque jusqu'aux genoux, et pantalons amples. En réalité, je m'habillais comme tout le monde, disons en tout cas comme n'importe quelle personnalité en vue à l'époque. Un peu plus tard, en pleine période bebop, je suis devenu une sorte de dandy, avec des pantalons serrés à la cheville, mais rien de plus extravagant que ceux évasés dans le bas des jeunes gens « in » d'aujourd'hui.

Nous avions des costumes de scène, avec des revers très larges et des ceintures — cadeau d'un tailleur de Chicago —, mais que nous ne portions pas à la ville. Plus tard, nous avons opté pour des vestons légers en cachemire feuille-morte, mais sans revers. Cette innovation a lancé une mode, les gens trouvant en outre qu'il était ridicule de payer plus cher pour ces larges revers. En 1943, le magazine *Esquire*, le plus influent dans le domaine de la mode masculine, qualifia notre tenue d'élégante, quoique audacieuse, et publia notre photo.

Peut-être en souvenir de la France, j'avais adopté le port du béret. Mais dans mon idée, c'était un couvre-chef pratique à mettre dans ma poche au cours de mes déplacements. Avant, je perdais toujours mes chapeaux. Comme tous les dandys de l'époque, j'aimais en porter, mais ceux que je perdais coûtaient cinq dollars pièce! Dans quelques séances d'enregistrement où je n'avais pas ma sourdine, j'ai mis le béret sur le pavillon de la trompette, et comme j'étais le chef du mouvement, les jeunes ont suivi la mode.

Ma première paire de lunettes avec des verres non cerclés venait de chez Maurice Guilden, un opticien établi dans le hall de l'hôtel Theresa. Comme elles se cassaient sans arrêt, j'ai adopté les montures d'écaille. Je n'ai jamais porté de lunettes avant 1940. Tout petit, j'avais eu quelques ennuis sans gravité avec mes yeux, les paupières collées au réveil. Quelqu'un ayant raconté à ma mère que l'urine était un bon traitement, elle me donnait des boules de coton et chaque fois que j'allais aux toilettes je me tamponnais consciencieusement les yeux... et ça m'a guéri. Je lis encore sans lunettes, et n'en ai besoin que pour voir de loin. Il ne faut pas se méprendre sur le fait que je porte des verres noirs sur scène la nuit. C'est seulement pour me protéger de la lumière des projecteurs. Porter des lunettes noires la nuit ne pourrait que détériorer ma vue, et j'ai trop besoin de mes yeux pour lire la musique!

Accusation numéro deux : seuls les beboppers portaient la barbe, le « goatee » et autres ornements pileux.

Au début, je me rasais sous la lèvre inférieure, mais cela me procurait des sensations de brûlure et de picotements et quand les poils repoussaient ils irritaient ma peau juste sous l'embouchure. J'ai donc laissé pousser le « goatee » durant mon passage chez Cab Calloway. C'est devenu un de mes attributs les plus caractéristiques. Mais en réalité, cette touffe de poils... qui d'ailleurs ne déplaît pas aux dames, m'est fort utile pour amortir le contact avec mon embouchure et j'ai toujours pensé qu'elle améliorait mon jeu.

J'ai porté la moustache à un moment, car je m'étais mis dans la tête qu'on ne pouvait pas bien jouer sans. Un jour, je l'ai rasée par inadvertance et, m'en portant très bien dans mon travail, je ne l'ai plus laissée repousser. Un type, une fois, m'a qualifié de « farfelu » parce qu'il avait cru me voir avec une moitié de moustache. En fait, la tache sombre au-dessus de ma lèvre supérieure est un cal qui s'est formé à force de jouer, le rebord du côté droit se pinçant dans l'embouchure.

En tout cas, beaucoup de musiciens de jazz moderne étaient rasés de près, et puis nous n'étions pas les seuls à l'époque qui arborions des ornements pileux sur le visage. Et Clark Gable?

Accusation numéro trois : les beboppers utilisaient un jargon, ou essayaient de parler comme les Noirs. Cette accusation-là n'est pas tellement mensongère. C'est vrai que nous employions quelques

258

mots de « pig latin », comme par exemple « ofay » (pour désigner un Blanc). Le « pig latin » est une sorte de langage codé qui s'est développé au sein de la population noire il y a très longtemps, dans le but de permettre aux adultes de communiquer sans être compris des enfants et des non-initiés. Par ailleurs, les Noirs avaient apporté d'Afrique un certain nombre de mots dont certains sont passés dans l'usage général, comme « yum-yum » (miam-miam, du « nanan »).

Quant au jargon bebop, sa création est en fait très simple. Un type lançait un terme qui sonnait bien à l'oreille, un autre le reprenait, puis un autre et ainsi de suite. Sans même nous en rendre compte, était née une langue hermétique qu'il fallait savoir décrypter. Ainsi « Mezz » signifiait « l'herbe », parce que Mezz Mezzrow vendait la meilleure qualité de marijuana. Le jour où « l'Aigle allait voler » (l'aigle américain bien sûr) était celui de la paye pour les musiciens. Un « rasoir » était un courant d'air glacé venant d'une fenêtre, qui coupait comme une lame. Ainsi un certain nombre de concepts tant pittoresques qu'imagés se sont glissés dans la langue anglaise, mais je ne crois pas avoir été l'auteur d'un seul d'entre eux... à part « bebop ». Daddy-O Daylie, un disc jockey de Chicago, en a créé bien plus que moi pendant cette même période.

Nous n'avions pas à nous forcer. C'était notre façon naturelle de nous exprimer, nous autres Noirs. Et les gens qui voulaient communiquer avec nous devaient en tenir compte, et au besoin adopter notre jargon. De la même manière que nous donnions aux notes des inflexions chargées d'un message différent, nous transposions le sens des mots.

A toi, Daddy-O, parle-nous donc « hip », un peu...

DADDY-O DAYLIE (disc jockey)

« Ça, c'est à peu près comme de dire à un comique : " Fais-nous rire! " Pensez, il y a si longtemps! De toute façon, on retrouve tout ça dans des disques maintenant, comme les solos de Diz. Mon raisonnement était le suivant : " Pas de doute, ça plaît au public. Donc si je trouve une manière convaincante et correcte de faire passer le message, mon produit se vendra plus facilement. " En l'occurrence, ce " produit " était le jazz contemporain, cette musique qui n'avait alors qu'un public restreint et à laquelle je voulais arriver à donner une large diffusion. Il fallait trouver les mots qui accrochent, les phrases qui frappent et que les gens commenteraient le lendemain : " Dis donc, tu as remarqué ce chorus de Dizzy? ", ou dans l'ascenseur en arrivant au bureau : " Hé, vous avez entendu ce que Daddy-O a dit hier? " C'était le signe que je devenais une personnalité, que je faisais partie intégrante de l'émission. J'essayais toujours de glisser des phrases bop pour promouvoir cette musique, pour la mettre en valeur dans le cadre du jargon correspondant. Bien sûr, il y avait des détracteurs pour dire : " Daddy-O nous a encore abreuvés de son charabia ", et ils cherchaient plus ou moins ouvertement à me descendre. Mais le jour où Arthur Godfrey, un Blanc qui était une personnalité de la radio, s'y est mis lui aussi, ils ont aussitôt accepté le phénomène. Arthur reprenait certaines de mes idées, utilisait mes termes, et dans la mesure où mon travail recevait ainsi son imprimatur, les gens ont fini par penser que j'étais un " type super " ! »

DIZZY

Accusation numéro quatre : les beboppers étaient portés sur le sexe et avaient des mœurs assez relâchées, en particulier les Noirs qui s'intéressaient aux Blanches. C'est faux.

Les relations entre les musiciens de jazz et les Blancs ont toujours été une chose très naturelle dans la mesure où les clubs et autres endroits où l'on joue appartiennent généralement à des Blancs et ont une clientèle blanche. La baronne Pannonica Koenigswater, fille d'un Rothschild, en est un exemple célèbre. Tout le monde la remarque dès qu'elle commence à fréquenter un club. Elle a prêté son aide financière à de nombreux musiciens de jazz, donnant un abri et de l'argent à ceux qui ne savaient plus où aller, toujours prête à dépenser sans compter pour la bonne cause. Il n'y a pas tellement de différence entre les femmes noires ou blanches, mais à mon avis une Blanche fera tout ce qui est en son pouvoir pour obtenir gain de cause dans une entreprise qui lui tient à cœur. Rien ne l'arrêtera une fois lancée, car on lui a inculqué que le monde est à elle et qu'elle peut le façonner à son gré. Cette attitude étonne vivement le musicien noir moyen, qui sait bien que les femmes noires en général n'accepteraient pas de donner tant sans être concrètement payées de retour.

Une femme noire dira : « J'aime mon homme... mais faut pas qu'il touche à mes sous. » Une Blanche donnera n'importe quoi, y compris son argent, pour affirmer sa force. Elle sera là tous les soirs, pour soutenir ses grands favoris ; et elle le fera simplement pour le plaisir qu'elle en retire, quel qu'il soit. Beaucoup de femmes blanches ont été des supporters du jazz moderne et amenaient même avec elles des compagnons blancs pour écouter notre musique. C'est un des secrets bien connus de ce métier : où la femme veut aller, l'homme y va aussi.

« Où veux-tu que je t'emmène ce soir, chérie ?

— Je veux aller écouter Dizzy.

— D'accord, on y va. »

L'homme n'est peut-être pas un de vos supporters, mais la femme si, et c'est lui qui paie.

Alors que les mâles se préoccupaient essentiellement de « faire » de l'argent, les femmes blanches ont plutôt joué un rôle de bienfaitrices des arts dans notre société, et se sont ainsi trouvées en contact étroit avec les jazzmen. Des relations se sont établies qui ont souvent contribué à faire progresser notre art. Il est vrai que certaines ont pris un caractère personnel et parfois sexuel, mais ce n'était pas une règle absolue. Il s'agissait souvent de relations purement amicales, de soutien et d'encouragement. Personnellement, je n'ai pas beaucoup reçu d'aide de ce genre, car j'avais tout l'appui nécessaire de ma propre femme, une Noire qui n'envoie pas dire aux gens ce qu'elle pense, et qui ne me laisse pas gaspiller mon argent. Je l'ai épousée en 1940.

Dans l'optique du rapprochement entre les deux races, et sans oublier que certains hommes blancs ont eux-mêmes apporté leur appui à notre musique, l'ère du bebop a vu naître un effort commun et efficace de tous les esprits ouverts pour détruire l'ignorance et les barrières raciales qui entravaient le développement de toute véritable culture dans l'Amérique moderne *.

Accusation numéro cinq : les boppers usaient et abusaient des drogues et de l'alcool. Celle-là n'était pas totalement mensongère, et des tas de blagues sordides circulaient sur le sujet.

Quand je suis arrivé à New York en 1937, je ne buvais pas et je ne fumais pas de marijuana. Mais Charlie Shavers m'a dit : « Tu vas avoir l'air d'un " square " parfait ! » et il m'a initié aux joints. Bien sûr, nous n'étions pas des exceptions ! Certains musiciens des générations précédentes fumaient depuis quarante ou cinquante ans. Bref, presque tous les jazzmen, jeunes ou âgés, fumaient de la marijuana. Mais ce n'est pas ce que j'appellerais se droguer. Le premier type que j'ai vu vraiment « défoncé » était Steve, trompet-

---

* Dans le courrier des lecteurs du *Time* du 4 avril 1948, une lettre disait : « Messieurs, vous ne devriez pas traiter le bebop avec autant de légèreté. Après tout, le jazz est le seul apport valable à la musique contemporaine dont l'Amérique puisse s'enorgueillir. Nos maîtres du jazz sont les plus grands du monde, ce qui est plus qu'on ne peut en dire de nos compositeurs " sérieux ". Le bebop est un genre musical extraordinaire, qu'il faut à la fois entendre dans sa tête et sentir avec son âme. Il renferme autant de contenu émotionnel que n'importe quelle symphonie. Si vous persistez à n'y trouver aucune trace de beauté ou de génie, je crains que vous ne passiez à côté d'une des évolutions les plus fascinantes de la musique depuis bien des années. Signé : Carleton Ryding, Detroit, Michigan. »
J'ai bien apprécié cette lettre (D. G.).

tiste chez Jimmie Lunceford, un jeune étudiant monté à New York et qui s'était trouvé rapidement « accroché ». Tout le monde disait de lui : « Ce mec est un camé. Vaut mieux ne pas le fréquenter, il prend du cheval. » Personnellement, je trouvais cette attitude très négative, car comment aider un type paumé en évitant de lui parler ?

La drogue, disons l'abus d'héroïne, devint un problème majeur durant l'ère du bebop, surtout vers la fin des années quarante, et beaucoup d'usagers en sont morts. Les gars se faisaient constamment piquer par la police avec la came sur eux, et je me souviens d'une plaisanterie d'un goût douteux qui circulait : « Pour réunir le meilleur orchestre, il faut aller au KY », ce qui voulait dire que le « meilleur orchestre » se trouvait à l'hôpital fédéral de Lexington dans le Kentucky, spécialisé dans les cures de désintoxication. Peut-on trouver une explication à ces abus ? Peut-être le mode de vie évoluait-il trop vite et les gens se débattaient tant bien que mal pour rester à flot. Et puis c'était la guerre, l'angoisse régnait partout, et certains devaient avoir besoin de quelque chose pour leur faire oublier toutes ces tueries et les problèmes du monde. Bien plus tard, la guerre au Vietnam a sans doute déclenché une nouvelle flambée d'usage d'héroïne, parallèlement à une politique de la police fédérale chargée du contrôle des stupéfiants et qui curieusement, à certains moments clés de l'Histoire, semble encourager l'usage de la drogue, particulièrement chez les jeunes Noirs.

Tout le monde a plus ou moins fumé de la marijuana, dont la mode fut suivie par celle de la cocaïne que j'ai pratiquée moi aussi. Mais je n'ai jamais été tenté de passer aux drogues dures, à celles qui font de vous un esclave. Je me suis toujours tenu à l'écart de tout ce qui risquait de « m'accrocher ». Toute chose ici-bas étant éphémère, pourquoi s'assujettir à une seule ? Non, je n'ai même pas voulu essayer les drogues dures. Une fois, dans la 52e Rue, un type m'a filé un truc que j'ai cru être de la coco. Je l'ai sniffé... et je suis allé vomir dans le ruisseau. C'était de l'héroïne. Si j'avais pu mettre la main sur le type, il aurait passé un très mauvais quart d'heure, mais je ne l'ai jamais revu.

A l'époque, on faisait des blagues avec des drogues du genre benzedrine ! Je me souviens d'une séance d'enregistrement pour Continental avec un chanteur de blues, Rubberlegs William. Je crois que Clyde Hart avait été chargé d'organiser l'orchestre et il avait engagé Charlie Parker, Oscar Pettiford, Don Byas, Trummy Young, Specs Powell et moi. Pendant tout le début, la musique ne décollait pas du tout. Il faut que je précise que dans ce temps-là, une manière de se défoncer consistait à casser des capsules de poudre à inhaler dans une tasse de café ou un verre de Coca-Cola. A cette séance-là, pendant une pause, Charlie en a glissé dans le café de Rubberlegs, qui ne buvait pas d'alcool et ne fumait pas non plus. Il ne s'est aperçu de rien et la séance a repris. Soudain, Rubberlegs s'est mis à gémir et à pleurer en chantant... Il fallait l'entendre! J'avoue pourtant qu'aujourd'hui je serais contre ce genre de blague. Rubberlegs aurait pu être vraiment très malade. Comme la plupart des Américains, nous ignorions tout des effets bénéfiques ou nocifs des drogues sur un être humain, et il eût bien mieux valu savoir de quoi il s'agissait, au lieu de se faire sa petite idée personnelle, de passer à l'usage et de se retrouver accroché. L'information est une chose importante, tant pour l'individu que pour la société.

Le fléau de la drogue dans les années quarante toucha en premier les musiciens noirs, avant toute autre fraction de notre race. Mais cette tare impliquait un caractère faible, et un musicien avec la tête sur les épaules ne risquait pas de voir sa carrière entravée de cette manière. Cela a toujours été ma conviction profonde, et j'en ai connu beaucoup qui avaient vraiment bien évolué à la fois sur un plan musical et dans leur vie privée, sans avoir jamais touché à quoi que ce soit. Se défoncer n'est pas une nécessité absolue pour être « hip », dans le coup. Il serait tout à fait faux de prétendre le contraire.

BOB REDCROSS

« Sur l'attitude respective de Diz et de Bird devant la drogue, je ne veux rien affirmer. Je pense seulement que Bird au fond de lui-même savait que son penchant pour certaines choses serait un jour l'une des principales causes de sa mort. De toute façon, il m'a toujours fait l'impression d'un homme qui ne se faisait pas d'illusions sur sa longévité. On parlait souvent, tous les deux, car à l'époque où je l'ai connu je menais le même genre de vie et j'avais les mêmes habitudes que lui. Ça nous a beaucoup rapprochés, et ça m'a permis de mieux le comprendre. Il y avait comme une volonté de mourir en lui. Si quelqu'un se laisse aller à un penchant qui risque de le détruire, et qu'il persiste dans cette voie, c'est tout de même bien ce qu'on appelle une tendance suicidaire. Mais Bird était un être fantastique. Diz, lui, ne se préoccupait pas de tous ces problèmes. Je ne sais pas s'il se demandait quelle était sa quête dans cette vie, sa véritable raison d'être. Je crois que son objectif principal était alors de progresser au maximum sur son instrument, ce qu'il n'a cessé de faire pendant des années. Si vous jetez un regard sur sa carrière, vous pourrez constater qu'il n'y a eu aucune interruption, aucune hésitation dans son évolution, au moins de 42, 43 lorsque je l'ai connu, jusqu'à aujourd'hui. Il a continué de se perfectionner avec obstination, et c'est plus qu'on ne peut en dire de beaucoup de musiciens qui ont eu une carrière aussi longue que la sienne. »

BUDD JOHNSON

« Je vais vous dire, moi, fumer des joints, c'est pas si terrible que ça. Je l'ai souvent fait et je ne crois pas à l'accoutumance. La première fois que j'ai eu une vague idée du truc, c'était à propos de Louis Armstrong. On disait de lui : " Louis, mon vieux, il décolle, il décolle, et après ça comment il joue ! " Alors tous les gosses fumaient, et moi aussi. Mais je n'ai jamais touché aux drogues dures. Mais alors jamais. Il y a un truc que je trouve bizarre, j'ai entendu à la radio ou à la télé que pendant la première guerre mondiale le problème de la drogue était bien plus grave que de nos jours. Il paraît qu'ils tenaient un fichier des camés, à cette époque !

« Je crois que Charlie Parker a influencé un tas de jeunes musiciens, sans parler des vieux aussi, et les a amenés à prendre des drogues dures. Les types se disaient : " Quoi ! Ce mec est capable de jouer comme ça ? Le truc qu'il prend doit faire un sacré effet ! " Et des types qui n'y avaient jamais touché s'y sont mis, sans autre raison. Mais à part ça, je crois qu'il y a eu aussi une sorte de conspiration pour aiguiller l'écoulement de la drogue principalement dans les communautés noires. Parce que si j'ai bonne mémoire, voyez-vous, les drogués dans le passé avaient toujours été des Blancs, vedettes de cinéma, gens du spectacle, bref, ce genre de personnalités. Mais ça ne nous était pas venu à l'idée, à nous autres. C'est sûrement le résultat d'une conspiration, de manœuvres louches, parce que si vous vous baladez dans Harlem vous verrez le trafic se passer à tous les coins de rue et personne ne fait rien. A mon avis, on pourrait quand même bien arrêter ça du jour au lendemain si certains le voulaient vraiment.

« Je me souviens que dans la Rue, la 52e bien sûr, au moment où cette musique est devenue très en vogue, on voyait les flics déambuler par deux ou trois dans le secteur. En fait, ils voulaient surtout éviter que les jeunes filles blanches fréquentent des Noirs, et ils leur menaient la vie dure ! La plus grande partie du quartier appartenait à Rockefeller, et il pensait peut-être qu'il commençait à ne plus avoir la situation en main. Sans doute une des raisons pour lesquelles la Rue a été démolie. C'était devenu un endroit dangereux pour la société. Et une des façons de le discréditer était de répandre le bruit que les Noirs se droguaient. Mais voyez-vous, on ne pouvait quand même pas se procurer de la came si les Blancs n'en avaient pas vendu. Les Noirs n'ont pas assez d'argent pour en faire vraiment le trafic sur une vaste échelle. Tous les grossistes sont forcément blancs, et ils font un chiffre d'affaires énorme.

« J'ai entendu à la radio il y a longtemps un officier de police, peut-être même le chef, déclarer : " Nous savons comment le trafic se fait, mais nous ne pouvons arrêter personne parce que nous n'avons pas de preuves." Et il a expliqué ensuite que des tas de milliardaires prêtaient de l'argent aux gangs pour financer les opérations sur la drogue, et il s'agissait de millions de dollars ! Bien sûr, ils ne s'occupaient personnellement que des opérations financières, et jamais du trafic. " Ainsi, disait le policier, nous ne pouvons rien contre eux, même si nous savons qu'ils avancent de l'argent aux gangs ou autres organisations pour en acheter. Ils vont prêter par exemple cinq millions de dollars, et en récupèrent peut-être quinze à l'autre bout ! Objectivement, ce sont des trafiquants, mais ce genre d'argument ne tiendrait pas devant un tribunal. "

« Pour en revenir à ce que je disais plus haut, les médias ont travaillé à établir un lien intime entre la drogue et les Noirs de ce quartier, afin de démolir tout l'édifice en même temps.

Rockefeller a pratiquement fait tout démolir pour reconstruire des immeubles de bureaux. Et ce fut la fin de la 52e Rue.

« Naturellement, les amateurs de jazz aimaient beaucoup les musiciens noirs. Au début, des couples blancs, des jeunes, d'autres plus âgés, des jeunes Blanches seules, etc., venaient écouter notre musique. Bien sûr, on a vu débarquer aussi dans les boîtes les proxénètes et autres, à la recherche de clients pour leurs filles. Mais les musiciens ne s'occupaient pas de ces affaires-là. On était là pour faire notre musique, pas pour autre chose. Seulement ce genre d'activités fait partie de la vie nocturne, et vous tombez toujours sur des types qui essaient de vous refiler de la came dans tous ces lieux-là. De nos jours, c'est encore pire, ça se passe dans les écoles primaires. Les musiciens ont en fait été les premières victimes. Tant qu'il s'agissait des vedettes de cinéma, ça s'arrangeait parce que le gouvernement leur fournissait la drogue nécessaire. Si vous étiez reconnu comme toxicomane, vous aviez le droit de vous inscrire pour obtenir de la drogue légalement. C'est curieux, mais on dirait que tout le monde cherchait à nous empêcher d'évoluer. C'est arrivé à un point où ils arrêtaient les gros cars qui sortaient du Holland Tunnel ou du Lincoln Tunnel, surtout s'ils transportaient des musiciens noirs, et les fouillaient de fond en comble à la recherche de drogue. Ils voulaient vraiment nous enfoncer. Vous me trouvez peut-être très dur, mais je sais que c'est la vérité. »

KENNY CLARKE

« Vous savez, c'était un truc pour essayer de détruire notre unité, comme plus tard avec les blousons de cuir et les hippies. On s'en rendait bien compte. On était quand même assez intelligents pour comprendre qu'ils essayaient de briser le mouvement tout entier par des commentaires malveillants et d'autres attaques. Ils cherchaient par tous les moyens à arrêter ce courant, comme ils l'ont fait pour les Black Panthers. Dès qu'une masse se met à bouger un peu, des forces en puissance à s'organiser, il y a toujours quelque chose qui vient se mettre en travers. N'importe quoi. Vous savez qu'à l'époque tous les jeunes se sont mis à porter des lunettes d'écaille et des bérets ; ça prenait presque une allure de culte. Et ce sont justement ces éléments extérieurs qui vont toujours trop loin. »

DIZZY

L'accusation numéro six était une vilaine manœuvre : les boppers prenaient soi-disant des positions antipatriotiques à l'égard de la ségrégation, des injustices dans le domaine économique, et de l' « american way of life ». Il est vrai que nous n'avons jamais voulu rester enfermés dans un contexte purement américain, car nous étions avant tout des créateurs dans le cadre d'un art aux racines universelles, et qui avait d'ailleurs fait ses preuves de succès dans le monde entier. Il est également tout à fait vrai que nous refusions le racisme, la pauvreté, l'exploitation de certaines classes, et n'étions pas disposés à mener une existence monotone et dénuée de toute création dans le but de survivre. Mais tous ces sentiments n'ont rien d'antipatriotique. Si l'Amérique refusait d'appliquer sa Constitution et de nous respecter en tant qu'hommes, nous on n'avait plus rien à foutre de leur système et de l'american way. Et ils en sont presque arrivés à considérer qu'aimer notre musique était anti-américain !

C'est la musique qui m'a rapproché de Charlie Parker. Mais Bird était aussi quelqu'un qui lisait beaucoup, connaissait beaucoup de choses, et avec qui je discutais politique, philosophie et art de vivre. Je me souviens qu'il parlait souvent de Baudelaire, qui est mort de la syphilis, je crois. Charlie s'intéressait énormément à la structure de la société, et nous avions de longues conversations sur ce sujet, et sur la musique aussi, bien sûr. On parlait également de politique régionale, de gens comme Vito Marcantonio, et de ce qu'il avait essayé de faire pour les petites gens à New York. Ses idées nous plaisaient parce que notre œuvre créatrice était justement bien mal rétribuée.

266

Il y avait un autre groupe de musiciens plus orientés vers les questions sociales, et qui avaient des liens étroits avec le parti communiste. Ces types étaient toujours sur la brèche dès qu'il s'agissait de problèmes concernant l'emploi. Je n'ai jamais adhéré à ce genre d'engagement politique. Je participais à des manifestations, le cas échéant, et je me souviens avoir déambulé à deux reprises en brandissant une pancarte. J'ai oublié pour quel motif, mais je me rappelle bien les marches et les pancartes.

Paul Robeson a été le précurseur de Martin Luther King. Je me souviendrai toujours de lui comme d'un artiste politiquement engagé. Quelques musiciens éclairés reconnaissaient son importance, comme Teddy Wilson, Frankie Newton et Pete Seeger, qui avaient l'habitude d'exprimer bien haut leurs opinions. Pete Seeger est un des types les plus chaleureux et bienveillants que je connaisse, un grand bonhomme.

Dans ma religion, la foi Baha'i, le « Bab » est le précurseur de Baha'u'llah le prophète. « Bab » signifie « la porte », et pour moi Paul Robeson a été « la porte », cette ouverture qui a conduit à Martin Luther King. Les gens au pouvoir ont fait subir un martyre à Paul Robeson, mais il n'est pas mort immédiatement de leurs persécutions. Oui, cet homme est devenu un martyr à force d'être cerné de toutes parts et étranglé à cause de ses convictions. La souffrance est la même, que la torture soit physique ou morale. Et je trouve que Paul Robeson a enduré encore plus que Martin Luther King. Celui-ci a payé très tôt de sa vie, mais Robeson a dû souffrir pendant des années.

A la première d'*Othello* à New York, avec Paul Robeson, José Ferrer et Uta Hagen, j'étais placé tout en haut, au dernier balcon. Eh bien, j'entendais la voix de Paul Robeson comme si nous étions tous les deux dans la même petite pièce. Vous imaginez cette puissance ! et pourtant d'où j'étais il me paraissait gros comme un cigare, malgré sa large stature. Il m'a plu dès la première fois. Beaucoup de Noirs étaient contre lui, curieusement. Il essayait de les aider et ils trouvaient le moyen de dire du mal de lui, le traitaient de communiste. Je l'ai entendu parler à maintes reprises, et croyez-moi, c'était un orateur. Un homme qui ignorait la peur, aussi. Jamais personne n'a osé dire les choses aussi ouvertement, en réussissant à faire passer le message alors qu'il se heurtait à tant d'hostilité. Je ne l'oublierai jamais. Un être merveilleux.

Ils ont fini par le baptiser : « L'Incorruptible ». Rien ne pouvait entamer son honnêteté, son intégrité à l'état pur, qui est la qualité essentielle et la plus rare aussi chez un homme. Et pourtant, il existe d'innombrables moyens de corruption. Pour moi, c'est un héros, un peu aussi le père de Malcolm X, autre personnage marquant avec lequel j'ai souvent parlé. J'aimais Malcolm, et lui aussi était incorruptible. Il y a tant de leaders que le pouvoir et l'argent savent corrompre, et il faut même bien peu de l'un et de l'autre pour leur faire perdre la tête. Mais pas des hommes comme Malcolm X ou Paul Robeson. Rien ne pouvait les atteindre, et pourtant les gens au pouvoir ont tout essayé. Alors ils ont dû tuer Malcolm X et détruire lentement Paul Robeson, qui ont quand même résisté jusqu'au bout et sont morts la tête haute.

Un jour où je passais dans le show de Rudy Vallee, j'aurais dû avoir une prise de position plus agressive. Rudy m'annonça en ces termes : « Et alors, quoi de neuf ce soir du côté de l'Oubangui ? » J'ai failli quitter la scène. J'ai ensuite pensé à l'attaquer en justice, mais je n'aurais pas eu gain de cause en dommages et intérêts. J'ai préféré laisser tomber, et nous avons joué. De nos jours, un musicien ne se laisserait pas traiter de la sorte, mais dans ce temps-là, le cachet et l'occasion de se faire entendre semblaient plus importants sur le moment.

Nous avions d'autres combattants « silencieux » comme Joe Louis, qui était quelqu'un lui aussi. Je le connaissais depuis très longtemps, à l'époque où je traînais toujours chez Sugar Ray pour faire des parties de dames. Sugar Ray était un sérieux adversaire, mais Joe Louis c'était la grande classe !

Il venait m'écouter jouer et bien sûr tout le monde s'imagine Joe Louis venant s'installer au premier rang, devant l'estrade. Eh bien non, il allait toujours se fourrer dans un coin à l'écart, pour écouter tranquillement la musique. Et si j'annonçais, comme c'est l'usage : « Mesdames et messieurs, nous avons parmi nous ce soir le champion du monde des poids lourds, Joe Louis... », il se levait, faisait un petit salut discret de la main, et généralement il disparaissait tout aussi discrètement peu après. J'en connais d'autres qui réclamaient une table au bord de l'estrade, insistaient pour être présentés, et venaient saluer sur scène. Pas lui. Il était réservé, plein de bon sens. Un type fabuleux.

Il est toujours fort agréable de se savoir partie intégrante d'un phénomène qui a historiquement influencé votre propre culture. Mais sous l'aspect de l'appartenance raciale, c'est seulement ce que je représente qui importe, et non ma personne. Je m'intéresse peu à « Dizzy Gillespie », mais je suis satisfait d'avoir pu apporter ma contribution. Savez-vous que pour être un héros de la communauté noire, il suffit de réussir à être considéré par les Blancs avec respect, et qu'ils reconnaissent votre apport à une activité officiellement digne d'intérêt. Vous allez rire, mais c'est la vérité. Les Noirs apprécient mon jeu de la même façon que j'admirais Paul Robeson ou Joe Louis. Quand Joe mettait quelqu'un KO, je pensais :

268

« Tiens! » avec le sentiment d'avoir marqué le coup moi-même, simplement parce qu'il avait réussi un exploit, et qu'il avait la même couleur de peau que moi.

Oh! et il y avait un type à Harlem toujours en train de prêcher au coin d'une rue. Ce qu'il pouvait raconter sur les Blancs, debout sur sa vieille caisse! J'ai oublié son nom, mais tout le monde le connaissait. Il ne portait pas d'accoutrement particulier, mais il tenait toujours un petit drapeau américain. C'est en l'écoutant pérorer un jour que je suis entré par hasard en contact avec le mouvement africain. Un Africain à côté de moi, qui s'appelait Kingsley Azumba Mbadiwe me demanda qui j'étais et d'où j'étais originaire. Apparemment, je connaissais les bonnes réponses, ce qui n'était pas si mal pour quelqu'un arrivé depuis peu à New York de sa Caroline du Sud natale. Notre amitié s'est nouée ce jour-là, et je me suis profondément attaché à ce frère africain. Une fois, après les émeutes de Harlem en 1945, Mbadiwe me dit :

« Mon vieux, les Blancs d'ici sont bizarres...

— C'est-à-dire?

— Eh bien, ils m'ont conseillé de ne pas aller à Harlem.

— Et pourquoi donc?

— Ils m'ont dit que c'était dangereux pour moi, que je pourrais me faire tuer...

— Qu'est-ce que tu leur as répondu?

— Je leur ai demandé comment on pouvait bien me distinguer des autres, des Noirs d'ici... je leur ressemble comme deux gouttes d'eau! »

A partir de ce moment-là, j'ai remarqué que les Blancs n'aimaient pas que les Noirs américains se rapprochent trop des Africains. Peut-être ne tenaient-ils pas à ce qu'on en sache trop long sur l'Afrique. Ils auraient bien voulu nous faire croire que nous venions de nulle part, sans racines, alors que les Blancs, eux, pouvaient se vanter de leur ascendance allemande, française, italienne ou autre. Ils préféraient nous laisser le plus possible dans l'obscurité quant à nos ancêtres, pour que notre seule réponse à certaines questions reste limitée à : « Nous sommes des gens de couleur. » Point final. C'est incroyable que les Blancs aient décidé de nous maintenir ainsi à l'écart des Africains et de notre patrimoine ancestral. C'est d'ailleurs la raison pour laquelle vous n'entendez pas dans notre musique notre héritage africain, autant que dans celles d'autres parties du monde : ils nous ont confisqué nos tam-tams. Si vous allez au Brésil, à Bahia par exemple, où il y a une population noire importante, vous remarquerez une forte influence africaine dans la musique locale; à Cuba aussi, vous retrouverez les traces de l'héritage, ainsi que dans les Antilles. Un jour, au Kenya, j'ai entendu jouer les musiciens du coin et je leur ai dit aussitôt : « Vous jouez le calypso comme aux Antilles, les gars ! » Et un des types m'a répondu en riant : « N'oublie pas qu'on est arrivés les premiers... »

Mais ici, ils nous ont interdit les tam-tams... par sécurité, quand ils se sont aperçus qu'on pouvait communiquer à six ou sept kilomètres à la ronde par ce moyen. Ils nous ont aussi interdit l'usage de notre langue et obligés à apprendre l'anglais. A l'époque de l'esclavage, si l'on s'apercevait que deux esclaves parlaient le même dialecte africain, on en vendait un. Les seuls vestiges se réduisent à quelques mots, comme *buckra ;* ma mère disait souvent « ce pauvre vieux buckra », buckra signifie Blanc. Mais quand nos « tambours » nous ont été enlevés, notre musique a évolué dans une direction monorythmique, et non polyrythmique comme la musique africaine. J'ai toujours été très attiré par les différentes sortes de rythmes et cet intérêt m'a poussé à saisir toutes les occasions de rechercher et d'étudier ces liens avec l'Afrique et sa musique.

Charlie Parker et moi avons participé à des concerts de bienfaisance pour les étudiants africains à New York et l'Académie africaine des arts et de la recherche, dirigée par Kingsley Azumba Mbadiwe, qui devait plus tard devenir ministre au Nigéria dans un des régimes de ce pays. Mais pendant qu'il résidait aux Etats-Unis comme directeur de l'Académie, il avait organisé des concerts à l'hôtel Diplomat qu'il est bien dommage de ne pas avoir enregistrés. Seulement moi, Bird et Max Roach, plus des rythmes africains et cubains, pas de basse ni aucun autre instrument. On a également accompagné un danseur, Asadata Dafora*, dont le nom s'écrit comme il se prononce.

A travers cette expérience, unique pour nous, Charlie Parker et moi avons découvert les liens entre la musique afro-cubaine et africaine, et l'identité avec la nôtre. Des concerts vraiment extraordinaires... et je regrette encore qu'il n'existe aucun enregistrement pour en témoigner.

Notre évolution sociale a été parallèle à notre évolution musicale : nous avons d'abord appris les bases, et avons ensuite improvisé dessus. Rien de très étonnant à cela, puisque notre façon de vivre suivait la même direction que notre musique. Oui, dans certains cas, celle-ci passe au premier plan et le mode de vie en est un reflet, car cette forme d'art exerce une action prépondérante, même si la vie,

---

* Le premier danseur africain qui a présenté les danses de son pays en concert aux Etats-Unis. Dafora est considéré comme l'un des pionniers dans la diffusion de la danse et de la culture africaines. Né en 1890 à Sierra Leone, Dafora a étudié le chant et s'est produit à la Scala avant de venir en 1929 s'installer aux Etats-Unis où il mourut en 1965. Il a mis aussi en scène la séquence des sorcières dans la version de *Macbeth* d'Orson Welles (*N.d.A.*).

elle, a incontestablement une dimension supérieure. Les artistes sont toujours à l'avant-garde des transformations sociales. Mais il n'était pas question pour nous de discours politiques ni d'annonces du genre : « Bon, on va maintenant vous jouer huit mesures de protestation. » Notre musique suffisait à proclamer notre identité et contenait tous les messages que nous souhaitions faire passer.

Accusation numéro sept : les boppers avaient une préférence pour des religions autres que le christianisme. Ce n'est qu'une demi-vérité, car la plupart des musiciens noirs, y compris ceux de la période bop, ont eu leur premier contact avec la musique grâce à l'Eglise, et ont subi cette influence qu'ils ont gardée toute leur vie. Pour des motivations sociales et religieuses, un grand nombre de musiciens de jazz se sont effectivement tournés vers l'islamisme depuis les années quarante, mouvement tout à fait dans l'optique de la liberté du culte.

Rudy Powell, de l'orchestre d'Edgar Hayes, fut un des premiers à adopter l'islamisme et prit le nom musulman de Ahmidyah. D'autres suivirent, pour des raisons plutôt sociales que religieuses me semblat-il alors, si tant est que l'on puisse les départager. « Ecoute, si tu te fais musulman tu n'es plus noir, tu deviens blanc », disait-on. « Tu prends un nouveau nom et terminé, tu ne seras plus un " nègre ". » Et tout le monde a commencé à se convertir parce qu'il semblait assez avantageux de ne plus être noir à l'époque de la ségrégation. J'y ai pensé moi aussi, mais je me suis dit que la plupart de mes congénères essayaient seulement de devenir n'importe quoi plutôt que de rester des « nègres ». Ils n'avaient pas pris conscience de l'identité de leur race et cherchaient simplement à se débarrasser de ce qu'ils croyaient être une tare. Quand tous ces gens-là ont su par exemple qu'Idrees Sulieman, qui venait de se faire musulman, pouvait se permettre d'entrer dans les restaurants réservés aux Blancs et ramener des sandwiches aux autres parce que lui n'était plus « noir » — malgré sa teinte de cheminée mal ramonée —, ils se mirent à se convertir par fournées.

Les musiciens commencèrent à faire porter dans la case « race » de leur carte d'identité la lettre W pour *White* (Blanc). Kenny Clarke me montra la sienne en me disant : « Regarde ça, négro, je ne suis pas noir, je suis blanc. » Il avait adopté le nom arabe Liaqat Ali Salaam. Un autre type avec lequel j'avais jadis partagé ma chambre à Laurinburg, Oliver Mesheux, eut une altercation sur le sujet dans le Delaware. Il était entré dans un restaurant où on lui dit qu'on ne servait pas les Noirs, et il répliqua aussitôt : « Je vous comprends, mais voyez-vous je n'en suis pas un, je m'appelle Mustafa Dalil. » Après quoi, on le laissa tranquille et le patron l'accueillit même avec une formule de politesse.

Quand j'ai demandé ma carte, j'étais au courant de tout cela bien sûr, mais n'étant pas musulman, je ne voulais pas laisser la police inscrire quoi que ce soit dans la case « race ». J'ai décidé de ne pas répondre à la question dans le formulaire, et quand le flic s'est préparé à remplir la case pour moi, je lui ai demandé :

« Qu'est-ce que vous allez mettre, un C (C pour *Colored*)?

— Ben quoi, vous êtes bien noir.

— Un Noir, moi...? Non.

— Vous êtes quoi, alors, blanc?

— Non plus. Ne mettez rien dans la case et donnez-moi la carte comme ça. » Et il l'a fait! Je ne voulais ni de W pour *White* ni de C pour *Colored*. C'est drôle, les deux lettres accolées, en Europe, désignent les toilettes.

Par la suite, j'ai repensé à une éventuelle conversion à l'islam, mais surtout pour des raisons sociales. Je n'en savais pas lourd sur cette religion, mais j'acceptais très bien l'idée que Mahomet fût un prophète. J'y croyais, même, alors que très peu de chrétiens admettaient qu'il porte la parole de Dieu. Je n'étais pas tellement d'accord, en revanche, avec la polygamie que permet l'islamisme. Dans notre société, un homme ne peut prendre qu'une femme à sa charge, et s'il le fait bien c'est déjà un succès. La polygamie avait sa place dans le cadre de la société qui la pratiquait en tant que coutume, mais l'ordre social n'est pas immuable et chaque époque engendre de nouvelles mœurs qui lui sont propres. La polygamie était une tradition admissible à un certain stade de l'évolution, mais peu de femmes l'accepteraient aujourd'hui. C'est une question angoissante de voir tant de femmes sans maris, et j'avoue que je n'ai pas de solution à proposer. Quoi qu'il arrive, il faudra bien en trouver une en accord avec les progrès de la société.

Le mouvement en faveur de l'islamisme chez les musiciens de jazz souleva une certaine émotion, surtout avec le développement de l'action sioniste pour la création de l'Etat d'Israël. Des frictions se produisirent entre juifs et musulmans, prenant à New York la forme d'un semi-boycott des jazzmen au nom musulman. Par exemple, un juif s'occupant d'une agence de spectacle donnait de préférence du travail aux non-musulmans parmi ses clients musiciens. D'un autre côté, les agents ne pouvaient pas jouer les mêmes tours aux musulmans qu'à nous parce que, contrairement à nous, ceux-ci avaient la notion de leur identité, et cette prise de conscience tendait à modifier leur attitude vis-à-vis de tous ces gens qui dirigeaient le monde du spectacle, des juifs en majorité d'ailleurs. Quoi qu'il en soit, les musulmans s'en tiraient bien car si certains s'étaient contentés de changer de nom, d'autres plus évolués s'y connaissaient en affaires, et s'en occupaient bien.

Vers la fin des années quarante, la presse sembla soudain

272

s'intéresser beaucoup à mon éventuelle conversion à l'islam. En 1948, le magazine *Life* publiait un grand reportage photographique qui était censé illustrer et expliquer notre musique. Ils me persuadèrent de me laisser photographier à genoux, bras étendus, en train soi-disant de me prosterner dans la direction de La Mecque. Le tout se révéla être un coup fourré qui me fit commettre involontairement un sacrilège, un des rares actes dont j'aie eu honte dans ma vie car en fait je n'étais pas musulman. Les journalistes avaient dû penser que si le « roi du bebop » se convertissait officiellement, des milliers d'admirateurs suivraient son exemple. Des reporters sont même venus me demander si j'avais l'intention de renier le christianisme. Mais cette leçon que je devais à *Life* m'avait appris à laisser planer le doute dans ce genre d'interview. J'ai répondu que pendant mes tournées dans le Sud, les membres de mon orchestre s'étaient vu refuser le droit de prier dans les églises de leur foi parce que même en ces lieux les Noirs n'avaient pas le droit de se mélanger aux Blancs. J'ai ajouté : « Alors ne me parlez pas d'abandonner le christianisme, c'est plutôt le christianisme qui m'abandonne, ou disons que des gens qui se proclament chrétiens ne le sont pas vraiment. La Bible dit : " Aime ton frère ", mais ils ne la respectent pas. Dans l'islam, il n'y a pas de ligne de démarcation entre les races. Tous les hommes sont égaux. »

Pendant une des interviews, comme je n'étais pas très ferré sur la religion musulmane, j'ai dû faire appel à notre saxophoniste Bill Evans qui s'était récemment converti et pouvait donc fournir au reporter des renseignements précis.

« Quel est ton nouveau nom ?

— Yusef Abdul Lateef », répondit-il. Et il nous a expliqué comment un missionnaire musulman, Kahlil Ahmed Nasir, avait converti de nombreux musiciens de jazz moderne à New York, qu'il lisait tous les jours le Coran et observait strictement les pratiques de sa foi aussi bien dans la prière que dans le régime alimentaire. J'ai dit au reporter que j'avais moi aussi étudié le Coran, et savais ainsi qu'un musulman ne boit pas d'alcool et ne mange pas de porc. J'ai ajouté que j'étais très attiré par la sonorité du mot « Coran » que je trouvais « extra », ou « planante » comme on dit. Et dans son article, le type raconta que Dizzy Gillespie et ses beboppers « planaient très haut » dans le domaine religieux. Il voulait nous ridiculiser en nous faisant passer pour des marginaux un peu trop curieux et excentriques auxquels on ne devait pas prêter trop d'attention*. La plu-

---

* J'ai par la suite joué là-dessus et ai parfois porté un turban en Europe. Dans la rue, les gens me prenaient généralement pour un Arabe ou un Hindou. Ils ne savaient que penser, en fait... parce que je faisais semblant de ne pas parler anglais, tout en écoutant

part des musulmans qui avaient dès le début pris les choses sérieusement ont continué à croire et à pratiquer.

Accusation numéro huit : les beboppers menaçaient de sonner le glas de la musique populaire, du blues et du bon vieux jazz comme le Dixieland. C'est pratiquement faux.

Il est vrai que sur les plans harmonique, mélodique et rythmique, la musique populaire nous semblait généralement trop fade, trop simple et ennuyeuse. Mais nous n'avons jamais essayé de la détruire, et nous nous sommes contentés d'édifier autre chose à partir d'elle, en introduisant nos propres mélodies, harmonies et rythmes dans son cadre traditionnel, pour ensuite improviser dessus. Nous avons toujours pratiqué ce système de substitution, grâce auquel personne n'a jamais pu nous accuser de voler des mélodies, ou de percevoir des royalties en enregistrant de la musique déjà déposée. Le découpage des chansons populaires servait de base à nos improvisations, qui pour nous avaient beaucoup plus d'importance. Par la suite, la musique populaire a survécu en adoptant progressivement ce que nous avions apporté de neuf.

Les boppers n'auraient pu tuer le blues sans s'infliger à eux-mêmes de graves blessures. Les musiciens de jazz moderne sont toujours restés très proches des joueurs de blues, et j'ai personnellement entretenu des relations très amicales avec T-Bone Walker, B. B. King, Joe Turner, Cousin Joe, Muddy Waters et les autres, parce que nous savions d'où venait notre musique. On ne peut tout de même pas renier son géniteur, à moins d'être un imbécile... et il n'y en avait pas beaucoup dans notre mouvement. Bien sûr, il existait des différences surtout sur le plan technique entre les jazzmen modernes et les musiciens de blues, mais les premiers connaissaient obligatoirement le blues.

Une autre rumeur voulait que nous méprisions ceux qui ne lisaient pas la musique. Pourtant, c'était le cas d'Erroll Garner et croyez-moi, nous ne le méprisions pas même s'il ne jouait pas non plus dans notre style. Un musicien moderne n'était pas obligé d'être un bon lecteur pour créer, ce sont deux choses différentes; mais par ailleurs on ne trouvait pas de travail si on ne lisait pas, car il fallait être capable de déchiffrer des partitions pour jouer en orchestre.

Le musicien bop connaissait bien le blues, ainsi que les ouvertures qu'offraient les divers genres latino-américains, et il possédait un sens inné de la mise en place qui lui permettait de bien construire

---

ce qu'ils disaient de moi. Certains Américains croyaient que j'étais quelque grand seigneur mahométan! J'ai entendu des réflexions dénotant une ignorance difficile à imaginer... Pour me connaître, étudiez-moi plutôt avec soin, accordez-moi toute votre attention, et avant tout... venez à mes concerts (*D.G.*).

ses phrases. Il connaissait aussi les intervalles, les enchaînements d'harmonies, et savait passer avec aisance d'une tonalité dans une autre. Il avait écouté et étudié Charlie Parker, et savait qu'il lui fallait être un musicien accompli. A l'époque actuelle, par exemple, un musicien bop doit également connaître le rock, l'intégrer dans sa culture.

Déjà du temps du Minton's, nous avions des critères de jugement sur l'aptitude à jouer notre musique. Certains en étaient d'ailleurs fort loin, comme le dénommé Demon qui venait souvent au club pour « jouer »... mais dans son cas je n'ose employer ce mot. Pourtant il jouait avec tout le monde, même avec Coleman Hawkins... Demon montait carrément sur le podium et improvisait des chorus en série qui étaient vraiment n'importe quoi. On en avait tous marre de voir ce type, mais enfin il était là et on le laissait se faire plaisir quand même. Tout le monde avait sa chance d'apporter sa contribution à la musique!

La querelle entre les boppers et les « figues moisies » qui ne jouaient et n'écoutaient que du Nouvelle-Orléans est née parce que les musiciens de la vieille école ne cessaient d'attaquer notre musique et de la rabaisser. Ils lui étaient vraiment hostiles car elle exigeait de ses interprètes d'autres talents que les leurs. Ils répétaient partout : « C'est n'importe quoi, cette musique! » Mais par ailleurs, on remarquait que certains « anciens » se mettaient à jouer nos riffs, comme Henry « Red » Allen pour n'en citer qu'un, alors que d'autres s'obstinaient dans leur hostilité.

Dave Tough jouait chez Eddie Condon à un moment, et j'étais passé le voir au club. Lui et sa femme sont de bons amis à moi. Quand il a levé les yeux et m'a aperçu, il s'est écrié : « Tu es gonflé, espèce d'enfoiré!

— Tu veux dire quoi, par là?

— Que tu vas te faire lyncher ici, connard... »

J'ai trouvé ça très drôle, j'étais plié en deux. Il faut savoir que les clubs d'Eddie Condon et de Nick, en plein cœur du Village, étaient des bastions du style Nouvelle-Orléans.

Louis Armstrong aussi nous critiquait, mais pas moi personnellement, en tout cas jamais à propos de la trompette. Il a dit des choses désagréables sur ceux qui cherchaient à m'imiter, mais jamais un mot mettant en doute mes qualités de trompettiste et ma connaissance de l'instrument. Seulement, il disait du bebop : « Aïe, aïe, aïe, c'est pourri! Même pas de mélodie... » Or Louis Armstrong ne pouvait pas vraiment recevoir notre musique; il n'avait pas la formation nécessaire pour saisir la structure de nos thèmes et tout notre système harmonique. Cela dit, c'est quand même son sens extraordinaire de la mélodie, et ses talents de « souffleur » qui nous ont tous influencés par la suite, plus particulièrement les trompettistes; mais son époque n'avait pas les moyens de pousser aussi avant que nous dans l'art musical. Chronologiquement parlant, je sais que Louis Armstrong est notre père spirituel, comme King Oliver et Buddy Bolden ont été les siens. J'ai toujours suivi et compris comment leurs styles avaient évolué. C'est pourquoi les déclarations de Louis sur le bebop ne m'ont pas du tout dérangé. Je sais que j'ai été personnellement formé à l'école de Roy Eldrige, lui-même disciple de Louis Armstrong. Je me serais bien gardé de faire des commentaires sur la façon de jouer de mes aînés, j'avais trop de respect pour eux.

Le *Time* du 28 janvier 1947, citait cette déclaration de moi : « Louis Armstrong a fait plus que n'importe qui pour populariser la trompette. C'est l'homme qui a su " vendre " cet instrument auprès du grand public. Dans le jazz à l'heure actuelle, nous avons approfondi la structure des accords et leurs enchaînements, ainsi que les superpositions rythmiques possibles, et d'autres points encore auxquels personne ne pensait du temps de Louis. Il jouait uniquement avec son âme, son cœur, sans réfléchir sur les harmonies et leur complexité. Il n'avait pas appris. Mais en tout cas, ce que notre génération emprunte actuellement à Louis Armstrong c'est l' " âme " (*soul*) de son jeu. »

J'ai en revanche critiqué Louis pour d'autres choses, comme son côté « bon Noir de plantations » qui ne nous plaisait guère. Quand on me demandait ce que je pensais de son image pour le public, avec son grand mouchoir et son large sourire face au racisme blanc, je n'ai jamais hésité à répondre que je n'étais pas d'accord. Je ne voulais pas que l'homme blanc m'imaginât prêt à accepter de lui ce que Louis Armstrong avait accepté. Après tout, j'avais ma manière à moi de leur jouer la Case de l'Oncle Tom. Chaque génération de Noirs a dû trouver la sienne, pour s'adapter à une situation foncièrement injuste. Rappelez-vous les comiques noirs d'une certaine époque, avec des répliques du genre : « Mais oui, missié pat'on... » dont ceux d'aujourd'hui ne veulent plus à leur répertoire, ce qui ne les empêche pas de faire des plaisanteries d'un autre niveau sur les injustices dont ils ont été victimes. Plus tard, j'ai compris que mon interprétation du sourire débonnaire de Louis était erronée. Il exprimait un refus total de laisser quoi que ce soit, y compris la colère due aux frustrations raciales, le priver de sa joie de vivre et en effacer l'extraordinaire reflet sur son visage. Appartenant à une génération plus jeune, je l'ai mal jugé.

L'artiste ou la société installés, « en place », attaquent toujours ce qui est neuf : religion, bouleversements sociaux, tout. C'est un réflexe lié à la vie et à la mort, et déclenché par la crainte des vieux de se voir remplacés par les jeunes. Louis Armstrong n'a jamais joué notre musique, mais cela n'aurait pas dû l'empêcher de la sentir. « Pops » a pensé que c'était son devoir de l'attaquer... Et comme le « chef » monte toujours le premier à l'assaut, Pops a suivi cette règle en tant que chef de la vieille école. En tout cas, il pouvait en retirer une certaine publicité, bien qu'étant dépassé musicalement. « C'est vraiment un ramassis de n'importe quoi ! Ils ne savent même pas ce qu'ils font, ces petits gars-là... »

Mezz Mezzrow, lui, nous tapait dessus chaque fois qu'il parlait du bebop à la presse européenne : « Ils n'ont jamais l'idée de ne jouer que deux notes, s'ils peuvent en placer cent ! »

Plus tard, quand je suis allé en Europe en 48, on m'a représenté avec un couteau entre les mains et Mezz Mezzrow tête baissée, comme si j'allais le décapiter. Les manchettes disaient : « DIZZY VA DECOUPER MEZZ MEZZROW EN RONDELLES »... Dieu merci nous vivons maintenant dans une époque plus éclairée où il n'est plus nécessaire de dénigrer les nouveautés. La féroce concurrence entre générations est une chose du passé.

Dans la vie, Pops et moi étions en fait très bons amis. Il venait à mes principaux concerts, et a dit des choses très gentilles à mon sujet dans la presse. J'ai souvent pensé que nous aurions dû enregistrer ensemble au moins une vingtaine d'albums... pour les générations suivantes. L'idée fut jugée bonne d'ailleurs, mais Pops était tellement impressionné par son imprésario, Joe Glasser, qu'il a dit : « Il faut en parler à Papa Joe. » Mais Joe, qui s'occupait aussi de mes contrats à l'époque, ne voulait surtout pas qu'un autre artiste empiétât sur le territoire de Louis, et l'idée est tombée à l'eau. De son côté, Pops ne s'intéressait à aucune musique nouvelle, d'aucun genre. Il était content de faire la sienne. Puis ce fut *Hello Dolly,* et il s'est trouvé du jour au lendemain catapulté au sommet de la gloire. Je me demande si pareille chance m'arrivera un jour ? Jouer pendant tant d'années, et avoir tout à coup un tube qui fait de vous une grosse vedette... Enfin, on dit que l'Histoire se répète...

Accusation numéro neuf : les beboppers éprouvaient du dédain à l'égard des « squares ». Ça, c'est plutôt exact. Un « square * », on disait aussi « lame », était un pauvre type de la catégorie de ceux qui acceptaient le mode de vie imposé par « l'établissement » dans son intégralité, y compris le domaine musical. Les « squares » ne sortaient pas des sentiers battus, rejetant même l'idée d'options créatrices, à l'opposé des gens « hip ** », qui étaient « dans le coup »,

---

* *Square :* littéralement, carré. *Lame :* littéralement, boiteux, éclopé. (N.d.T.)
** *Hip cat* vient du terme *hipicat* dans le dialecte des Ouolofs, qui signifie : homme averti, ou qui a les yeux ouverts. (N.d.A.)

avertis, et dont le comportement prouvait qu'ils « savaient vivre ». Sur le plan musical, un square avalait la « soupe » qu'on lui servait. Il claquait son fric au Roseland Ballroom pour écouter un orchestre de danse jouer des standards, au lieu d'ouvrir ses oreilles et son esprit et de s'embarquer pour une virée « bebop » au Royal Roost. Insensible aux mutations des expressions anciennes déjà passées de mode, le square disait encore « hep » plutôt que « hip », et par-dessus tout il n'éprouvait aucun intérêt, quand ce n'était pas de l'aversion, pour toutes les valeurs ou les qualités que nous défendions, comme l'intelligence, la sensibilité, la créativité, l'évolution, la réflexion, la gaieté, le courage, la paix, l'union, l'intégrité. Pour rabaisser un peu ces individus à la rigidité si bien enfermée dans un cadre aux angles bien droits, quel meilleur qualificatif que « square »?

Il existait aussi une catégorie de types qui se prétendaient « hip », et étaient en réalité des « squares », des « pseudo-hips ». Alors, comment distinguer les vrais des faux? Avant tout, un type vraiment hip n'avait aucun préjugé racial, ni dans un sens ni dans l'autre, parce qu'il savait que la seule façon « hip » de mener son existence était de vivre en paix parmi ses frères, et tous les hommes, jusqu'à preuve du contraire, sont frères.

Accusation numéro dix : les boppers dénigraient les musiciens cherchant à faire de l'argent avant tout et baptisés « commerciaux ». C'est un demi-mensonge, ou plutôt une demi-vérité. Nous voulions tous gagner de l'argent, mais en jouant du jazz de préférence. Et bien sûr les gens qui nous soutenaient — ils étaient peu nombreux — avaient droit à notre estime car nous avions besoin de toute l'aide possible. Même à l'apogée du bebop, aucun de nous n'a gagné beaucoup d'argent, et bon nombre de ceux qui prétendaient nous aider essayaient en fait de profiter de nous telle une meute à la curée. De nouveaux clubs de jazz moderne, comme le Royal Roost avec ses sièges de cuir clair et un milk-bar pour les moins de vingt ans, ou le Clique, s'ouvraient peu à peu dans tout le pays. Le bebop était en vedette le long de la grande voie triomphale de Broadway, à l'affiche en même temps dans des salles comme le Paramount et le Strand. La publicité ne manquait pas... mais l'argent, si.

BUDD JOHNSON

« Dans le temps, c'était très simple : si vous aviez une idée pour un air, vous n'aviez qu'à l'écrire sur une feuille de musique, et vous l'envoyiez à vous-même par la poste en recommandé. Vous étiez protégé. Et puis ils ont sorti une nouvelle loi sur le copyright qui interdisait cette méthode. Et depuis, il faut que le morceau soit déposé sous copyright aux archives de la Bibliothèque du Congrès, on vous envoie le certificat d'enregistrement officiel, et vous payez une redevance. A l'époque, un tas de gars qui ne se tenaient pas au courant participaient à des séances d'enregistrement, et le directeur artistique, blanc ou autre, leur disait : " Bon, alors, les gars, vous allez nous jouer un petit riff, là, juste une idée pour commencer le morceau, et après on enregistre. Pas besoin de musique écrite. "

« Les gars trouvaient quelque chose, et en fait ils créaient à longueur de séance. Et quand le disque sortait, bon, on ne peut pas dire qu'on les dépouillait complètement, mais en général le directeur artistique, ou un de ses copains, avait justement sa propre maison d'édition et y mettait tous les nouveaux morceaux. Et il racontait aux musiciens que, comme il les avait enregistrés sans que leurs droits soient protégés, il était dans leur intérêt de les avoir confiés à un éditeur... lequel éditeur leur proposait ensuite un contrat bidon, grâce auquel ils ne voyaient jamais revenir les moindres royalties. Une façon comme une autre de les plumer.

« Je ne peux pas citer un titre de Dizzy en particulier qui lui ait été volé, mais je peux vous dire que certains mecs arpentaient toujours la Rue pour réunir des musiciens afin de les faire enregistrer. Comme on se trouvait tous dans le coin à l'époque, on se laissait embarquer dans ce genre de séance où pratiquement tous les thèmes étaient des morceaux originaux. Et particulièrement ceux de Diz and Bird. Je me demande s'ils ont jamais touché quelque chose sur leurs titres... »

TEDDY REIG (directeur artistique dans une maison de disques)

« Pendant la guerre, c'était la pagaille pour tous les orchestres, voyez-vous, et pour le reste aussi. Il n'y avait pas beaucoup de travail et je me suis retrouvé dans une compagnie de disques, la Savoy Records. Je m'occupais des disques mais je n'ai pas travaillé avec Dizzy à ce moment-là, parce que je n'ai jamais cherché à devenir copain avec un musicien dans le seul but de l'amener à enregistrer pour nous.

« J'avais la responsabilité du choix des artistes et des titres, et j'ai monté un catalogue qui a eu beaucoup de succès et a été vendu trente ans plus tard pour plus d'un million et demi de dollars. Il contenait toute la légende de cette musique baptisée " bop ", le jazz moderne de l'époque, avec les noms prestigieux de Dizzy, Charlie Parker, Serge Chaloff, Allen Eager, Don Byas et Lester Young.

« Très jeune, je luttais déjà en moi-même, plein d'illusions, essayant de m'accepter comme jeune juif qui ne voulait pas l'être, qui refusait l'environnement juif, le mode de vie de cette communauté, et qui sortait en courant de son quartier comme un voleur avec le diable à ses trousses. Je n'avais qu'un rêve : vivre à Harlem. Mes parents en rentrant à la maison se demandaient souvent : " Mais où est-il encore allé? " Et l'un répondait invariablement : " Avec les nègres, qu'est-ce que tu crois? "

« C'est toujours la même chose. Toutes les fois qu'une nouveauté fait son apparition, ceux qui sont dépassés essaient de la couler en la dénigrant. C'est la méthode américaine, très courante. Si quelque chose vous gêne ou vous échappe, abandonnez, oubliez, jetez au panier et condamnez.

« Dizzy a une personnalité tellement chaleureuse qu'il est difficile de se rappeler une première rencontre avec lui; on a le sentiment de l'avoir toujours connu. Je peux vous dire en tout cas qu'il était d'humeur égale, et très direct : si vous lui plaisiez il vous le montrait d'emblée, et dans le cas contraire il vous le faisait savoir tout aussi vite. Un type merveilleux par sa joie de vivre, et que tout le monde aimait. On le trouvait en train de jouer quelque part à une heure du matin, à deux heures et demie chez Minton, et aussi bien à quatre heures du matin chez Monroe. Impossible de le coincer dans un lieu précis. C'était un joyeux vagabond et il l'a toujours été. D'ailleurs, tout l'immeuble au 2040 sur la 7e Avenue était un repaire de bohèmes : Buck Clayton, Harry Edison, Don Byas. Et puis il fallait sans cesse se faire voir et entendre un peu partout, se faire connaître, se tenir au courant, tâcher de savoir par exemple où l'on pouvait gagner trois dollars de plus, et s'y précipiter.

« Une anecdote amusante à propos de Dizzy : la fois où je devais enregistrer Charlie Parker avec, en principe, Bud Powell au piano. D'abord, dans ce temps-là, il ne suffisait pas de dire à un type : " On enregistre à quatre heures ", pour le voir arriver à la séance. Il valait mieux aller le chercher à partir d'une heure... Quand j'ai fini par trouver Bud ce jour-là, dans le coin de Dewey Square, Dizzy était avec lui. J'ai explosé : " Mais qu'est-ce qu'il fout? Où va-t-il maintenant? John, tu viens avec nous hein? " Et il m'a répondu qu'il tiendrait le piano puisque de toute évidence Bud ne le pouvait pas.

« Donc finalement, à cette séance*, Dizzy devait jouer du piano et Miles Davis de la trompette, avec Charlie qui lui était dans un de ces jours sombres où il avait décidé que son instrument ne marchait pas bien. Il a fallu tout arrêter et l'emmener dans la 48e Rue pour faire réviser son sax. Une fois de retour au studio, dans la 40e, plus de trompettiste. Miles avait disparu, malade ou je ne sais quoi**.

---

* Il s'agit de la séance baptisée la « séance-mystère », avec Charlie Parker, Miles Davis, Max Roach, Curley Russell et moi-même (D.G.).

** Inexact. En réalité, Miles ne connaissait pas l'intro de Ko-Ko. Bird et moi l'avions déjà jouée ensemble, mais pas Miles (D.G.).

« A dire le vrai, *Ko-Ko* était un démarquage de *Cherokee*. Charlie avait demandé trois cents dollars pour quatre morceaux originaux; aussi, quand il s'est agi de donner le titre du thème, j'ai indiqué *Ko-Ko* pour que Charlie n'ait pas à payer soixante-quinze dollars de redevance et aussi que Lubinsky, le patron, ne se retrouve pas dans les ennuis jusqu'au cou. Pendant que j'étais dans la cabine, Dizzy courait d'un instrument à l'autre, jouant l'intro à la trompette puis revenant en hâte au piano. Si vous écoutez attentivement le disque, vous entendrez un " tchoing, tchoing " de Dizzy signalant à Charlie qu'il était installé et prêt. Disons que " tchoing, tchoing ", c'est ce que moi j'entends, en tout cas.

« Un détail très intéressant au sujet de Diz, et qui m'a convaincu de son génie, est qu'il a fait un certain nombre de disques avec des types dont le style ne lui convenait pas du tout. Et malgré ces nombreux facteurs défavorables, il sortait toujours frais et rose de l'épreuve. Par exemple, un de ses enregistrements les plus admirables est *I can't get started*. Pourtant, quand on regarde le personnel qui l'entoure, on pense à un juif égaré dans les cuisines d'un restaurant chinois en train de préparer un minestrone. Bref, tout ce que Dizzy entreprenait était toujours extraordinaire, fascinant. Totalement fascinant.

« Tout le début de sa carrière sur disques a été une véritable course d'obstacles. Il se retrouvait sans cesse avec les salades et les embrouilles à démêler. Il mérite vraiment tout le succès possible, après tant de problèmes à résoudre et d'épreuves à surmonter, tantôt dus à la politique interne d'une compagnie, ou aux intrigues d'un patron ou d'un directeur artistique désireux de placer un de leurs amis, des raisons que nous n'avons pas à connaître de toute façon. En tout cas, certains de ces musiciens réunis pour une séance n'apportaient absolument rien, hormis leur présence; alors que tant d'autres auraient pu faire partie des premiers enregistrements de Diz, s'il avait eu plus de liberté.

« Quand l'étiquette indiquait " All Star Sextet ", c'était plus qu'une exagération. Il s'agissait de bons musiciens, certes, mais pas de ceux qu'il aurait dû utiliser à ses côtés. Il faut dire qu'en ce temps-là, les formules de travail étaient différentes, et quand un musicien noir régulier faisait une séance, c'était en général avec un chanteur de blues...

« En 1942, l'impossibilité d'enregistrer dans les studios fut le résultat d'un conflit autour des fonds de protection sociale et des retraites, le syndicat exigeant que les maisons de disques lui versent directement des cotisations, indépendamment des versements faits aux musiciens au titre des ventes de disques. Et ce fut une grève de très longue durée, dont une des plus tristes conséquences est que certains des grands moments de Dizzy Gillespie n'ont jamais été enregistrés. Tout le monde refusait de travailler jusqu'à ce qu'un accord ait été conclu. Et puis il y eut une deuxième grève. Je me souviens que j'avais fait patienter Paul Williams pendant une semaine pour enregistrer *The Hucklebuck*. Je savais qu'un accord allait être conclu incessamment, et je voulais me précipiter au studio à la minute même où la grève serait finie. Finalement nous avons enregistré dans un hall d'immeuble de la 52ᵉ Rue, parce qu'il n'y avait pas de chambre d'écho.

« Certains n'ont jamais entendu l'orchestre que Earl Hines a dirigé, dans lequel jouaient Dizzy Gillespie et Charlie Parker. Je pense qu'aucun orchestre n'a communiqué une telle... un... c'est difficile d'expliquer avec des mots. Ce même esprit a animé plus tard celui de Billy Eckstine. Jamais un orchestre n'a autant déchaîné l'enthousiasme d'une salle, à la limite de l'émeute ! C'était la grande formation la plus étonnante qu'on ait jamais entendue, et d'ailleurs le monde ne l'a jamais entendue à cause de cette grève de l'enregistrement.

« Tout dépend de votre conception de la vie. Moi, par exemple, j'étais du côté des musiciens : ils étaient mes amis sans lesquels, en outre, je n'aurais pas pu gagner ma vie. J'étais forcément pour eux. Je gagnais les quelques dollars dont j'avais besoin. En ce temps-là, avec trente ou quarante dollars par semaine, je ne manquais de rien. »

DIZZY

Les gens qui avaient les moyens financiers et une certaine dose de perspicacité pour investir dans le bebop ont finalement gagné de l'argent, et même pas mal d'argent. La plus grande partie des bénéfices allait dans la poche des affairistes qui contrôlaient le monde de la musique, mais pas dans celle des musiciens. Cela s'explique, car ceux-ci, sans les fonds nécessaires pour investir dans la production, et souvent même incapables de gérer leur propre budget, tombaient automatiquement dans les mains de ceux qui tenaient le marché. D'une manière ou d'une autre, les businessmen du jazz s'assuraient systématiquement la propriété des choses et en retiraient plus que la part qui leur était normalement due, en général aux dépens des musiciens. On nous a dépouillés, pendant l'ère du bebop, plus que pendant toute la période écoulée depuis la naissance du jazz. Ils nous ont volé une grande partie de notre musique et nous ont joué un tas d'autres tours. Voyez-vous, quand vous trouviez le nom de quelqu'un d'autre sous le titre d'une de vos compositions

vous pensiez aussitôt : « Qu'est-ce que ce type a à voir là-dedans ? »
Mais que faire ? Pas grand-chose. Nous étions contre la commercialisation éhontée qui altérait la qualité de notre musique. Cela dit, nos
protestations contre le fait d'être escroqués et exploités n'ont jamais
signifié que nous étions contre le principe de gagner de l'argent. En
ce qui me concerne, l'idée de prendre une position politique face à la
commercialisation de la musique, ou d'entreprendre une action
quelconque, ne m'a jamais beaucoup séduit. Les individus qui nous
« plumaient » étaient incapables de créer, et moi je me suis contenté
de continuer de créer, tout en faisant le maximum pour que mes
œuvres soient protégées.

Accusation numéro onze : les beboppers avaient une conduite
bizarre et immature. C'est une calomnie. On raconte des histoires
de types débarquant chez moi à n'importe quelle heure du jour et de
la nuit, mais ce n'est jamais arrivé. Ils savaient bien d'ailleurs qu'il
valait mieux ne pas sonner chez moi à quatre heures du matin.
Une fois, Monk et Charlie Parker sont arrivés à une heure indue et
m'ont dit : « On a quelque chose pour toi ». Je leur ai répondu :
« D'accord, passez-le donc sous la porte »...

Je me suis marié très jeune et il n'était pas question de mener une
vie de bâton de chaise. Je pouvais aller chez les autres à n'importe
quelle heure parce qu'ils étaient toujours seuls, ou avec une fille
quelconque. Mais Lorraine n'a jamais accepté une vie trop agitée.
Elle ne m'aurait pas laissé faire.

Les boppers n'étaient en aucune façon des irresponsables. Au
contraire, pour toute une génération d'Américains et de jeunes du
monde entier devenus adultes dans les années quarante, le bebop a
été le symbole d'une révolte contre le cadre rigide de la société
d'avant-guerre, une sorte d'explosion en faveur du changement dans
presque tous les domaines, et particulièrement celui de la musique.
Le bopper a voulu imposer une nouvelle image au monde entier,
celle unique et évoluée d'une génération arrivant à maturité.

« Au paradis à dos de mulet »

Les gens m'ont toujours considéré comme un personnage farfelu et j'ai mis à profit cette étiquette dans un but publicitaire, pour faire connaître notre musique dans le monde entier. Tirant leçon de ce que j'avais appris en cours de route, j'ai accentué certains traits uniques de ma personnalité musicale parallèlement au style moderne que je jouais.

J'ai travaillé avec quelques-uns des plus grands chanteurs et artistes de la profession. Fats Waller était une de mes idoles, un musicien hors pair et un mime extraordinaire. Et j'ai façonné ma personnalité artistique à son image. Nous n'étions pas ce qu'on appelle de « vrais potes » et ne sortions pas ensemble, mais j'adorais Fats et il me le rendait bien. Sa musique autant que son personnage ont eu sur moi une immense influence. Il était très drôle et faisait rire tout le monde, et puis il se mettait au piano, cessait de parler, et jouait comme un fou... Il ne faisait qu'une bouchée de son instrument. C'était le maître, et tout le monde le respectait, tous, les Art Tatum, James P. Johnson, Earl Hines, tous admiraient Thomas « Fats » Waller. Il suffit d'écouter *Ain't Misbehavin'* ou *Honeysuckle Rose,* ce sont des morceaux immortels. Je repense au pont de *Ain't Misbehavin'*... mais où a-t-il pu aller le chercher! Je suis sûr que tous les pianistes actuels en sont « malades ». Ça, c'est une trouvaille, de l'éternellement neuf. Je n'ai jamais rien entendu d'aussi « hip » depuis, ni sur le plan harmonique ni dans la logique de sa construction.

Le don d'amuser est également un facteur important. Le musicien doit avoir le contact avec le public, et le meilleur moyen à mon avis est de faire rire. Par la même occasion, c'est un excellent truc pour relaxer, détendre tous les muscles, et quand les gens sont dans cet état, ils deviennent plus réceptifs et vous écoutent mieux. Si vous

284

voulez leur faire accepter quelque chose qui les dépasse, détendez-les et ils accrocheront beaucoup mieux.

Un de mes gags est de monter sur scène et d'annoncer : « Je voudrais présenter les musiciens de mon orchestre... » et je commence à les présenter entre eux. J'ai une bonne raison pour faire ce genre de plaisanterie : cela marche avec n'importe quel public, y compris ceux qui ne comprennent pas l'anglais. Dès que je dis : « Et maintenant mesdames, mesdemoiselles, messieurs, le moment est venu de présenter mes musiciens : Mr. Jones, voici Mr. Brown... » les gens rient. Même s'ils ne comprennent rien au baratin autour, quand ils entendent le mot « présenter » et voient les mecs de l'orchestre se lever à tour de rôle et se serrer la main, ils éclatent de rire.

Le chant et la danse font partie de moi-même. A l'école, je chantais un air qui s'appelait *Goin'to heaven on a mule,* un des grands succès de fin d'année du Laurinburg Institute. Tout le monde s'en souvient encore et les vieux me disent : « Ah, John, tu te rappelles quand tu chantais *Goin' to heaven on a mule ?* » En fait, je ne me rappelle ni l'air ni les paroles, mais seulement le titre. Je chante en moyenne un nouveau thème tous les cinq ans, du genre *Oop-Bop-a-Bop, Oop-Bop-sh'-Bam, I'm beboppin' too, You stole my wife, you horsethief, Swing low, Sweet Cadillac, School Days* et *Something in your smile.* Il est donc bien normal que je ne me souvienne pas de *Goin' to heaven on a mule,* mais j'ai adopté la philosophie de ce titre tout au long de ma carrière, le « mulet » symbolisant mon milieu d'origine dans la culture noire, et le « paradis » où je suis finalement arrivé.

Je prétends que ma musique est dansable. En tout cas, moi je danse dessus et je le faisais souvent sur scène devant l'orchestre. Mais je reconnais que ce n'est pas très facile, et les gens étaient un peu perdus sans le soutien solide du deux-temps. De nos jours, on est revenu à un « beat » plus marqué, parce que l'on a compris que notre musique était effectivement faite pour la danse à l'origine. Le jazz a été conçu pour faire danser les gens, c'est indiscutable, alors que mon style demande davantage à être écouté... mais incite quand même à hocher de la tête et taper du pied ! Si je ne vois pas le public faire ça, c'est que je ne l'accroche pas. Or je ne veux pas jouer une musique cérébrale.

RAY BROWN

« Un jour, on jouait à Boston dans une grande salle de danse. Dizzy sort dans les coulisses après un morceau, on l'annonce, il revient, on attaque, et il esquisse un petit pas de danse. Mais il se prend les pieds dans un support de cymbale qui tombe sur la batterie en renversant un autre truc, et Dizzy s'étale sur scène de tout son long. L'orchestre était plutôt décontenancé et on se demandait tous s'il fallait arrêter de jouer. Heureusement, on a continué. Un des trombonistes a eu le réflexe de ramasser les cymbales et d'aider le batteur à remettre tout en place, sans qu'il s'arrête de battre. Diz s'est relevé et... a repris sa petite danse sur scène sans se démonter. A sa place, je n'aurais jamais pu! J'aurais été terriblement gêné. Je crois que j'aurais disparu quelques instants dans les coulisses pour reprendre mes esprits. Lui, rien ne le gênait.

« Une autre fois, on se trouvait au Texas et il y avait un nouveau batteur avec nous, Teddy Stewart, pas très bon lecteur mais qui swinguait comme un fou. Au début, pour l'habituer au répertoire, je lui chantais doucement les pêches ou les rentrées à l'avance, et quand on arrivait à l'endroit précis il savait ce qu'il devait faire. Au deuxième ou troisième morceau, l'orchestre swinguait très dur! Dizzy était devant nous bien sûr, et un soir il nous a simplement jeté un regard général, et puis il a sauté de l'estrade, a traversé la salle en courant et est sorti pendant une vingtaine de minutes. Quand il est revenu, on lui a tous demandé : " Eh bien, qu'est-ce qui t'a pris? " Et il nous a dit : " Les gars, ça swinguait tellement dur que je n'en pouvais plus. Vous m'avez tué! " Il était sorti de scène, comme ça... Incroyable. »

ELMON WRIGHT

« Il est drôle comme c'est pas possible. Tout ce qu'il fait, tu meurs! Ça lui arrive d'être très sérieux d'un coup sur un truc ou un autre, mais la plupart du temps avec lui, tu meurs! Drôle, et plein d'esprit. Dans la rue, il met une bonne demi-heure pour faire trois cents mètres. C'est pas qu'il marche lentement, au contraire. Mais tout le monde le connaît et il connaît tout le monde. Je ne sais pas comment il fait, mais c'est comme ça. Alors il s'arrête pour bavarder avec les uns, avec les autres. Il a toujours une bonne plaisanterie pour chacun, tu vois. Et quand il repart, tout le monde est plié en deux. C'est vraiment un numéro! Un personnage, sur scène, aussi... Dommage qu'il n'y avait pas de vidéo, dans ce temps-là. On aurait pu enregistrer de sacrés moments! Il fait rire avec n'importe quelle bricole, un petit truc qu'il a remarqué par exemple, et il s'en sert pour faire crouler la baraque. Si moi j'essaie avec le même truc, ou toi ou n'importe qui, ce sera le bide. »

286

TED KELLY

« Diz a toujours été bien dans sa peau et très " nature ". Par " nature ", j'entends quelqu'un qui ne frime pas, qui ne bluffe pas. Il est direct, face au public. Il n'a pas un baratin tout prêt qu'il apprend par cœur et dévide comme ça, même si de temps à autre il se répète un peu quand il a trouvé un truc qui marche. A ce moment-là, ça s'intègre naturellement à son numéro. Bref, il n'est pas là à se dire : " Bon, faut que je fasse ça maintenant, et ça plus tard. "

« Une fois, après un des spectacles à l'Apollo, Diz nous dit : " Les gars, je vous trouve un peu raides ce soir. Qu'est-ce qui vous arrive ? Vous jouez raidos devant un public relax. Alors ? "

« Il y avait Elmon Wright et Joe Wilder dans l'orchestre à cette époque, et au spectacle suivant pendant le baratin de Dizzy au micro voilà mon Joe Wilder qui arrive des coulisses, coiffé d'une casquette de flic, une matraque à la main, et faisant semblant de taper sur Elmer qui marchait devant lui... Diz nous demandait toujours d'être drôles, alors ces deux-là avaient imaginé ce petit numéro comique. Diz a fait mine de ne pas les voir et n'a rien dit. Mais au spectacle suivant, deux autres mecs sont sortis des coulisses l'un assis dans une brouette, l'autre la poussant. Alors Diz nous a dit après : " Bon, ça suffit les gars. Terminées les clowneries. Je vous préfère encore au naturel. " Voyez, ça l'avait un peu agacé quand même... mais d'une manière générale il était très agréable dans le travail. »

CECIL PAYNE (baryton)

« La première fois que j'ai rencontré Dizzy, je travaillais avec le grand orchestre de Roy Eldridge dans un club de la 52ᵉ Rue. C'était aussi ma première expérience au sax baryton. Jusque-là, j'avais joué de l'alto. Mais Roy en avait besoin et du coup je m'étais entraîné à la maison. Diz était venu écouter Roy, et comme il lui fallait justement un baryton à lui aussi, il m'a demandé si je serais d'accord pour jouer avec lui. Il avait déjà Bill Graham, mais Bill et James Moody étaient très copains, même trop, et il n'arrêtaient pas de rigoler et de faire des blagues. Alors Dizzy avait décidé de prendre un baryton un peu plus sérieux, disons. J'ai donc joué à côté de Bill Graham au début pour qu'il me mette au courant. Le premier soir au Savoy, c'est lui qui m'a montré les partitions et m'a même donné sa cravate, parce qu'à l'époque, ils portaient un uniforme. Bill et moi sommes toujours restés bons amis depuis.

« Mon premier solo fut sur un blues, et quand Dizzy l'a eu entendu, il m'a gardé avec lui... près de trois ans. Trois années fantastiques, de 47 à 50.

« Au début je ne me croyais pas capable de jouer ce genre de musique, le bebop, ça me paraissait tellement... Personne n'avait jamais utilisé le phrasé des mecs de cet orchestre. J'étais assez secoué. Je traquais complètement, même. Et puis avec le temps je me suis habitué, et on est tous devenus copains, Moody, Dave Burns, Joe Gayles et John Lewis.

« Bien sûr, il fallait s'accrocher et travailler dur. C'était la période où tout le monde voulait jouer dans le style que Diz et Bird avaient lancé. Il y avait tellement de choses à étudier aux répétitions, le phrasé par exemple, et l'homogénéité des ensembles. Il y avait quinze ou seize musiciens en tout, mais qui sonnaient comme un seul dans les tutti. C'est ça, l'homogénéité. Si l'un de nous ratait une note, c'était la honte. Il était malheureux pour la soirée. Parce qu'on se sentait tous très responsables. On adorait Dizzy. Il portait l'orchestre sur ses épaules, vous savez. Et puis, comment il jouait! Et tous les soirs! On l'écoutait et il nous étonnait à chaque fois en faisant des trucs extraordinaires. Il est toujours aussi fort aujourd'hui. Pareil! Vraiment un musicien exceptionnel.

Pour nous, le défi à relever était d'arriver à jouer comme lui ou comme Bird. Vraiment dur, vous savez. Pas évident du tout, parce qu'il ne s'agissait pas que de la technique instrumentale mais aussi de l'imagination : trouver les idées avant de les exécuter. Il faut le faire! Bird et Diz en avaient la tête pleine, de ces idées complètement délirantes. Ils étaient tous les deux capables d'imaginer et d'exécuter. Et bien sûr, tous les jeunes musiciens de cette époque voulaient suivre l'exemple. Mais pour sortir toutes ces notes et maîtriser le phrasé, il faut avoir la technique, et quand on l'a il faut encore que vos doigts soient synchrones avec vos idées! Tout doit fonctionner en même temps, votre tête et votre biniou. Bien sûr, on peut toujours imiter, jouer ce qu'un autre a joué avant vous; mais au bout de quelques mesures, il faut bien se lancer et trouver son truc à soi, on ne peut pas copier éternellement.

« Diz et Bird prenaient six, sept chorus, tous différents, des notes, des idées, une couleur différentes! Voyez-vous, Bird, Diz, et Miles aussi, sont arrivés à un niveau où ils pouvaient vraiment " jouer " tout ce qu'ils voulaient. Du " free ", si on veut. De nos jours des tas de groupes prétendent jouer " free ", dans le genre musique " spatiale " et autre. Bien sûr, ils jouent ce qu'ils veulent. Moi, je veux bien. Mais Diz et Bird jouaient " free " eux aussi, c'est-à-dire que dans leur tête ils étaient totalement libérés, sans contraintes, au niveau des harmonies, des enchaînements, tout... Ils

étaient tellement forts qu'ils pouvaient tout se permettre. " Free ",
d'accord, mais du " free " valable, en relation avec le thème choisi.
Attention, je ne veux pas dire non plus que tous les autres sont
mauvais. Il y a des tas de bons musiciens qui sont capables de bien
jouer, " soul " et tout. Mais si Bird, Diz et quelques autres restent
les meilleurs, c'est parce qu'ils savent vraiment ce qu'ils ont dans la
tête, ce qu'ils veulent exprimer. C'est ça, la liberté. Ils pensent une
note, ils la jouent, et elle sort; n'importe quelle note, et en série, à
flots, n'importe quelle phrase, sans problème. Ils n'ont aucun
blocage, ils savent sans cesse où ils sont, pourquoi tel enchaînement
de notes et pas tel autre. Et tout ça parce qu'ils l'entendent avant
dans leur tête. Bien sûr, c'est le but de tout musicien d'arriver
comme ça à coordonner ses idées et ses doigts. Quand on y parvient,
c'est gagné. Et alors, croyez-moi, on a vraiment l'impression de
décoller...

« Il y a eu des soirées extraordinaires, fabuleuses, meilleures que
d'autres. C'est toujours comme ça. Je me souviens surtout d'un
concert avec Bird. Diz et Bird, ensemble! Un grand moment! Et
puis il y en a eu un autre avec Miles, oui, Diz et Miles, et je me
rappelle bien ce concert parce que Miles est arrivé sur scène et
l'orchestre jouait un thème qu'il ne connaissait pas du tout. Alors
quand il a commencé à prendre des chorus dessus, Diz lui soufflait
les harmos dans le creux de l'oreille. Et Miles a joué tout le truc,
comme ça, improvisant au fur et à mesure de ce que Diz lui
indiquait. Ça aussi, faut le faire! Fantastique... Parce que, il y a jouer
et jouer. Je veux dire... savoir au moins ce qu'on joue. Et même
quand on en arrive là, ce qui est déjà un joli niveau, il faut aussi
pouvoir y ajouter le feeling. C'est encore autre chose, mon vieux.
Oui, ça a été vraiment une performance, ce soir-là.

« Diz est un type avec un heureux caractère. Toujours de bonne
humeur. Il était toujours en train de scatter, ou de raconter une
blague, n'importe quoi. Un numéro! C'est un extraverti et il a besoin
de s'exprimer d'une manière ou d'une autre, le scat, les blagues, la
danse, bref il n'arrête jamais, et tout ça avec beaucoup d'humour. Il
s'arrange pour vous fasciner avec n'importe quoi.

« A l'époque où je travaillais avec lui, je l'admirais sans cesse pour
tous ses talents sur le plan musical. Et puis au fil des ans, nous avons
appris à nous connaître sur un plan personnel, et je peux vous dire
que c'est un être profondément sincère, passionné par sa musique
mais aussi par les contacts humains. Il s'intéresse à tout le monde, et
si vous voulez mon avis, ça se sent dans son jeu. Il essaie toujours de
toucher son public, et tout le monde peut vraiment recevoir ce qu'il
fait. »

DIZZY

En 1947, mon grand orchestre avait un succès indéniable en tournée dans tout le pays, mais je visais encore plus haut, désireux d'atteindre à la consécration mondiale au nom de notre culture, de toute notre culture musicale. A la même époque, beaucoup d'orchestres s'étaient mis à nous imiter et certains, surtout des Blancs comme Stan Kenton, réussissaient même bien mieux que nous sur le plan commercial, aux Etats-Unis du moins où la ségrégation sévissait encore. Personne ne pouvait vraiment nous prendre notre style, mais pour qu'il survive, il fallait que mon orchestre continue d'exister. Ce pays était tellement prisonnier du concept racial qu'un grand orchestre noir devenait difficilement une réalité économique, sauf s'il acceptait de jouer ce que le grand public réclamait.

Je me souviens que des fois on courait le cachet. Par exemple, avec Illinois Jacquet qui avait une formation de sept musiciens et jouait tout ce que les gens, la masse des Noirs, voulaient entendre. Et il m'engageait, moi et tout mon orchestre pour étoffer son groupe en soufflant derrière lui. Il est devenu une grosse vedette ainsi. Même chose avec Louis Jordan et ses cinq musiciens, les Tympani Five. Bien sûr, notre orchestre en retirait une certaine publicité, mais l'argent n'allait pas dans le même sens. Notre musique n'était pas celle qui rapportait.

BUDDY JOHNSON

« Moi, je vais vous raconter ce que Dizzy et son orchestre faisaient, aussi. On suivait le même circuit de tournée qu'eux, deux fois par an, juste derrière eux. Eh bien, dans un hôtel où nous avions l'habitude de descendre, le patron a refusé de nous recevoir parce que Diz et ses gars étaient passés par là. Il ne voulait plus de musiciens. D'après lui, les clients n'avaient pas pu dormir à cause des mecs de l'orchestre qui défilaient toute la nuit dans les couloirs pour se rendre visite, et qui claquaient les portes et tout, et puis il y avait des filles aussi, bien sûr, qui passaient d'une chambre à l'autre... Enfin, la grosse foire, quoi. Mais à part ça, quel orchestre ! Quand je les ai entendus jouer, j'ai vraiment compris ce que Diz avait en tête la fois où il m'avait expliqué des trucs à Paris, bien longtemps avant.

« Moi, je jouais ce que je sentais, d'instinct. Et ce que je sentais, c'était l'héritage de tout mon passé, dans les champs près de

Darlington en Caroline du Sud. Oui, je me considère comme un paysan. Vous savez, la cueillette du coton, les labours, la moisson... Et tout ce que j'ai appris et entendu comme ça, à la campagne, c'est ce que j'ai voulu exprimer après, à travers ce que je jouais, expliquer aux gens, même si trop souvent le message ne passait pas. J'aimais tous les genres de musique, le country-western, le hillbilly, le bebop, la musique progressiste et celle pour la danse, aussi les chants d'église... ah, les chants religieux, ceux qui me touchent le plus, je crois bien... Mais je dois dire que le bebop, la première fois...

« Pour s'en sortir, les grands orchestres devaient faire des tournées dans tout le pays. Généralement, comme dans le cas de Glenn Miller ou de Benny Goodman, c'était ou un promoteur isolé ou toute une équipe qui leur apportait un soutien financier considérable pour assurer les répétitions nécessaires et mettre tous les autres détails sur pied avant la tournée. Les mêmes promoteurs achetaient des passages à la radio, ou encore ils faisaient engager l'orchestre dans un club en vogue, d'où leurs prestations étaient retransmises, en espérant que les gens un peu partout écoutaient ces programmes. Après quoi ils partaient en tournée, et là ils gagnaient de l'argent.

« J'avoue que la première fois que j'ai entendu du bebop, j'ai pensé que ce genre de musique ne pourrait jamais être exporté dans le Sud... tous ces thèmes compliqués, avec des harmos bizarres. Bien sûr, ceux qui étaient un peu dans le coup pigeaient bien. Mais il y a tellement de gens qui ne connaissent rien à la musique! Alors ils trouvaient que c'était un peu curieux, et ils aimaient bien, aussi. Mais de là à penser que ce style prendrait, j'avoue que personnellement, je n'y croyais pas. Si j'avais joué cette carte à l'époque, j'aurais sans doute signé ma dernière tournée. Donc le bebop, moi, la première fois... non... j'ai refusé. Mais plus tard, Diz a monté son orchestre avec des musiciens fantastiques, et ça sonnait tellement chouette, dingue! Seulement, c'était *son* truc à lui. Oui, la musique avant-gardiste comme ça, c'est vraiment très très chouette, formidable. Et au fond je regrette de n'avoir joué ce genre de musique progressiste qu'une fois sur un disque.

« C'est qu'il faut être un musicien accompli, pour se lancer dans ce style. Je me souviens, à chaque fois que j'engageais des nouveaux dans mon orchestre, ils arrivaient tous avec des idées de ce genre en tête, et ça ne collait pas du tout avec ce que je leur demandais de jouer. Il y a eu une exception toutefois, Willie Nelson, qui a su s'intégrer parfaitement à l'orchestre. Je me souviens que Diz venait de temps à autre au Savoy et il écoutait Willie qui réussissait à mélanger deux genres avec bonheur, le blues traditionnel et le jazz moderne, grâce à des idées astucieuses sur les harmonies, et à une certaine couleur.

« Récemment, j'ai entendu Dizzy jouer le blues et le transformer à sa façon, dans ce style qui n'appartient qu'à lui. »

DIZZY

Aussi curieux que cela puisse paraître, je ne me suis jamais considéré comme un véritable interprète du blues. Je connais le blues, mais je dirais que Lips Page, par exemple, est un « bluesman ». Il joue de la trompette comme un vrai bluesman, alors que mon style n'est pas orienté dans cette direction et n'a pas cette dimension du blues « profond » que possèdent Lips Page et Charlie Parker. Charlie était un maître dans l'art du blues. Je sais que le blues représente notre culture musicale, celle de ma race, mais je le répète, je ne suis pas un vrai bluesman, un interprète du genre dans sa forme authentique, spontanée. Mais je n'essaie pas non plus de me faire prendre pour tel. J'aimerais bien... car je « reçois » bien le blues, mais recevoir et jouer fond deux. Quand je pense au blues, c'est Lips Page que j'entends, et le sien n'est pas le mien. Le mien n'est pas le « gros blues velu » qui vous remue les tripes. Johnny Hodges lui aussi est un joueur de blues, un vrai, même si on ne le dit pas. Il venait de Boston, dans le Massachusetts, et il savait faire gémir et pleurer son sax. Et c'est ça, le blues, cette complainte. J'ai essayé... J'ai joué avec des formations de blues, et je me défends bien, mais rien de comparable à B. B. King ou T-Bone Walker. Pas cette classe-là. Même chez Louis Armstrong, je n'entends pas ces inflexions bluesy pratiquement inchantables. Je les reconnais bien au passage, chez les autres, mais je suis incapable de les rendre. Et je ne supporte pas d'entendre un musicien blanc déclarer : « Je suis un bluesman », parce que si moi qui ai grandi et baigné là-dedans, je ne prétends pas en être un...

C'était le gros truc du samedi soir, oui, en Caroline du Sud les gars débarquaient le samedi pour jouer, venant des environs. La première fois que j'ai entendu le blues, c'était par un type qui venait jouer le samedi avec des guitares, un harmonica et le goulot d'une bouteille de Coca-Cola...

No use running, hold out your hand
I can get a woman anytime you can get a man
Since you gone and left me,
I'm sitting on top of this world...

Pas la peine de courir, y' a qu'à tendre la main,
j' peux tomber une femme quand j' veux, comme toi un homme.
Depuis que tu m'as quitté
je me prélasse sur mon trône...

C'est drôle, j'ai entendu ce blues récemment. Quelqu'un qui le chantait, un Blanc, dans le style country-western, et je ne l'avais jamais entendu depuis l'âge de dix ans!

Cela m'arrive de me mettre à chanter le blues, mais ma voix n'a pas ce petit « quelque chose » indéfinissable, comme celle de Ray Charles, ou d'Aretha Franklin. Ella Fitzgerald ne l'a pas non plus. Je ne l'ai jamais entendue chanter le blues comme eux, avec ce truc dans la voix, Sarah non plus d'ailleurs. Mais Dinah Washington l'avait, et Little Esther. Natalie Cole aussi. J'entends encore la voix de velours de son père, de Nat, et voilà qu'arrive sa fille, nourrie de gospel depuis le biberon!!! Un drôle de truc, le blues. Quand j'entends Natalie chanter, je vous jure que je revois Nat en train de chanter *Nature Boy!*

Il faut de tout pour faire un monde, et notre musique renferme divers courants. Personnellement, je me suis attaché à faire évoluer le jazz moderne dans une certaine direction, et avec des ingrédients de mon choix. Un peu comme rajouter du piment rouge dans un plat de macaroni au lieu de la sauce tomate. C'est ma cuisine « soul », plus audacieuse, plus ouverte à certaines influences extérieures comme celles d'Amérique latine. Les Sud-Américains comprennent bien ma musique, d'ailleurs, et moi je me suis toujours senti musicalement proche d'eux. Charlie Parker aussi a joué avec des Sud-Américains, comme Machito, mais dans ce cadre-là il était moins à l'aise que moi, et cela s'entend dans ses disques. La polyrythmie a exercé sur moi une influence majeure. Je ne sais pas pourquoi car en fait, tout petit, j'ai surtout écouté de la musique religieuse et j'ai toujours prétendu que les « spirituals » étaient aussi du blues. Il faudrait demander à un psychiatre d'analyser ce sentiment...

BUDD JOHNSON

« Diz devait faire une séance d'enregistrement pour RCA Victor avec son grand orchestre, et il m'avait demandé un arrangement sur *St. Louis Blues*. J'avais écrit des dissonances, des choses hardies, qui bougeaient un peu. Diz l'a beaucoup apprécié, et il est allé dire à W. C. Handy : " Tiens, je viens d'enregistrer *St. Louis Blues* et merci, merci pour le thème. " Mais quand le père Handy l'a eu écouté, il a dit à Victor : " Ne sortez pas ce disque, surtout! Parce que ça n'a rien à voir avec *St. Louis Blues*. " Ils l'ont quand même sorti un peu plus tard (Victor LJM 1009). J'ai trouvé l'épisode très drôle. »

DIZZY

S'il est un événement d'importance, c'est quand j'ai joué à Carnegie Hall le 29 septembre 1947. Billy Shaw, qui travaillait pour l'agence Gale, m'avait dit : « On devrait organiser un concert avec toi et Ella à Carnegie Hall. » A l'époque, ils s'arrangeaient pour coupler des artistes, comme Ella et nous. J'ai accepté, bien sûr. Une soirée extraordinaire. Pas un fauteuil libre. Et au cours de ce concert, Charlie Parker a fait quelque chose d'inattendu. Les gens ont toujours essayé de nous monter l'un contre l'autre. Ils ignoraient l'amitié qui nous liait. Et ce soir-là après un des morceaux, Charlie est arrivé sur scène avec une rose à la main, une rose à longue tige... Il avait sûrement dépensé ses derniers sous pour l'acheter ! Et il me l'a offerte en m'embrassant. Et puis il est reparti dans les coulisses. J'ai toujours chaud au cœur quand je pense à lui.

Louis Armstrong était aussi à ce concert, et après il est venu me dire : « Dis donc, tu fais un boulot du tonnerre, là. Tu sors toutes tes tripes... » J'ai seulement répondu : « Oh, voyons, Pops... »

Il y eut des critiques fantastiques. Bill Gottlieb écrivait dans le *Herald Tribune* du 26 septembre 1947 ces lignes prophétiques : « Il est maintenant incontestable que le " bebop " a remplacé le " swing "... Malgré son nom, cette musique a un sens profond... Le bebop est un courant neuf, progressiste, dont les innovations harmoniques conviennent à l'époque actuelle... Comme d'autres styles de jazz qui l'ont précédé, le behop influencera plus tard, sous une forme édulcorée, les secteurs les plus commerciaux de la musique populaire. Il a d'ailleurs déjà commencé... » Ce concert à Carnegie Hall avait enfin éveillé l'intérêt du grand public pour notre musique.

LEONARD FEATHER

« En y repensant après tant d'années, je me demande bien ce qui m'a poussé à le faire, car c'était prendre de gros risques à l'époque. J'avais investi mon argent personnel, quelque deux mille dollars, qui représentaient une belle somme pour un concert de jazz... Il y en eut trois à Carnegie Hall, tous vers Noël, en 1947, 1948 et 1949 si j'ai bonne mémoire. Ella était à l'affiche pour l'un des trois et Charlie Parker aussi. Il y avait d'autres gens que moi dans cette entreprise, Monte Kay et Symphony Sid. Pour le troisième, je crois bien que j'étais à l'hôpital après avoir été renversé par une voiture. Je n'ai donc pas vu le concert. Mais j'en étais le promoteur, et heureusement tout a bien marché.

« Ils ont fait un joli succès! C'est même étonnant si l'on songe à l'opposition violente que rencontrait ce mouvement musical, tout particulièrement dans les médias. Les quotidiens n'en parlaient pas du tout. Ils semblaient en ignorer jusqu'à l'existence. Quant à la presse spécialisée, elle se montrait fortement hostile, exception faite des revues Metronome et Downbeat qui lui consacraient un article à l'occasion. Des magazines mineurs, mais ayant néanmoins une certaine cote dans le milieu du jazz, firent paraître des critiques dans lesquelles on m'attaquait personnellement ainsi que le bebop en général, et tout ce qui n'était pas du Nouvelle-Orléans qu'ils considéraient comme le seul style authentique, vous savez, Bunk Johnson et autres. C'est ce qu'on a appelé la " Guerre des Figues Moisies ". Bien sûr, avec le recul, tout cela semble ridicule à présent, mais il n'empêche que les adversaires étaient à deux doigts de se taper dessus... au lieu d'essayer de s'unir pour promouvoir la musique de jazz dans son ensemble. Diz et Bird ont été victimes de ce genre d'attitude, et ils ont dû se battre sans cesse. Diz a fait preuve d'un immense courage pour imposer ses convictions, ne pas perdre foi, et continuer en direction du but fixé.

« Moi, les deux premiers concerts avec Diz et son grand orchestre m'avaient emballé. A cette époque, l'entreprise était hasardeuse d'un point de vue économique et d'autres aussi. Billy Shaw montra un grand dévouement, se donnant beaucoup de peine pour que la formation de Diz puisse travailler et survivre. Il nous a également prêté son concours pour organiser ces concerts. Il avait une passion pour le jazz et n'était pas un simple imprésario comme les autres. Un type adorable.

« Ces deux concerts ont eu une très grande importance. Celui de 1947 parce que c'était son premier à Carnegie Hall avec un grand orchestre. Celui de 1948 parce qu'il avait engagé Chano Pozo et que ce fut la première mondiale de *Cubana Be, Cubana Bop,* un événement vraiment marquant, à mon avis.

« J'ai commencé à découvrir l'idiome musical sud-américain quand Chano est entré dans l'orchestre, avant le concert de 1948, et que Diz a compris les possibilités qu'offrait l'incorporation des rythmes afro-cubains *. Jusque-là, je n'y avais pas vraiment pensé. En engageant Chano Pozo, Diz considérait déjà cette fusion des genres comme un *fait accompli**,* et elle sembla alors tout à fait

---

* En réalité la première de *Cubana Be, Cubana Bop* eut lieu à Carnegie Hall, lors du concert du 29 septembre 1947 (Arco LP 8). Après l'engagement de Chano Pozo, l'orchestre fit une grande tournée de concerts en Europe. Mais l'enregistrement de *Cubana Be, Cubana Bop* eut lieu le 22 décembre 1947. (*N.d.A.*)
** En français dans le texte (*N.d.T.*).

naturelle à tout le monde. Il fallait quand même y avoir pensé, comme Diz. Après, bien entendu, on pouvait se demander pourquoi personne n'y avait songé plus tôt, comme pour le bebop. C'est ça, le génie de Diz. Cette idée que d'autres auraient pu avoir avant lui, mais que finalement personne n'avait eue. »

DIZZY

En 1947, on m'a octroyé deux galons de plus. La revue *Metronome* avait un critique, Barry Ulanov, qui était un sympathisant du nouveau courant. En outre, le fait que nous ayons enregistré pour Victor quatre titres dont *Oop-Pop-A-Da* (RCA 20-2480) les avait impressionnés. Je fus consacré « meilleur trompettiste de l'année », et mon orchestre nommé « Meilleure Grande Formation de l'année 1947 ». *Metronome* affirmait que nous avions « ouvert une ère nouvelle en 1947, que le jazz moderne était devenu une réalité musicale *et* même commerciale ». Cette prise de position arrivait avec quelques années de retard, mais c'était quand même une victoire. Et avec des clubs comme le Royal Roost et Bop City, tout commençait à bouger vraiment. Il se passait enfin quelque chose. La revue *Metronome* et les critiques de jazz avaient jugé notre orchestre le meilleur de l'année et nous avaient donné le prix. Nous le méritions, je le pense honnêtement; et nos concurrents au même référendum étaient Count Basie, Duke Ellington, Woody Herman, Lionel Hampton, Tommy Dorsey, Jimmy Dorsey et Stan Kenton.

Des joues et des couleurs...

Il faut mentionner ici une transformation dans mon physique, qui finit par devenir une particularité unique en son genre : mes joues commencèrent à se distendre exagérément, sans que j'en souffre d'ailleurs, à se gonfler au point que j'avais l'air d'un énorme crapaud en jouant. Il n'en avait pas toujours été ainsi, je m'en souviens très bien. Ce n'est d'ailleurs pas la technique requise dans les orchestres symphoniques, mais pour ma musique c'était parfait. La méthode classique recommande de ne pas gonfler les joues, et je suis de cet avis... en ce qui concerne les autres. En sortant les joues, on peut s'appuyer ou non sur son diaphragme pour souffler. Bien sûr, avec les joues à plat, on peut aussi jouer de la poitrine. Dans tous les cas, la chose la plus importante est d'utiliser son diaphragme, de s'en servir comme d'un piston pour propulser l'air vers le haut. En second lieu, il faut avoir une bonne technique d'embouchure, et comme elle est différente pour chacun, à chacun de trouver celle qui lui convient le mieux. Quand je bloque l'air avant d'attaquer, c'est un peu comme si je retenais l'eau d'un robinet en appliquant ma main très fort sur le trou. Brusquement je lâche tout et l'eau jaillit, comme d'un jet d'arrosage. C'est ma technique. Ma langue bloque l'air accumulé dans mes joues grâce à l'alimentation de ma colonne contrôlée par le diaphragme, car cet air ne demande qu'à s'échapper et il ne faut pas le laisser partir d'un coup, bien sûr. Juste ce qui est nécessaire. C'est curieux d'ailleurs, lorsque je me prépare à attaquer, mes joues sont déjà gonflées et je n'ai qu'à écarter ma langue pour dégager le passage. On pourrait avancer que c'est la vraie technique pour jouer de la trompette. Des musicologues ont remarqué que des Africains du Nigeria et du Tchad l'utilisent.

Mais cette technique exige un sens parfait de la mise en place, car il faut relâcher l'air à un instant précis. Je ne peux pas emboucher ma trompette comme ça, et dévider un chapelet de notes. Clark

Terry le fait, lui. Il arrive même à prendre une trompette dans chaque main et à souffler dans les deux des notes de valeur différente. Moi, j'en suis incapable, parce que mes lèvres doivent être prêtes, en place, le côté supérieur droit redescendant légèrement en une sorte de repli qui au fil des ans a laissé une petite indentation. On me dit souvent : « Tu as une demi-moustache là, à droite. Une moitié de moustache, faut le faire! T'es vraiment un drôle de type... » Et j'explique : « Si tu regardes bien de près, tu verras que c'est une marque. » Alors, ils s'approchent et voient le sillon plus sombre. « C'est l'embouchure de ma trompette. — Si haut que ça? » Ça les étonne, mais c'est vrai.

Le docteur Richard J. Compton, de la NASA, a voulu faire une radiographie de mes joues en 1969 pour trouver une explication médicale à leur particularité. Il les appelait les « poches gilles-piennes ». J'ai raconté ça à Lorraine qui a téléphoné aussitôt à une de ses amies, Dewilla, en lui racontant : « Tu sais, Diz va donner son nom à une malformation... » Mais il se trouve que je n'ai pas pu me rendre à mon rendez-vous avec le docteur Compton, et on ignore encore à ce jour la cause de la distension de mes joues *.

---

* Le docteur Compton avait émis une théorie selon laquelle il pourrait s'agir de vestiges d'ouïes... mais je préfère que ce mystère reste entier (*D. G.*).

Chano Pozo, l'Afro-Cubain

A l'automne 1947, au moment où mon grand orchestre commençait à « marcher fort », j'ai reparlé à Mario Bauza de l'idée que j'avais eue dès 1938 de nous adjoindre un joueur de congas. « J'ai le type qu'il te faut, me dit-il, mais il ne parle pas anglais. — Tu plaisantes? — Non. Viens, on va le voir. »

Et ce type était tellement fascinant quand il jouait que je lui ai dit : « Tu n'as même pas besoin de parler anglais. »

Chano Pozo habitait déjà à New York dans la 111e Rue quand je l'ai connu, et il travaillait dans une boîte qui s'appelait El Barrio. Il dansait, chantait et jouait en attraction dans la revue, et le reste du temps il accompagnait d'autres danseurs... et avec quelle finesse! Il marquait leur moindre déplacement, leur changement de pas d'un roulement ou d'un coup sur ses peaux, et il n'arrêtait jamais. Il jouait du *quinto*, un genre de petite conga d'environ soixante-quinze centimètres de haut, à la sonorité assez aiguë. Je suis allé le trouver après l'avoir entendu jouer et nous avons parlé... enfin, pas exactement, nous avons échangé un regard complice et avons éclaté de rire.

Chano Pozo n'a jamais parlé un mot d'anglais jusqu'à sa mort, sinon dans un baragouinage à peine intelligible. Mais grâce à l'accent qu'il avait quand il essayait, j'arrive maintenant à comprendre les Portoricains dans notre langue. Les gens nous demandaient souvent : « Mais comment arrivez-vous à communiquer? » Et Chano répondait : « Diihi pa'le pas pagnol, moi pas angli, lui moi pa'ler af'icain. »

Il faisait allusion à un stratagème pour communiquer qui remontait à l'époque de l'esclavage. En ce temps-là, on avait interdit aux Noirs d'utiliser leur instrument de transmission d'origine : le tam-tam, parce qu'ils pouvaient fomenter une révolte en frappant sur leurs peaux des messages qui étaient reçus jusqu'à cinq kilomètres à la ronde, du genre : « On va se faire ces salauds de

Blancs. Tenez-vous prêts. » Mais les Blancs ne savaient pas décoder ce langage. Ils savaient seulement qu'il avait un sens. Alors ils l'avaient interdit : « Pas de vos conneries de tambours, hein ? Si on vous prend avec, ça saignera, compris ? »

Plus tard, à La Nouvelle-Orléans, les Noirs avaient le droit d'aller écouter des opéras ou des concerts, et d'avoir des instruments de musique, mais jamais de tam-tams.

Une fois leurs tambours interdits, nos ancêtres durent trouver d'autres moyens d'exprimer leurs sentiments. Alors ils se mirent à chanter et à frapper dans leurs mains ; et quand ils travaillaient dans les champs, ils marquaient le rythme avec la houe en la plantant dans la terre en cadence. Ils avaient le rythme dans la peau, mais il leur manquait les instruments pour diffuser les messages au loin... surtout celui sur lequel on frappe avec les mains. Nos ancêtres avaient le sens de la polyrythmie, mais une fois transplantés aux Etats-Unis, ils ont dû trouver un rythme de base unique, plus simple à adapter avec les moyens du bord. C'est ainsi que nous avons hérité de cette monorythmie alors que les Afro-Cubains, les Sud-Américains et les Jamaïcains sont restés fidèles à la polyrythmie. En tout cas, notre rythme de base américain était très simple, et tout à fait accessible aux autres Noirs de cet hémisphère.

MARIO BAUZA

« C'est moi qui suis à l'origine de ce mariage, de cette fusion. Je vais vous expliquer : au moment où Diz a quitté Cab Calloway, il m'a dit qu'il voulait absolument faire quelque chose. Alors je l'ai poussé : " Eh bien, pourquoi ne te lances-tu pas dans ta vieille idée ? " On en avait souvent parlé ensemble dans l'orchestre. Et Diz m'a demandé : " Tu as un client pour moi ? — Juste le type qu'il te faut. "

« Je suis allé chercher Chano Pozo, qui était mon ami, et un autre bongoïste, et je me suis arrangé pour qu'ils répètent avec Dizzy. Il était emballé, et il a gardé Chano.

« Même quand Dizzy a organisé son orchestre avec Chano, le batteur Max Roach avait un sacré travail pour essayer de s'adapter. Au début la conga les arrêtait, et il a fallu que la rythmique trouve une approche, une nouvelle structure pour intégrer les différents plans, assurer la fusion entre les deux pays. De toute façon, nos rythmes divers viennent tous d'Afrique, et les Noirs aussi... »

DIZZY

Chano a été le premier joueur de congas intégré dans un orchestre de jazz, et il avait parfois une curieuse notion de notre musique dont certaines particularités lui échappaient. Prenez une bouteille et un crayon, à titre d'exemple. Les Cubains vont taper en faisant : de-de-de, de-de, sur le rythme des claves. Et jouer en contrariant ce rythme est aussi gênant que de ne pas sentir le côté ternaire du phrasé dans le jazz. Chano Pozo ne comprenait pas bien cela et marquait son rythme avec ses deux derniers temps, « de-de » très « cubains ». Il ne jouait pas dans le même esprit que nous et se trouvait décalé. Je me torturais l'esprit pour savoir comment lui expliquer ce qui se passait. Il ne lisait pas du tout la musique, et je ne pouvais donc pas lui dire de rentrer sur la levée du quatrième temps. Mais si Chano n'était pas un lecteur, c'était en tout cas un créateur merveilleux. Alors dans un morceau de notre répertoire qu'il sentait très bien, comme *Good Bait*, j'arrivais à lui faire comprendre son erreur en allant lui chanter le début à l'oreille : « da-da, da-da-da », et il rectifiait immédiatement. C'était remarquable.

Chano avait une connaissance très limitée du jazz. C'était vraiment un Africain. Il avait dû commencer à jouer à l'âge de deux ans. En revanche, il connaissait toutes les sectes africaines, et leurs traditions implantées à Cuba : Nanigo, Santo, Ararra... et il était même très initié à leurs particularités, comme l'étaient également Mongo Santamaria et un certain Armando Peraza.

Chano nous a appris la superposition des rythmes. C'était lui le maître. Et quand on voyageait en car, il distribuait plusieurs petits tambours, un à moi, un à Al McKibbon, et des accessoires comme la cloche à quelqu'un d'autre, et puis il chargeait chacun de faire un rythme différent. On avait donc tous une figure rythmique précise à jouer qui devait en outre s'intégrer à la combinaison des autres. Tout le monde dans le car chantait et jouait pendant le trajet. Chano nous apprenait aussi des airs cubains, et me donnait des leçons de conga. Les chants, je les mélange un peu. Différents suivant les sectes, et difficiles à distinguer entre eux : le nanigo, l'ararra, le santo ou d'autres, chacun avec son rythme propre. Si on demande à un gars de là-bas : « Joue-nous un nanigo », il attaquera aussitôt avec une figure précise. Mais ils sont tous dérivés des rythmes africains.

AL McKIBBON (bassiste)

« Quand je suis entré dans l'orchestre vers la fin de 1947 et que j'ai appris à mieux connaître Dizzy, ses conceptions sur notre musique, sur les influences africaines et afro-cubaines, il m'a vraiment fait l'effet d'un génie révolutionnaire. J'étais très jeune à l'époque, et il me sidérait complètement. Tout ce qui était neuf, original, avait ses racines dans la musique africaine et Diz en était tout à fait conscient. Quand il a engagé Chano Pozo, ça m'a tué. Les percussions avaient toujours attiré ma curiosité, et de voir ce type taper sur des peaux avec les mains nues était pour moi un truc nouveau et fascinant. Je suis du Midwest, moi, et je n'avais jamais entendu quelqu'un raconter une histoire avec ses mains sur des peaux de tambour... Dizzy avait eu l'idée de l'engager parce qu'il l'imaginait très bien dans le cadre de l'orchestre. J'avoue que je n'y aurais jamais pensé... jamais. Pour moi, la rythmique d'acier de Count Basie était la seule ! Bien sûr, Jimmy Blanton m'avait aussi attiré l'oreille ! Mais pour ce qui était d'une section rythmique modèle, celle de Basie et pas d'autre ! En fait, Dizzy était un genre de visionnaire qui avait très bien imaginé Chano avec nous. Et il avait eu raison. Chano a apporté une dimension supplémentaire à l'orchestre. Et il fut le premier à jouer de la conga dans une formation de jazz. Songez aussi aux résultats !

« C'est grâce à lui que j'ai commencé à m'initier aux rythmes typiques, et plus tard j'ai approfondi ces bases. En tout cas, je me souviens que notre premier thème dans ce style m'a vraiment ouvert les yeux, les oreilles, le cœur et tout le reste. C'était *Manteca*. Et puis Dizzy m'a aussi fait découvrir que la contrebasse qui sert avant tout de support solide pour l'orchestre peut aussi être un instrument soliste d'un grand intérêt, et être également mise en valeur dans des arrangements conçus " sur mesure ", comme *One Bass Hit* ou *Two Bass Hit !* C'était fantastique, vraiment formidable !

« Chano était un gangster, vous savez. Enfin... à Cuba, il passait pour un dur. Il avait ramassé une balle, on ne sait pas comment. Bref, il appartenait à la secte Nanigo, du genre de la franc-maçonnerie ici je crois, et c'était tous de vrais Africains. Ils parlaient un dialecte, le yoruba. Chano me racontait un tas de choses, oui, des choses qu'il aurait sans doute dû garder pour lui. »

DIZZY

Très intéressant, tout ça. Oui, l'arrivée de Chano nous a vraiment ouvert des horizons. Il est mort en 1948, et je commence seulement aujourd'hui à comprendre certains détails de son jeu. Chano ne savait pas écrire la musique. En revanche, il était Africain à cent pour cent, et connaissait bien toutes les sortes de rythmes qui venaient de là-bas. Sur *Cubana Be* et *Cubana Bop,* il chantait une incantation authentique, avec des demandes et des réponses entre lui et les gars de l'orchestre. Il jouait et chantait en même temps, en faisant des choses tellement inhabituelles sur ce morceau que je m'y perdais. Je ne savais plus où était le premier temps! Mais quand j'ai vraiment compris comment il sentait rythmiquement le morceau, nous avons trouvé une entente mutuelle et je lui faisais des signes convenus pour qu'il soit bien en place par rapport à nous, car en fait notre mesure n'était pas la même. Ce fut le véritable début de la fusion entre l'afro-cubain et le jazz.

Voici un exemple pour illustrer cette différence : quand les Cubains sont arrivés chez nous, leur musique était essentiellement à deux temps (2/4), et la nôtre à quatre temps (4/4) ou trois temps (3/4), ou dédoublée. Ce n'est pas du tout pareil. Les musiciens américains avaient du mal à lire la musique à 2/4 des orchestres cubains qui se produisaient ici, parce qu'au lieu des croches ils devaient jouer des doubles croches, et ça défilait un peu trop vite pour leur goût. Alors généralement, pour leur faciliter la tâche, tout était récrit à quatre temps, mais le résultat est qu'ils retiraient ainsi tout le feeling de cette musique. Les mêmes morceaux à 4/4 au lieu de 2/4 perdaient leur caractère typique qui faisait toute la différence. C'était à nous de faire un effort d'adaptation pour saisir les nuances.

Un jour, Chano Pozo vient me dire : « J'ai une idée pour un morceau. » Ce fut la naissance de *Manteca*. En espagnol, *manteca* signifie la peau, la couenne, la graisse, ou le beurre, bref quelque chose de ce genre. En tout cas, il y avait un lien avec de la peau. Et la mode ici à l'époque était de se dire « gimme some skin* », en guise de salut entre gens « hip ». Et *Manteca* était donc l'idée que se faisait Chano de « gimme some skin ». Je trouve ça très astucieux. Il ne parlait même pas anglais, mais il avait imaginé cette version savoureuse aux connotations valables. Quand il est arrivé à la maison, il avait tout l'arrangement en tête : la ligne de basse, l'introduction, le départ, l'entrée des saxes, les riffs des trombones, ceux des trompettes! Tout.

Mais Chano n'était pas assez dans le coup pour le jazz, et si je l'avais laissé faire tout seul, le morceau aurait été strictement dans le style afro-cubain, et n'aurait pas compris de pont. J'ai donc décidé d'écrire le pont. Je me suis mis au piano pour en élaborer un de huit mesures, mais après ces huit mesures je n'avais pas réussi à revenir en si bémol; alors j'ai continué, et j'ai fini par composer un pont de

---

* *Gimme some skin*, littéralement : « Donne-moi un peu de peau. » C'était le salut des boppers, musiciens ou amateurs « hip » qui se tendaient la main en faisant glisser leurs paumes l'une contre l'autre. Ils disaient parfois aussi : « *Gimme five* » (Serre-m'en cinq) (*N.d.T.*).

seize mesures. De toute façon, tout ce que Chano et moi avons écrit ensemble représente vraiment un travail d'étroite collaboration. Je n'ai jamais cherché à m'imposer ni à le brimer musicalement. D'ailleurs, à chaque fois que j'ai travaillé avec des musiciens de culture différente, j'ai toujours fait l'effort de comprendre leur musique avant d'y ajouter mes propres ingrédients. Je n'essaie pas non plus de m'approprier les idées d'un autre, sans plus. J'apporte une partie de moi-même, ma création personnelle. Et cela s'entend, d'ailleurs. On reconnaît aisément ma participation. En tout cas, *Manteca* est sans doute ma plus grosse vente de disques (Victor 20-3023).

C'est vrai que je ne vais pas chercher les idées dans la tête d'un autre, et la preuve en est que j'avais écrit *A night in Tunisia* en 1942 (et avant cela *Pickin' the Cabbage*), où le bassiste fait « di-di-di, doum-doum, di-di-di, doum-doum » au lieu du traditionnel « doum-doum-doum-doum », pendant que les autres jouent un genre de rythme sud-américain derrière. Déjà une combinaison très réussie. Plus tard naquit *Manteca,* fusion authentique de l'afro-cubain et du jazz, premier éclatement de la structure rythmique établie. Un mélange explosif, grâce à Chano Pozo, grand compositeur et instrumentiste cubain très en avance sur son temps. Les joueurs de congas qui lui ont succédé n'ont rien apporté de vraiment neuf, et ne se sont pas dégagés de son influence. Bien sûr, ils ont quelques petites idées, par-ci, par-là, mais tout repose sur les bases édifiées par Chano Pozo.

Le rôle de Walter Fuller dans la structuration de l'arrangement et l'orchestration complète de *Manteca* ne doit pas être oublié. Son nom est d'ailleurs indiqué en tant que cocompositeur.

WALTER GILBERT FULLER

« Notre premier morceau d'inspiration afro-cubaine a été *Manteca*. Tout s'est élaboré dans mon appartement, au 94 rue LaSalle entre Dizzy, moi, Chano et Bill Graham. Chano nous chantait des phrases et on lui demandait : " Quelle ligne de basse tu entends, là ? " ou : " Et là, tu veux quoi ? " " Les trompettes, qu'est-ce qu'elles font ? " Alors il chantait ce qu'il avait dans la tête. Et au bout d'un moment je lui ai dit : " Ça va. Ça me suffit. Je vais t'arranger ça. " On avait déjà passé deux heures à élucubrer de cette manière, sur toutes les idées bien précises que Chano essayait de nous expliquer !

« Alors on s'est installés autour du piano pour donner une première structure au morceau. Dizzy jouait quelque chose, et nous demandait : " Qu'en pensez-vous ? " Et en partant des enchaînements d'accords qu'il proposait, il fallait construire le reste.

304

« Quand Dizzy prétend que Chano avait les ensembles de saxes en tête et tout, c'est faux. Il tenait la ligne mélodique, et il chantait ce qu'il entendait : " Pi-do-do, pi-di-di, pi-di-do ", pour nous faire comprendre.

« Chano avait le don de trouver des thèmes. Par exemple *Guarachi Guaro* est un autre échantillon. Et si vous écoutez bien, c'est à devenir fou parce que c'est un genre de thème en boucle, une séquence répétitive à l'infini. Et ça ne décolle pas vraiment parce que ça n'a jamais été proprement structuré. La forme manque. »

ALBERTO SOCARRAS

« Dizzy a vraiment fait quelque chose pour le mélange de la musique cubaine et du jazz. Il a collaboré avec Chano Pozo, il y a longtemps de ça, à un morceau qui s'appelait *Manteca*. Et ça a été très concluant. Après cette expérience, d'autres chefs d'orchestres et arrangeurs américains se sont mis à intégrer des bongos ou des congas dans leurs formations de jazz. Ça sonnait très bien. Et il faut rendre hommage à Diz pour avoir le premier élargi le cadre rythmique assez pauvre de la musique américaine, qui jusque-là reposait essentiellement sur l'éternel 1, 2, 3, 4... 1, 2, 3, 4... En ajoutant les congas, bongos et autres percussions typiques, il a donné une nouvelle dimension rythmique à notre musique. »

DIZZY

Cubana Be a été le produit d'une collaboration à trois. George Russell, qui enseigne actuellement au conservatoire de musique de la Nouvelle-Angleterre, s'est chargé des vingt-quatre mesures d'introduction, et moi de la première exposition du thème par l'orchestre et des seize mesures suivantes. En fait, j'ai écrit aussi un accord de transition entre l'intro et le thème, le thème lui-même et les seize mesures suivantes, après lesquelles je joue un *montuno* avec Chano, trompette et conga seulement. Le *montuno* est l'équivalent approximatif de notre *vamp*, c'est-à-dire un motif d'accompagnement répétitif, en boucle, derrière un soliste, et qui permet à celui-ci d'improviser aussi longtemps qu'il veut; à cela près que le *montuno* est un motif rythmique et non mélodique*. Après ce *montuno* à

---

* Le montuno est essentiellement un motif rythmique derrière un solo. J'avais déjà eu cette idée d'accompagnement, d'une certaine manière, dans *Woody'n You* et *Night in Tunisia*. Beaucoup de mes thèmes ont ainsi un caractère sud-américain (*D. G.*).

deux, Chano se lançait à son tour dans une longue improvisation, tout seul. Puis tout le monde commençait à chanter : *Cubana Be... Cubana Bop..., Cubana Be... Cubana Bop...* et George Russell faisait rentrer l'orchestre en étoffant ma mélodie par son harmonisation, avec des tas de variations et de contre-chants par-derrière pour finir. De nos jours, cette forme d'orchestration est courante. George Russell est sans conteste un musicien accompli et de grand talent.

GEORGE RUSSELL *(compositeur, percussionniste)*

« En 1945, Dizzy m'avait commandé un arrangement sur un thème intitulé *New World*. Et puis je suis tombé malade et j'ai dû être hospitalisé pendant un an et demi. Tout le monde venait me rendre visite. Et quand je suis sorti, Diz et moi avons travaillé sur *Cubana Be, Cubana Bop*.

« Diz avait déjà ébauché la partie *Cubana Be* du morceau entier, pour lequel j'ai composé une longue introduction modale, c'est-à-dire qu'elle n'était pas construite à partir d'un système d'accords, ce qui, à l'époque, était une innovation, le jazz ne devant connaître sa « période modale » que plus tard vers 1959, grâce à Miles Davis. Donc, dans un premier temps, le morceau comprenait mon introduction dans cette forme novatrice, suivie du thème de Dizzy orchestré. Puis j'eus l'idée de la seconde partie du morceau, *Cubana Bop*. Nous étions dans le car qui nous emmenait à Boston pour un concert au Symphony Hall, et j'écoutais Chano lancé dans un nanigo, une de ces musiques cubaines au caractère mystique. Alors j'ai suggéré à Diz de jouer le morceau le soir au concert, en l'élargissant par un long solo de Chano au milieu. Après quoi tout le monde se mettait à chanter une sorte d'incantation sur les mots : " *Cubana Be, Cubana Bop* ", et l'orchestre entier reprenait avec certaines conventions pour finir. Dizzy et moi sommes donc véritablement les compositeurs de ce morceau. Mais lorsque Victor décida de nous le faire enregistrer, Chano insista pour que son nom apparaisse aussi. En un sens, sa requête était justifiée, car sa longue improvisation au milieu était une création personnelle. Bien sûr, il n'avait rien écrit, mais à chaque fois il s'agissait de ses idées, sorties de sa tête. Alors par respect envers lui, nous avons accepté de signer le morceau à trois (Victor 20-3145).

« Diz avait le génie des progressions harmoniques, et son thème *Cubana Be, Cubana Bop* était absolument fabuleux, très étonnant pour l'époque, et débordant d'une imagination harmonique audacieuse.

« Les conceptions musicales de Chano prenaient leurs racines en

Afrique. Lorsque j'ai entendu pour la première fois la combinaison des rythmes afro-cubains et de notre style de batterie standard, j'ai eu l'impression d'assister à un feu d'artifice. C'est ce que nous recherchions, cette ouverture vers l'extérieur, cette approche plus universelle. Ce morceau témoignait d'influences diverses, mais ce qui passait au premier plan, c'était cette fusion entre l'afro-cubain et le jazz traditionnel. Traditionnel n'est pas le mot, à vrai dire; il s'agissait plutôt de notre conception contemporaine (à l'époque) de la percussion dans le jazz, car le domaine rythmique était essentiellement concerné. Le public était ébahi, ayant peine à croire qu'un orchestre puisse réussir à être aussi fascinant et original.

« Une anecdote savoureuse, pour la petite histoire : c'est Dizzy qui m'a fait connaître ma première épouse. J'étais en train de prendre un bain, et il est entré avec elle dans la salle de bains... Elle s'appelait Juanita. A l'époque j'habitais chez John Lewis. Diz était passé le voir avec elle. Et moi je prenais mon bain. Il m'a simplement dit : " C'est Juanita. " J'étais tout nu dans ma baignoire... et je n'ai pas osé téléphoner à Juanita pendant plusieurs années. Mais le jour où j'ai fini par me décider, je l'ai épousée. »

DIZZY

Je tiens à ce qu'on sache bien que personne n'a été lésé en ce qui concerne ces compositions, aucun de nous n'était un arriviste. Mais Chano avait un sale caractère. Walter Fuller avait prévenu tout le monde : « Le premier qui arrive en retard aura une amende. On lui retiendra sur sa paye. » Un jour, Chano se pointe en retard. Walter applique le règlement et lui retient une partie de sa paye. Chano vient me voir et me dit : « Dihhi, qu'est passe là? Y' a pas l'a'gent assez. Y' a pas mon a'gent. » Je lui demande : « Tu as un décompte, non? Fais voir. Tiens regarde, tu as une amende, là. — L'enfoi'é, y a p'is mon a'gent! — Tu sais, c'est lui qui commande. — Non, c'est toi, l' pat'on. — C'est moi le patron, mais pour l'argent, c'est lui. »

Et il a bien fallu que Chano s'incline. Il n'était pas le seul à venir me trouver avec ce genre de récriminations. Tous les types qui se mettaient en tort pour une raison ou une autre avaient droit à une amende... et venaient se plaindre à moi. Mais Walter était impitoyable, et il avait raison parce qu'il fallait bien leur imposer une certaine discipline. Chano était quand même un des plus indomptables!

Il avait écrit : *Blangh! Blangh! Blangh!*, un morceau dont le titre traduisait le rythme des claves. Enfin, quand je dis « écrit », c'est toujours la même histoire : il chantait ce qu'il avait dans la tête et on l'écrivait pour lui. Ensemble nous avons composé : *Manteca, Cubana Be, Cubana Bop* et *Tin Tin Deo,* mais il a fait *Guarachi Guaro* tout seul.

Même à Cuba, Chano avait une réputation de type violent. Il portait toujours un grand couteau sur lui. Il s'était fait tirer dessus à deux reprises, à Cuba. La première fois vers le début des années quarante : il était entré chez son éditeur avec son couteau à la main, et il avait pris le type par le revers en lui disant : « Je veux mon fric tout de suite, mes royalties. » L'autre a dit d'accord, a ouvert un tiroir pour prendre l'argent, mais il en a sorti un flingue et a tiré sur Chano. La balle est allée se loger près de la colonne vertébrale, et ils n'ont pas osé opérer. Ça le gênait et le faisait souffrir parfois, surtout par temps froid. Quand il avait trop mal, il s'asseyait sur une seule fesse. La deuxième fois qu'on lui a tiré dessus, il ne s'est pas relevé. Règlement de comptes ? Il avait une sale réputation à Cuba. Mais en tout cas, il avait eu le temps de son vivant d'apporter une immense contribution à notre musique, et de l'aider à traverser l'océan.

Sale temps

Notre première tournée de concerts en Europe eut lieu de janvier à mars 1948, et la traversée se fit à bord d'un paquebot suédois, le *Drottningholm*. Heureusement pour notre moral, le pire nous attendait au début quand notre bateau dut affronter les turbulences de l'Atlantique-Nord en plein hiver. Personnellement, je n'en subis guère les désagréments. En bref, beaucoup de bonnes choses, et quelques ennuis au cours de cette tournée. Des divergences d'opinions, aussi, parmi les musiciens.

KENNY CLARKE

« Tout s'est passé au départ. Nous devions voyager en première classe aller et retour. Une fois à bord, je tombe sur un garçon de restaurant que j'avais connu au cours de la même traversée dix ans auparavant. " Tu fais les premières, maintenant, Hans ? Tu es monté en grade ? " Et il me répond : " Non. Je fais toujours les troisièmes. " J'ai compris tout de suite de quoi il s'agissait ! Mais que voulez-vous faire en pleine mer ? Dire : " Moi, je descends à la prochaine les gars ! " Seulement " la prochaine ", c'était Göteborg, en Suède...

« Pour tout arranger, il y a eu une tempête. Et j'étais mort de peur, comme tout le monde. En fait... j'exagère un peu, on n'était pas terrorisés non plus. Mais le plus dur, c'était l'idée de rester en mer aussi longtemps, et personne ne se sentait bien d'aplomb pour ce genre d'épreuve... Deux jours de plus... On croit être arrivés, et à ce moment-là, on nous dit : " Ah non, il y en a encore pour trois jours ! " »

AL McKIBBON

« On était tout en bas dans cette foutue cale. Bon, c'était la classe touriste, je sais. Et en arrivant dans la mer du Nord, ils ont été obligés de faire une manœuvre incroyable pour empêcher le bateau de chavirer. Je vous jure que c'était terrifiant! J'ai jeté un coup d'œil sur le pont, enfin j'ai entrebâillé la porte parce que l'accès était interdit bien sûr, et ils avaient tout arrimé avec de gros cordages. J'ai vu une énorme vague noire, comme une montagne au-dessus du bateau, et elle a déferlé : " Blaaammm ". Le bateau a été déporté de côté. Moi, j'ai bien dû perdre sept kilos dans l'histoire. A chaque coup de roulis je dégueulais, et Chano Pozo me tenait compagnie! »

JOHN LEWIS

« Ils étaient tous malades, sauf Dizzy et moi. Alors, à nous deux, on mangeait les petits déjeuners de dix-sept musiciens! Les autres ne pouvaient rien avaler, ils étaient trop malades. Mais Diz et moi, on a bien mangé! »

DAVE BURNS

« Je me souviens de toute cette tournée-là, y compris que le bateau a failli sombrer au beau milieu d'un ouragan en mer du Nord! On était tous à table, et d'un seul coup on a été éjectés de nos sièges. Dizzy s'est cogné la tête, et il avait une grosse bosse, après. Moi je me suis abîmé le bras... Vous vous rendez compte, en train de dîner tranquillement, et d'un instant à l'autre voilà l'ouragan qui se déchaîne!

« Pourtant, juste avant, c'était le calme plat. Mais les marins devaient s'y attendre parce qu'on les avait vus tout arrimer à bord. Ils étaient au courant, le capitaine, les officiers, les stewards, et ils avaient fait les préparatifs d'usage. Pourtant, c'était une bien belle journée. Tout le monde était monté sur le pont pour jouer au palet, et c'est là qu'on a vu les marins attacher tout avec des grosses cordes. On se demandait bien ce qu'ils faisaient. Mais ils ne nous ont rien dit, bien sûr. Ils ne voulaient pas inquiéter les passagers. Et puis quelques heures plus tard, vers sept heures du soir au moment du dîner, le bateau s'est retrouvé en plein dans un ouragan. Un truc monstrueux! C'est rien de le dire! J'ai vu des copains envoyer des télégrammes à leurs familles et faire leurs prières... et c'était bien la première fois que je voyais des musiciens prier, debout, les mains jointes et les yeux vers le ciel. Jamais j'avais vu ça. Et pendant ce temps, l'équipage faisait virer le bateau pour ne pas présenter le flanc à la tempête, sinon il aurait été coupé en deux! Quelle histoire, en pleine mer du Nord là-bas. Finalement, on a débarqué en Suède avec trois jours de retard. On a quand même eu de la chance. Et puis une fois à terre, tous nos ennuis se sont envolés. On a été payés de toutes nos peines. »

DIZZY

C'était mal parti! Cela avait mal commencé. Notre premier concert à Göteborg devait avoir lieu le 26 janvier à 20 h 30, le bateau arrivant normalement la veille en Suède. Mais ce même 26 janvier à 22 h 15, nous étions encore en mer, pas très loin de la côte, à quelques minutes par embarcation, mais ils ont dû nous envoyer un remorqueur pour nous haler. Heureusement, beaucoup de spectateurs étaient restés patiemment dans la salle, et nous avons attaqué avec deux heures et demie de retard. Le concert terminé, impossible de trouver des chambres d'hôtel pour tout le monde. Certains, comme notre manager Milt Shaw, ont dû arpenter la ville toute la nuit. Göteborg nous a servi de base pendant notre mois de concerts en Suède, et à chaque fois que nous y sommes revenus, il a toujours été aussi difficile de trouver des chambres. Dans toutes les autres villes de la tournée, Stockholm, Orebro, Borlange, Västeras, Gävle, Storvik, Norrköping, Malmö, Travel et Prague, le problème du logement ne s'est jamais posé. Mais dès que l'on revenait à la base, les ennuis recommençaient. Je me souviens même avoir couché **deux nuits dans le hall de l'hôtel Kung Karl à Göteborg...** mais c'était pour une autre raison.

Nous avons joué en Suède et au Danemark du 26 janvier au 9 février, et partout les Suédois accrochaient à notre musique. Quant au Danemark, c'était fabuleux. Nous avons joué devant neuf mille spectateurs, matinée et soirée, en trois concerts le même jour. Ce n'était pas un public de jeunes comme aux Etats-Unis. Là, la moyenne d'âge se situait entre six et soixante ans! J'ai même vu des vieilles gens avec des béquilles applaudir et crier d'enthousiasme. Ils n'arrêtaient l'ovation qu'au moment où je levais la main pour annoncer le morceau suivant. Et puis ils écoutaient dans un silence religieux. C'est merveilleux, pour un musicien.

KENNY CLARKE

« Un jour en Suède, je ne me souviens plus dans quelle ville, l'orchestre swinguait tellement dur que Diz a sauté à pieds joints sur le piano...! »

JOE GAYLES

« C'est certain que l'accueil était plus chaleureux en Europe qu'aux Etats-Unis. Ils recevaient bien notre musique, très bien. Incroyable. Je dirais même qu'à l'époque, notre style accrochait davantage le public blanc que les Noirs. Je suis sûr que Diz sera d'accord sur ce point. C'est vrai, vous savez. Les Blancs acceptaient mieux notre musique que nos propres frères de race! »

AL McKIBBON

« L'orchestre était passé à Carnegie Hall juste avant la tournée européenne, et Chubby Jackson, le bassiste de Woody Herman, était assis au premier rang. Il avait amené un vieil enregistreur à fil. Ce n'était pas très gênant, parce qu'avec ce genre de truc il ne risquait pas de prendre bien le son. Mais au cours de notre tournée en Suède des gens nous ont dit : " Tiens, Chubby Jackson est venu ici il y a quelque temps et il a essayé de jouer la même musique que vous. " C'était vrai, et il paraît qu'ils se sont moqués de lui et qu'ils l'ont viré en criant : " Hé dis donc, tu nous fais quoi, là? C'est de la musique noire. T'es pas capable de la jouer. " Vous vous rendez compte, ces gens-là pigeaient que ce n'était pas vraiment senti *. »

ELMON WRIGHT

« On nous recevait magnifiquement partout. Une expérience fantastique pour moi. Le public européen nous adorait. Une seule fois, un incident m'a énervé, mais par la suite j'ai compris. La tournée commençait en Suède, par le nord de la Suède, j'ai oublié le nom de la petite ville. Bref, les habitants savaient à l'avance que l'orchestre allait venir et ils nous attendaient tous à la gare. Toute la

---

* Certains critiques ont par la suite qualifié ce genre de réaction (typique du public européen à l'égard des Blancs essayant de jouer notre musique sans avoir la formation de base) de « crow-jim » par opposition à « jim-crow » (D.G.).

ville était là. Et après, ils nous suivaient partout. Par exemple à l'hôtel, ils attendaient dehors qu'un de nous sorte. Et ils nous accompagnaient partout où on allait. Au bout d'un moment, ça devenait agaçant. Et puis j'ai compris... Ils n'avaient jamais vu de Noirs avant nous. Ils nous admiraient et nous respectaient. Mais pour eux, c'était une curiosité. Ils nous invitaient à dîner, et même à coucher. " Alors, vous restez, ce soir ? " Des gens vraiment formidables. Oui, une très belle année, 1948. »

DIZZY

Si, malgré les nuits plutôt fraîches et la cordiale hospitalité des habitants, j'ai dormi un certain nombre de fois dans les couloirs d'hôtels, c'est à cause de l'organisateur de la tournée, un escroc du nom de Lundquist. Il avait promis de déposer la moitié de nos gains dans une banque aux USA avant notre départ, comme garantie. Mais il ne l'avait pas fait. Comme Billy Shaw s'était occupé des divers engagements, je n'ai su l'histoire qu'une fois arrivé en Europe. L'orchestre faisait salle comble partout, alors que Lundquist continuait à tergiverser pour nous payer. Ce qu'il pouvait bien faire de notre argent était devenu un souci quotidien. Kenny Clarke, qui faisait partie de cette tournée, était musulman (Ahmedea), et mon jeune manager, Milt Shaw, était juif. Ils en sont presque venus aux mains et j'ai dû m'interposer à plusieurs reprises. J'ai prévenu Kenny : « Si tu frappes Milt, il faudra d'abord que tu me passes dessus. » Car dans toute cette salade au sujet de notre argent, Kenny soupçonnait Milt de jouer un rôle. Il l'y croyait plus ou moins mêlé. Mais c'était faux. Le seul coupable était ce Suédois, Lundquist, qui cherchait à s'éclipser avec les sous. Et Milt Shaw était dans le même bain que nous tous, bloqués là-bas. Alors Milt a téléphoné à son père Billy, à New York, pour lui demander de venir et de redresser la situation. En attendant son arrivée, j'essayais d'empêcher Lundquist de disparaître avec la caisse après chaque concert, en me couchant en travers de la porte de sa chambre tous les soirs. J'étais sûr d'être réveillé s'il décidait de filer. Quand Billy est arrivé, il s'est pris de querelle avec Lundquist et lui a décoché un coup de pied mal placé. En Suède, on ne plaisante pas avec ce genre de chose, et Billy s'est fait arrêter. Mais peu après, Lundquist s'est fait coffrer à son tour et on a réussi à récupérer une partie de l'argent.

Après cet épisode, nous avons joué en Belgique sous le patronage du Hot Club de Bruxelles, avec lequel Lundquist était aussi en relation. Mais cette fois, nous n'avons pris aucun risque et Milt Shaw a exigé les cachets d'une semaine pour tout l'orchestre. Il restait à trouver qui allait organiser la suite de notre tournée. Ce fut Charles Delaunay, avec le Hot Club de Paris, qui nous offrit une aide rapide et efficace. Ils acceptèrent avec empressement de promouvoir nos concerts et furent ainsi, au hasard des circonstances, les premiers à mettre la France et Paris, sa Ville Lumière, à l'heure du bebop.

CHARLES DELAUNAY (critique de jazz français)

« Les premiers disques reçus en France après la Libération furent ceux enregistrés par Dizzy et Charlie Parker sur Guild. J'avais réussi à avoir ces exemplaires et ce fut une véritable révolution à Paris. A cette époque, le Hot Club était un endroit où les musiciens et les amateurs de jazz se retrouvaient dans la journée pour écouter des disques. La nouvelle fit le tour de Paris le jour même, et en vingt-quatre heures tous les milieux musiciens de la ville étaient au courant. On venait de faire la découverte d'une musique fantastique et les musiciens faisaient la queue pour entrer dans notre petit local de la rue Chaptal. Bien sûr, quand on écoute ces disques aujourd'hui, ils nous semblent presque classiques, mais à l'époque on les trouvait délirants, bizarres, et tout à fait fascinants. Les gens disaient : " Oh, Dizzy doit sûrement avoir une trompette spéciale et une embouchure spéciale. " Tout le monde se demandait comment les harmonies s'articulaient. Il y avait des discussions sans fin, on passait et repassait les disques. L'enthousiasme montait un peu plus à chaque fois. C'était une grande première.

« La critique était partagée. Il y avait ceux qui fréquentaient de près des musiciens et qui comprenaient mieux, arrivant presque à avoir les mêmes réactions qu'eux. Car après tout, un critique n'est qu'un personnage de second plan. Il ne crée pas. Il se contente d'écouter, et s'il est dans un bon jour, il entendra mieux ce qui se passe et fera peut-être un commentaire intéressant qu'un musicien ne saura pas vraiment formuler, alors qu'en revanche il comprend et crée... ce qui compte avant tout. Certains critiques pleins de fiel avaient décrété : " Ce n'est pas de la musique, ça. C'est inaudible... " Et le monde du jazz français connut alors son grand schisme.

« Ce fut assez drôle, parce qu'à l'époque j'étais encore associé avec Panassié. A mon avis, l'ennui est que Panassié vivait dans le Midi profond, très loin de Paris, et n'était pas entouré de musiciens. Tandis que moi, j'étais plongé dans ce milieu et je comprenais ce qui se passait, pas toujours à la première écoute, mais à la troisième en tout cas. Je pigeais, je suivais. En outre, j'étais plus enclin à me ranger à l'opinion d'un musicien, la seule valable. Dès que j'ai eu en main ces fameux disques, j'ai écrit à Panassié : " Je viens de recevoir deux ou trois disques absolument extraordinaires. J'aimerais que tu les écoutes. " Il me répondit par retour : " Envoie-les moi immédiatement. Si quelqu'un doit avoir ces disques en sa possession en France, c'est tout de même bien moi... " J'ai répliqué : " Tu devrais monter à Paris, parce que si je me sépare de ces disques, il va y avoir une émeute rue Chaptal où les musiciens défilent nuit et jour pour les écouter. Mais j'ai fait une autre commande aux USA, trois de chaque, et dès que je les recevrai, je t'en ferai expédier un lot. "

« Entre-temps, j'avais écrit un article pour une revue suisse, et avais demandé à André Hodeir d'en écrire un pour la mienne. Ainsi donc, Panassié rata le premier métro. S'il avait habité à Paris au milieu des musiciens et dans l'ambiance adéquate, je pense qu'il aurait accroché au bebop comme moi. Malheureusement...

« A partir de ce moment-là, la France musicale se trouva divisée en deux factions résolument montées l'une contre l'autre, avec des critiques de l'un ou de l'autre bord. Il semblait impossible d'apprécier les deux styles simultanément. Pourtant, en ce qui me concerne, j'ai toujours bien aimé aussi le Dixieland, le Nouvelle-Orléans et les grands orchestres. Mais savez-vous que ceux qui marchaient à fond pour le bebop et ceux qui défendaient avec tout autant d'acharnement le Dixieland en sont arrivés à se battre dans la rue ou aux concerts, auxquels ils venaient pour conspuer le style rival! Un véritable vent de folie soufflait sur le jazz.

« Un jour, je reçus un coup de téléphone du Hot Club de Bruxelles qui m'apprenait qu'un orchestre noir arrivant de Scandinavie se trouvait en rade à Anvers, après que l'organisateur de cette tournée eut disparu avec l'argent des musiciens. J'ai aussitôt chargé un ami de partir pour Bruxelles et de ramener tout l'orchestre à Paris coûte que coûte. Pendant ce temps, je décidai de monter une énorme campagne publicitaire à coup d'articles dans la presse, de photographies, etc. En vingt-quatre heures, ce fut chose faite et le premier concert eut lieu deux jours plus tard. Un événement inoubliable. Tous les musiciens étaient venus écouter enfin en direct cet incroyable trompettiste. Il y avait aussi les gens curieux de voir ce qui se passerait, et certains pour d'autres motifs encore. Bref, la salle était comble et le concert fut une réussite totale... bien que, devant commencer à neuf heures du soir, l'orchestre ne soit arrivé sur scène qu'à onze heures moins vingt! J'avais eu la bonne idée d'engager un trio pour ouvrir la soirée, dans le style du King Cole Trio. Ils furent obligés de jouer pendant plus d'une heure. Heureusement, il n'y eut pas de chahut dans la salle, et pourtant dans ce temps-là le public avait l'habitude de protester bruyamment et parfois avec violence si quelque chose allait de travers. Il fallait toujours s'attendre à tout. Mais cette fois-là, ils attendirent dans le calme. En fait, les musiciens étaient arrivés à la gare, mais ils avaient oublié leurs tickets pour les bagages et ne pouvaient pas les retirer. Il fallut intervenir en hâte auprès des officiers des douanes pour récupérer les instruments, et embarquer ensuite tout le monde dans un car en direction de la salle de concerts. Nous étions tous complètement abrutis après toutes ces émotions, moi y compris. Je ne sais si les musiciens étaient dans cet état par fatigue accumulée, ou parce qu'ils n'avaient pas mangé, ou quoi... ce sont des choses qui arrivent sans qu'on sache pourquoi. En tout cas, les musiciens ont joué de façon très détendue, et l'orchestre sonnait merveilleusement. Le public ne leur fit pas une ovation, sans doute parce qu'il était dérouté, ne comprenant pas ce qui se passait vraiment. C'est le genre de moment qu'on ne vit qu'une fois. C'est en tout cas l'impression que nous ressentions.

« Une ère nouvelle était née pour le jazz, et nous en étions maintenant conscients. Jusque-là, nous avions seulement écouté des disques. Pourtant, quand j'étais allé à New York en 1946, j'avais bien entendu l'orchestre de Dizzy à l'Apollo. J'étais en compagnie de Django Reinhardt, et nous l'avions rencontré. Mais je n'avais pas eu le choc, comme ce soir-là à la salle Pleyel. L'enregistrement de ce concert fut désastreux. Un seul des trois micros fonctionnait, celui de la salle. Mais enfin, nous avions eu le sentiment que quelque chose d'important s'était passé. Même moi qui connaissais déjà leur style, et peut-être en raison de ma fatigue intense et de mon exaltation, j'ai ressenti à fond leur musique ce soir-là. Personne n'avait jamais rien entendu de pareil. Je puis vous affirmer que bon nombre de fans français rêvent encore de ce jour-là. Il est resté gravé dans leur mémoire, qu'ils le veuillent ou non. Et même ceux qui n'avaient pas aimé le concert savaient qu'ils avaient été témoins d'un événement exceptionnel. »

DIZZY

Wow! Sacrebleu*! Ils n'avaient jamais entendu ça... et ils n'ont jamais rien entendu de pareil depuis, d'ailleurs. Ce soir-là, l'orchestre a joué sans partitions. Elles étaient restées en rade quelque part et on a tous joué de mémoire. Mais la foi y était. Personne n'avait besoin de faire un gros effort. Ils connaissaient tout par cœur.

Paris était différent de la Scandinavie. Le public était plus jeune, plus fou, et mûr pour notre musique. Je connaissais mal les lieux. Ça

---

* En français dans le texte (N.d.T.).

316

avait bien changé depuis que j'étais venu avec Teddy Hill onze ans auparavant. Mais notre musique aussi avait changé et les Français l'ont adorée. Il y eut trois concerts : à la salle Pleyel, au club des Champs-Elysées et aux Ambassadeurs. Salle comble à chaque fois. L'orchestre donna également une soirée à l'Apollo. C'était drôle de trouver ce théâtre de l'Apollo, comme à Harlem. Et Paris swinguait dur avec nous... comme Harlem aussi. Après, ce fut Lyon et Marseille, dont un concert avec Mezz Mezzrow et les Peter Sisters. C'est après cela qu'un journal fit paraître un dessin me représentant un couteau à la main en train de découper Mezz en rondelles, le roi des « Figues Moisies » en France. Mezz a dit de nous : « Ces gars-là ne sont jamais foutus de jouer deux notes s'ils peuvent en placer cent ! » Mais comme toujours... il avait une réserve de marijuana super, et on s'est bien régalés à jouer ensemble.

Il n'y avait pas véritablement de conflit entre le Nouvelle-Orléans et notre style, puisque celui-ci était issu de celui-là à deux générations d'intervalle. Mais à Paris, ils prétendaient qu'il existait un énorme fossé entre le jazz moderne et le jazz traditionnel. Ils en sont même venus aux mains un soir, aux Ambassadeurs. Il y avait deux Français assis ensemble à une table et brusquement... Grands Dieux ! Ils ont commencé à se taper dessus. Un vrai massacre. « Tu appelles ça de la musique ? » disait l'un. Et bam, bam, bam, ils se sont tabassés comme des fous. Quelle histoire !

HOWARD JOHNSON

« Je me souviens d'une bagarre à Paris... Il y avait deux groupes, l'un soutenant le jazz moderne et l'autre le vieux style, dont les porte-parole s'appelaient Charles Delaunay et Hugues Panassié. Le soir de l'ouverture au club des Ambassadeurs, il y a eu une grosse bagarre entre des partisans de l'un et de l'autre. Nous avons joué une semaine dans ce club, je crois bien. C'était très intéressant, car cela montrait à quel point les amateurs étaient captivés par la musique, et avec quel acharnement ils défendaient leur point de vue. »

JOHN LEWIS

« Cette tournée fut pour moi vraiment fantastique, sans doute une des plus merveilleuses que j'aie jamais faite. Partout un accueil inoubliable. Cela faisait déjà deux ans que j'étais avec Dizzy, et ce fut une sorte de sommet. Oui, la formule " concerts " était bien son élément. Il n'était pas fait pour jouer dans les soirées dansantes

317

comme il avait essayé auparavant. C'était l'homme des grands concerts, quatorze mille personnes, carrément, ce qui était énorme à l'époque. A Paris ce fut extraordinaire, et pourtant c'est une ville où le succès ne vous est pas offert sur un plateau. Si vous réussissez à Paris, vous êtes sûr de réussir partout. Et Dizzy y a fait un triomphe. Le public de la salle Pleyel était complètement fasciné dès le premier morceau. »

AL McKIBBON

« Pendant toute cette tournée de 1948, l'orchestre a joué en décollant de terre sans arrêt. Absolument sensationnel. J'ai reparlé bien après de cette tournée avec John Lewis, car son attitude m'avait paru curieuse à l'époque. Et il m'a expliqué qu'il était furieux parce qu'il trouvait que Dizzy prenait les choses trop à la légère. John Lewis, lui, estimait que nous avions entre les mains une chose unique, irremplaçable, et qu'il aurait fallu montrer un peu plus de dignité et de sérieux. J'ignorais qu'il nourrissait ces pensées dans ce temps-là. Moi, je trouvais simplement que notre musique, c'était la grosse fête. Bien sûr, quand on est au cœur d'un événement majeur, on ne se rend pas toujours compte de son importance. Personnellement, je pense que si Diz avait été blanc... Songez un peu : il a réussi à lancer et à imposer un nouveau style d'orchestre, une nouvelle mode vestimentaire et un nouveau jargon... Eh bien, supposez un instant que Stan Kenton ait inventé tout ça ? Je le répète, si Diz avait été blanc, il aurait fait fortune.

« Des fois, je m'installais vers le devant du podium, et je me disais : " Enfant de salaud, je vais te faire voir ce soir, je vais t'écraser ! " Mais rien à faire. Plus vous jouez comme un dingue, plus il met le paquet lui aussi. De temps en temps, après un chorus, il se recule et vous laisse jouer. Mais quand j'essayais de l'écraser, il s'entêtait et ne voulait même pas me laisser le pont ; il fallait jouer des coudes, si j'ose dire... sinon il continuait sans débander ! »

ELMON WRIGHT

« J'ai un disque de nous chez moi, mais on ne savait pas qu'un type nous enregistrait. C'était à Paris. On jouait à l'Apollo... Là-bas, ils prononcent ça AP-ollo, mais en fait ça s'écrit comme notre Apollo à nous, ici. On faisait deux spectacles par jour, je crois bien. Bref, il y avait un type qui enregistrait tout sans qu'on le sache. J'ai montré le disque à Diz. Il n'était pas au courant non plus. Le type avait gravé une cire. »

DIZZY

Sur un plan commercial, la tournée fut un succès. Ça se passait quelques années après la guerre et les gens payaient jusqu'à trois ou quatre dollars pour nous écouter! Les organisateurs faisaient une recette brute de quinze mille dollars les bons jours. Il y eut des propositions pour aller jouer en Espagne, en Italie et en Suisse, et y enregistrer. La filiale française de RCA Victor nous adressa une lettre pour nous rappeler qu'ils possédaient l'exclusivité de nos enregistrements... ce que nous savions très bien.

Tous les gars se sont amusés à parler un peu suédois, un peu français. Don Byas, lui, paraît-il, parlait couramment cette langue. Très malin, Don. Il se trouvait en Espagne pendant que nous étions en France et nous ne l'avons donc pas vu. En Scandinavie, j'ai retrouvé Peanuts Holland qui semblait s'y plaire tellement que je ne pensais jamais le revoir aux USA. Un des aspects les plus impressionnants de cette tournée fut pour moi de constater l'influence de notre style sur les jeunes musiciens européens. Ils essayaient tous de reproduire note pour note mes enregistrements avec Charlie Parker. Ils achetaient nos disques jusqu'à cinq et même dix dollars. L'accueil chaleureux et délirant de l'Europe dépassait de loin tout ce que nous avions connu aux USA. Le reste du monde semblait accepter le jazz moderne avec plus d'enthousiasme que notre pays.

A l'origine, nous devions jouer en Angleterre, mais le syndicat des musiciens s'opposa à une tournée « étrangère » chez eux, une réaction pour le moins surprenante de la part d'un pays qui s'était enrichi essentiellement grâce au « libre commerce ». De toute évidence, les Anglais craignaient que des musiciens américains ne viennent en trop grand nombre leur enlever le pain de la bouche. Ils avaient donc décrété un interdit sur les étrangers, comme nous à New York. Mais après avoir appris notre triomphe à Paris, ils se ravisèrent et nous contactèrent. Les musiciens anglais désireux d'entendre notre orchestre en direct signèrent une pétition adressée aux chefs du syndicat et dans laquelle ils demandaient l'annulation de la clause restrictive. Ils voulaient surtout m'entendre, moi personnellement, l'un des créateurs du nouveau style. C'était une attitude extrêmement flatteuse de la part de collègues, et qui aurait pu ouvrir la porte à des échanges entre nos deux pays. Les chefs du syndicat acceptèrent la requête et retirèrent le veto. Mais le ministère

319

du Travail passa outre et refusa notre venue en Grande-Bretagne. D'une certaine manière, le gouvernement entravait l'évolution musicale de ses sujets. Qui sait si les Beatles ne seraient pas apparus dix ans plus tôt, dans la mesure où le rock devint par la suite un des plus importants produits d'exportation de la Grande-Bretagne, car si on l'analyse, notre style mettant en valeur la polyrythmie et le contretemps montrait déjà la voie au rock.

Les Français, eux, firent preuve de perspicacité en me prenant Kenny Clarke et en lui offrant un poste de professeur, car le point faible des orchestres de jazz français était la batterie en particulier et la section rythmique en général. Jusque-là, les musiciens européens s'étaient familiarisés avec le bebop en écoutant nos disques. Mais les Français allaient en apprendre bien davantage grâce à l'enseignement de Kenny. Je savais qu'il ferait merveille dans ce pays.

La traversée de retour se fit sur un bateau français, le *De Grasse*. Mais comme Chano Pozo souffrait terriblement de la colonne vertébrale, je décidai de prendre l'avion avec lui et Milt Shaw pour rentrer plus vite.

« Groovin' high »

Au lieu de me fêter comme un héros au retour de cette tournée, la presse américaine, et en particulier la revue *Time*, continua de dénigrer ma musique qu'elle qualifiait « d'insoutenable cacophonie... », ajoutant plus loin : « ... une démesure que Duke Ellington a su éviter depuis longtemps ». A croire qu'ils cherchaient à me démolir, ou refusaient toute évolution musicale, ou simplement que j'en fusse l'auteur. Moi... ou nous tous, les boppers, car à ces commentaires vinrent s'ajouter bientôt des discussions puériles pour déterminer qui de nous trois, Monk, Yardbird et moi, était le créateur du bebop. Comme si chacun de nous, et d'autres d'ailleurs, n'avait pas joué un rôle ! Ils voulaient peut-être nous voir nous entre-déchirer.

L'insulte suprême nous fut infligée à la suite du second concert que je donnai en mai 48 à Carnegie Hall avec mon grand orchestre réorganisé. Les gens commencèrent à demander si mon style n'était pas plus ou moins influencé par le jazz « progressiste » que jouait Stan Kenton !

Ils voulaient faire de Kenton un « espoir du jazz blanc », collaient l'étiquette « progressiste » au jazz moderne en général et à mon style également, et essayaient pratiquement de m'expliquer ce que je faisais ! Je les ai tous envoyés au bain. « Bande de cons ! Stan Kenton, vous dites ? Je n'ai jamais fait de la musique glacée comme la sienne. » Et j'ai même ajouté : « Pas une seule note ne m'a été inspirée par Stan Kenton. Pas une. C'est Stan Kenton qui m'a copié. »

Il faut expliquer qu'après avoir entendu le mien, Stan Kenton avait engagé un joueur de congas, Carlos Vidal, de l'orchestre de Machito, auquel il avait adjoint un batteur d'origine sud-américaine, Jack Costanzo. Mais Stan ne savait pas comment les utiliser efficacement, et il dut leur laisser toute initiative. Cela se passait après qu'il eut entendu mon orchestre avec Chano Pozo au Savoy. Seulement moi, je ne me suis pas contenté d'engager Chano. Je ne me pose pas en expert de rythmes latino-américains, mais je sais que les interprètes de cette musique me respectent parce que je cherche à intégrer leur style au mien de façon valable. Je ne fais jamais d'emprunt sans rendre. Je crois que quand les gens se sont rendu compte que notre musique devenait un produit rentable, ils se sont lancés dans une controverse pour savoir à qui attribuer la création du jazz moderne. Je pense personnellement que le mérite en revient à tous ceux qui y ont participé, et en ont été les meilleurs interprètes.

La musique est un art si vaste qu'aucun de nous ne peut prétendre la connaître à fond, car elle est multiple et infinie. Tout évolue dans le monde. Alors pourquoi la musique devrait-elle échapper à cette loi? J'ai toujours pensé que le jazz évoluerait, et que nous aurions des disciples. Notre style prenait une orientation que beaucoup de musiciens voulaient suivre, et ils n'attendaient que l'exemple. Ecoutez certains disques : ceux de Woody Herman, de Boyd Raeburn. On a même pensé une fois que j'avais écrit un arrangement pour Woody parce qu'il sonnait étrangement comme un de mes solos, mais l'auteur en était Ralph Burns, si j'ai bonne mémoire. Les arrangeurs sont toujours inspirés par les grands solistes; c'est dans leurs improvisations qu'ils puisent les enchaînements et la couleur. A cette époque-là, les grands chefs d'orchestre comme Duke, Benny Goodman et d'autres furent obligés de se moderniser pour rester en vogue. Une aube nouvelle se levait. Les musiciens de la jeune génération voulaient tous jouer « moderne », et ils n'allaient certainement pas rester dans l'ombre.

AL McKIBBON

« Quand l'orchestre de Diz passait au Savoy, Stan Kenton venait l'écouter avec tous ses musiciens. On n'y prêtait pas attention, mais on savait qu'ils étaient là. Et puis quelque temps plus tard, Kenton a engagé Laurindo Almeida à la guitare et Carlos Vidal aux congas, et ils ont lancé leur fameux *Peanut Vendor,* et autres clowneries de ce genre pour sonner " typique ". Mais je n'ai jamais entendu Kenton jouer un truc comme *Manteca.* Ja-mais! »

WALTER GILBERT FULLER

« Ça a vraiment pété sec. Stan Kenton a même envoyé à la figure de Diz une fois au Savoy : " Mon orchestre est capable de jouer ta musique mieux que le tien... » Ça se passait vers 47, 48. Stan était bourré et il s'est avancé vers Diz en titubant pour lui dire ça! Que voulez-vous répondre à un type bourré? Dizzy l'a regardé droit dans les yeux et a fait : " Ah bon? " Il n'allait tout de même pas discuter avec un ivrogne qui disait ce qu'il pensait justement parce qu'il était dans cet état! En fait, Stan était totalement incapable d'écrire dans notre style.

« Les deux orchestres se sont mesurés une fois, sur le thème *Things are here*. Stan avait une trentaine de musiciens, la grosse artillerie! Mais on les a eus en beauté, avec un arrangement combinant deux rythmes différents. »

DADDY-O DAYLIE

« J'ai fait mes débuts à la radio en 1948, quand les soixante-dix-huit tours se vendaient encore. A l'époque, les disques étaient répertoriés suivant la race des artistes-interprètes. Pour les Noirs, on utilisait l'étiquette " sepia ", ou " race ". Le tri était donc facilité, et quand j'ai commencé comme disc jockey j'avais réuni pratiquement tout ce que Dizzy avait enregistré. J'étais convaincu que ce qui lui manquait, c'était de fréquents passages à la radio. J'y croyais dur comme fer et ma devise était : " Aime ce que tu fais passer, et ne fais passer que ce que tu aimes... "

« Quand les géants, Diz et Bird, se trouvaient à New York et jouaient dans des petits clubs tout enfumés, avec un piano désaccordé, ça me faisait mal au cœur parce que c'était des super-vedettes à mes yeux. Il fallait donc diffuser davantage leur musique. Bien sûr, j'aurais pu faire fortune en choisissant une autre direction, mais j'avais foi en ce style, en ses créateurs, en leur message.

« Je me suis aussi vite aperçu que la promotion d'une musique " noire ", aux créateurs et interprètes noirs, et dont les super-vedettes à force de faire ce métier ne se laissaient pas aussi aisément exploiter que la masse des béni-oui-oui, faute d'un meilleur terme, allait se heurter à de sérieux obstacles.

« Leur musique n'avait jamais eu la cote ni la publicité qu'elle méritait parce que les magouilleurs qui ne pensaient qu'au fric ne pouvaient pas arnaquer un Dizzy, un Bird ou un Duke avec toutes leurs années d'expérience, comme ils ne se privaient pas de le faire avec les pauvres péquenots ignorant tout des problèmes de royalties et autres, et ne rêvant que d'être sur scène sous le feu des projecteurs. Ceux-là écrivaient les thèmes que les autres publiaient aussitôt dans *leur* maison d'édition, enregistraient pour *leur* compagnie, et se faisaient exploiter sur toute la ligne. Aussi n'était-ce pas l'intérêt de ces commerçants de promouvoir le jazz.

323

« J'ai donc compris très vite que je devais prendre des risques et j'avoue que j'eus la chance d'intéresser Anheuser Busch à mon projet. Sa compagnie acheta mes services et me laissa toute liberté sur le plan publicitaire et promotionnel.

« Diz et ses musiciens étaient formidables. Ils acceptaient de jouer dans les sanas, dans les prisons, sans publicité. Diz a le cœur le plus large que je connaisse. Et il ne semble pas nourrir cette jalousie qui ronge tant de musiciens professionnels, et naît souvent de leur médiocrité. Quand un type se montre envieux de la réussite d'un autre, c'est généralement un minable. Il y a aussi ceux qui craignent qu'un collègue leur pique leurs idées en venant les écouter. Diz n'a jamais eu cette inquiétude. Quand il finissait au Blue Note à quatre heures du matin, il y avait souvent de jeunes trompettistes qui venaient bavarder avec lui, prendre conseil. Alors il ressortait son biniou, il s'asseyait sur l'estrade, et il leur donnait une petite leçon d'une heure ou plus. Et après, on allait tous manger un morceau et il continuait à leur expliquer des points de technique et autres. Diz est un type merveilleux avec un cœur en or.

« Je ne l'ai jamais entendu faire une mauvaise prestation, tant son professionnalisme est grand, et son sens de la perfection prédominant. Quoi qu'il arrive, il se montre toujours à la hauteur; même une fois à Soldier Field devant vingt ou trente mille spectateurs, malgré des interruptions constantes de la sono. Une autre fois, il jouait dans un club, le Crown Cellars, où le piano était épouvantable. Eh bien, à la fin du premier set, Diz a eu droit à une ovation debout de la salle comble, ce qui est exceptionnel de la part d'un public noir. Je suis resté toute la nuit à l'écouter. Au second set, il n'y avait plus que moi, les serveuses et huit musiciens, et Diz a joué encore mieux qu'au premier set quand la salle était pleine. Il s'est surpassé pour une poignée d'auditeurs. C'est rare, et on rencontre plutôt l'attitude inverse chez un artiste. Dans le même genre d'esprit, la plupart des musiciens essaient toujours de se surpasser s'ils repèrent des collègues dans la salle, ou des critiques connus. Ils veulent les impressionner. Mais Diz joue toujours au mieux de sa forme sans raison extérieure.

« Dans ce temps-là aussi, pour que des disques soient parmi les " dix " ou " quarante " meilleurs sur les listes, c'était tout simplement une affaire de gros sous. Les disc jockeys avaient vite compris qu'ils pouvaient se faire cent dollars par semaine en passant régulièrement les disques de dix compagnies différentes. C'était le seul moyen pour qu'un air soit classé dans les dix, quinze ou vingt premiers. Alors ils ne faisaient pas passer les disques de Diz, de Bird, de Duke ou de Nat Cole. Ça ne payait pas.

« Les promoteurs blancs aux doigts crochus n'allaient pas donner une ouverture à la nouvelle musique noire. Si du jour au lendemain ils avaient décidé de diffuser du jazz, et seulement du jazz, au lieu de la " soupe " et de la " guimauve " de tous les béni-oui-oui de la musique, vous imaginez la panique !

« Bien sûr, aux concerts, il était évident que tous les Blancs étaient enthousiastes. Ils marchaient à fond. Mais les doigts crochus savaient bien que Diz était trop avisé pour tomber dans leurs magouilles. Il avait sa propre maison d'édition, et était très au courant de tout ce qui concernait les droits d'auteur, de compositeur et d'enregistrements. Il ne se serait jamais laissé avoir en acceptant une Cadillac ou autre chose de ce genre comme acompte sur les royalties. Mais la valeur de l'artiste ne comptait pas pour les promoteurs rapaces. Seule l'exploitation avait un sens.

« Laissez-moi vous parler de mon amitié avec Diz. Il savait que j'étais un fumeur de pipe, alors quand il en trouvait une belle au cours de ses tournées à l'étranger il pensait à moi : " Tiens, celle-là fera plaisir à Dad. " Et il me la rapportait. J'en ai chez moi qui me viennent de lui, et d'autres de John Lewis... et une que Louis Armstrong m'a offerte. Vous voyez, c'est ça, l'amitié.

« Les critiques les plus connus qui se permettent certains commentaires sur le jazz ne sont même pas des musiciens. C'est paradoxal, non ?

« J'avais monté un club de jazz, le Gopher's Club, et d'autres dans trente-deux collèges et dans un rayon de cinq cents kilomètres. J'y programmais toujours d'excellents musiciens, même peu connus, et j'organisais des concerts. Un jour la revue *Time* fit la découverte de Dave Brubeck. Et savez-vous ce que les Blancs qui avaient lu l'article de *Time* m'ont dit ? " Pourquoi nous envoyez-vous Charlie Parker, alors qu'il y a Paul Desmond ? Et pourquoi faites-vous passer les disques de Diz, au lieu de ceux de Chet Baker ? " »

RICHARD CARPENTER (road manager)

« Je n'ai jamais vu Diz faire un mauvais spectacle. Je ne l'aurais pas toléré, il vous le dira lui-même. J'avais institué un système d'amende pour ceux qui arrivaient en retard sur le lieu de travail, ou au départ du car qui nous emmenait en tournée. Avec l'argent récolté, je faisais un pot qui servait à acheter de l'équipement de sport, ou à donner des réceptions. Tout retardataire était pénalisé de vingt-cinq dollars, y compris Dizzy. Il y avait deux avertissements, et la troisième récidive coûtait vingt-cinq dollars, ensuite on passait à cinquante. Une fois, il m'est arrivé de coller une amende de cinquante dollars à Chano Pozo. Il répétait : " Moi... vedette... moi

pa'ler Dihhi. " Et il est allé se plaindre à Dizzy qui lui a répondu :
" Si Carpenter t'a mis à l'amende, c'est que tu le méritais. Voilà. "

« Pour les amateurs de jazz qui venaient écouter Diz, peu
importait s'il passait avec un grand orchestre ou une petite
formation. Ils venaient spécialement pour lui, et dès l'instant qu'il
montait sur scène et jouait, ils étaient comblés et le manifestaient
bruyamment. L'orchestre faisait beaucoup de tournées dans le Sud,
en Georgie, dans l'Alabama, le Mississippi, et ça marchait fort. Il
attirait les foules. Les gens aimaient sa musique. »

DIZZY

A l'occasion de ces tournées, je me suis aperçu que la plupart des
détracteurs de notre style appartenaient à une faction minoritaire,
et que la grande masse du public, elle, se précipitait pour nous
écouter, même dans le Sud profond. J'en avais déduit à l'époque que
la musicalité de l'Américain moyen s'était sérieusement améliorée.
Les disc jockeys comme Daddy-O Dailie à Chicago nous épaulaient
beaucoup. Quant à notre manager de tournée, Richard Carpenter, il
était chargé d'enregistrer à l'applaudimètre les réactions du public à
chaque concert. De 1948 à 1949, l'Amérique entière répondit avec
enthousiasme à notre musique.

Notre plus grand succès eut lieu en Californie où nous avions un
engagement de huit semaines et où les fans nous firent un triomphe
permanent. La tournée commençait par une semaine au Cricket
Club de Los Angeles, où notre passage battit tous les records
d'entrées. Puis il y eut un concert à Long Beach devant trois mille
personnes, et d'autres à Pasadena et San Bernadino avec toutes les
places vendues d'avance. La tournée se terminait par un long
engagement au club de Billy Berg à Hollywood, où les gens
s'entassaient tous les soirs comme des sardines, les boppers, bien sûr,
et aussi des admirateurs dans le milieu du cinéma, Ava Gardner,
Lena Horne, Howard Duff, et Mel Torme, dont la présence
éventuelle attirait encore d'autres clients.

Le culte du bebop avait atteint son zénith. Tout le monde voulait
me ressembler, j'ignore d'ailleurs pourquoi. Ils cherchaient même à
imiter mon rire (prétendait la presse). Il ne s'agissait pas non plus
d'un phénomène racial, car les Blancs autant que les Noirs et en
aussi grand nombre (par dizaine de milliers) se déclaraient à voix
haute partisans du bebop. Aux concerts, on laissait les fans qui
portaient le béret, le goatee et les lunettes à monture d'écaille
s'asseoir au bord du podium devant l'orchestre. Beaucoup étaient des
adolescentes, avec un goatee dessiné au crayon gras sur le menton.

Elles portaient même l'uniforme, comme plus tard les Black Panthers. Ava Gardner venait sans se peinturlurer de la sorte. Elle était tellement bonne comédienne qu'elle pouvait simuler un goatee avec les doigts pour poser sur les photos... Elle fréquentait le club deux ou trois soirs par semaine au moins. Je lui ai même offert un de mes bérets, un de marin du *SS Richelieu,* en remerciement de son assiduité. Ava Gardner est originaire de Caroline du Nord, et soutenait avec conviction ses compatriotes du Sud. Elle était antiségrégationniste et ne voulait même pas retourner chez elle. Howard Duff venait souvent, lui aussi. Il était devenu célèbre pour son interprétation à la radio du rôle de Sam Spade, le célèbre détective privé.

La compagnie F. W. Wollworth, au centre de Los Angeles, commanda cinq cents exemplaires de *Manteca,* déjà un « tube », et m'invita à venir dédicacer mes photos dans leur magasin pour promouvoir la vente de nos disques et attirer la clientèle. Un fan bopper avait fait un dessin humoristique de mon visage crevant la carte des Etats-Unis, que chaque acheteur d'un disque recevait en prime. De très jeunes enfants venaient aussi, comme Ellen Jenkins alors âgée de quatre ans, avec béret et lunettes noires et accompagnée de sa mère.

J'avoue que je me suis régalé à me sentir le point de mire de toute une génération, un genre de Père Noël noir et « hip ». Je me lançais dans des extravagances aussitôt remarquées... Par exemple, j'avais acheté une paire de chaussures en peau d'autruche et quand on m'interrogeait à ce sujet, je me déchaussais pour les montrer. C'était à qui se ferait le plus remarquer parmi les boppers.

Chano Pozo avait un numéro extraordinaire avec un verre d'eau. Il le posait sur son crâne, commençait à jouer des congas et laissait tomber un mouchoir. Pendant un break très court, il s'agenouillait, ramassait le mouchoir, et recommençait à jouer sans jamais faire tomber une goutte d'eau. Il déchaînait l'hystérie générale.

La revue *Life* me fit poser avec Benny Carter pour une série de photos servant à illustrer une interview majeure sur le bebop. Ils nous photographièrent en train d'échanger les salutations de rigueur entre parfaits boppers : une fois avec la main ouverte, les cinq doigts tendus, en référence à la quinte diminuée, et une autre avec trois doigts seulement, en référence aux triolets, le tout se terminant par une poignée de main sophistiquée. Bien sûr, ça ne se passait pas vraiment comme ça dans la réalité quotidienne, mais tout ce cirque était destiné à attirer l'attention sur nous, à nous cataloguer comme les joyeux « marginaux » de l'époque. Cela nous amusait d'ailleurs énormément, au point que dans toute cette campagne publicitaire l'élément essentiel, la musique, se trouva négligé avec pour fâcheux résultat de donner au bebop un côté « mode » avant tout, ce qui était faux. Je regretterai aussi éternellement cette séance de photo à Hollywood où j'avais accepté de passer pour un musulman et où j'ai posé en m'agenouillant vers La Mecque. Il n'y était tenu compte ni de la musique ni du caractère authentique de la foi islamique. Ils m'avaient seulement demandé si j'étais d'accord et j'avais répondu : « Oui, bien sûr », tombant stupidement dans le panneau de la publicité à tout prix. Je le répète, je le regrette amèrement encore aujourd'hui. Duke Ellington m'avait dit quelque temps plus tard : « Birks, tu n'aurais jamais dû leur laisser mettre cette étiquette de " bebop " sur ta musique. » Sur le coup, je n'ai pas bien compris ce qu'il voulait dire... tant j'étais occupé à faire la fête et à me vautrer dans la gloire. Mais j'ai compris, plus tard...

JAMES MOODY

« Partout où l'orchestre jouait, les gens nous regardaient un peu comme des bêtes curieuses. A l'époque j'étais assez naïf, et je ne me rendais pas bien compte. Maintenant avec le recul, c'est très différent. Je me souviens d'un concert au Civic Auditorium de Pasadena où les gens qui portaient un béret comme celui de Diz et des lunettes noires de boppers avaient le droit de s'asseoir sur la scène avec l'orchestre. C'était formidable d'entendre la réaction du public. Et puis les grandes vedettes venaient nous écouter : Lena Horne, Ava Gardner, Howard Duff. Ava Gardner n'était encore qu'une débutante à l'époque où l'on jouait au Cricket Club à Los Angeles. Elle venait régulièrement et elle adorait notre musique. Lena Horne aussi. Tous les soirs, elles étaient là. »

JESSE « RIP » TARRANT (trombone)

« A son retour d'Europe en 1948, Diz avait besoin d'un trombone et j'ai obtenu la place. Une expérience extraordinaire. Je n'y croyais pas! Tout allait très vite, trop vite. Il fallait que j'apprenne le répertoire, et que je m'adapte au style. Le niveau était très élevé : chaque musicien devait connaître son instrument à fond, le travailler assidûment, et progresser sans arrêt. Diz était un excellent chef et un bonhomme fantastique. Durant cette période, j'ai appris à communiquer et à me faire des amis. Grâce à la personnalité de Diz, tout le monde l'acceptait et l'aimait. Cette époque a beaucoup compté dans ma vie et m'a marqué, même si je ne travaille plus dans le domaine

328

musical. Diz a déteint sur tous les gars de l'orchestre, tant sa personnalité était forte.

« Dans mon souvenir, notre plus belle prestation eut lieu à Chicago lors d'un concert et d'une soirée dansante. Diz et Bird étaient devant l'orchestre. Quelque chose, Bird et Diz ensemble! On y a rejoué plus tard, avec Miles. Mais pour moi, le concert avec Bird a été le plus grand. Toute la salle marchait à fond. Bird a joué notre répertoire et après il a fait un duo avec Diz, leurs trucs à eux... comme avant. L'orchestre sonnait terrible, ce soir-là! Le batteur était Teddy Stewart. Lui aussi a joué comme un dingue. Son meilleur soir! Bird et Diz " en voulaient " vraiment, tous les deux, mais pas dans un mauvais esprit, pas pour s'écraser, simplement pour prouver qu'ils étaient deux géants, imbattables. Moi, je n'avais jamais entendu Bird de si près et j'en suis resté ébahi. Dès qu'il y avait un chorus à prendre il démarrait sec, et après, Diz enchaînait. Il n'y avait pas d'arrangement écrit pour Bird. Il jouait comme un fou, il prenait tous les chorus qui se présentaient, ceux de Moody, ou d'Ernie Henry, tous. On ne pouvait plus l'arrêter, et ça coulait tellement bien pour lui.

« Une fois, on s'est trouvés bloqués par une tempête de neige entre Chicago et le Nebraska, je crois. On allait jouer en Californie. Il y avait eu un échange d'affaires entre Woody Herman et nous, et... bref, notre matériel, instruments et musique, sont partis dans une autre direction. Il a fallu jouer le premier soir sans les partitions, tout de mémoire, c'était à San Francisco. Diz nous mettait en boîte : " Tiens, comme ça on va voir ceux qui sont vraiment des chefs! " Ça l'amusait beaucoup, mais nous, ça nous faisait transpirer! Il a fini par nous détendre tous, et l'orchestre a sonné comme jamais ce soir-là. Tellement bon que Diz a dit : " Eh bien, à partir de ce soir, fini les partitions! » Ah quelle soirée! J'ai cru mourir, parce que j'avais peur de ne pas me souvenir d'une seule note... et puis tout s'est mis en place dans ma tête.

« Avec Diz, j'ai appris à jouer plus à l'aise, à avoir une sonorité égale, et à améliorer ma lecture à vue. Je ne prenais pas de solos. Je jouais seulement en section, mais cela m'a beaucoup appris pour l'homogénéité. Si on ne jouait pas bien ensemble, on se faisait mettre en pièces par Diz ou Walter Fuller. Ils ne passaient rien à personne. Vachement durs! Mais pour moi, ce fut la plus belle expérience de ma vie, et mes plus belles années aussi. Un vrai régal permanent. »

DIZZY

Après cette longue tournée, notre retour à New York fut un triomphe. De nombreux clubs s'étaient ouverts de 1946 à 1950, avec des formations bebop à l'affiche, comme le Royal Roost, entre la 47e et la 48e Rue dans Broadway, en sous-sol. J'y ai joué, ainsi que Fats Navarro, Allen Eager. En fait, on retrouvait toujours les mêmes. Après sa fermeture, les propriétaires rachetèrent Bop City, beaucoup plus grand. Puis ce fut le Birdland, toujours lancé par la même équipe : Morris Levy, Oscar Goodstein et leurs associés. Quand ceux-ci décidèrent de se retirer, Morris Levy et Oscar Goodstein prirent en main le Birdland, tandis que Monte Kay ouvrait le Downbeat, dans la 54e Rue, avec l'aide plus ou moins officielle de Morris Levy dont le frère était associé avec Monte Kay. Bref, ces clubs rapportaient gros, et tous ces types sont devenus millionnaires.

En revanche, nous autres musiciens ne gagnions pas lourd. Mais Morris Levy se montra très compréhensif vis-à-vis de moi quelques années plus tard, pendant mon engagement au Birdland, alors que je voulais acheter un appartement à Corona. Pendant deux ans, Morris Levy n'avait pas voulu me prendre au Birdland, et je travaillais donc au Snookie's (dans les années cinquante). A l'époque, j'habitais en banlieue, à Flushing, mais cet appartement en vente à Corona m'intéressait. Alors mon imprésario Foots Thomas négocia un contrat avec Morris Levy. Ce dernier m'avançait le premier versement, et à chaque fois que je jouerais au Birdland il déduirait une certaine somme de mon salaire en remboursement, et sans intérêts. Je suis passé un jour au bureau de Morris Levy, et il m'a remis le premier versement, en liquide, pas de chèque. C'était gentil parce que je n'avais pas à signer de papiers. S'il m'arrivait un accident, Levy perdait son avance. Donc c'était un chic type, au fond, d'avoir accepté cette formule. Si seulement il n'y avait eu que des gens comme lui parmi ceux qui ont tiré profit de notre musique, devenue vers la fin 48 un véritable engouement mondial *!

---

* La revue *Time* du 3 janvier 1949 écrit : « Le bebop, ce mouvement musical délirant et désordonné élevé au niveau d'un culte dont le grand prêtre est l'homme aux joues de caoutchouc, Dizzy Gillespie, a désormais remplacé le swing. » (N.d.A.)

Le Parrain

Chano Pozo fut tué en 1948. De nombreuses histoires ont circulé à ce sujet, mais j'ignore ce qui s'est passé exactement car je n'y étais pas. Je faisais une tournée dans le Sud avec Ella Fitzgerald, au cours de laquelle d'ailleurs j'ai récolté mon diplôme du Laurinburg Institute. Comme nous passions par là, je m'y suis arrêté et je leur ai dit : « Je vais jouer pour tout le collège. » Et nous avons donné un concert le matin à la place d'un cours. Après quoi il y eut une cérémonie et Mr. McDuffy, qui était toujours directeur à l'époque, me remit mon diplôme et mon brevet de l'équipe de football. Je me suis senti très fier de voir enfin mes études couronnées au bout de ces treize années où j'étais passé pour un rebut de collège de Caroline du Sud. Mr. McDuffy déclara ce jour-là qu'il avait toujours su que je deviendrais quelqu'un.

Chano Pozo était retourné à New York parce qu'on lui avait volé ses tambours, et c'est là qu'il s'est fait tuer. On a raconté que c'était à cause d'une histoire de drogue, qu'un type lui avait refilé de la mauvaise came et que Chano était allé lui réclamer son argent et l'avait un peu cogné. « T'as intérêt à me faire des excuses ou je te descends, aurait dit le type. — Des excuses ! Tu rigoles ! » et Chano l'avait frappé une seconde fois. Alors le type était allé chercher un flingue, était revenu et avait descendu Chano, au Rio Bar entre la 111e Rue et la 5e Avenue. C'est l'histoire que j'ai entendue en 1948.

Mais on m'a raconté une autre version, cubaine celle-là. Il y avait à Cuba une secte religieuse à laquelle Chano appartenait. A certaines époques, ils font une grande fête, un peu comme un Bar Mitzvah, et chacun apporte son écot. Mais personne ne doit toucher à la cagnotte ainsi constituée et destinée à couvrir les frais de cette cérémonie au cours de laquelle on devient un homme. Et on a prétendu que Chano était parti de chez lui pour venir aux Etats-Unis en emportant la cagnotte. Il paraît aussi qu'il est mort un an jour pour jour après son départ de Cuba. Savez-vous ce que je leur ai dit, après ce récit ? « Les gars, faut pas me raconter des histoires de ce genre, parce que j'y crois, moi. Je viens d'un pays où il y a aussi des racines et des rites. J'y crois. » Vous vous rendez compte ? Un an jour pour jour... Ça m'a laissé rêveur !

Le fait d'avoir bien connu Chano à travers sa musique m'a permis par la suite d'entretenir des relations de compréhension avec les musiciens d'Amérique latine. Ils cherchaient tous à me voir quand ils venaient à New York. A l'époque, Xavier Cugat dirigeait l'orchestre typique le plus célèbre, mais il ne faisait pas du tout de jazz, et n'engageait que des mulâtres, des métis, pas de vrais Noirs de langue espagnole. Il ne tenait pas non plus à ce que ses musiciens aient des relations trop intimes avec les milieux noirs. Mais à côté de ça, il y avait de nombreux autres merveilleux musiciens d'Amérique latine, comme Miguelito Valdez, qui étaient noirs.

C'est drôle de songer que je suis devenu un peu le Parrain de ces musiciens aux Etats-Unis. Ainsi, Candido Camero de passage à New York, cherchait à me rencontrer. Un jour, j'étais devant le Birdland et un type m'a crié : « Salut, Diz ! », et il se trouve que Candido était juste à côté et l'a entendu. Il s'est précipité vers moi : « Je te cherchais, justement. Mais je ne t'avais jamais vu. J'arrive de Cuba et je joue de la conga. » Alors je l'ai emmené au Downbeat où Billy Taylor passait avec Charlie Smith, le batteur qui jouait aussi un peu de conga. J'ai dit à Billy : « Fais jouer Candido, tu vas voir... » Candido s'est installé, a commencé à taper sur ses peaux... et est resté là trois ans.

Je n'ai jamais fait non plus de ségrégationnisme envers les musiciens d'Amérique latine. Certains, comme Chico O'Farrill qui a travaillé avec moi, passaient pour blancs mais ne l'étaient pas. Chico avait choisi des passages de *Manteca* et il a composé de nouveaux thèmes dessus, sur la ligne de base. Il en a même écrit six, à partir de ce seul morceau.

La trame harmonique et la structure rythmique sont deux choses qui m'ont toujours passionné. Surtout l'étude de rythmes issus d'ethnies différentes. Sans me poser en expert, je m'y connais assez pour en identifier les éléments de base. Par contre, les musiciens d'Amérique latine n'ont pas vraiment le sens du jazz. Leur articulation est différente, trop raide par rapport à la nôtre, même chez les Brésiliens qui ont par ailleurs un sens rythmique extraordinaire. Ils ont besoin de l'apport du jazz. Et en général, nous arrivons mieux à rendre leur musique qu'eux la nôtre. Je ne devrais pas dire des choses pareilles d'ailleurs, car en fait beaucoup de jazzmen ne sentent pas vraiment les rythmes latins. Ils les connaissent, les jouent, mais il leur manque cet élément indispensable et insaisissable, le feeling. Je crois que sur le plan des équivalences, mon homologue sud-américain serait Mario Bauza. Je ne vois personne d'autre qui possède autant que moi la compréhension profonde des deux genres : la musique latino-américaine et le jazz. Comme trompettiste, Victor Praz est très fort. Il m'a raconté que dans son Panama natal il avait eu depuis longtemps l'oreille entraînée à ma musique. Son père, trompettiste lui-même, lui disait souvent : « Ecoute ça, fiston, écoute bien cette façon d'articuler, ce phrasé, et cette mise en place. C'est ce qui fait la différence entre lui et les autres trompettistes. » Et je n'ai pas été très surpris quand il m'a raconté ça, car c'est vrai que j'ai un phrasé très particulier qui leur est familier, qui se rapproche du leur. J'étais très populaire parmi ces gens. Je ne veux pas m'ériger en expert du genre, mais je suis sans doute celui qui s'y connaît le mieux dans mon propre pays, y compris ceux qui jouent dans ce style, comme Cal Tjader, George Shearing ou Herbie Mann, et s'y complaisent un peu trop longtemps. Moi, je sais m'en évader.

Une fois, au festival de Monterey, je devais jouer, mais on avait chargé quelqu'un d'autre, Herbie Mann je crois, d'organiser une partie afro-cubaine. Personnellement, je savais que tout ça allait revenir à mettre un gus blanc devant l'orchestre sous prétexte qu'il jouait vaguement dans ce style. Là, je me suis senti vraiment frustré, mais le détail drôle, c'est que les Latinos ont protesté : « Quoi ? Pourquoi ce mec ? Tout ce qu'il va faire, c'est demander conseil à Dizzy. Et au concert, c'est ce mec qui va diriger et le public croira que c'est lui qui a tout monté ! »

Demandez donc à Tito Puente ce qu'il pense de moi : « C'est lui, le Père... » Et Tito parle de filiation directe. Il m'a dit : « Tu sais, tu es la plus grande autorité en matière de musique latine. » Cela me gêne toujours d'entendre un commentaire pareil de la part des propres créateurs du genre ! Mais ils me respectent parce que j'ai fait mes classes avec Chano Pozo. On arrive assez bien à imiter et à reproduire jusqu'à un certain point, mais il arrive un moment délicat où vous pouvez toujours courir... Et moi j'aime bien fouiller, aller le plus loin possible. Et c'est là qu'on se rend compte qu'il y a encore beaucoup à apprendre avant d'être une « autorité ». Alors quand Tito Puente me dit : « Ah, c'est toi, le Maître... » je lui réponds : « Ne dis pas de bêtises. Je ne suis qu'un cul-terreux de Cheraw, en Caroline du Sud. Je suis un grand aveugle qui joue à tâtons. » Ce qui est drôle aussi, c'est que je me suis intéressé à cette musique depuis si longtemps, que des types qui me reconnaissent m'abordent parfois dans la rue en espagnol ! « Come está usted ? » Et je suis obligé de leur dire : « Mais je ne suis pas espagnol ! »

Une preuve de mes capacités dans ce domaine, c'est le concert latino-américain qui a eu lieu récemment à Madison Square Garden, avec Machito, Tito Puente, Ray Barretto, bref, les grosses pointures. Et ils m'ont appelé pour jouer avec eux comme invité d'honneur. Une fois sur place, on m'a demandé : « La répétition, c'est fait? — Oui, bien sûr. — Quand ça? On n'a rien entendu. » Et j'ai expliqué : « J'ai répété par téléphone. » En fait, j'avais appelé Mario Bauza avec lequel je m'étais mis d'accord sur un certain nombre de conventions. Je lui avais dit ce que je comptais faire, et il avait répondu : « OK! Pas de problème! »

J'ai cherché aussi à faire évoluer l'art vocal dans le jazz en utilisant des chanteurs comme Johnny Hartman et plus tard Joe Carroll. Les gens semblent assimiler plus facilement des airs dont ils comprennent les paroles, et l'emploi de vocalistes pouvait ajouter à notre popularité. Dans le cadre de l'orchestre, la combinaison idéale pour moi aurait été un chanteur de ballades comme John Hartman et un bopper comme Joe Carroll, spécialiste du scat. J'ai failli me laisser tenter, mais nous ne sommes pas restés assez longtemps ensemble tous les trois. J'ai repensé à cette formule quelque temps plus tard, quand j'ai enregistré le thème de Mary Lou Williams *In the land of Ooo Blah Dee* (Victor 20-3538) que je chantais avec Joe Carroll.

J'ai lancé de nombreux chanteurs : Johnny Hartman, Austin Cromer, Tiny Irvin, Betty Sinclair, Alice Roberts. Personnellement, mes idoles dans ce domaine, et pas forcément dans l'ordre suivant, sont : Billie Holiday, Ella Fitzgerald, Sarah Vaughan, Carmen McRae et Dinah Washington. Je préfère de toute façon les chanteuses aux chanteurs, mais parmi ceux-là mes préférences vont à Billy Eckstine, Arthur Prysock, Austin Cromer et Nat Cole, Louis Jordan aussi, et bien entendu Pops, Louis Armstrong. La voix de Pops était géniale. Il jouait comme il chantait, d'ailleurs. Beaucoup de professionnels, comme Carmen et Sarah, trouvent que je chante très bien. Je leur dédie à chaque fois une ballade qu'elles me réclament toujours. Ce qui me donne du mal quand je chante, c'est de plaquer des paroles données sur un schéma rythmique donné, et d'en sortir quelque chose d'intéressant.

Ella a une intonation impeccable et un sens rythmique extraordinaire. Elle pense comme un instrumentiste. Elle a acquis cette agilité vocale à travers sa pratique du bebop. Elle nous écoutait et elle reproduisait vocalement tous nos trucs. Cela remonte à l'époque de nos tournées en commun.

Sarah Vaughan est la « chanteuse des musiciens », ainsi que Carmen McRae, avec leur interprétation très élaborée d'un thème. Toutes deux jouent du piano et sont capables de s'accompagner. La quinte diminuée n'a pas de secret pour elles, non plus que les enchaînements d'accords les plus audacieux sur lesquels elles sont aussi très à l'aise pour chanter.

Billie Holiday, elle, chantait avec ses tripes et son cœur. Elle n'avait aucune technique, aucune rigueur, mais tout venait de l'intérieur, du plus profond d'elle-même.

Dinah chantait avec beaucoup de chaleur, mais gardait un certain vernis protecteur contre le monde extérieur. Je l'ai fait pleurer un jour, du temps où elle était avec Lionel Hampton. Ça se passait au Birdland et j'étais sur scène en train de faire un baratin au micro. Dinah se trouvait dans la salle, comme cliente ou parce qu'elle travaillait aussi au club, je ne me souviens plus. Bref, je racontais une blague et elle m'envoie une vanne; j'enchaîne sur autre chose et elle me lance : « Hé Diz, va donc raconter ça à Lorraine! » Là, elle m'a énervé et j'ai répliqué : « Dis donc, espèce de garce, ma femme n'a rien à voir dans nos petites salades. Elle est à la maison et ne s'occupe pas des autres, elle. » Dinah en a pleuré. Je me suis toujours bien amusé avec elle. On s'engueulait parfois, elle vous traitait de tout, mais l'instant d'après, c'était oublié, et quand elle vous revoyait elle vous apportait un cadeau. Avec Sarah et Ella, c'était pareil.

J'aimais entendre Dinah chanter le blues. Elle me rappelait mon enfance, les congrégations. Elle a été l'épouse de mon batteur Teddy Stewart pendant quelque temps. C'était l'époque où il y avait Johnny Hartman, et comme on voyageait en car, on chantait des spirituals, *Nobody Knows the trouble I've seen* et d'autres, tout au long des routes désertes dans la campagne. C'était beau à pleurer. Dinah les connaissait tous, parce qu'elle avait fait son apprentissage à l'église, et Johnny Hartman aussi.

JOHNNY HARTMAN (chanteur)

« En 1949, je travaillais au Club Harlem à Atlantic City, et Diz est venu jouer un soir. Après son concert, il est passé au club et m'a entendu chanter. Une semaine plus tard, j'ai reçu un télégramme me proposant d'entrer dans son orchestre. Il avait été impressionné, c'est certain, pour me faire cette offre!

« J'étais avant tout un chanteur de standards et de ballades, mais cela ne m'a pas gêné de me retrouver dans un orchestre bop parce que Diz avait confié les arrangements de mon répertoire à d'autres arrangeurs. En tout cas, le simple fait de travailler avec lui et de l'écouter jouer m'a été très profitable, et a même eu une certaine influence sur mon style dans le découpage et la façon d'exposer certains morceaux. Ces dix-huit mois passés au sein de l'orchestre m'ont vraiment beaucoup apporté.

« Je n'avais jamais fait de grands concerts, ni de prestations importantes auparavant. Le premier eut lieu à Pasadena... un gros truc... et Diz m'a vraiment aidé à m'en sortir. C'était très chic de sa part. Il m'a expliqué comment me tenir en scène, comment aborder le public, parce que c'est très différent de chanter en concert et dans une boîte. Jusque-là, je n'avais travaillé que dans des petits clubs, des bars d'hôtels, et des restaurants. Alors, savoir d'emblée comment prendre le public d'une grande salle et l'amener au silence complet, ce n'est pas évident! Il y a de quoi être pris de panique quand on n'a pas l'habitude. Mais Diz m'a suggéré de m'imaginer que je me trouvais dans un club, avec ma clientèle familière, mais vraiment de visualiser la salle comme si j'y étais. C'est une bonne idée, parce que de toute façon avec les projecteurs on ne voit pas les spectateurs, et on peut bien imaginer ce qu'on veut, un club par exemple et chanter en se croyant dans cette ambiance. Et ça marche...

« Ah les pitreries de Diz! Totalement imprévisibles. Et ses bonnes blagues! Une fois, ça a failli tourner au tragique, mais ça s'est bien terminé. C'était pendant un engagement au Million Dollar Theatre à Los Angeles, avec les Mills Brothers. On était tous allés boire dans un café à côté, un de ces endroits où ils vous servent des vrais jus de fruits. Et la femme d'un des Mills est arrivée avec son bébé dans les bras. Au plafond, il y avait un ventilateur assez vieillot, un truc avec des hélices, vous savez, dans le genre moulin à vent. Et voilà que Diz prend le bébé et s'amuse à le lancer en l'air vers le ventilateur. Heureusement, une des pales lui a à peine effleuré le crâne! Mais la mère s'est évanouie en plein milieu de la salle, allongée sur le sol, inerte. C'était drôle. Mais ça aurait pu être tragique si le gamin avait été blessé.

« Diz avait également Joe Carroll comme chanteur, et ils scattaient ensemble, ...shu-bob-a-dee, vous savez. Mais mon plus beau souvenir, c'est un concert à Carnegie Hall où Diz a joué en hommage à Chano Pozo. Un spiritual. *Nobody knows the trouble I've seen,* je crois, et la manière dont il l'a joué ce soir-là, il y avait de quoi pleurer, je vous assure. C'était juste après la mort de Chano. »

JOE CARROLL (chanteur bop)

« J'ai rencontré Diz au moment où il allait passer à l'Apollo. J'ai un peu tâté le terrain pour voir s'il n'aurait pas une petite place pour moi et j'ai vu que tout à coup ça faisait clic dans sa tête. Il m'a dit : " Ah, mais oui, j'ai entendu parler de toi. Dis donc, on répète à l'Apollo jeudi et on ouvre vendredi. Passe à la répétition. " Bien sûr, j'y suis allé, et juste à la fin, Diz a pris à part Frank Schiffman, le directeur, et lui a suggéré de m'engager avec l'orchestre. C'est comme ça que tout a commencé.

« Avant, je traînais dans les clubs, au Baby Grand, par exemple, qui venait d'ouvrir, et des tas d'autres. Partout, je chantais mon truc, mon scat bop. Je n'étais engagé nulle part, mais les réguliers me demandaient toujours de monter sur le podium pour scatter. Personne ne m'écoutait, à l'époque! Alors vous pensez, si la rencontre avec Diz a marqué pour moi... C'était le 10 décembre 1949. Après ça, on est passés au Strand Theatre à Broadway, et puis on a fait des soirées à droite et à gauche, des tournées de collèges, etc.

« N'importe quelle prestation de Dizzy est un événement. Je me souviens une fois à Cleveland, il ne restait pas assez de temps pour jouer un morceau complet du répertoire avant la fin du set. Alors Diz a décidé : " Bon, on va jouer ça ", et il a pris un riff. Eh bien, des années après, j'ai entendu des groupes se servir du riff en question comme d'un vrai thème. Je ne sais toujours pas son titre d'ailleurs... j'appelle ça *Pippin' Theme*... Un truc qui m'a vraiment frappé. Une autre fois, c'était à Chicago. Louis Armstrong passait au Blue Note, et un soir il n'a pas pu jouer parce qu'il était très malade. Alors, Diz y est allé après son set régulier avec nous, et il a joué à la place de Pops, dans le même style que lui, vous vous rendez compte? C'est ça, Diz. On l'appelle toujours le Roi de la Trompette, et c'est sûr qu'il est le roi de son instrument... c'est aussi le roi des vocalistes, dans le style bop, ce qui était une nouveauté aussi. »

LEONARD FEATHER

« Il a fallu à Diz beaucoup de temps et de persévérance pour toucher le grand public par sa musique. J'ai appris à bien le connaître durant cette longue période et j'ai écrit un article sur lui dans la revue *Metronome* en 1944, dont le titre me semble significatif : " Dizzy Gillespie : Fou... comme un renard ", car j'ai toujours eu le sentiment que son surnom était un handicap qui l'empêchait d'être considéré sérieusement comme un grand musicien. Les gens voyaient en lui un personnage excentrique, un peu loufoque, et rien d'autre. Seuls ceux qui le connaissaient bien se rendaient compte de sa profondeur sous ses dehors farfelus. C'est dans cet esprit que j'avais pensé le titre et le fond de mon article. Mon ouvrage *Inside Bebop* ne fut publié que bien après, en 1949.

« J'avoue ne pas toujours avoir trouvé de très bon goût certaines clowneries de Dizzy sur scène au cours des années. Il a dépassé par moments ce que je considère personnellement comme les limites de la bienséance. Mais il y a de cela bien longtemps. De nos jours, il s'est assagi. »

DIZZY

Tout marchait à vive allure. J'avais publié chez Leeds Music deux recueils réunissant des transcriptions de solos de trompette dans le style bop, pour lesquels Frank Paparelli avait écrit un accompagnement de piano. Les autres musiciens pouvaient ainsi étudier et jouer notre répertoire. Je crois que le fait d'être rédigée et publiée confère à une œuvre quelconque une permanence dans le temps. Leonard Feather avait lui aussi publié un ouvrage intitulé *Inside Bebop* préfacé par moi, une analyse critique de notre musique présentée de façon attrayante mais néanmoins sérieuse et documentée, qui compensait le discrédit jeté sur le jazz moderne par les outrances de la mode. Leonard pensait à juste titre que les gens se préoccupaient bien trop de l'aspect « culte » du bebop, au détriment de la musique même.

Série noire...

Pendant l'année 1949-1950, j'ai eu vraiment un excellent orchestre. Ah, la section de saxes! Ecoutez un peu : Paul Gonsalves, John Coltrane, et Jimmy Heath... Et puis Gerald Wilson et Melba Liston aux trombones, Dave Burns, Elmon Wright, Willie Cook et Matthew McKay aux trompettes; j'ai même eu un moment J. J. Johnson au trombone, et Matthew Gee au trombone à pistons. Il avait amené un baryton pour jouer dans la section, et c'était splendide. Dans les saxes, Coltrane et Jimmy Heath jouaient de l'alto, Paul Gonsalves et Jesse Powell du ténor. Le baryton était tantôt Cecil Payne tantôt Al Gibson. La section rythmique se composait de John Collins à la guitare, Al McKibbon à la basse, Teddy Stewart, ou Specs Wright à la batterie. Je me souviens que Gerald Wilson, qui est en fait un trompettiste, avait écrit un arrangement sur *Out of this world*. Bref, je crois que d'un point de vue technique, cet orchestre fut le meilleur que j'aie jamais eu.

Signe prémonitoire d'une éclipse de ma bonne étoile, je fus alors victime d'un accident. Je roulais à bicyclette dans les rues de Geneva, dans l'Etat de New York, où je travaillais, quand un type me rentra dedans avec sa voiture, par-derrière, et je fus projeté par-dessus le guidon. J'eus la chance de ne pas atterrir sur la tête mais de glisser sur le côté et de m'en tirer avec les bras tout écorchés. J'en porte encore les marques. J'ai bien tenté par la suite d'obtenir des dommages et intérêts devant une cour fédérale, mais on ne m'accorda que mille trois cents dollars que j'avais de toute façon déjà perdus en annulant des affaires pour pouvoir me rendre aux convocations d'audience. Je leur avais pourtant expliqué que depuis l'accident, je ne pouvais plus jouer dans l'aigu sans avoir des maux de tête...

MELBA LISTON *(tromboniste, arrangeur)*

« Je sais que j'étudiais de près sa musique, son style, mais je ne pourrais pas dire quand eut lieu exactement notre première rencontre en direct. Vous savez, avec un personnage comme Dizzy, on a l'impression de l'avoir toujours connu. Lui avait entendu parler de moi. C'est en 1949 que j'ai commencé à travailler vraiment avec lui et à le fréquenter régulièrement. Je revenais d'une tournée dans l'Est avec Gerald Wilson, et celui-ci avait décidé de dissoudre son orchestre. Et sans raison bien précise, je me suis retrouvée à New York.

« Diz jouait avec son grand orchestre à Bop City, je crois bien. Il avait entendu dire que j'étais en ville, et comme il avait déjà l'intention de vider un des trombones, il l'a fait sur-le-champ et il m'a demandé de passer le voir. Il m'a dit d'emblée, comme ça : " Où est ton putain de trombone ? Tu vois cette chaise vide là-haut sur l'estrade ? Tu commences ce soir. "

« J'ai fait : " Oh là là, mon dieu ! " Vous vous rendez compte ? Je n'avais même pas mon instrument, j'étais vraiment venue pour faire la tournée des amis. C'est comme ça que j'ai commencé avec lui. Je crois que c'était en hiver, mais j'ai oublié le mois car je ne tiens jamais de journal. En tout cas, c'était cet orchestre terrible avec Trane et Little Bird*, et rien que des types fantastiques. Vraiment un orchestre monstrueux. Mais il fut dissous quatre ou cinq mois plus tard, peut-être même moins. Je n'ai connu que la phase finale de cette extraordinaire " machine ". »

DIZZY

D'un seul coup, l'engouement pour le bebop fut terminé. Et nous nous sommes retrouvés face à ce vieux dilemme, à savoir le jazz était-il une musique pour faire danser, ou pour être écoutée. Alors, nous avons tranché le problème en décidant de jouer comme il nous plairait, et quand j'ai demandé à ma femme d'écouter les réactions du public dans les salles où l'orchestre était censé jouer pour la danse, elle m'a transmis ce message : « Vous n'êtes sûrement pas un orchestre de danse ! » Les danseurs apparemment voulaient entendre quatre temps bien carrés, et se moquaient complètement des aspects plus élevés de notre musique, comme la recherche harmonique, la complexité des rythmes, la virtuosité des solistes. Ils voulaient

---

* Trane : John Coltrane. Little Bird : Jimmy Heath. (*N.d.T.*)

340

pouvoir danser. Point final. Et ça leur était bien égal d'entendre une quinte diminuée ou une cent vingt-neuvième augmentée. De notre côté, nous souhaitions être écoutés, et tout le monde prenait des chorus époustouflants, pour bien montrer de quoi nous étions capables, et comme l'orchestre sonnait bien.

Les gens se rassemblaient autour du podium et restaient là bouche bée, sans bouger. Alors, au bout d'un certain temps, les gérants de salles de danse ont cessé de faire appel à nos services. Comme il n'y avait pas tellement de concerts non plus, je me suis bientôt retrouvé en train de regarder diminuer lentement mais sûrement ce qui me restait après avoir payé les musiciens, et les factures de transport. « Et m...! »

Billy Shaw me suppliait sans cesse : « Essayons autre chose, une autre formule. » Et Lorraine, elle, me disait : « Ecoute, c'est râpé, ton histoire. Alors, choisis entre ta bande de nègres débraillés ou moi. C'est clair ? » Alors j'ai décidé de dissoudre l'orchestre. J'en ai fait l'annonce en 1950 au Silhouette Club, dans le nord de Chicago. Tout le monde était consterné, et les gars avaient la larme à l'œil, et pas un rond. Moi aussi, d'ailleurs.

Mais Lorraine avait bien dit : « Eux, ou moi. » En fait, pour des raisons financières, et au moins à titre temporaire, j'ai dû renoncer à mon grand orchestre qui sur le plan artistique était une belle réussite, comme le savaient bien tous ceux qui aimaient le jazz moderne. L'engouement était passé, mais le style, lui, semblait décidé à survivre. En réalité, il ne devait plus jamais disparaître.

On joue « cool »

La mode du bebop s'acheva parce que la presse avait le pouvoir de détruire ce qu'elle avait créé. Mais si l'image défavorable, voire négative, du bebop avait fait un certain tort aux grands orchestres, la création musicale, elle, n'était pas un produit de cette même presse. Nous avions réussi à survivre sans son aide, et parfois malgré son hostilité, pendant plusieurs années. En réalité, les raisons qui ont conduit à la dissolution de mon orchestre furent avant tout d'ordre économique, social et sexuel. Sur le plan économique, la crise survint avec l'augmentation régulière du salaire des musiciens et des frais de transport à chaque concert. Or, pour survivre, un grand orchestre devait se déplacer de ville en ville. Coût astronomique. A cela vint s'ajouter la politique de certains agents sous-traitants acoquinés avec les organisateurs, les premiers recevant des seconds une commission « sous le manteau » en échange d'une baisse des tarifs qu'ils auraient dû obtenir pour l'orchestre. Au bout du compte, certains engagements nous coûtaient plus qu'ils ne nous rapportaient. Avec le déclin de notre vogue, les affaires se faisaient rares et je n'avais pas l'argent nécessaire pour payer mes musiciens en attendant un futur meilleur; or pour garder un orchestre il faut pouvoir le financer.

Certains musiciens bop, apparemment, étaient aussi devenus d'insupportables vedettes. Le fait de jouer une musique pour virtuoses leur était monté à la tête. Par exemple, ils ne se souciaient pas d'arriver à l'heure au travail, et mettaient en revanche un point d'honneur à ne pas laisser le public s'imaginer qu'un musicien de jazz moderne prenait plaisir à ce qu'il faisait. Pour eux, jouer suffisait amplement. Bien sûr si vous avez de l'argent, vous pouvez jouer ce que vous voulez et vous comporter comme bon vous semble. Mais un musicien qui veut vraiment gagner sa vie avec son instrument doit bien faire quelques concessions. En outre, certains de ces musiciens n'étaient pas très bons. Ils copiaient nos idées et les replaçaient dans leurs chorus, la plupart du temps « à côté », comme les quintes bémol qu'ils glissaient un peu n'importe où. Incapables de faire mieux, ils ont par leur médiocrité desservi notre musique auprès du public.

Sur le plan social et sexuel, c'était l'après-guerre. La plupart des gars revenus au pays voulaient surtout se trouver une fille. En outre beaucoup, originaires du Sud et des zones rurales, émigraient vers les villes en y transplantant leur passion du blues (ou du country-western), ou encore préféraient le genre de musique sur laquelle ils pouvaient danser en serrant de près leur partenaire, et le reste... Vraiment écouter ne les intéressait pas. Les disc jockeys, eux, ne passaient pas de grands orchestres mais des chanteurs, et une nouvelle passion était née, un style dérivé du bon vieux rhythm and blues et baptisé rock'n roll. Les gens n'avaient pas l'occasion d'entendre des grands orchestres, car les chanteurs étaient accompagnés par des petites formations.

Notre musique, le jazz moderne, continuait de vivre et d'évoluer. Miles Davis introduisit un jeu novateur auquel la presse appliqua immédiatement l'étiquette « cool », à la suite d'une célèbre séance d'enregistrement à laquelle participaient également Gerry Mulligan et Johnny Carisi, qui avait écrit quelques arrangements pour Miles. Le disque s'intitulait *Birth of the Cool* simplement parce que les types de la côte Ouest ne jouaient pas « hot » mais plutôt « cool », c'est-à-dire avec moins de flamme que nous, moins de notes et de vélocité; ils aéraient davantage leurs phrases, et mettaient l'accent sur une recherche de sonorité et d'ambiance.

Ce nouveau courant ne me gênait nullement car il n'était qu'un prolongement du nôtre, une évolution naturelle dans la mesure où Miles était sans conteste un de nos héritiers. Il s'agissait de la même musique, mais sous une autre forme plus « cool ». En ce qui me concerne, j'aime remplir chaque mesure au maximum, c'est aussi l'école de Charlie Parker, tirer tout le parti possible de chaque instant d'une mesure au lieu de laisser des vides et de faire silence jusqu'à la suivante. Miles, lui, prenait des pauses parfois très longues, et ses disciples l'imitaient, ne profitant pas de la totalité de la mesure. Il leur arrivait d'en laisser passer deux et de ne jouer qu'une seule note. Miles avait une nouvelle approche, une nouvelle façon de traiter une phrase donnée, et en ce sens on peut dire qu'il a créé un style, mais la base était le bebop. De nombreux musiciens se mirent à suivre ce courant au lieu du nôtre. Je comprenais cela, parce que je savais que la musique est un art constamment en mouvement, et que l'heure du changement avait sonné. Je ne me suis pas senti le moins du monde éclipsé, car j'avais conscience de ma propre contribution et je savais aussi que la mode passerait. J'avais du travail et je gagnais autant d'argent que les nouveaux, donc ils ne me gênaient pas. A cette époque, certains disc jockeys abandonnèrent la diffusion du jazz moderne, pour se consacrer à celle de la musique latino-américaine.

Le style « cool » m'a toujours fait penser à la musique des Blancs. Il manquait de tripes et de swing aussi. Les Lee Konitz, Lennie Tristano et autres ne transpiraient pas sur scène. Pourtant le jazz est une musique « triparde », qui exige qu'on se déboutonne. Mais je suppose que ces gars-là voulaient éliminer ce côté nature, « sauvage », excitant, que nous avions. Le jazz pour moi, c'est ça, une musique dynamique qui fait tout sauter. Ils l'ont assagie, édulcorée, mais sans en changer sa dimension essentielle : la profondeur. Son sens profond. Ça, nous l'avions déjà compris et exprimé. Il est difficile d'aller plus loin, plus au fond que Charlie Parker...

Miles, lui, n'était pas « cool » de cette manière. Il est originaire de ce coin de Saint Louis qui a vu naître le blues. C'est seulement un aspect de son jeu qui est cool. Et c'est justement cet élément que les autres ont annexé, sans prendre le reste, le côté « blues », ou bien en passant à côté.

Un peu plus tard, on s'est mis à parler d'un « troisième courant », et moi j'ai déclaré : « Il n'y a qu'un seul fleuve, voyez-vous. » Je n'ai jamais accroché à leur histoire de troisième courant, soi-disant celui de Gunther Schuller et de John Lewis. Moi, je suis toujours resté dans la même direction, celle du courant principal. L'idée générale semblait être que la musique classique européenne constituait déjà un embranchement, puis il y en avait un second qui venait du jazz, et à cela il fallait encore ajouter un « affluent », ce « troisième courant »... dont le côté « cool » était d'ailleurs une caractéristique. Moi, en tout cas, je suis le courant principal.

WALTER GILBERT FULLER

« Le bebop n'est jamais vraiment mort. A ce propos, le seul désaccord survenu entre Diz et moi portait sur le nom même : Diz voulait appeler sa musique bebop, et moi musique moderne. Bebop l'emporta. Quand on annonça la mort du bebop, ce fut d'abord une gifle pour ceux qui avaient toujours prétendu qu'il n'était rien du tout, qu'il n'existait pas. Mais ce fut aussi le début de l'époque où les magnats blancs des compagnies de disques affirmaient que les Noirs n'étaient bons à rien; l'époque où les Gerry Mulligan s'appliquaient à étudier Charlie Parker, et où les Mundell Lowes parlaient avec tous les gars pour récolter le plus de tuyaux possibles et pouvoir jouer ensuite dans un style similaire.

« Puis ce fut la mode du rock'n roll, du soi-disant rhythm and blues, avec toutes leurs danses et leurs contorsions, vous savez, Elvis Presley et les autres... Oui, le début d'une époque où, pour être quelqu'un, il fallait danser sur scène, s'agiter dans tous les sens, tomber sur les genoux et se rouler par terre en jouant... On voyait vraiment de tout, sur scène, et si vous ne faisiez pas comme ces guignols vous étiez un type fini. Leur musique est un truc qui tourne en rond, qui se répète sans arrêt, alors pour compenser il fallait bien porter des uniformes insensés, des coiffures bizarres, des fringues curieuses, des paillettes et tout, quoi. Liberace, lui, posait bien un candélabre sur son piano. Voulez-vous me dire ce que vient foutre un candélabre dans le jeu d'un pianiste ? Mais c'était l'âge du gadget-succès. »

MAX ROACH

« Pour commencer, je ne comprends pas que l'on parle de la mort de quelque chose. On vit dans une société où il faut chaque année avoir absolument le dernier modèle de voiture, ou d'autre chose. C'est un ordre, un impératif. Quand ils veulent lancer une nouvelle mode, sans s'occuper de la précédente, ils lui collent une étiquette quelconque qu'ils font sauter un peu plus tard. Je n'ai jamais ressenti que la musique des années quarante fût morte. Pour moi, elle est toujours vivante, bien plus même qu'à cette époque où elle était encore au stade embryonnaire. Elle a représenté le point de départ de l'admiration mondiale pour la créativité et la virtuosité des Noirs, à travers les grands noms qui l'ont fait naître et évoluer comme Art Tatum, Dizzy, Charlie Parker et Bud Powell et qui n'ont pas eu leurs pareils depuis. Tout le monde s'inspire encore d'eux à l'heure actuelle. Cette période fut tellement fertile que ceux qui n'y ont pas puisé leur inspiration semblent fades à présent. John Coltrane a été sans conteste un prolongement des années quarante, et soudain tout le monde s'est mis à jouer comme lui, McCoy Tyner, Rahsaan Roland Kirk, sont tous des prolongements des années quarante, et s'ils sont arrivés à ce qu'ils sont aujourd'hui, c'est grâce au temps qu'ils ont consacré à écouter et analyser la musique de cette époque. »

BUDD JOHNSON

« Dizzy m'avait appelé pour jouer un dimanche après-midi, une affaire à cinq, trompette, ténor et section rythmique, dans un petit club du Bronx. Mais ils avaient aussi engagé Miles Davis, sans que Diz soit au courant. Nous voilà installés dans le club, et puis Miles est arrivé à son tour. Dizzy a dit aussitôt : " Ah, voilà une occasion que j'attendais depuis longtemps! " Miles jouait déjà vraiment bien à cette époque, il avait travaillé avec Bird et des tas d'autres. Je crois que ça se passait vers 49-50, cette petite affaire d'un après-midi. Et Diz s'est complètement donné à fond et a joué comme un fou, et nous aussi avec lui. On n'avait jamais rien entendu de pareil. Je vous assure que cette fois-là il n'a pas fait le clown, pas la moindre plaisanterie. Il s'est mis en devoir de donner à Miles une leçon mémorable.

« Quand Miles a joué après lui ce jour-là, on aurait dit moi voulant jouer de la trompette. Dizzy s'était surpassé. Miles, tout en jouant très bien, ne lui arrivait pas à la cheville; et à chaque nouveau set, Diz continuait de mieux en mieux, sans la moindre faille, montant de plus en plus dans l'aigu. Ça défilait et puis tout d'un coup je me disais : " Mince, mais il vient de faire un contre-la, et puis un contre-si bémol! " En plus, il semblait tellement à l'aise dans ce genre d'acrobaties! Il donne peut-être aux gens une impression d'effort, avec ses joues distendues, mais en fait il ne peine pas du tout. Quand je pense à cette avalanche de notes qui sortait de son instrument, et à son aigu et tout le reste... Cela a même été triste pour Miles ce jour-là, car il n'y a pas vraiment eu de compétition. Moi, j'attendais un peu, parce que je savais que Miles était très fort aussi, bon, moins que Dizzy, mais quand même. Seulement je ne pensais pas que Diz jouerait comme ça!

« Symphony Sid était un disc jockey qui passait notre musique. La première fois que je l'ai rencontré, il n'avait plus de travail parce qu'on avait arrêté son émission. Il était dans le trente-sixième dessous, et passait le temps à traîner avec les musiciens noirs. On se défonçait ensemble, on discutait le coup, on lui payait un truc à manger, et on le laissait même pieuter dans notre chambre à l'hôtel Braddock, dans un fauteuil ou par terre. Diz était au courant car il habitait à côté à l'époque, au 2040 dans la 7e Avenue. Et puis un beau jour, Symphony Sid a eu l'idée de commencer une série d'émissions en direct du Birdland. Et ça a marché. Un soir, j'étais au bar du Birdland avec Diz, et Sid est passé près de nous sans paraître nous voir. Diz l'a arrêté et lui a dit : " Tu crois que tu vas passer devant moi sans me dire un mot? Je devrais te casser la figure! " Il le tenait solidement par le revers, et était très en colère. J'avoue que je le comprenais... On avait quand même pris soin de ce type quand ça allait mal, et à peine remis sur ses pieds, il nous tournait le dos. En plus, quand il a eu arrêté les émissions du Birdland, il a cessé de passer du jazz à la radio et s'est tourné complètement vers le

346

typique! En tout cas, ce jour-là, ça nous avait sacrément agacés que ce type ait le culot de passer à côté de nous sans même dire : " Salut, comment ça va? " On ne lui demandait pas de la reconnaissance parce qu'on l'avait laissé dormir dans notre chambre et tout, non, mais au moins qu'il dise bonjour. Enfin, j'ai réussi à retenir Dizzy et à l'empêcher de tabasser l'autre; mais il était fou de rage. »

DR LAWRENCE REDDICK (historien)

« Je vivais à New York dans les années cinquante, la période dite bop, et j'ai fait la connaissance de Dizzy dans la 52e Rue, le point de rencontre de cette époque. Peu après, je suis allé m'installer à Atlanta, et il est venu y donner un concert à la suite duquel j'ai écrit un article intitulé : " Dizzy Gillespie à Atlanta ", ou peut-être " Le bop à Atlanta ", je ne me souviens plus exactement. En tout cas, l'article lui a tellement plu que nous sommes devenus très vite des amis. J'aimais beaucoup sa personnalité, car il avait des vues très intéressantes sur les aspects sociaux de la musique, en plus de son grand talent dans ce domaine. Il réunissait dans son jeu certaines des influences africaines, afro-latino-américaines, plutôt cubaines que brésiliennes d'ailleurs, et il avait avant tout le " beat ", ce sens rythmique profond des gens qui ont remonté le Mississippi depuis La Nouvelle-Orléans vers Chicago et New York.

« Nous avons eu un jour ensemble une petite discussion très intéressante. Diz pensait que les dons musicaux des Noirs étaient leur patrimoine ancestral, et j'ai essayé de lui démontrer qu'il s'agissait plutôt d'héritage culturel. Il a répliqué que Chano Pozo ne parlait pas un mot d'anglais et malgré cela, dès que Diz lui avait donné le départ d'un morceau, il avait aussitôt compris et démarré. Ce qui prouvait pour Dizzy que Chano avait cette musique dans le sang. J'ai rétorqué qu'il n'était pas question de sang, mais de traditions voisines, similaires, qui s'étaient transmises, malgré la différence de langue. Après cela, Dizzy passait me voir chaque fois qu'il venait à Atlanta, ou quand nous nous trouvions en même temps dans une autre ville, nous passions un moment ensemble à discuter.

« J'aime son exubérance. Et puis il possède un sens de l'humour très sain, et un grand amour de la vie. Comme moi, il a un côté " clown ", un comportement parfois imprévisible, et puis à d'autres moments, il a la critique sévère. Par exemple, nous parlions un jour de Stan Kenton, et il me fit remarquer que Kenton n'avait aucun sens du rythme. Diz s'est trouvé jouer en soliste avec l'orchestre de Kenton derrière, et il m'a raconté que les musiciens lui avaient dit qu'ils jouaient bien mieux quand c'était lui qui les dirigeait au lieu de Kenton. Il était aussi très direct, et discutait très franchement avec moi de l'exploitation des musiciens, particulièrement des Noirs, par les agents divers, et de toutes leurs combinaisons, dessous de table et autres, du fait que certains musiciens ne touchaient qu'une fraction de ce qu'ils gagnaient réellement, etc. En tant qu'être humain, Diz est sage et avisé, très agréable à vivre, amateur de bonnes plaisanteries, mais aussi très sérieux quand il veut. »

DIZZY

L'adversité m'incite en général à travailler avec plus d'obstination, et comme à ce moment-là je n'avais ni orchestre ni contrat de disques ni projets bien précis, j'avais toutes les raisons pour m'acharner davantage. Il m'arrivait de jouer en soliste avec une rythmique, et pendant un moment au Birdland avec Charlie Parker. Il avait une section de cordes réunie autour de lui, mais il jouait aussi une série avec moi et la rythmique. J'avais plusieurs options pour l'avenir : essayer de monter une petite formation, faire des tournées comme soliste avec d'autres groupes, ou jouer avec un ensemble de bois, une idée qui me tentait assez. Si je me montais un matériel d'arrangements pour bois, et Yard pour cordes, nous aurions pu prendre une section rythmique et partir en tournée ensemble, faire des concerts, ou passer dans des clubs, n'importe où, en engageant sur place les bois et les cordes qui en fait n'auraient pas eu besoin de swinguer. Des musiciens classiques qui n'auraient eu qu'à déchiffrer leurs partitions en une seule répétition. Yard aurait joué une série avec les cordes, moi l'autre avec les bois, et nous nous serions réunis pour la fin. Un spectacle varié, qui aurait dû plaire, d'autant plus que nous aurions montré au public que nous aimions ce que nous faisions. Cela compte. Mais cette idée originale n'a jamais vu le jour, parce que Yard et moi étions avec des agents différents, et il fut impossible de se mettre d'accord sur les conditions matérielles. Nous ne devions plus jamais travailler vraiment ensemble. De toute façon, j'avais beaucoup à faire.

A plusieurs reprises durant cette période, le début des années cinquante, j'ai fait des tournées comme soliste avec le grand orchestre de Stan Kenton. J'étais payé par Stan, qui à l'intérieur de son spectacle présentait certains artistes comme invités d'honneur. Il avait pris contact avec Billy Shaw et m'avait engagé, ainsi que Charlie Parker, Slim Gaillard, et Erroll Garner. Chacun faisait son apparition en cours de programme, moi, Charlie, les autres, mais pas ensemble, même pas Yard et moi. Chacun de nous jouait son propre répertoire avec l'orchestre derrière. C'était très agréable, à cause du grand respect que nous témoignaient les musiciens de l'orchestre qui restaient bouche bée en nous entendant. Un programme explosif!

BUDD JOHNSON

« Il s'est passé un truc vraiment drôle pendant une tournée de Diz avec Stan Kenton. Kenton voulait avant tout faire concurrence à Duke Ellington. A ce propos, je fais une parenthèse : voici ce qu'écrivait à l'époque un critique de jazz dans un journal : " Je reviens d'Europe, et là-bas, c'est ' Crow-Jim ' qui est roi. Pas ' Jim-Crow ', mais ' Crow-Jim '! " En d'autres termes, les gens de ces pays préfèrent la musique des Noirs. Kenton y était allé lui aussi, intimement convaincu qu'il était aussi grand que Duke Ellington. Sa musique a été lancée avec de gros moyens, c'est vrai, et ils ont tout mis en œuvre pour la faire accepter. Mais elle n'a pas résisté à l'épreuve du temps. De nos jours, il y a des gens pour dire : " Après tout, le jazz est la musique de l'Amérique, mais il n'a pas été forcément créé par les Noirs. " Oui, c'est la mode de prétendre ça aujourd'hui. Mais moi, je possède un ouvrage sur l'art d'écrire des arrangements, que j'ai acheté il y a longtemps quand j'ai débarqué à New York pour la première fois. Il renferme une préface de Paul Whiteman dans laquelle il dit que le jazz est vraiment la musique des Noirs et que la seule différence, c'est que les Blancs avaient appris à l'écrire sur des portées. Mais la création en revenait aux Noirs. A mon avis, ils n'avaient peut-être pas toutes ces connaissances techniques, mais c'était quand même des arrangeurs noirs qui écrivaient pour Paul Whiteman... Don Redman et Fletcher Henderson à l'époque. Fred Waring aussi et pas mal d'autres engageaient des arrangeurs noirs. Alors, voyez-vous, c'est vraiment nous qui avons tout appris aux Blancs, en matière de jazz.

« Dans le temps d'ailleurs, quand ils voulaient pour la danse ou autre quelque chose dans le genre jazz ou Dixieland, ils étaient obligés de prendre des Noirs, parce que les musiciens blancs ne savaient faire qu'une chose : lire ce qui était écrit, mais dès qu'il s'agissait de chorus, d'improvisation, ils étaient largués, perdus. Seuls les Noirs en étaient capables. J'ai aussi un livre qui parle de la race noire, et des grands musiciens de jadis, des gens comme Blind Tom et le Black Swan, et de ce qu'ils faisaient. Ils voyageaient dans le monde entier et donnaient des concerts dont tous les journaux parlaient. Ils jouaient pour les rois et les reines, et le livre raconte l'immense talent de Blind Tom, et qu'il était sans égal. Il y a quand même une sorte de conspiration, semble-t-il : on ne veut pas accorder aux Noirs ce qui leur est dû.

« Pour en revenir à mon anecdote drôle, c'était à l'époque où Dizzy m'avait demandé de lui écrire un arrangement quand il jouait avec l'orchestre de Stan Kenton. Je l'avais fait et j'étais parti aussitôt faire répéter l'orchestre qui donnait un concert ce soir-là dans le nord de l'État de New York, ou dans le Connecticut. Stan Kenton était toujours d'accord quand il s'agissait de mes arrangements. J'avais écrit pour l'orchestre de Gus Arnheim du temps où Stan y tenait le piano. On s'entendait bien tous les deux et il connaissait mon travail. Cette fois-là, c'était Dizzy qui m'avait demandé cet arrangement et je l'avais fait.

« Diz et moi étions assis dans les coulisses en train de discuter et de plaisanter. Lorraine était là, et quand ce fut l'heure du concert, Diz était toujours en train de blaguer. Alors Lorraine lui a dit : " Diz, bouge-toi les fesses un peu, mets ton uniforme et monte sur scène, allez... " Il a obéi sans discuter!

« Comme je ramenais Lorraine à New York parce que l'orchestre s'en allait plus loin après, je lui ai demandé : " Lorraine, pourquoi lui parles-tu sur ce ton devant tous ces Blancs et tout ce monde? " Et elle m'a répondu : " Budd, si je ne rappelais pas mon bonhomme à l'ordre comme ça, il serait toujours à côté de ses pompes et en train de planer. " Mais quand même, le ton sur lequel elle lui avait parlé, et l'expression de Diz en l'écoutant... c'était très drôle. Parce que Diz ne lui répond jamais, voyez-vous, mais son regard semble dire : " Cause toujours, ma pauvre fille, tu ne sais pas de quoi tu parles, de toute façon! " En attendant, il obéit sans mot dire... Moi je me régale toujours avec les réflexions de Lorraine et elle est toujours drôle. Mais vous savez, Diz est un type très sérieux dans le travail. Jamais de problèmes. »

DIZZY

Malheureusement, Yard buvait beaucoup à cette époque, et il ne jouait plus aussi bien qu'avant. Une bouteille entière par jour! Il arrivait tellement beurré qu'il était incapable de jouer. Ça avait commencé dès le début de la tournée. Il buvait régulièrement sa bouteille pour essayer de combattre les autres « problèmes », mais il ne jouait plus du tout à son niveau habituel et cafouillait sur toute la ligne. A la même époque, Stan Kenton avait avec lui Lee Konitz, un jeune musicien, excellent saxophoniste qui avait fait ses classes à l'école de Parker mais ne jouait pas du tout « bluesy » comme lui. Cela dit, c'était vraiment un bon musicien et le public lui faisait un gros succès. Un jour, j'ai pris Yard à part et je lui ai dit : « Yard, mon vieux, tu es en train de laisser tomber tes fans. Chaque fois que tu te présentes sur scène bourré comme une huître, tu joues n'importe quoi, un minable cafouillage. Tu ne te rappelles même plus ce que tu sais faire! Tu joues, mais pas à ton niveau, ta grande classe quoi. Et tu vois, maintenant il y a Lee Konitz et lui, mon vieux, il met vraiment le paquet. Stan le présente en soliste, et il sort de son sax tout ce qu'on peut en sortir! Tu vas finir par faire croire aux gens que... » Il a reposé son whisky immédiatement, et ce soir-là quand il est monté sur scène, j'ai regretté de lui avoir parlé de la sorte parce que c'était moi qui jouais juste derrière lui... Et il a cassé la baraque. Si l'on peut parler de génie, Charlie Parker en était un. Oui, un génie. Je me fais un plaisir de raconter cette histoire toutes les fois que j'entends des gens dire que Yard jouait mieux quand il avait bu. Le mensonge du siècle!

Dans les petites formations que j'ai montées au début des années cinquante, j'avais quelques musiciens plus jeunes en pleine ascension et qui jouaient dans notre style. A un moment, par exemple, j'avais Coltrane, Jimmy Heath, et Percy Heath; mais le premier orchestre que j'ai gardé un certain temps était composé de Milt Jackson, Bill Graham, Al Jones, Wade Legge, et Lou Hackney. Joe Carroll assurait les vocaux bop. Nous avons fait quelques tournées dans notre pays, des clubs comme le Capitol Lounge à Chicago pendant assez longtemps, et en 1952 et 1953 une tournée en Europe. J'ai eu plusieurs petites formations durant cette période, mais le manque d'argent les rendait instables. Je n'arrivais pas à en gagner suffisamment en ce temps-là.

On me demande souvent comment Coltrane jouait à cette époque. Je dirai qu'il était influencé par Charlie Parker, mais avec déjà quelque chose de très personnel. Quand il était dans mon grand orchestre, il jouait de l'alto avec Jimmy Heath, et il sonnait comme Charlie Parker. Mais par la suite il a joué avec Earl Bostic, et quand je l'ai pris dans mon petit groupe, il venait de se mettre au ténor. Je n'avais pas encore remarqué qu'il s'éloignait beaucoup du style de Charlie Parker. Mais plus tard, avec Miles, il a commencé d'évoluer vers sa nouvelle manière, très différente, et il a abouti à un style vraiment très neuf, très personnel.

C'était agréable de travailler en petite formation, mais j'étais souvent agacé par les pancartes que les patrons collaient partout où on passait : « Dizzy Gillespie et son orchestre. » Cela prêtait à confusion avec l'époque de mon grand orchestre, et j'étais obligé de leur faire changer la formule pour : « Dizzy Gillespie et son quintette. » Musicalement, il y a une différence entre une petite formation et un grand orchestre, mais ce n'est pas très important en ce qui me concerne. Bien sûr, avec un grand orchestre, les possibilités sont plus vastes, c'est là la vraie différence. J'aime le grand orchestre pour la flamme qu'il apporte, les colorations sonores qu'il permet, et surtout la puissance... la puissance qui explose quand on baisse le bras pour donner le départ. BAOUM! Mais puisque d'un point de vue économique c'était une impossibilité, je l'ai dissous et j'ai continué à travailler selon d'autres formules. L'orchestre en soi ne compte pas vraiment : on peut jouer le même style de musique à la harpe ou à l'harmonica. On reste identique à soi-même. On raconte parfois que si l'on ne m'a pas entendu avec mon grand orchestre, c'est comme si on ne m'avait jamais entendu... mais on pourrait dire la même chose à propos d'une petite formation, ou d'un pupitre de cordes, ou encore d'un orchestre symphonique. Ce n'est pas le « décor » qui compte, le son en général, mais ce que je fais sur scène, et dans ce sens rien ne dépasse mes prestations avec une petite formation, surtout avec Charlie Parker. C'est une formule qui ne bride pas la créativité. Je faisais donc des tournées avec un petit groupe, et quand je partais comme soliste avec le JATP par exemple, pour gagner un peu d'argent, je le congédiais et en reformais un autre à mon retour.

PERCY HEATH (bassiste)

« En 1950, j'ai été engagé par Diz qui formait un sextette : Specs Wright, originaire de Philadelphie, Coltrane, mon frère Jimmy, Milt Jackson, Joe Carroll et moi. Jimmy jouait de l'alto et Trane du ténor. Jackson doublait au piano et au vibra.

« Cela faisait seulement trois ans que je jouais, et tout le temps que j'ai passé avec ce sextette a représenté pour moi une véritable école de jazz. Malheureusement, je ne gagnais pas assez d'argent pour le temps que je passais loin de chez moi en tournée. En 1951, j'ai eu un enfant, et j'ai dû quitter l'orchestre et continuer à apprendre sans Dizzy. Oui, c'était une école, mais il fallait déjà être d'un certain niveau pour pouvoir absorber ce qui se passait autour sans arrêt dans l'orchestre de Dizzy. En tout cas, je me suis régalé chaque fois que nous avons joué ensemble, et c'est le principal. Si l'orchestre est heureux sur scène, il fait de la bonne musique, c'est certain.

« A l'époque du sextette, Leonard Feather est venu nous écouter, un jour. Et dans son article, il n'a même pas parlé du bassiste ni du pianiste, même pas mentionné les noms. Je lui en ai parlé plus tard. Je lui ai dit : " Dites donc, comment avez-vous pu faire une chose pareille ? " Et il m'a répondu : " Oh, une stupide omission de ma part. Je suis désolé. " Il n'empêche que cet article sur le sextette de Dizzy Gillespie ne citait même pas le nom du bassiste! Vous appelez ça un critique, vous? Je ne lui ai pas parlé pendant des années, après ça...

« Dizzy est un personnage très drôle. Je me souviens qu'un jour on se promenait tous les deux dans San Francisco avec des paniers d'artisanat indien dont quelqu'un nous avait fait cadeau. Il y en avait un qui ressemblait à un turban à l'envers, et l'autre à un chapeau de coolie chinois. On les a mis sur nos têtes et on est entrés dans des tas d'endroits, avec ces coiffures, nos barbes, et tout. Les gens se demandaient d'où on venait, de quel pays. On est entrés dans un café français, entre autres, et on les a vraiment fait marcher. Mais Dizzy est aussi un type très brillant, un musicien accompli, et le maître à la trompette. Il sait aussi dire sur le ton de la plaisanterie des tas de choses qui vont très loin en fait. On s'instruit beaucoup en l'écoutant jouer et parler. Si vous savez prêter une oreille attentive, il vous apprendra bien des choses. »

MILT JACKSON

« Chaque fois que j'entends Diz jouer, je me dis : " Ce que tu viens d'entendre n'est qu'une étape de son évolution. " Aussi simple que cela. Diz est le créateur du progrès quotidien. C'est pour cela qu'il arrive à jouer comme il joue. La seule raison qui l'a empêché de conserver un grand orchestre longtemps est purement d'ordre financier. Si le pays était organisé comme il devrait l'être, Diz aurait eu ce grand orchestre et l'aurait gardé pendant toutes ces années. Un des meilleurs du monde, en plus! Jamais il n'aurait dû avoir à le dissoudre, jamais. Il était explosif, avec ce grand orchestre.

« Avec lui, j'ai appris à bien jouer ce type particulier de musique qu'il avait vraiment engendré. Nous avons grandi durant cette époque, voyez-vous. J'aime aussi la philosophie de Diz, dans la musique comme dans la vie; une sorte d'évolution audacieuse et constante. Je me suis toujours appliqué à la suivre, car c'est à mon avis l'une des plus belles qui puissent exister, surtout dans notre métier. »

DIZZY

Je suis sûr que Miles se considérait comme le chef d'un nouveau mouvement à l'intérieur du nôtre, car il n'était pas assez éloigné de nous pour être étiqueté comme totalement autonome. Il se produisait des changements, dans la façon d'exposer, dans le phrasé. Le phrasé change par époques d'ailleurs, et on peut dater une musique d'après

353

la manière dont elle est interprétée. Au début, Miles ne pouvait jouer qu'en fonction de ce qui avait précédé; par la suite, il a commencé à trouver son identité propre, comme d'autres trompettistes qui jouaient dans notre style, en particulier Fats Navarro qui a lui-même engendré Clifford Brown. Fats avait une attaque extraordinaire, mais pas un très gros son. Au début, lui et Miles copiaient mes phrases avant de s'engager dans leur propre voie. Ils ont fini par créer des styles personnels dérivés du mien, mais chacun dans une direction différente.

Contrastant avec l'école « cool » un autre mouvement prit naissance qu'on baptisa « hard bop », parce qu'il remettait au premier plan le rythme et le côté blues de notre musique, et que ses interprètes mouillaient leur chemise et le reste en jouant comme des fous. Max Roach, Fats Navarro, Art Blakey, Horace Silver et plus tard Cannonball Adderley en furent les figures de proue. Le hard bop, avec sa vigueur spontanée et ses résonances de chants religieux, amena une foule de nouveaux adeptes noirs vers notre musique. Et au bout du compte, ces deux mouvements, hard bop et cool, ont élargi l'audience et la popularité du jazz moderne.

Naissance et fin d'une entreprise

Si l'on ne voulait pas « rester cool* », on pouvait tenter de gagner beaucoup d'argent, tout l'argent possible. En fonction de quoi je jugeai souhaitable de posséder une compagnie de disques. J'en serais le directeur, je composerais les thèmes, je les enregistrerais, tout, quoi. Dans ce but, je décidai de m'associer avec Dave Usher, un ami de Detroit, et de créer la marque Dee Gee Records**. C'était gravir un échelon, et si je n'étais pas le premier Noir à produire sa propre musique, il n'y en avait pas eu d'autre, de date récente en tout cas. En 1951, j'étais sans doute le seul à avoir à la fois le désir, les ressources et le culot de tenter ma chance. On a prétendu qu'à l'époque, je n'arrivais pas à décrocher un contrat d'enregistrement. C'est faux. Je refusais de signer, tout simplement. J'avais des offres que je déclinais parce que je voulais enregistrer à mon propre compte. La production m'intéressait aussi, et avec l'idée de mettre sur pied une compagnie importante, j'ai choisi d'investir mon argent pour devenir un industriel dans le domaine de la musique. Mais un peu plus tard... j'ai dû signer.

La première séance eut lieu à Detroit le 1er mars 1951, et j'ai sincèrement essayé en sortant ces disques de démontrer qu'un produit artistique de qualité pouvait être à la fois populaire et rentable. Nous avons enregistré *Tin Tin Deo*, et un inédit : *Birks Works*, un blues dont le titre semblait bien choisi pour marquer l'avènement d'un nouvel industriel. *We love to boogie*, avec son relent des Caraïbes, contenait un vocal par Fred Strong et les Calypso Boys. Les musiciens qui participaient à cette séance venaient de ma petite

---

* L'expression « rester cool » est ici volontairement ambiguë et joue sur le double sens de « rester dans le style cool » dont il a été question au chapitre précédent, ou « se tenir peinard », « ne pas se casser la tête » (*N.d.T.*).

** Dee Gee : prononciation phonétique anglaise des initiales de Dizzy Gillespie (D. G.) (*N.d.T.*).

formation : John Coltrane, au ténor et à l'alto, Milt Jackson au vibraphone et au piano, Kenny Burrell à la guitare, Percy Heath à la basse, et Kansas Fields à la batterie. Dans le courant de la même année, nous avons de nouveau enregistré quelques faces avec une plus grande proportion de blues et de thèmes chantés. Joe Carroll et moi y avons gravé *Schooldays,* que les gens me réclament encore à l'heure actuelle. Ce morceau est solidement rythmé pour la danse, et ses paroles accrochent les jeunes. Nous faisions déjà en quelque sorte la fusion entre le jazz et le rock. Dans cette même séance, je chante aussi *Swing low sweet Cadillac* et Joe Carroll interprète *Nobody knows the trouble I've seen* pour mettre l'accent sur le côté « spirituals ». Tout le monde a fait beaucoup d'efforts à tous les niveaux pour essayer de rendre ma musique digeste, mais les musiciens bop, ceux qui n'avaient pas un sou en poche, nous critiquèrent violemment, prétendant que nous faisions du « commercial ». Ils n'appréciaient même pas mon humour. Le public réclamait une musique fortement rythmée et du blues, mais les musiciens bop n'aimaient pas jouer le blues... Ils en avaient honte, un triste sentiment dont les médias étaient en fait responsables. Les spécialistes du blues à l'époque ne jouaient jamais pour des publics blancs, alors que nous jouions surtout devant des Blancs. Et souvent, quand je prenais un blues, on me disait : « Tiens, tu joues *ça,* toi? » A quoi je répliquais : « Mon vieux, c'est ma musique, mon héritage. » Les musiciens bebop voulaient à tout prix montrer leur virtuosité, et ils jouaient sur la trame des douze mesures mais sans vraiment s'abandonner au feeling du blues comme les musiciens plus âgés, qu'ils trouvaient « primaires ». Les boppers ne pensaient qu'à introduire des harmonies plus complexes et le plus d'enchaînements possibles, des tonnes par mesure... Les batteurs n'accentuaient plus les temps forts, ils voulaient tous jouer comme Max Roach. Tous ces mecs oubliaient un peu trop que Charlie Parker traduisait l'idiome même du blues. Quand il en jouait un, c'était *vraiment* un bluesman. Sur le blues, il ne faut pas essayer de compliquer les accords, il ne faut pas y penser du tout, mais cela n'empêche pas d'introduire dans les chorus une petite phrase par-ci, par-là qui permet de vous identifier, une façon de dire : « Voilà, ça c'est mon style. » Le bebop est un genre très sophistiqué, alors que le blues est une forme simple.

Dave avait eu une idée géniale, celle de remettre dans la compagnie l'argent que rapportait la vente de mes disques pour permettre d'enregistrer d'autres artistes. Il organisa une séance avec Milt Jackson qui se révéla excellente, puis une autre pour un type avec un ensemble de cordes, et une autre encore avec des cordes aussi, je crois. Et ce fut le commencement de la fin : les cordes, les créanciers, le fisc... Dave assurait la gestion de Dee Gee sans vraiment en avoir les capacités. Il avait pris du retard dans le règlement des impôts, tout simplement, et cela nous a coûté nos matrices de disques. Dave fut déclaré responsable et, au nom du droit de rétention, le gouvernement saisit nos matrices qu'il vendit à Savoy ou à une autre maison, probablement pour une bouchée de pain. C'est ainsi qu'elles ne nous appartiennent plus aujourd'hui. Nous avons bien sorti quelques disques excellents, mais nous avons perdu notre compagnie.

DAVE USHER (ex-associé)

« Mon beau-frère m'avait donné des billets pour un concert de Dixieland au milieu duquel Dizzy faisait une série. C'était à Detroit en 1945, au Paradise Theatre, la salle " soul " de l'époque, qui était en fait l'ancien Orchestra Hall où j'allais souvent écouter du classique, car j'étais mélomane. J'avais été élevé dans l'amour de la musique classique par mes parents émigrés de Russie. J'étais d'origine russe-juive, ou plus exactement juive-russe. Quand l'Orchestra Hall avait changé sa formule, j'avais continué à le fréquenter. Savez-vous qui dirigeait l'orchestre symphonique de Detroit avant qu'il ne devienne le Paradise Theatre? C'était Ossip Gabrilowitch, le gendre de Mark Twain. C'est lui qui a vraiment fait mon éducation musicale, qui m'a fait découvrir le monde de la musique.

— *Comment vous êtes-vous lancé dans l'industrie du disque avec Dizzy?*

— Voilà : j'étais chauffeur de camion et j'en avais assez. Et puis ma mère m'avait nourri de toute cette culture musicale. En tout cas, j'ai été un des premiers Blancs à m'occuper de ça. Le plus grand compliment que j'aie reçu, c'est le jour où Roy Eldridge a dit à Dizzy en me voyant dans un hôtel de Detroit : " Bon Dieu, Diz, mais Dave Usher a vraiment l'air d'un Blanc... " Quel rire!

— *Qu'est-il arrivé exactement à la compagnie Dee Gee?*

— Vous voyez ce truc, là? C'est une matrice pour faire des disques. Sur un des côtés, il y a *Oop shoo be do be*. C'est comme ça qu'on fabrique des disques, comme des gaufres, vous voyez? Il y a la pâte au milieu, et vous appuyez sur un bouton. C'est ce truc-là qui fait tout le travail. Ça s'appelle une matrice. Ça marche environ pour deux mille cinq cents copies. C'était des trente-trois tours. J'ai apporté cette pièce ici pour la mettre dans un musée à cause de son histoire... Ça a gravé *Tin Tin Deo, The Champ, Birks Works, Lady be good, Ooo shoo be do be* et *I'm in a mess*... Vous savez, Dizzy et moi on se comprenait parfaitement. J'étais son " frère blanc ", avec la même jovialité que lui, la même exubérance, plus le respect et la compréhension de ce qu'il essayait de faire. Il y a une chose à laquelle je crois par-dessus tout, et je vais vous le dire franchement : aucun être humain, homme ou femme, ne devrait jamais perdre de vue la réalité des origines communes...

« On a cru qu'étant musicien et possédant une marque de disques, il pourrait s'exprimer, dire ce qu'il avait à dire. C'était l'idée de base. La compagnie a quand même connu un certain succès commercial pendant cette période, de 1950 à 1953. On s'est même payé quelques bonnes choses. *Tin Tin Deo, Birks Works*, voilà deux titres qui ont bien marché. On avait un bon sens des réalités, mais en dehors de ça... Je vous ai bien dit que j'allais écouter Ossip Gabrilowitch aux concerts symphoniques.

— *Vous étiez un jeune Blanc. Que pensait votre famille de votre association avec un musicien de jazz noir ?*

— Ils n'ont pas dit grand-chose. Mais je n'oublierai jamais le jour où Dizzy est venu regarder un combat de boxe avec Sugar Ray à la télé. Il avait amené Dave Heard, le frère de J. C. Heard. Chez nous, il y avait mon père et ma mère, mais moi je n'étais pas là parce que j'étais sorti avec une fille. Et Diz en arrivant a dit : " Sacré Dave, ha, ha, ha ! " Ça a jeté un froid. Mes parents avaient un gros poste avec un écran de cinquante-trois centimètres, un vrai meuble qui contenait aussi un tourne-disque. Dizzy et Dave Heard se sont installés pour regarder le combat. Quand Diz a vu qu'on ne leur offrait rien, il a sorti de sa poche une barre de chocolat ou un truc de ce genre et il a demandé si quelqu'un en voulait. Ils m'ont raconté ça plus tard. J'ai trouvé ça extra. »

GEORGE WEIN *(imprésario)*

« Diz avait déjà travaillé pour moi à Storyville, et naturellement, quand on a organisé le premier festival de jazz de Newport en 1954, je lui ai demandé d'y prendre part. Voilà comment tout a commencé. J'étais très jeune à l'époque, et je savais que Dizzy était en butte aux attaques de nos critiques de jazz les plus pédants et pontifiants — qualificatifs auxquels j'ajouterai " stupides " — qui l'accusaient de faire le guignol sur scène et de ne pas prendre sa musique suffisamment au sérieux. Diz était alors dans sa période rhythm and blues bop, à cause de l'incompréhension relative du public pour le jazz. Il essayait de plusieurs façons d'élargir son audience et d'accroître les ventes des disques Dee Gee, dont certains sont d'ailleurs des classiques aujourd'hui, mais qui furent considérés à l'époque comme des tentatives commerciales. Ce jour-là, avec l'infinie sagesse de mon jeune âge, j'ai dit à Dizzy : " Essaie de ne pas trop faire le clown sur scène, je t'en prie. " Et il m'a jeté un drôle de regard, un peu comme si je n'allais soudain pas bien dans ma tête... ce qui était sans doute vrai. Une fois en scène, il a fait son numéro habituel tout en jouant de façon extraordinaire. Mais chaque fois qu'il faisait une plaisanterie au micro, ou un gag quelconque, il se tournait vers les coulisses où j'étais et il remplaçait instantanément son large sourire par un masque tragique, pour bien me montrer qu'il ne faisait pas le clown.

« Après cette soirée, je me suis dit que j'étais en présence d'un artiste avec un sens aigu et juste du comique, digne des génies comme Charlie Chaplin. J'emploie ici " comique " dans le meilleur sens du terme, celui qui s'applique à un grand clown, pas à un simple rigolo, un grand clown. Dizzy est un maître du genre. Et moi, jeune idiot, qui lui avais demandé d'arrêter ! Voyez-vous, c'est le genre de leçon qui s'apprend avec l'expérience. J'ai fait de nombreuses erreurs au cours de ma vie, mais j'ai toujours réussi à les effacer. Dieu merci, Dizzy ne m'en a pas trop voulu par la suite. Mais moi, il m'a bien fallu six ans pour m'en remettre ! »

DIZZY

Le manque d'expérience. C'est ce qui a causé la perte de Dee Gee Records. Mais nous avons continué à faire d'excellents disques et en 53 nous avons recommencé à enregistrer pour d'autres. Il y eut notamment une remarquable prestation, et un disque, ce qui n'était pas prévu au programme (pas la prestation, le disque...).

MAX ROACH

« Le quintette auquel Dizzy avait pensé à l'origine pour jouer à l'Onyx ne s'est en fait pas trouvé réuni jusqu'à l'enregistrement de " Jazz at Massey Hall " en 1953. Des Canadiens étaient venus aux USA pour demander que ce groupe donne un concert, et ce fut l'occasion attendue. A la basse, Charlie Mingus remplaçait Oscar Pettiford qui s'était cassé un bras en jouant au base-ball avec des gars de l'orchestre de Woody Herman.

« Ainsi, nous nous sommes trouvés réunis sans avoir travaillé ensemble depuis un certain temps. Chacun était parti de son côté, avait formé son propre groupe, ou s'était lancé dans autre chose. Le concert était donc une bonne occasion de nous retrouver. Mingus n'avait encore jamais joué avec nous, mais de toute façon, c'était le genre de session où tout le monde est si content de se revoir qu'on passe un moment à se congratuler, à échanger les nouvelles, et qu'on ne pense pas au concert jusqu'au moment de monter sur scène. A ce moment-là, bien sûr, on a juste le temps de décider ce qu'on va jouer. Cette soirée était placée sous le signe de la spontanéité, au lieu du genre : " Bon, répétition de deux ou trois heures pour tout le monde avant le concert ! " Bien sûr, une fois sur scène, il s'est passé des tas de choses. Mingus ne connaissait pas le répertoire des musiciens de la côte Est, parce qu'il arrivait de la côte Ouest. Il avait bien fait quelques aller et retour entre-temps mais n'avait pas eu l'occasion de jouer avec cette formation malgré l'intérêt que nous lui portions, et cela se sentait à son jeu. Mais tout le monde était en très grande forme et en pleine possession de ses moyens. Une soirée vraiment fantastique, très détendue et où il s'est passé des tas de trucs drôles. »

DIZZY

Drôle est le mot juste ! Saviez-vous que Charlie Mingus, qui se considérait toujours comme brimé, profita de sa position sur scène pour enregistrer le concert au magnétophone ? Et puis il est rentré chez lui sans rien dire, et a sorti un disque ! Je n'ai pas touché de royalties jusqu'à récemment. Il faut dire que je suis devenu philosophe pour ce genre de chose. Tous mes disques ont été faits pour le plaisir des autres. Moi je crée, et comme le conseillent les paroles d'un blues : « Je fais de mon mieux pour retirer quelque chose de mon malheur. » Les disques Dee Gee ont peut-être disparu parce que le public n'était en fait pas prêt pour les recevoir. J'ai toujours dit qu'il fallait être au bon endroit, au bon moment. Simple question de mise en place...

Sombres machinations

La faillite de ma compagnie de disques fut suivie d'une série de catastrophes. J'avais passé mon permis de conduire à New York, mais il me fut confisqué pour avoir écrasé un piéton, il y a plus de vingt ans de cela. Je travaillais au Snookie's et en m'y rendant un soir, je m'arrête à un feu rouge au croisement de la 47e Rue et de Northern Boulevard. Juste au moment où le feu passe au vert, la voiture arrêtée devant la mienne démarre en trombe et je la suis. Mais au même instant un vieux bonhomme se lance sur la chaussée, et je l'ai heurté. Il saignait d'un trou dans la tête, et il tombait une pluie glacée. Seigneur! J'étais effondré. Je l'avais vu vraiment au dernier moment, trop tard, et le choc avait été assez violent. Ma voiture, une Kaiser, était cabossée et le capot s'était relevé. Il pleuvait de plus en plus, et j'ai glissé mon manteau sous la tête du pauvre type allongé sur le sol. Finalement, l'ambulance est arrivée. J'étais pris de panique à l'idée de raconter ce drame à qui que ce soit. J'essayais aussi d'éviter que Lorraine l'apprenne. Je n'ai même pas signalé l'accident à la police. Ça m'angoissait terrible. Pour finir, on a donné au vieux cinq mille dollars, en plus de ce que la compagnie d'assurances a fini par payer. Mais on m'a confisqué mon permis parce que je n'avais pas fait de déclaration d'accident aux autorités.

Après cette triste histoire, j'ai été poursuivi en recherche de paternité à deux reprises. Les plaintes provenaient de Pennsylvanie, dont l'une de Pittsburgh après un long circuit. Chaque fois que je passais dans cette ville, je me faisais arrêter, et j'étais obligé d'accepter une transaction quelconque. Je savais bien que c'était une sorte de chantage. Cette fille, dont je devais apprendre plus tard qu'elle avait plusieurs enfants tous de pères différents, avait décidé de m'attribuer la paternité de son dernier-né. C'était le type avec lequel elle vivait à ce moment-là qui lui en avait donné l'idée. Ça aussi, je l'ai appris par la suite. Et elle a porté plainte contre moi

361

pour abandon. J'ai protesté de mon innocence, bien entendu, ce qui ne m'a pas empêché d'être arrêté et d'avoir droit à des articles dans la presse. Elle est allée ensuite s'installer dans l'Ohio, à Toledo, et chaque fois que j'allais jouer dans cette ville et même dans quelques autres du coin, on m'arrêtait à nouveau. Un jour, à Pittsburgh, on m'avait mis dans une cellule avec un meurtrier récidiviste! Quand je lui ai demandé : « Et pourquoi on t'a mis à l'ombre, toi? », il m'a répondu : « J'ai buté huit mecs. » Je me suis dit : « Nom de Dieu...! »

Quand une femme accuse une figure publique, bien souvent elle n'a même pas besoin de fournir de preuves car la célébrité en question est généralement toujours en voyage, n'est même pas au courant de la plainte, et perd le procès par défaut. En outre, si la fille est au chômage, les autorités ont hâte de ne plus l'avoir à leur charge et ne pensent qu'à vous déclarer coupable pour vous faire payer l'addition. Finalement, nous avons dû accepter un compromis aux termes duquel cette fille ne devait plus chercher à entrer en contact avec moi. Un jour, je passais à Pittsburgh et elle m'a écrit. Je suis allé immédiatement montrer la lettre aux autorités : « Lisez ça, elle me dit qu'elle veut me voir et elle n'en a pas le droit. Je demande qu'on l'arrête si elle se montre ici. » Ils l'ont attendue, mais elle n'est pas venue. Je crois qu'elle s'est douté de quelque chose, et même qu'elle risquait de se faire arrêter si elle insistait. Personne n'a envie de voir quelqu'un qui vous cause autant d'ennuis, mais dans mon cas le pire, c'est que j'étais marié et je ne voulais pas mettre ma femme dans une situation déplaisante qui l'aurait blessée.

L'autre plainte fut déposée à Reading en Pennsylvanie, et me valut aussi un gros titre dans le journal. Heureusement j'avais engagé peu de temps avant un avocat de cet Etat. Il faut dire que pour la première plainte, j'avais été un peu dépassé par les événements car j'étais toujours en voyage et je n'avais pas pu répondre aux convocations du tribunal. On m'avait jugé par défaut. Mais la seconde fois, nous étions au procès. Mon avocat de Philadelphie, Charlie Roisman, était un génie, un vrai génie devant un tribunal. Il ressemblait à Winston Churchill, portait toujours une fleur à la boutonnière, un chapeau à bords roulés et une canne à la main. Il tenait aussi des jam-sessions dans son appartement, au 1526 Sansom Street. On l'avait surnommé le Professeur Bogus. Il habitait avec Dexter Jones, le sculpteur qui a fait mon buste en bronze, et aussi la grande sculpture devant l'hôtel de ville de Phila. C'est un type fantastique que j'ai connu tout gosse. Il a travaillé au début avec le sculpteur Jo Davidson, et quand celui-ci sculptait un buste, Dexter faisait les oreilles, les yeux, le nez, les détails, quoi. Maintenant, il travaille seul, bien sûr. C'est un grand artiste. Charlie Roisman était un genre de mécène du temps où il organisait des jam-sessions.

Quand on passait à Philadelphie, on allait jouer chez lui après le concert et Charlie faisait la cuisine. C'était un vrai chef, pour gourmets. Il mettait même une toque blanche et tout. Il avait écrit un air qu'il avait intitulé *Professeur Bogus*.

> *Un jour, le professeur Bogus est allé à l'église*
> *à la quête il a donné cinq cents, et en a piqué dix*
> *et puis il s'est signé, c'était plutôt bon signe,*
> *bref, il n'a pas complètement perdu son temps...*
> *le père Bogus, Bogus, Bogus...*

Il avait même été question de faire un show à la télé où j'aurais joué le rôle du Professeur Bogus, avec des rythmes et des chœurs derrière, mais ça ne s'est pas fait. En tout cas, le « Professeur Bogus » était vraiment un personnage.

A la suite de cette seconde plainte, on m'avait arrêté au Earle Theatre à Philadelphie, et Charlie Roisman prit l'affaire en main. Je fus acquitté par le tribunal de Reading en Pennsylvanie. Je me souviens d'un détail drôle, Charlie et moi étions dans l'ascenseur qui montait à la salle d'audience et la fille est arrivée avec le bébé dans ses bras. Je ne l'avais jamais vue. Elle voulait montrer le bébé au juge et lui faire remarquer qu'il me ressemblait, certaine qu'un juge blanc trouverait que tous les nègres se ressemblent. Et elle a dit à Charlie Roisman : « Ah, c'est vous l'avocat de Mr. Gillespie ? Vous ne trouvez pas que cette enfant est le portrait de son père ? » Roisman a répondu : « Sans aucun doute. Je ne sais pas quel père, mais c'est sûrement son portrait. » J'ai trouvé ça drôle comme tout ! Plus tard il a écrit un poème sur le sujet, qui commençait ainsi :

> *Dizzy Gillespie a dû paraître un jour*
> *devant les juges de la cour*
> *mais il a refusé de se laisser accuser,*
> *à la place d'un autre qui s'était bien amusé...*

Il m'avait montré ce long poème après l'acquittement. Voyez-vous, on essaie toujours de vous avoir quand on croit que vous avez de l'argent, et surtout si vous êtes dans le show-business, à cause de toute la publicité ! Il y a même des fois où ça va assez loin dans le genre saloperie, et rien que pour le plaisir. Vous trouverez toujours une dingue de la trompette si vous avez envie d'elle ; ou une dingue du saxophone qui vient bâiller sous le nez du saxophoniste de service et s'obstine à ne vouloir coucher qu'avec un sax ! Pour d'autres, il n'y a que les trompettistes. Ce genre de phénomènes se trouvent partout, si on en veut. Et il y en a pour tous les goûts. Moi, j'ai une excellente épouse qui m'attend à la maison.

LORRAINE GILLESPIE

« Avant tout, je dois vous dire une chose : je ne pose jamais de questions à personne. Ça ne m'intéresse pas. Vous savez comment tout ça se passe : on est en train de bavarder, et puis quelqu'un fait une allusion à propos de votre mari qui court après une autre fille... Moi, je n'y pense même pas, et je me dis que si la fille se laisse mener en bateau, il a bien raison d'en profiter, à condition de ne pas se faire prendre. S'il se fait prendre, alors là il est dans son tort. Mais à part ça, ce genre de ragots ne me tracassent pas. Je connais bien les musiciens, vous savez. Au début, ils ne m'intéressaient pas beaucoup, je veux dire autrement que comme simples copains, car je savais très bien comment se comportaient ces chers garçons. Et les parents en général apprennent bien à leurs filles que si elles trouvent un mari qui s'occupe d'elles, qui les respecte, leur donne un toit convenable et ne leur cause pas d'ennuis, elles ont intérêt à ne pas s'occuper du reste. Une fois franchi le seuil de la maison, votre homme peut devenir celui de n'importe qui. Il ne vous doit pas l'exclusivité. Toutes ces bêtises ne m'ont jamais préoccupée. " Comment fais-tu donc? " me demandent les gens. Et je réponds : " Je n'y pense pas, c'est tout. Et si ça m'arrive, je me dis : qu'est-ce que ça peut bien faire, après tout? S'il ne se fait pas prendre, ce n'est pas grave. "

« C'est pareil avec les bêtises qui tournent autour de la célébrité. Je les ignore complètement. Je suis bien trop occupée. Tout ce qui m'importe, c'est qu'il n'arrive rien à Dizzy, qu'il ne tombe pas malade, mais à part ça je ne pense pas à sa trompette, à sa musique, ni à toute cette gloire. Ça serait peut-être différent si je l'avais connu déjà célèbre, mais au début il n'avait pas un sou en poche et avait l'allure d'un clochard. Il a fallu que je me démène pour l'aider à arriver, alors forcément j'ai une vision différente. Bien sûr, les filles qui tombent sur un type qui est déjà une grosse vedette, ça les impressionne. Mais Dizzy n'était même pas à mon niveau quand je l'ai rencontré, et tout le monde m'a traitée d'idiote quand j'ai commencé avec lui. Vous comprenez, je n'ai pas débarqué chez lui au milieu de l'opulence générale. C'est moi qui l'ai aidé à construire cet " empire " qu'il possède maintenant. D'accord, je ne jouais pas de la trompette, mais c'est bien la seule chose que je n'ai pas faite, et sans moi il n'en aurait pas joué non plus, parce qu'il n'aurait jamais eu la force de souffler. Les autres filles lui auraient fait tout rater.

Elles auraient soufflé, elles, ça oui, et assez fort pour le rayer de la carte du monde de la musique. Il faut que je remplisse mon rôle, moi aussi, et je n'ai pas le temps de m'inquiéter de ce que " pensent " les autres. C'est facile de " penser " quand on n'a ni les soucis ni les problèmes, et que tout vous tombe tout cuit comme par magie. Elles ne s'occupent pas, les autres, de savoir qui est dans l'arrière-boutique en train de balayer et de vider les ordures. Elles ne voient que les grands sourires, les clowneries, et le reste. Mais elles ne connaissent pas le chemin qui y conduit.

« Savez-vous que c'est quand je me mets vraiment en colère après lui qu'il fait ma joie? Quand il passe le seuil et que la porte claque dans son dos. Ça m'amuse toujours beaucoup. Un jour, il m'avait apporté un manteau de fourrure et il avait refusé de me dire combien il avait coûté. Il était arrivé avec et me l'avait donné, et quand il m'a demandé ce que j'en pensais je lui ai répondu : " C'est joli ", en continuant de travailler. Mais j'ai téléphoné au fourreur pour savoir le prix, et quand il m'a répondu : " Six mille dollars ", j'ai failli tomber raide!

« Je suis pour le mouvement de libération de la femme, surtout quand on se préoccupe de leur état de fatigue. Pour un homme qui travaille, que ce soit huit heures ou douze heures, il vient toujours un moment où il peut se dire : " J'ai fini! " et penser à ses loisirs. Mais une femme, elle, n'a jamais fini, elle y passe ses journées et ses soirées jusqu'à l'épuisement. Et il lui reste encore des choses à faire. En plus, pour elle, il n'est pas question de " jour de paye ", et l'homme lui dit : " C'est moi qui te fais vivre... " A d'autres! Là-dessus, je suis d'accord avec le mouvement de libération. Mais où je ne le suis plus, c'est quand elles parlent de conduire un camion, par exemple. Même si je tombe dans la misère, je refuserai toujours ce genre de métier, conduire un camion ou être " pompière ". Pour les hommes on dit des pompiers, comment dit-on pour une femme? Je plaisante, mais de toute façon ce n'est pas pour moi.

« Je connais des tas de points de couture, et autres travaux de ce genre, mais je ne sais pas bien faire la cuisine. Ce n'est pas mon truc. Je serais plutôt une fantaisiste qu'une spécialiste. J'en suis cons-ciente, car malgré cela j'apprécie la bonne cuisine; mais la mienne n'a jamais le goût que je cherche à obtenir. Alors je fais de mon mieux, comme Dizzy quand il fait le lit de temps en temps et que c'est un désastre. Au moins, il essaie. De plus, je ne suis pas obligée de faire la cuisine tous les jours, comme la plupart des gens, et du coup j'oublie. Un jour, quand je serai vraiment très forte en couture, j'apprendrai à faire la cuisine. Je ne peux pas tout apprendre. Pour la cuisine, même si ce n'est pas génial, c'est quand même cuit. Et si mes légumes ne sont pas terribles, c'est parce que je ne mets pas assez de matières grasses dedans. Il paraît que c'est meilleur, plus onctueux. Mais de toute façon, je continuerai à les faire comme ça parce que le gras me rend malade après. Diz a de la chance d'avoir une femme qui peut se régaler avec des saucisses de Francfort et de la bière. Est-ce permis d'être aussi veinard ? »

MARION « BOO » FRAZIER *(cousin, homme à tout faire)*

« Mon père et John sont cousins, et je le suis donc aussi au second degré, mais nos rapports n'ont jamais été ceux de cousins, plutôt ceux d'un père et d'un fils. Mon père est mort quand j'étais tout petit, et j'ai reporté ce manque sur John Birks.

« J'ai quitté l'armée en 53 et en rentrant chez moi — j'avais été démobilisé dans le New Jersey —, je me suis arrêté à New York un jour ou deux. Je suis passé tout à fait par hasard devant l'Apollo et John y jouait. Je suis monté dans sa loge. Il y avait Lorraine Gillespie. Finalement, je suis resté près de deux semaines, puis je suis rentré chez moi pour voir ma mère avant de revenir à New York. C'est à partir de là que j'ai commencé à vivre avec eux. John est le seul homme célèbre que je connaisse qui n'a jamais changé. Il est resté le même dans la vie de tous les jours. Je ne pense pas qu'il se rende compte de sa célébrité ni de son génie. Et c'est ce que j'admire le plus en lui, cette aptitude à rester serein, à garder son sang-froid. Il ne connaît pas l'étendue de son talent. A force de vivre près de lui, moi qui n'ai aucun talent, j'ai appris une chose : il faut être soi-même, et ne pas essayer de devenir quelqu'un d'autre. Mrs. Gillespie n'est pas étrangère à cette attitude, car c'est elle qui lui répète ce genre de vérité tous les jours. Il est très heureux avec elle. C'est une femme extraordinaire, et intelligente. En plus elle peut vous faire tordre de rire sans forcément raconter d'histoires drôles ; juste des faits réels, mais elle a la manière. Il est très content parce que c'est elle qui s'occupe de tout. Sans Mrs. Gillespie, je ne crois pas que Mr. Gillespie aurait aussi bien réussi. C'est une femme à la fois très forte et très intelligente. »

CHARLES « COOKIE » COOK *(ami, trompettiste)*

« Je les avais surnommés les " gentils tourtereaux " à cause de leur merveilleuse entente. On parle rarement de Lorraine et Dizzy, alors que tout le monde parle de Mary Pickford et de Charles Buddy Rogers. Et on n'entend pas trop de commérages sur eux ; c'est vrai que toutes les fois que Dizzy a été impliqué dans une sale histoire, ça s'est arrangé parce que Lorraine était toujours à l'arrière-plan. Je crois aussi que Dizzy fait une sorte de barrière dans sa tête quand Lorraine parle, quelquefois. Il devient sourd d'un coup. C'est peut-être la raison de leur bonne entente. Lorraine a toujours représenté une partie très importante de la vie de Dizzy, vraiment très importante. Je suis peut-être un peu partial quand il s'agit d'elle parce que s'il m'arrivait quelque chose, Dieu m'en préserve, je crois que ce seraient Lorraine et Dizzy qui auraient à... Ils sont vraiment comme ma famille. »

DEXTER JONES (sculpteur, et ami)

« Charlie Roisman m'a présenté Dizzy vers 1949. Il l'a amené dans mon atelier qui se trouvait derrière Independance Hall à Philadelphie. Charlie représentait Dizzy dans un procès et Diz venait donc assez souvent pour cette affaire avec Lorraine, sa femme. C'est ainsi que nous avons commencé à nous voir. J'ai fait la maquette du buste de Dizzy, et toute cette époque fut le point de départ de ce qui est devenu depuis une amitié chaleureuse et durable.

« En 1950, j'avais déménagé vers le centre de la ville, et comme Roisman défendait les intérêts de beaucoup de musiciens de jazz, j'ai été appelé à connaître très bien ce milieu. Mon atelier devint une sorte de point de rencontre, dans lequel j'avais un piano et une batterie. Tous les musiciens qui passaient en ville venaient à la maison, y compris quelques-uns des plus grands. Diz bien sûr ne manquait pas une seule occasion. C'est à cette époque que nous avons commencé à travailler sur un buste plus grand que nature et qui devait être représenté plus tard sur la pochette de l'album intitulé *The Real Thing*.

« Roisman et moi organisions des sessions dans l'atelier que nous partagions. Je m'en servais le jour et lui la nuit. Certaines se tenaient dans la journée quand les musiciens ne travaillaient pas en matinée. J'y ai accueilli Sonny Stitt, J. J. Johnson, et même Nat Cole, Steve Gibson et les Redcaps, enfin des tas d'artistes. Au cours d'une de ces jams avec Dizzy, la police est arrivée, alors que ce n'était pas un quartier résidentiel. Mais l'atelier était situé à côté d'une caserne de pompiers, et quelqu'un n'avait pas dû apprécier le mélange de races et avait appelé la police. C'est du moins ce que j'ai supposé. Dans le centre ville, il y a surtout des façades de magasins et quelques appartements, mais très peu. Bref, Diz a été parfait, je m'en souviens. Il a été question de le fouiller et il a objecté : " Si vous voulez me fouiller, il faut m'arrêter et m'emmener au poste. " Et comme au fond les flics n'avaient pas très envie de le faire, ils sont repartis. Ça me rappelle aussi un jour où il jouait à Convention Hall devant une foule immense, avec d'autres artistes bien entendu. Le chef de la police (Rizzo) avait soudain décidé que son devoir était de faire surveiller de près ces réunions qu'il jugeait " immorales ". Il envoya une escouade de policiers juste avant l'heure du concert, simplement pour l'empêcher de commencer. Beaucoup de musiciens furent pris de panique. Mais quand les flics sont venus trouver Diz en lui disant qu'ils voulaient le fouiller, lui, son étui de trompette, et le reste, il leur a répondu : " Alors vous allez laisser tous ces gens attendre, là? Vous allez m'emmener au poste sans vous occuper de toute cette foule, là? " Cette fois-là aussi, sa présence d'esprit mit fin à l'épisode. Vous voyez, dans les moments critiques, Dizzy ne craque jamais.

« Une autre fois, au Birdland, le programme comprenait Bird avec des cordes, Coleman Hawkins avec sa petite formation et Diz avec la sienne. Quel programme, vous vous rendez compte! Diz avait veillé à ce que nous ayons une table, une des rondes, juste en bordure du podium. Dès qu'il a eu fini son set, il est venu s'asseoir avec nous un moment. Je voulais lui montrer les photos, toute une série du buste qui n'était pas encore achevé. Il était ravi et il s'en est emparé pour les montrer à Charlie Parker qui était sur scène et planait plus haut qu'un cerf-volant, comme d'habitude. Bird a adoré ces photos, il les a étalées sur son pupitre, s'est assis devant, fasciné, et a commencé à jouer des petites phrases en les regardant. Il s'adressait vraiment à Diz avec son sax, et ce n'était qu'un début.

« Au moment où Diz remontait à son tour sur le podium pour son set, j'ai vu quelqu'un lui remettre quelque chose qu'il a fourré en vitesse dans sa poche de poitrine où il mettait son mouchoir. Et pendant un morceau très long, il s'est mis à transpirer beaucoup et il a sorti son mouchoir... et un paquet de sticks. Tout est tombé sur l'estrade, en pleine vue. Je me trouvais assez près, encore plus près qu'un batteur assis à la table voisine et qui les avait vus aussi, mais je lui ai dit : " Attention, on ne sait jamais qui il y a dans le public... ", et je me suis contenté de tapoter sur la chaussure de Dizzy pour qu'il regarde par terre. Il s'est avancé légèrement, et d'un coup de talon a envoyé le paquet vers le pianiste qui a mis son pied devant et l'a ramassé à la première occasion. Finalement, après être passé de main en main, le paquet est revenu à Dizzy et à la pause il nous a dit : " Venez donc avec Charlie et moi. " On s'est frayé un passage dans la foule, et Billie Holiday qui était au bar, coiffée d'un turban, nous a rejoints avec d'autres amis. Nous voilà tous sur le trottoir de la 58e Rue. Diz a enlevé l'élastique qui retenait les joints et a commencé à les distribuer. Très cool, tout ça. Mais soudain, deux de la bande se sont figés à la vue de voitures de police. On était tous là

368

un peu nombreux pour une conversation sur le trottoir, sans parler de ce que nous étions en train de faire ! On a vraiment pensé que ces sticks tombés sur l'estrade allaient finir par nous conduire tous en prison. Mais Dizzy ne semblait pas inquiet. D'ailleurs, il n'a jamais été arrêté, sauf pour fornication et refus de paternité. En tout cas, cette soirée-là est restée mouvementée dans mon souvenir.

« Pour revenir à mon atelier, quand j'ai commencé le grand buste, je n'avais pas de chaise assez haute, vous savez, ces tabourets de pose. Comme j'avais un coffre j'ai simplement mis une chaise dessus ; les pieds se plaçaient juste bien. J'avais aussi un trépied de sculpteur sur lequel j'avais posé l'argile spéciale avec laquelle je travaillais. Et voilà que Diz se met à éclater de rire, un de ces énormes rires qui n'appartiennent qu'à lui, et il se renverse en arrière ! Tout s'est mal enchaîné : il a lancé sa main en avant, a heurté l'armature qui devait renforcer le buste, et l'ensemble s'est mis à basculer. J'avais une décision rapide à prendre... lui ou le buste... mon réflexe étant de... Moment de panique. Mais comme j'étais plus près du Dizzy en argile, je l'ai rattrapé. Et Dizzy, lui, a fait un saut périlleux arrière, après quoi il s'est relevé, s'est épousseté, et a remis la chaise en place sur le coffre. C'est ça, le show-business !

« Je me rappelle une anecdote drôle quand Dizzy a joué en concert à Carnegie Hall. On avait fait faire des agrandissements des photos du buste à la dimension d'une affiche, pour les placarder dans les vitrines de façade. Le buste venait juste d'être terminé, et comme Dizzy le voulait tout de suite, je suis allé le chercher à la fonderie et je l'ai ramené à Carnegie Hall. Dizzy répétait en coulisse pendant que les spécialistes montaient le matériel d'enregistrement. Je me suis mis à parler avec des gens, et soudain il s'est écrié : " Vous avez vu ? Ils ont enlevé le buste d'Andrew Carnegie de son socle pour mettre le mien à la place ! " Ce fut un de ses meilleurs moments, je crois, le " Gillespie Hall ". Cette idée l'a vraiment ravi ! »

DIZZY

Quelque temps plus tard, je me trouvais à Tulsa dans l'Oklahoma à l'époque des World Series *, et un de mes amis de New York, originaire de Tulsa, y séjournait à cette époque. Il m'appelle pour me dire : « Diz, veux-tu venir voir les World Series ? » En ce temps-là, les hôtels réservés aux Noirs n'avaient pas de téléviseurs dans les chambres. Il m'explique : « C'est retransmis à la télé plus tard, et je

_____

* Finale Est-Ouest du championnat de base-ball américain (N.d.T.).

suis chez une amie divorcée et pleine de fric. Tu viens ? On mangera un morceau avant. » Je réponds : « D'accord. J'apporte mon appareil photo. » J'y vais donc, et il faisait vraiment très chaud, comme il peut le faire dans l'Oklahoma. J'étais en T-shirt dans leur jardinet, mon ami aussi, les filles en maillot de bain, et on s'amusait à prendre des photos tout en buvant de la citronnade. En tout cas, elles n'étaient pas toutes nues. Mais un voisin, m'ayant aperçu, a appelé la police pour leur dire : « Il y a un nègre dans la cour à côté qui prend des photos de femmes blanches à poil ! » Entre-temps, le neveu de la divorcée, qui devait avoir dans les quinze ans, était parti avec sa voiture et s'était fait siffler par les flics. Au lieu de s'arrêter, il avait appuyé sur le champignon et était monté à 150 à l'heure ou plus. Ils ont fini par le rattraper et lui ont demandé ce qui l'avait pris, et il a répondu que comme sa tante recevait des « invités de couleur », il faisait de l'excès de vitesse !

Après la retransmission, j'étais rentré à mon hôtel et j'étais assis sur les marches du porche quand un Noir s'est approché et m'a demandé : « Vous êtes monsieur Gillespie ? » J'ai répondu : « Oui. » Il m'a montré sa plaque et a continué : « Le DA et le chef de la police voudraient vous voir. — Ce qui veut dire que je suis en état d'arrestation ? — Non, ils veulent seulement vous parler. — Voyez-vous un inconvénient à ce que je monte déposer mon appareil dans ma chambre ? — Non, allez-y, j'attends ici. »

Je suis monté en vitesse et suis redescendu sans l'appareil photo. Au commissariat central on m'a fait entrer dans un bureau, et un Blanc m'a dit : « Alors, j'ai entendu dire que vous avez pris des photos aujourd'hui. — C'est illégal ? — D'abord, il nous les faut. — Bon, comme c'est vous les autorités, vous avez les moyens d'obtenir ce que vous voulez. Mais enfin, il y a des lois sur les perquisitions, les saisies, avec des mandats spéciaux, tout ça à la disposition des autorités désireuses d'instruire une affaire. » Ce à quoi il a répliqué : « Nous sommes prêts à le faire. » Et je le savais bien. Il avait probablement un mandat tout signé dans son sous-main. J'ai continué : « Ecoutez, je n'ai rien à cacher. Je veux bien vous donner les photos. Faites-moi accompagner par lui, et je vous les rapporte. »

Dans la voiture qui nous ramenait à l'hôtel, le policier noir m'a demandé : « Mais enfin, qu'est-ce que c'est que toutes ces salades ? » Il ne savait même pas pourquoi on l'avait envoyé me chercher. Je lui ai répondu : « Mince alors, tu es une vraie cloche, mon vieux ! On t'envoie épingler un type et tu ne sais même pas pourquoi ? J'aurais pu être un meurtrier, et te faire sauter la cervelle quand tu es arrivé en me disant " Police ! ". Tu n'aurais rien vu venir... »

Il commençait à être furieux, pas après moi mais après l'autre, le Blanc du commissariat. « Vous avez raison, me dit-il. — Tu parles, vieux! Ces salauds auraient pu te faire descendre, là, devant l'hôtel. Suppose que j'aie été un desperado, hein? »

Une fois arrivés, je suis monté dans ma chambre et j'ai pris au hasard un des soixante-dix ou quatre-vingts rouleaux non encore développés que j'avais. Sans doute des photos prises aux Brésil. Nous sommes retournés au commissariat et j'ai dit : « Voilà, vous pouvez les faire développer. » Après quoi, ils m'ont laissé partir. Mais ce policier noir était toujours en colère, parce que c'était dangereux de l'avoir envoyé comme ça sans lui exposer la situation, et il m'a dit après coup : « J'étais fier de vous quand vous avez parlé à ces sales Blancs des lois sur les perquisitions et les saisies. Il n'y a pas beaucoup des nôtres qui sont au courant de ces choses-là.

— Oui, je les connais bien. Je n'ai pas envie d'être passé à tabac et tout le reste. »

Tout dépend de votre façon de parler aux gens, dans la vie. Si vous connaissez vos droits, et que vous les exposez avec intelligence, on vous traitera en général comme vous le méritez. Tout de même, j'ai été content de quitter Tulsa. Il ne nous restait plus qu'un jour et cela suffisait! Vous savez, des incidents de ce genre se produisaient souvent, toujours par hasard, bien sûr. Je ne dis pas que j'étais visé personnellement à chaque fois, non, je suis bien trop prudent et diplomate; mais c'était simplement parce que j'étais Noir *.

---

* Monk avait été arrêté la même semaine avec Nica, dans le Delaware. Ils avaient mis la Rolls de Nica à la fourrière, tout ça, je crois, parce que quelqu'un avait tiré quelques bouffées dans la voiture. Mais de toute façon, les vedettes font naître beaucoup de jalousies. Certaines femmes blanches mouraient d'envie de nous fréquenter, surtout à l'époque où les Noirs étaient un sujet tout à fait tabou. Les policiers nourrissaient à notre égard une haine personnelle. Dans cette affaire à Tulsa, les journaux ont raconté que j'avais été cité comme témoin au procès de cette femme poursuivie pour avoir contribué à la délinquance d'un mineur, en l'occurrence son neveu (D. G.).

Comment obtenir
une trompette coudée...

A dire le vrai, la forme de ma trompette est le résultat d'un accident. Je pourrais vous raconter que je me suis pris la tête entre les mains, et que c'est là le fruit d'une longue réflexion, mais non, ce fut un accident. Je l'avais laissée sur un socle que quelqu'un a accroché du pied, et elle s'est tordue en tombant. Je vais vous raconter l'histoire. Je jouais chez Snookie, sur la 45e Rue, un lundi soir, le 6 janvier 1953. Normalement, je ne travaillais pas le lundi, mais c'était l'anniversaire de ma femme et il y avait une réception avec tous les copains : Illinois Jacquet, Sarah Vaughan, Stump'n Stumpy et d'autres artistes, tous les gens du show-biz qui avaient connu Lorraine quand elle dansait encore. Ils étaient tous en bas à s'amuser. Le whisky coulait à flots, et il y avait un gâteau d'anniversaire, bref un beau buffet. Le même soir, Henry Morgan, un type qui avait une émission à lui, m'avait convié à venir en invité pour une interview. Au passage, c'était plutôt comique parce qu'en fait la musique ne l'intéressait pas vraiment... Quoi qu'il en soit, ça se passait dans un hôtel tout proche et je m'y suis rendu. Chez Snookie, j'avais laissé ma trompette sur un de ces petits supports pour maintenir l'instrument vertical, et elle était encore bien droite quand je suis parti.

Quand je suis revenu après l'interview, Stump'n Stumpy avaient chahuté sur l'estrade, l'un poussant l'autre qui était tombé à la renverse sur ma trompette. Et au lieu de tomber tout simplement, elle s'était tordue. Si quelqu'un tombe malencontreusement sur une trompette, dans 999 pour 100 des cas on retrouve des tiges de pistons tordues, ou des cylindres cabossés. Ça donne une trompette toute bosselée avec des pistons qui coincent. Mais la mienne s'est complètement tordue. Quand je suis revenu, le pavillon était tourné vers le plafond. Il paraît qu'Illinois Jacquet était parti en disant : « Je

372

ne veux pas être là quand il va revenir et trouver son biniou dans cet état. Je ne veux pas assister au retour de ce cinglé de Dizzy ! »

Malgré tout, c'était l'anniversaire de ma femme, et je ne voulais pas gâcher la soirée de nos invités par ma mauvaise humeur. Alors j'ai pris ma trompette et j'ai commencé à jouer. Quand le pavillon avait pris cet angle de cassure, ça avait diminué la section du tube, et je n'arrivais pas à avoir le son habituel mais un son plutôt curieux. J'ai continué à jouer quand même, et finalement ce que je sortais de l'instrument m'a plu. Je pouvais trouver une sonorité douce, très douce, pas cuivrée du tout. J'ai joué comme ça le reste de la soirée, et le lendemain je l'ai portée pour la faire redresser. Puis j'ai commencé à y repenser en me disant qu'au fond c'était rudement bien, que le son sortait en arrivant plus vite à l'oreille — à mon oreille —, car avec un angle de 45 degrés le pavillon est plus rapproché. Alors je me suis décidé, j'ai pris contact avec la société Martin, le fabricant, et j'ai demandé à Lorraine qui dessine très bien de faire un croquis d'une trompette avec le pavillon à 45 degrés. Je le leur ai envoyé en expliquant que je voulais mon instrument tel qu'il était sur le croquis. Ils m'ont répondu : « Mais vous êtes fou ! — D'accord, je suis fou mais je veux une trompette comme ça. »

Ils l'ont quand même fabriquée, et depuis j'ai toujours joué sur ce modèle. Au début, le pavillon se vissait sur le tube, mais maintenant tout est d'une seule pièce*. Un des avantages de l'angle est qu'il évite de tenir l'instrument trop bas quand on lit une partition, car il est pratiquement impossible d'avoir le pavillon plus bas que le pupitre dans ce modèle. Et aussi, dans les petits clubs, on joue tout près du public, des premières tables, et la trompette est un instrument très puissant; or si on joue une note très aiguë en direction d'un spectateur, on risque de lui déchirer le tympan... ce qui n'arrive pas avec le pavillon relevé. Enfin, pour un instrumentiste, le fait d'entendre la note qu'il joue une fraction de seconde plus tôt est très important.

HAROLD « STUMPY » CROMER (artiste comique)

« Stump et moi avions un numéro qui combinait le chant, la danse, et la comédie, avec des gags et des échanges de plaisanteries. Mon personnage était celui du Noir " correct ", " digne ". A nous

---

* Un Français nommé Dupont avait inventé une trompette avec un pavillon redressé un peu comme la mienne, vers 1860 et quelque. Je n'ai donc pu obtenir un brevet complet sur ma trompette. Lui avait déposé un brevet sur la sienne dont le pavillon avait un angle assez faible, et dont la taille était assez grande, un peu comme un flügelhorn. (D. G.)

deux, on montrait les deux aspects de " l'homme de couleur ", selon le terme dont on nous affublait à l'époque. Moi, je jouais le type éduqué et Stump le pauvre mec ignare. Mais la chute des gags, c'est que c'était toujours lui qui trouvait les solutions et les bonnes réponses. Tout ce qui prenait de l'importance dans la presse ou à la radio nous servait de matériel, souvent sans même avoir répété. Et ces improvisations faisaient rire le public. C'est au cours d'un petit sketch de ce genre que la trompette de Dizzy en a pris un coup. Nous étions sur scène en train de chanter, dans le genre " oo-bop-she-bop-oo-deda... ", et Stump, lui, essayait de faire une imitation de Louis Armstrong que je devais l'empêcher de placer. Stump commençait son numéro en agitant le grand mouchoir de Louis pour s'essuyer, et puis il l'a posé ce jour-là sur le petit support où Dizzy avait accroché sa trompette. Dans notre sketch, Stump me poussait pour prendre ma place, moi je le poussais à mon tour, bref on se bousculait en faisant des feintes et tout à coup, patatrac! la trompette et le socle sont tombés, et l'instrument a pris un drôle d'angle. Seigneur! Stump l'a ramassée, a joué quelques notes genre sonnerie de clairon, et a dit : " En tout cas, on peut encore souffler dedans. " Et je lui ai répondu : " Ouais... ça va même souffler dur tout à l'heure, si tu veux mon avis. " On a continué dans cette veine et le public se tordait de rire, mais nous étions très ennuyés tous les deux à l'idée de la réaction de Dizzy qui devait jouer tout le reste de la soirée. En plus, il était le seul trompettiste ce soir-là, donc pas d'instrument à se faire prêter.

« Finalement, quand il est revenu, personne n'a rien dit de la trompette et de l'accident. Dizzy, qui est un type épatant avec un caractère en or, l'a essayée un petit coup en faisant rire tout le monde. Et puis quand ce fut vraiment à son tour de jouer, il l'a prise et en a tiré des sons, et il a fait : " Ça alors! " Et après : " Vous savez qu'on pourrait très bien jouer pour de bon avec une trompette comme celle-là! " On a brodé là-dessus, et tout le monde s'est bien amusé, mais finalement il a joué toute la soirée.

« Et un peu plus tard nous en avons parlé sérieusement. Je lui ai même dit : " Tu pourrais peut-être en parler à Selmer... " et il m'a répondu : " C'est à voir, je ne sais pas. " Et nous en sommes restés là. Mais à quelque temps de là, j'ai vu Diz avec sa nouvelle trompette, fabriquée spécialement sur ses ordres. Il l'utilisait dans les concerts, les clubs, et on l'a vu par la suite à la télévision décrivant l'instrument et expliquant comment ce nouveau modèle était né.

« Oui, ce fut une soirée fantastique, et personnellement je trouvais que cette trompette coudée sonnait mieux qu'avant. Et puis Diz n'était pas fâché, et ça l'a même peut-être poussé à la faire sonner comme d'habitude, parce qu'il a joué avec autant d'aisance, vous savez, ses joues distendues, le cou gonflé, sans problème. Une soirée fantastique ! »

JAMES « STUMP » CROSS *(artiste comique)*

« Voilà, j'avais un peu bu et je me suis appuyé sur le support, de la main gauche car je suis gaucher, mais en fait c'était sur la trompette qui s'est tordue et le pavillon s'est retrouvé tourné vers le plafond. Et Lorraine qui criait : " Joue dessus, pour voir. Ne touche à rien, mais joue dessus ", quand Dizzy est arrivé. Et moi je me disais : " Comment va-t-il sortir quelque chose avec ce truc tordu ? " Eh bien, il a joué, et j'ai entendu les notes les plus inoubliables de ma vie sur *I can't get started;* avec ce pavillon coudé, c'était superbe. J'étais juste à côté de lui. Il y avait aussi Leroy Myers, un type de mon pays, juste devant l'estrade. Il m'a laissé choir après ça, à cause de ma maladresse, en me disant : " Toi, tu déconnes toujours... " Oui, Leroy m'a laissé tomber. Et Dizzy aussi.

« Dizzy était quand même assez énervé, surtout au début quand James Moody l'a regardé en lui disant : " Tiens, il a tordu ta trompette. " Cette nuit-là, j'ai perdu quelques amis... Mais j'en ai retrouvé par la suite. Voilà l'histoire vraie de cette soirée. »

CHARLES COOK

« Moi, j'étais là aussi, et tout le monde buvait sec. Qui a cassé la trompette ? On a dit que c'était Stump. Il ne doit même pas le savoir lui-même, parce qu'il était soûl. Mais je me souviens que Dizzy n'a pas été fou furieux à son retour. Peut-être qu'un jour, on apprendra que c'était le serveur le coupable... Mais Stump était là, on l'a accusé, et c'est lui qui a tout pris. Il était malheureux comme tout. Et Dizzy l'a accusé, et en a même rajouté. Stump était le lépreux de la soirée. Le banni. Celui qui " avait cassé la trompette ". »

DIZZY

Et voilà ! Il arrive des tas d'accidents quand on est soûl. Une fois, j'ai failli me faire tuer chez Snookie. Il y avait un type, un nommé Chink qui est mort depuis. J'étais bourré ce soir-là et ce mec m'a frappé. Je n'avais pas fait attention, mais j'étais touché à la lèvre et quand je suis rentré chez moi, elle pendait ! Il m'aurait sûrement écrasé la figure si on ne l'avait pas retenu. Comment en est-on venus là ? Je n'en sais rien parce que j'étais plein comme une outre.

Une autre fois, je suis revenu du Birdland couvert de sang. Quelqu'un m'avait cassé une bouteille sur la tête. Je ne sais pas non plus ce qui s'est passé au juste cette fois-là. C'est toujours comme ça quand on boit trop. On m'a aussi raconté qu'un autre soir, on m'avait enlevé un couteau des mains. J'en portais toujours un sur moi à l'époque, et j'avais sans doute assez bu pour en arriver à le sortir de ma poche. J'aurais pu blesser sérieusement quelqu'un. Si le type avait laissé sa viande à portée de main, je l'aurais sûrement découpée dans l'état où j'étais. Heureusement, quelqu'un m'a désarmé et a passé ma lame à Moody. Chaque fois que je me suis trouvé dans de sales draps, c'est que j'avais un peu abusé du carburant liquide. Alors j'ai décidé de m'arrêter.

« Bird » est mort

Charlie Parker et moi n'avions pas sérieusement envisagé de remonter un groupe ensemble parce que Yard était, comme moi, un leader. Il avait son quintette avec Miles, Max, Tommy Potter et Duke Jordan. On a souvent fait de Yard le portrait d'un génie torturé, miné par ses problèmes de drogue et d'alcool; mais pendant la tournée avec le JATP, dans les années cinquante, il s'est conduit très correctement, un vrai gentleman. Il était présent à tous les concerts et n'a fait aucun écart, peut-être aussi parce qu'il était enfin traité avec respect. Je crois personnellement que l'origine de ses problèmes vient de la façon dont il avait été traité. Imaginez cet homme avec son sens inné et inouï de la musique, ce génie, se voir qualifié de Yardbird, de « bleu », de rien du tout. Oui, dès le départ cela a pu motiver certains de ses actes, et le fait de s'être adonné aux drogues et à la boisson. Je ne pense pas que l'autre interprétation soit exacte, car c'était un être plein d'un amour profond de la vie.

HAROLD « STUMPY » CROMER

« Un soir où on passait au Snookie's, toujours la même bande, Sarah, Stump et moi, on a proposé à Diz de venir voir Charlie Parker avec nous entre deux sets au Birdland. Diz a pris sa trompette, et nous voilà partis à pied. Au Birdland, le petit Peewee Marquette nous a accueillis en bas de l'escalier. Charlie Parker était appuyé au piano, dans la partie incurvée, pendant le chorus d'un trompettiste quelconque. Diz a sorti sa trompette et nous a dit : " Vous allez voir... " Il a mis son embouchure en place et a commencé à jouer quelques phrases par-dessus celles de l'autre. Charlie Parker.lui a répondu aussitôt sur son sax, et ils se sont mis à faire des quatre-quatre, et des huit-huit, tout ça pendant que Diz s'avançait depuis le bas de l'escalier jusqu'au podium. La foule hurlait de joie. Une soirée fantastique. »

MARION « BOO » FRAZIER

« Je n'avais jamais rien vu de pareil, au Birdland. Cette pensée musicale exactement identique, c'était extraordinaire. Charlie Parker finissait une phrase sur une certaine note, et John repartait de la même note pour enchaîner sur une autre idée. Fantastique! D'autres ont essayé de les imiter... Vous savez, Charlie Parker était quelqu'un de très gentil. Vraiment charmant. En dehors de sa musique, ce sont ses manières qui m'ont le plus frappé. Il ne parlait jamais fort. Toujours très discret et réservé. Je l'avais rencontré une fois chez John sans savoir qui il était. Le lendemain, je me trouvais dans le centre ville, et nous nous sommes croisés. Il m'a abordé et m'a dit : " Je m'appelle Charlie Parker et je vous ai vu hier chez Diz. " Je n'en suis pas revenu! J'avais une amie avec moi, une fana de jazz. Vous voyez l'effet! Et puis il a ajouté : " Ça m'a fait plaisir de vous revoir. Bonne journée, amusez-vous bien. "

« J'étais tellement touché que je n'ai pas su quoi dire. Oui, j'ai connu Charlie Parker, et aussi Billie Holiday, et Dinah (Washington). Des grands noms des années quarante, quoi. Mais quels grands noms! Cela me navre que les jeunes d'aujourd'hui n'aient pas l'occasion de connaître ces gens-là, car ne n'était pas seulement des artistes mais des êtres humains authentiques. Ils étaient merveilleux sur scène, et encore plus à la ville. Leur métier n'était qu'une partie de leur vie, tandis qu'aujourd'hui les gens du show-business sont " tous en scène " vingt-quatre heures sur vingt-quatre. Ils sont toujours en représentation, même dans le privé. C'est là la différence avec ceux des années quarante, et je suis heureux d'avoir connu cette " différence ". »

DIZZY

Juste avant sa mort, en 1955, Yard est venu me trouver un jour. Je ne l'oublierai jamais. Je jouais au Birdland, et Benny Goodman au Basin Street East, une cave de la 52ᵉ Rue. Entre mes sets, j'allais y faire un tour parce que Charlie Shavers était avec Goodman à l'époque. Ce soir-là, j'étais devant le club et un inconnu me demande : « Vous allez jouer un peu, là? » Je réponds : « Jouer un peu? Je ne joue pas à l'œil, mon vieux. — Même pas avec le Roi? insiste-t-il. — Quel Roi? J'ai déjà joué avec tous les rois », et j'ai

378

commencé à énumérer : « Coleman Hawkins, Benny Carter, Charlie Parker, Ben Webster, Chu Berry, Art Tatum, Earl Hines. Oui, mon vieux, j'ai joué avec tous les rois. » Ça a dû l'impressionner, car il n'a plus rien dit... Et ce même soir, Yard qui se trouvait dans la salle est venu me parler. Il m'a dit ces mots : « Sauve-moi. » Ce fut la seule fois, juste avant sa mort. Il avait l'air très mal, gros, soufflé. Il a continué : « Diz, pourquoi ne me sauves-tu pas ? » Et j'ai vu l'expression de son visage, une expression douloureuse, et je ne savais que dire. J'ai fini par lui demander : « Yard, qu'est-ce que je peux faire ? » Il m'a dit : « Je ne sais pas, mais sauve-moi, sauve-moi. »

J'étais impuissant, incapable de trouver une solution. J'avais déjà une petite formation constituée, alors que lui faisait des cachetons à droite et à gauche et je savais que ça ne marchait pas fort. J'aurais peut-être dû... C'était peut-être le moment de remettre ça ensemble, mais j'avais déjà mon groupe qui tournait bien ; et au fond, je ne pensais pas que ça marcherait avec lui parce qu'il avait toujours le même problème. Il est mort peu après, sans que nous ayons rejoué ensemble.

Sa mort m'a beaucoup secoué. Ça a été vraiment un choc. Mais je ne pense pas l'avoir laissé tomber, comme on pourrait le croire. Quand un type se drogue, personne ne peut l'aider. Il faut qu'il ait en lui une détermination suffisante pour s'en sortir, car malgré tous les efforts des autres, s'il ne s'est pas vraiment mis dans le crâne qu'il devait s'arrêter, c'est perdu d'avance. Un drogué ne va pas raisonner : « Bon, voilà un type qui essaie de m'aider, je devrais m'arrêter, il a raison. » Non. Il faut qu'il en prenne lui-même la décision. Lui, et lui seul. Beaucoup de musiciens ont décroché et n'ont jamais repiqué au truc. Je savais qu'on doit s'en tirer seul. Quand il m'a dit « Sauve-moi », j'ai tout de suite pensé que si on reprenait ensemble on se trouverait engagés avec un contrat pour cinq, mais aux concerts ou dans les clubs on serait plus souvent quatre ; comme la fois où je l'avais emmené en Californie et où j'avais dû prendre six musiciens au lieu de cinq, sachant très bien que de temps à autre il nous ferait faux bond. C'était donc logique d'engager quelqu'un qui jouait moins bien, certes, mais qui serait là régulièrement, sans problème, plutôt que d'avoir un super-génie absent de façon imprévisible et qui nous obligerait à prévoir des tas de changements. Voilà pourquoi je ne voulais pas remonter quelque chose avec lui.

Nica m'a appelé, juste après sa mort je pense. Elle m'a dit : « Yardbird vient de mourir chez moi. » Et tout ce que j'ai pu répondre fut : « Ça y est... » Je n'arrivais pas à y croire vraiment, mais c'était ça, c'était fini. Ça m'a complètement brisé. Je n'ai pas pu me ressaisir et je suis descendu pleurer tout seul dans mon sous-sol. Je ne pensais quand même pas qu'il allait mourir comme ça. Un grand choc, un terrible choc pour moi car nous étions très proches, tous les deux. Et même si on ne travaillait plus ensemble, j'avais toujours cette amitié très forte pour Charlie. Oui, sa mort m'a porté un coup très dur. Quand je suis remonté, j'avais les yeux tout rougis.

A cette époque, Charlie était en étroite relation avec trois jeunes femmes : il vivait avec Chan, avait une épouse, Gerri, qui était en prison à Washington, et il avait aussi Doris. Tout le monde se demandait ce qu'il fallait faire des compositions de Charlie. Alors nous avons constitué un comité, Hazel Scott, Maely Dufty, Charlie Mingus, Mary Lou Williams, moi et un avocat pour les questions juridiques, afin d'essayer de sauver tout ce qu'il était possible du naufrage. Il y a eu également des discussions pour savoir ce qu'on allait faire du corps qui reposait dans la salle d'une entreprise funéraire et autour duquel son propre entourage se battait, certains voulant l'enterrer à New York, d'autres le ramener à Kansas City, sa ville natale. Mais personne n'avait l'argent nécessaire, et au cours d'une réunion du comité chez notre avocat, on me demanda mon avis : « Qu'allons-nous faire ? » J'ai répondu : « Attendez, je vais téléphoner à Norman Granz. » J'ai appelé Norman et je lui ai tout raconté, qu'il n'y avait pas d'argent pour les funérailles de Charlie, que sa mère voulait l'enterrer à Kansas City, et Chan à New York dans Long Island à côté de la tombe de sa fille.

Norman m'a répondu : « Ecoute, essaie de savoir vraiment ce qu'il en est. Si sa mère veut qu'on lui ramène le corps, mets le cercueil dans l'avion et envoie-moi la facture. » Et c'est ce que le comité a fait. Nous avons récupéré le corps de Charlie et c'est Norman Granz qui a payé le transfert à Kansas City pour que sa mère l'y enterre. J'ai trouvé d'ailleurs fort normal que sa mère récupère son fils une fois mort, dans son Kansas City natal, puisque ses femmes avaient profité de Charlie vivant.

MARY LOU WILLIAMS

« Les gens ne savent pas le rôle que Dizzy a joué après la mort de Charlie Parker. Sans son intervention, le corps de Charlie aurait sans doute fini sur une table de dissection. Personne n'avait été prévenu et on l'emmenait déjà au Bellevue Hospital. Dès que Diz l'a su, il a pris aussitôt les choses en main. Et il s'est démené, vous pouvez me croire, même au détriment de ses activités en cours. Lorraine a jugé qu'il ne pouvait pas s'occuper de ça tout seul et m'a chargée de prendre le relais. A mon tour, j'ai joint Adam Powell et Hazel Scott.

« Le pauvre Dizzy avait déjà fait un concert à Philadelphie, dans un night-club, je crois bien. Bref, il avait réuni mille dollars et il est venu me les apporter en me disant : " Tiens, garde cet argent pour le moment " et il a même rajouté cent dollars de sa poche. Il s'est vraiment donné beaucoup de mal. Et sans lui, il n'y aurait pas eu le concert avec nous tous et où on a récolté seize mille dollars. J'ai lu dans un récit de la vie de Charlie Parker que c'était cinq mille dollars. Mais c'est faux. On a réuni seize mille dollars. Ils étaient déposés au syndicat, mais tout le monde commençait à piquer un peu dedans. On m'a téléphoné pour que je vienne chercher cet argent mais j'ai refusé et... l'argent a disparu, envolé. Je ne sais pas qui l'a mis dans sa poche, mais je vous en reparlerai. En tout cas, sans Diz, on ne parlerait plus de Charlie Parker maintenant. Parce que personne ne l'aimait, dans ce temps-là. Quand j'ai fait la tournée des agents pour ramasser de l'argent — un gros paquet, de l'ordre de deux ou trois mille dollars —, ils n'était pas contents du tout. Ils le traitaient de tout, et les imprésarios me disaient : " Mary, si on te donne cet argent, c'est parce qu'on te croit, et qu'on t'aime bien. Tu es une chic fille. Mais Charlie Parker, on s'en fout pas mal. " Quand il est mort il était arrivé à un état de délabrement total, au plus bas. Mais c'est vrai que personne ne l'aimait. Il s'était fait des tas d'ennemis, voyez-vous. Mais Dizzy, lui, l'a aidé.

« Je me souviens que j'étais revenue d'Europe peu avant, et mon frère m'avait accueillie en me disant qu'il avait vu Charlie Parker entrer au Harlem Hospital. Il était déjà très malade. Mon frère a toujours aidé les musiciens. Personne ne le sait, mais c'est vrai. " Mary, tu devrais faire quelque chose pour Bird. Il n'a pas un sou. Il n'a vraiment pas de quoi manger et il crève de faim... " Alors je lui ai répondu : " Dis-lui de me téléphoner. " Et c'est là que j'avais fait la tournée des agents, parce que Bird m'avait appelé et m'avait demandé de lui trouver un boulot dans un orchestre quelconque. Mais personne ne voulait lui donner du travail, tant il était dans un piteux état, malade et tout. Le jour où il est allé chez la Baronne, il partait justement faire une affaire à Boston. Il avait promis de venir me voir d'abord pour que je lui donne l'argent. Mais il s'est arrêté chez la Baronne en premier, et il est mort. Et c'est là que Dizzy a tout fait. Il nous a dit : " On ne va quand même pas le laisser là-bas, à l'hôpital... "

« C'est très triste, tout ça, mais il faut l'écrire pour que les gens le sachent bien. Sans Dizzy Gillespie, tout le monde aurait oublié Charlie Parker, vous m'entendez? Oui, il s'est vraiment démené pour que Charlie soit enterré. Il n'avait pas un sou, ni lui ni personne d'ailleurs...

« Quand je pense que l'argent de la collecte a disparu! Tenez, j'ai retrouvé un reçu il n'y a pas longtemps pour la somme que j'avais remise. Je l'ai montré à Lorraine. Oui, cet argent a été volé. Moi, je pourrais vous citer quelques noms très connus, à propos de cette affaire... des gens qui sont allés au syndicat, qui ont pris le fric et qui l'ont dépensé! Après avoir réglé toutes les dépenses, il nous restait douze mille dollars. C'est cette somme qui a disparu. Ils m'avaient appelée, les types du syndicat, pour me dire de venir chercher cet " argent maudit ". Je leur ai demandé : " Pourquoi maudit? Moi, en tout cas, je ne viens pas. " Ils ont insisté en disant : " Il faut bien que quelqu'un vienne le retirer. " Tout simplement parce qu'ils n'avaient eu que des ennuis depuis que la somme avait été déposée. Alors deux membres du comité y sont allés... et personne n'a plus revu l'argent depuis. Dizzy ne pouvait pas s'occuper de tout ça, vous comprenez, et il nous en avait chargé, Mingus, Maely Dufty, Hazel Scott et moi. Bien sûr, Dizzy ne vous dira rien, lui. Mais moi, je tiens à le faire. Je trouve que c'est mieux de vous raconter ce qui s'est passé. »

MAX ROACH

« Nos discussions sur Charlie Parker et la rage impuissante de Dizzy, ou peut-être ses remords à propos de cette mort prématurée, dépassaient le cadre personnel pour englober l'univers de notre musique, cette musique qui est l'essence même de la personnalité de Dizzy. Il s'attache avant tout à préserver et à perpétuer la musique des Noirs, à la faire évoluer en élargissant ses horizons. Nos divergences viennent de ce que je maintiens que la société est en grande partie responsable de la fin de Charlie, alors que Dizzy estime que Bird aurait dû trouver la force de résister, de ne pas se laisser détruire comme ça, si jeune encore. Dizzy ne tient aucun compte de la société, mais il faut aussi savoir qu'il a une grande force de caractère qui lui a permis de survivre malgré les tensions et les pressions environnantes. Si je regarde autour de moi, je constate que certains n'ont pas cette résistance et cette solidité face à la société, et Charlie Parker était sans aucun doute dans ce cas. Nous n'avions aucun moyen de sauver Bird, sinon en le mettant à l'abri, en le plaçant dans un environnement protecteur où il aurait pu se ressaisir avant d'être totalement écœuré par la situation et d'en arriver à une attitude négative du genre : " Et puis merde, je me fous pas mal de tout ça. " Oui, nos discussions prenaient ce tour socio-politique. Diz était trop dur vis-à-vis d'un homme qui n'avait pu survivre. Mais en fait, si nous parlions tant, c'était pour déplorer la perte d'un être aussi précieux pour nous, et pour essayer d'en cerner les raisons. Pourquoi était-il mort à trente-quatre ans ?

« Ils étaient vraiment très proches tous les deux, vous savez, et Diz aimait Bird autant que Bird l'aimait. Mais même s'il n'est pas d'accord avec le tableau général, Diz ne supporte pas la moindre faiblesse. Ce n'est peut-être pas extérieurement apparent, mais c'est sa conviction profonde. Il n'admet pas les défaillances, d'aucune sorte. J'en arrive parfois à penser qu'il adopterait n'importe quelle position pour survivre, sauf celle qui mettrait en jeu sa propre intégrité. C'est ce que j'appelle son côté " renard ". Il n'acceptera pas de sacrifier son intégrité musicale, mais d'un autre côté, il est décidé à surnager au milieu de toute cette merde, à ignorer ce labyrinthe dans lequel les Noirs sont enfermés, plus particulièrement au niveau de la culture en raison de la puissance de cette arme.

« Quand les musicologues analyseront la contribution de Dizzy, ils découvriront quelle forme d'intelligence anime la psyché noire. La musique afro-américaine était là, et personne n'en a mieux salué l'existence que Diz et Bird. Ils en avaient compris l'importance et espéraient ajouter une nouvelle page à l'histoire déjà écrite par leurs prédécesseurs. Ils avaient cet espoir en commun, travaillaient dans ce but. Duke Ellington aussi partageait cette pensée, ainsi que tous les musiciens sérieux, cette fois en notre musique qui a maintenant son caractère propre, son individualité, qui est l'enfant de tous ceux qui s'y intéressent réellement et s'y consacrent à fond.

« D'un autre côté, la différence de conception spirituelle entre Bird et Diz peut expliquer leurs divergences. Mais de toute façon, ils démontrent l'un et l'autre un point de vue très important. Bird a toujours déclaré que le gouvernement était responsable des problèmes des Noirs. En déambulant dans Harlem, il disait souvent : " Pourquoi croyez-vous qu'on trouve un bar à chaque coin de rue ? Et de la drogue sous chaque pavé ? Le whisky et la drogue, ça s'achète plus facilement que du lait. " Telle était sa vision politique et sociale des choses. Quand il est mort à trente-quatre ans, Diz avait à peu près le même âge et était célèbre lui aussi, une grosse vedette. Il faut donc recevoir de façon positive le message différent que chacun d'eux nous adresse : d'un côté, il y a toute cette merde qui existe, cet effort acharné pour détruire le peuple noir. Et je pense que Billie Holiday elle aussi l'a ressenti profondément. Mais d'un autre côté, il y a l'effort tout aussi acharné de Dizzy, parallèle à celui de Duke d'ailleurs, pour prouver qu'il est possible de survivre à cette situation, comme tous deux l'illustrent constamment.

« La tragédie n'existe pas : c'est ce que pensait Bird. La mort de Bird n'est pas une tragédie, car il *n'est pas mort*. La vie de Billie Holiday n'a pas été une tragédie. Bien sûr, pour le monde occidental, ce sont des tragédies parce que la mort est considérée d'un point de vue négatif et matérialiste : " Songez à tout l'argent que Bird aurait pu gagner, ce qu'il aurait pu faire... avec ce génie, il aurait pu obtenir n'importe quoi... ", disent certains. Eh bien moi je prétends qu'il a fait un bras d'honneur à la société, et Lady Day aussi. C'est une forme de dignité, d'honnêteté. C'est comme cela que je le prends en tout cas, et c'est là que Diz et moi divergeons car lui considère cette attitude comme une faiblesse et proteste : " Non, mon vieux, tout ça c'est de la foutaise! On ne doit pas se laisser démolir par ce genre de conneries... "

« Et moi, j'affirme au contraire que ces " foutaises " ont un sens profond, et qu'il faut seulement apprendre à notre peuple à déchiffrer le message. C'est comparable au jeune moine bouddhiste qui s'asperge de pétrole et frotte une allumette. Sa façon de crier : " Oui, j'ai beaucoup de talent mais je ne vous laisserai pas m'exploiter. " Bird, lui, le formulait en ces termes : " Je vous emmerde tous. " C'est ce que je pense avoir compris, pour l'avoir connu. L'attitude de Dizzy est différente : il va foncer comme Jim Brown*, se débarrasser de ceux qui essaient de le plaquer au sol, et continuer. Cela dit, il voit aussi les choses lucidement, de par ses origines : il vient de la Caroline du Sud, et la vie n'a jamais été facile pour lui. Il connaît parfaitement le système qui permet aux Blancs de spolier les Noirs, mais il n'en parle pas et se contente d'utiliser la musique comme une arme. Vu de l'extérieur, Dizzy semble être un libéral convaincu, mais quand on étudie sa musique et qu'on l'écoute jouer, on l'entend hurler, lui aussi. Et puis sa façon de diriger un grand orchestre en dansant devant, au lieu d'être immobile avec une baguette à la main, est typique des Noirs. On entend souvent dire : " Ah! Dizzy Gillespie est bien un Baha'i, il aime l'humanité tout entière. " Mais sur le plan de la culture, il est complètement engagé dans la musique noire, et chacun de ses apports est noir, typiquement noir, un reflet absolu de sa négritude. "

NORMAN GRANZ (imprésario)

« Je pense que l'on a attribué à Bird un rôle absolument prépondérant au détriment de Dizzy, ce qui à mon avis est non seulement injuste mais inexact. Tout le monde semble considérer Dizzy comme " le trompettiste qui jouait avec Charlie Parker ". C'est ridicule. Il est vrai qu'ils ont joué ensemble, et sans doute Bird a-t-il créé et innové d'une manière que le public et les critiques ont

---

* Célèbre joueur de football américain (N.d.T.).

considérée comme capitale, jugement que je partage, d'ailleurs, mais sans pour autant négliger l'apport de Dizzy. En outre, celui-ci avait des qualités que Bird n'aurait jamais pu acquérir. Par exemple, Diz a monté un grand orchestre extraordinaire parce qu'il a l'étoffe d'un leader, ce que Bird n'avait pas. De toute façon, je n'aime pas les comparer et ne veux pas entrer dans ce genre d'analyse détaillée. Disons donc simplement que Bird était un individualiste absolu, qui jouait pour lui-même et avec lui-même à l'intérieur d'une très petite formation. Alors que Dizzy se sentait aussi à l'aise avec un petit groupe qu'avec un grand orchestre, et plus particulièrement au sein du big band qu'il avait monté. Tout ce qu'il a " donné " avec cette grande formation, durant le peu de temps qu'il l'a gardée, a toujours représenté un événement rare, quasiment unique dans l'histoire de la musique.

« Une autre recherche que Dizzy a poussée plus loin que n'importe quel musicien de jazz a été celle de rythmes différents, surtout brésiliens et latins en général. Il était déjà bien engagé dans cette voie quand il a pris Chano Pozo avec lui, et a créé *Manteca* dans les années quarante. Voilà trente ans de cela! J'ai eu l'occasion de faire travailler Machito et Bird. Mais à cette époque, Diz n'enregistrait pas pour moi. En tout cas, il était vraiment à la pointe du genre, et continue de se tenir au courant de tout. C'est lui qui s'est réellement écarté des schémas traditionnels du jazz. Birks est également une grande figure, sous l'angle de l'influence qu'il a eue sur des musiciens de tous bords. Et puis il est à ma connaissance un des rares leaders capable d'aller montrer aux gars de la rythmique, d'une petite ou d'une grande formation, ce qu'il veut obtenir d'eux exactement. C'est un musicien complet, qui peut aussi aller s'asseoir au piano et jouer les accords qu'il souhaite entendre. Beaucoup d'instrumentistes sont restreints à leur spécialité.

« J'aime aussi le côté aventureux de Dizzy. Il prend des risques, et ça me plaît. Il est capable d'essayer n'importe quoi, et s'il se casse la figure, ce qui est rare, il n'y attache pas d'importance. C'est la règle du jeu. Un artiste doit faire des expériences, quel qu'en soit le résultat. »

GEORGE WEIN

« Tout en se rebellant contre la société, Dizzy savait qu'il vivait dans son cadre et qu'il fallait donc en tenir compte. Il l'a fait et continue d'ailleurs de le faire avec beaucoup d'intelligence; et avant tout, il s'est battu plus que quiconque pour faire accepter le jazz contemporain. Et là, je ne veux pas parler du public. Je me place à un autre niveau, celui qui intéresse avant tout les agents et les imprésarios. Oui, Dizzy a tout fait pour aider le jazz moderne à trouver une ouverture. Parce que, voyez-vous, une certaine catégorie de gens, comme les patrons de clubs ou autres employeurs (je ne fais pas ici allusion à moi-même, bien que dans la profession) avaient peur de s'engager dans cette voie. Un certain nombre de points les inquiétaient. Dizzy a le don de communiquer avec les autres. Voyez-vous, il est du signe de la Balance. Moi, je ne crois pas à ce genre de chose, mais il paraît que les " Balance " considèrent toujours les deux aspects d'une même question, ils pèsent le pour et le contre, ils cherchent l'équilibre. Et Dizzy a cette qualité.

« Par exemple, il a su avoir des rapports positifs avec pas mal de patrons de clubs et de boîtes que Bird risquait d'avoir écartés du jazz et rebutés parce que, comme ils le disaient : " Bird est un camé... Bird a des problèmes... Bird n'est jamais à l'heure... " Attention, Dizzy ne va pas se laisser bousculer. Il sait se défendre. Mais il comprend aussi qu'un patron de boîte doit faire marcher son affaire. Il parlait avec ces gens-là, et eux avaient l'impression qu'il s'intéressait à leurs problèmes. Il n'a pas changé, d'ailleurs. Si vous lui téléphonez pour lui dire : " Diz, j'ai un ennui..." Il vous écoute, il ne " ferme " pas. Il sait que dans la vie, il faut donner pour recevoir.

« A l'époque où Dizzy s'est fait connaître, il y avait de grands remous dans le milieu du jazz. La drogue était devenue très répandue, un " nouveau truc " en rapport étroit avec la " nouvelle musique ", et de nombreux patrons de clubs ne voulaient pas entendre parler de ce nouveau style, justement en raison de cette association fâcheuse. Il était difficile d'effacer l'image que ces gens se faisaient des musiciens de jazz et de leur comportement. Et si quelqu'un a tout tenté pour y parvenir, c'est bien Dizzy Gillespie. Il s'est donné beaucoup de mal pour que les musiciens soient mieux acceptés, et il y est arrivé d'une manière extrêmement simple et naturelle. De ce point de vue aussi, son importance est immense. Certains ont poursuivi le même but en utilisant d'autres moyens, par exemple John Lewis un peu plus tard avec le Modern Jazz Quartet, qui a offert au monde entier une image de sérieux et de dignité. Mais c'était à mon avis moins naturel, moins " vrai ". Dizzy n'a jamais accepté de compromis, il est resté lui-même tout au long de sa carrière. Dizzy sera toujours Dizzy, et c'est sa façon d'être que les gens aiment retrouver. Dans ce métier, Dizzy est certainement le musicien le plus intègre que je connaisse. »

BUDD JOHNSON

« Je me souviens très bien d'un certain Billy Shaw, de l'agence William Morris. Quand Charlie et Dizzy se sont séparés, il allait raconter partout : " Vous savez, les mecs, Diz copie le style de Charlie. " Il cherchait à faire dire aux musiciens que Charlie était le créateur du nouveau style. Il a même annoncé : " Je vais m'occuper de lui, moi, le remettre sur pied et le lancer. " Il a commencé par offrir une Cadillac à Charlie, une dont il voulait se débarrasser de toute façon. Il cherchait à gagner la confiance de Charlie pour lui faire signer un contrat. Et c'est vrai qu'il l'a aidé et lancé. Charlie méritait bien tout ça, le nom, la célébrité, car il était fantastique. Il a transformé le jeu de tous les saxophonistes, altos, ténors, tous essayaient de jouer comme Charlie Parker. Mais Charlie avait des problèmes, sa dépendance à la drogue et autres... Il était arrivé à un tel point qu'on ne pouvait plus compter sur lui. C'était impossible, voyez-vous. La drogue passait avant tout. Il n'arrivait jamais à l'heure. De temps en temps, il avait de meilleurs moments, il s'en sortait un peu, et alors il faisait quelques affaires. Mais c'était très rare, et les agences ont commencé à le laisser tomber. Et pendant ce temps-là, Dizzy continuait son ascension. Il faut ajouter que Diz a une femme merveilleuse, et moi je l'admire beaucoup parce qu'elle l'a aidé à garder son équilibre dans ce milieu. Cela fait très longtemps qu'ils sont ensemble, elle a dû voir rentrer son premier dollar. Vous voyez où ça remonte ! Elle a toujours été formidable pour Dizzy, sa sauvegarde en quelque sorte.

« Dizzy était très capable d'extravagances diverses, mais ne se serait sûrement jamais adonné à la drogue. Comme moi, d'ailleurs. Ça ne m'a jamais tenté. Pourtant, c'était tout le temps là, à côté, autour de nous. Mais vous savez, quand on voit de près ce qui se passe et ce que deviennent les usagers, je ne comprends pas comment on peut se laisser embarquer à se shooter. C'est tellement lamentable. Et ce fut la perte de Bird.

« Il me répétait : " Budd, mon vieux, je ne peux pas m'en sortir ! Je ne peux rien faire ! Je vais passer à l'agence chercher de l'argent. " Au bureau, on lui disait : " Le patron est en réunion. " Alors Bird attendait, assis, pendant des heures et des heures. Quelquefois, on venait lui dire : " Eh bien, vous êtes encore là ? Qu'est-ce que vous voulez ? " et il disait : " J'ai besoin d'argent. " Ils finissaient par lui donner dix dollars, quinze dollars. Et ça irritait Bird, terriblement. C'est qu'il avait des responsabilités... »

BENNY CARTER

« Charlie Parker était un être grave, sans doute plus que Dizzy. Disons en tout cas que le côté sérieux de Dizzy restait caché derrière sa façade de gaieté et d'humour. Il avait le rire plus facile que Charlie. C'est tout ce que je peux vous dire, franchement. »

LORRAINE GILLESPIE

« Ce sont les seules fois où j'ai vu Dizzy très triste. A la mort de sa mère, et à celle de Charlie Parker. Deux moments très durs pour lui. De toute façon, il ne montre jamais qu'il est triste. Vous ne risquez pas de le voir soucieux ni abattu. Moi, je ne l'ai jamais vu en tout cas, sauf en ces deux occasions : la mort de sa mère et celle de Charlie Parker. Ah, si, et quand il a fallu l'opérer des yeux. Il voulait s'enfuir de l'hôpital. A la mort de Charlie, il n'a rien dit. Il est descendu dans le sous-sol de notre maison à Long Island. Il s'est réfugié là pour pleurer. Il n'a pas dit un mot. Mais je savais pourquoi il pleurait. »

DIZZY

Yard a été marié quatre ou cinq fois, moi une seule. Je ne sais que dire. Je comprends mieux les points communs que les différences. Il n'était peut-être pas assez solide. Il avait une personnalité plus fragile que la mienne, qui est très forte. Pourquoi s'est-il laissé avoir et pas moi ? Une des raisons est sans doute que j'avais près de moi en permanence ma femme, farouche gardienne de ma sécurité. Je pouvais m'appuyer sur elle. Tandis que Charlie n'avait pas d'aide. Ses femmes croyaient lui rendre service en lui laissant faire toutes ses volontés, en ne s'insurgeant jamais. Lorraine, elle, est toujours la première à me critiquer si je fais des bêtises. Oui, j'ai eu la chance immense d'avoir ainsi quelqu'un à mes côtés qui ne m'aurait jamais laissé me jeter dans la gueule du lion. Si l'on veut tirer une conclusion, on peut dire que Yardbird a été un martyr de notre musique, et moi un réformateur.

Une école de jazz

Peu après la mort de Charlie Parker, nos efforts pour donner à notre musique une place honorable au sein de la société américaine commencèrent de porter leurs fruits. Des musiciens et des musicologues, jusque-là presque uniquement intéressés par le classique, nous prêtaient enfin attention. Ils comprenaient, bien après leurs homologues et les jazzmen européens qui avaient tous accueilli le jazz moderne avec enthousiasme, que ce genre représentait une force créatrice vitale pour l'évolution de la musique contemporaine sous toutes ses formes. Pendant l'été 55, j'ai commencé à enseigner à la Lenox School of Jazz dans le Massachusetts, qui présentait parallèlement toute une série de concerts de jazz au Music Inn, ou au Music Barn. J'étais au programme du premier de la série, au Barn, dans une ambiance idéale où les musiciens n'avaient pas à se faire entendre par-dessus la voix des clients qui commandaient à boire, et où ils n'étaient pas non plus contraints de satisfaire aux requêtes commerciales du public. Nous étions logés à Tanglewood, où l'orchestre symphonique de Boston fait sa saison d'été, dans un cadre qui convenait parfaitement à la création et dans une résidence du nom de Wheatleigh Hall qui servit de titre à un thème que j'ai écrit cet été-là. Cet environnement nous changeait beaucoup de celui des night-clubs! Environ quatre-vingts hectares de forêt de pins et de lacs, un lieu propice à la réflexion sereine et qui offrait aux musiciens et aux étudiants l'occasion rêvée de mieux se connaître, eux-mêmes et entre eux, et de créer davantage. En même temps que moi, et enseignant à mes côtés, se trouvaient réunis John Lewis, Milt Jackson, Max Roach et George Russell, qui avaient tous travaillé avec moi dans le cadre de mon grand orchestre ou d'autres expériences musicales.

La légende veut que le jazz ne s'enseigne pas, mais la Lenox School permettait en tout cas à de jeunes instrumentistes d'étudier dans le cadre du jazz des disciplines essentielles qui ne sont généralement pas au programme des écoles de musique traditionnelles. Ils pouvaient apprendre la composition, l'orchestration, jouer au sein de grandes ou de petites formations, et prendre des leçons particulières avec des musiciens de jazz de tout premier plan. Le programme comprenait également des conférences sur l'histoire du jazz, ses origines socio-culturelles et ethniques. L'école recevait l'appui financier de plusieurs sociétés et organismes dont l'économie était étroitement liée au maintien d'une tradition de jazz de bonne qualité : Schaefer Beer, Associated Booking Corporation, Atlantic Records, United Artists Films, BMI, le Newport Jazz Festival, et les imprésarios internationaux Norman Granz et Sol Hurok.

A la fin des trois semaines de stage, les étudiants et les professeurs donnaient un concert dont la recette servait à alimenter les caisses de l'école pour la création d'autres bourses. Les étudiants venaient de tous les Etats du pays, et aussi d'Afrique, du Brésil, du Canada, de Hollande et de Turquie. Etant donné que nous ne pouvions leur apprendre à jouer « soul », comme le faisait remarquer Milt Jackson, nous nous sommes efforcés d'aider chacun à se découvrir et à réaliser ses aspirations musicales en mettant à profit les connaissances acquises, dans la mesure de leur efficacité. Nous avons tous vécu — étudiants, professeurs et supporters — une grande expérience de coopération qui garantissait en quelque sorte un bel avenir au jazz moderne, puisque nous avions enseigné certaines bases indispensables à de jeunes musiciens du monde entier. Cette école de jazz de Lenox était à la fois un foyer de création et un havre de repos, surtout pour les professeurs dont beaucoup accusaient la fatigue des tournées d'une ville à l'autre et des prestations en série dans les clubs. Yard s'y serait plu, s'il avait vécu pour y venir.

Changements

Il est vrai que les choses bougeaient dans les années cinquante, mais il fallait encore se battre pied à pied pour répandre la bonne parole. Miles en est un exemple : il s'est aperçu qu'il était devenu assez puissant pour exiger certaines améliorations et les obtenir. Ainsi, il a été le premier à refuser de jouer suivant le système des « 40/20 » qui consistait à commencer dans un club vingt minutes après l'heure (par exemple, à 10 h 20) et de jouer jusqu'à la fin de cette heure ; après quoi il y avait une pause de vingt minutes, et les musiciens reprenaient jusqu'à l'heure suivante et ainsi de suite. Mais un jour où Miles devait passer dans un club de Philadelphie, il a annoncé au patron qu'il jouerait trois séries et pas plus. Le patron n'était pas d'accord, et Miles lui a dit : « Bon, alors je ne signe pas. » A présent, les musiciens ne jouent même que deux séries dans certains clubs. Miles a beaucoup fait pour notre profession.

Norman Granz essayait toujours de réunir les meilleurs solistes de chaque instrument pour composer le plateau des tournées du JATP, et pour cela leur proposait de gros cachets. Le premier concert auquel j'ai pris part eut lieu en 1946 à Los Angeles, avec Charlie Parker, Willie Smith et Lester Young ; mais les tournées avec le JATP ont vraiment commencé pour moi dans les années cinquante, après mon grand orchestre. D'un point de vue musical, le JATP n'offrait pas un grand intérêt parce que le plaisir de Norman Granz était de réunir sur scène deux ou trois instrumentistes d'une même catégorie et d'organiser une bataille au finish, tandis que lui riait béatement, bien calé dans son fauteuil. Par exemple, il faisait s'affronter Flip Phillips, Illinois Jacquet et Lester Young au sax, puis Roy Eldridge et moi, parfois Bill Harris et J. J. Johnson au trombone, avec en supplément un duel de batterie entre Buddy Rich et Louis Bellson. Norman avait une curieuse conception de l'esprit de compétition et s'imaginait qu'il ne se limitait pas à la scène, que les musiciens nourrissaient les uns envers les autres une certaine inimitié hors travail. Je me souviens que, une fois, dans le train qui nous emmenait en tournée, Norman a commencé la répartition des places : « Bon alors, Herb Ellis et Ray Brown ont ces deux couchettes ensemble... », et il a continué à annoncer les arrangements en appelant les noms au fur et à mesure. Lui-même était avec Oscar Peterson, Ella Fitzgerald avait un simple et sa camériste aussi. J'ai fini par interrompre l'énumération pour demander : « Et Roy et moi, alors ? — Vous voulez être tous les deux ? » fit-il d'un air soupçonneux, comme s'il s'attendait à ce que je me relève au milieu de la nuit pour poignarder Roy endormi ! Il a fallu que j'insiste : « Bien sûr qu'on va partager un double... »

L'importance de Jazz at the Philarmonic tient à son rôle, unique à l'époque, d'organisation de « première classe » pour les musiciens de jazz. Norman Granz offrait aux jazzmen un traitement exceptionnel. Ils voyageaient en première classe, descendaient dans les hôtels de première catégorie, et en outre Norman refusait toute ségrégation dans les salles de concerts. Bien entendu, il y eut des problèmes, à deux reprises au moins, au Texas et en Caroline du Sud. Norman avait insisté pour que les billets soient vendus sans distinction de race, sur la base du premier arrivé, premier servi ; mais les autorités locales à Charleston n'avaient pas tellement apprécié et causèrent après coup des ennuis de licence au promoteur. Heureusement, nous avions un charter retenu pour nous tous, et nous avons pu nous éclipser discrètement pour le regagner, la camériste d'Ella Fitzgerald ayant tout notre argent planqué dans son corsage !

Une autre fois, à Houston, au Texas, je jouais avec Illinois Jacquet, Ella Fitzgerald, Oscar Peterson, Ray Brown, Flip Phillips, Lester Young et Buddy Rich devant un public mixte. Pendant les entractes, on jouait aux cartes ou aux dés dans les coulissses. Ce jour-là, c'était une partie de dés dans notre loge et il y avait un beau paquet sur le sol, de l'ordre de cent quatre-vingt-cinq dollars. Soudain, la porte s'est ouverte brutalement, la police a fait irruption et nous a tous embarqués, y compris Ella Fitzgerald. Ils nous ont mis sous les verrous, après avoir pris nos empreintes digitales et tout. Je revois encore Ella dans sa jolie robe de taffetas bleu et son étole de vison. Elle pleurait, et n'a rien pu dire sinon qu'elle mangeait un gâteau et buvait du café en nous regardant. Ils nous ont demandé nos noms, et quand mon tour est arrivé, j'ai répondu : « Louis Armstrong »... J'étais assez content de moi. Norman a réussi à nous faire libérer sous caution. Il refusait de se laisser intimider par ces gens. Il a d'ailleurs dépensé une fortune pour envoyer un avocat là-bas nous défendre après notre départ et démolir l'accusation. Bien entendu, l'avocat a gagné sa cause, car ils n'avaient aucun droit de pénétrer dans notre loge sans mandat et de confisquer l'argent posé par terre.

NORMAN GRANZ

« L'idée de base dans la création du JATP était de combattre toute discrimination. J'avais l'intention dès le départ de présenter le JATP dans des endroits où je pourrais porter des coups à la ségrégation en particulier et à la discrimination en général, offrir du bon jazz, gagner de l'argent et en faire gagner aux musiciens également. Je trouvais aberrant de traiter un jazzman avec un certain respect sur scène et de le faire sortir par la porte de service aussitôt après. Je ne comprends pas cette façon d'agir. Aussi, partout où le JATP se produisait, nous descendions dans les meilleurs hôtels, et voyagions dans les meilleures conditions possibles parce que, à mon sens, cela fait partie d'un tout. Comment peut-on envisager de présenter quelqu'un sur la scène de Carnegie Hall et le loger ensuite à l'hôtel Alvin ! C'est incohérent. Il faut traiter un grand artiste comme il le mérite, tant dans le travail qu'en dehors. Et à l'époque, la discrimination n'était pas seulement dirigée contre les Noirs, mais contre les musiciens de jazz en général. Le jazzman se produisant en concert avait été obligatoirement ramassé dans la rue puisqu'il n'était ni un musicien classique ni un individu correspondant aux " normes " de la société. Je me suis donc battu, sans vouloir dramatiser, et j'ai toujours insisté pour que mes musiciens soient traités avec autant de respect que Leonard Bernstein ou Heifitz, parce qu'ils les valaient bien, tant sur un plan humain que musical. Il a fallu beaucoup de temps pour convaincre les directeurs de salles de concerts, même si c'était moi qui payais la location. Les vieux préjugés semblaient difficiles à abandonner. Nous avions de mauvais pianos, de mauvais micros et des loges sans confort. Et quand nous passions dans ces sinistres villes du Middle West où les préjugés raciaux étaient tout-puissants, il n'y avait aucune raison pour que Dizzy ne puisse pas descendre avec moi dans un hôtel réservé aux Blancs. C'était aberrant. Aussi je choisissais toujours les meilleurs hôtels, car pour moi tout cela fait partie d'un spectacle de première classe et tout le monde doit vivre en première classe.

« Houston est vraiment une ville du Sud sur le plan géographique, bien sûr, mais aussi dans toute sa dureté et la force de ses préjugés raciaux qui se faisaient moins sentir à Dallas par exemple, pourtant relativement proche. Houston, avec son climat de brutalité et de racisme, était un bastion difficile à pénétrer.

« J'avais décidé néanmoins d'y présenter le JATP. J'ai commencé par louer la salle, puis j'ai engagé personnellement un employé pour vendre les billets, avec pour consigne de ne faire aucune ségrégation, ce qui était une nouveauté à Houston ! J'ai aussi donné l'ordre d'enlever les écriteaux : " WC pour Blancs " et " WC pour Noirs ", encore une innovation. Je voulais abattre ces barrières ridicules et exposer toute cette boue en plein jour. Le vendeur de billets que j'avais engagé, un Texan, n'était pas tellement heureux mais je le payais pour faire ce boulot et il était bien obligé d'obéir. Bien entendu, le plateau que je présentais était " mixte ", comme pour tous les concerts que j'organisais à l'époque. Ce n'était pas par principe, mais quand un type jouait bien, je me foutais pas mal qu'il soit vert, jaune, noir ou autre chose. Il s'est trouvé que cette fois-là, la plupart de mes musiciens étaient noirs, à l'exception de quelques-uns comme Gene Krupa.

« Pour être certain de ne pas avoir d'ennuis, j'avais même engagé des policiers locaux, blancs bien sûr. Mais très vite, j'ai vu des spectateurs blancs sortir de la salle et venir se plaindre : " Les Blancs et les Noirs sont mélangés dans mon coin, je veux changer de place. " Je répondais systématiquement : " Non. Je préfère vous rendre votre argent. Si vous vous plaignez que vous entendez mal, là, d'accord, on vous changera de place. Mais ne venez pas me dire que vous ne voulez pas rester à côté de votre voisin parce qu'il est noir. Dans ce cas-là, je vous rembourse et vous partez. " Bien sûr, le programme était excellent, et les gens voulaient assister à ce spectacle qui comprenait deux concerts à la suite.

« Dans les coulisses, où j'ai pour règle de ne jamais admettre personne, j'ai remarqué deux ou trois types, des Blancs, et je leur ai demandé qui ils étaient. Ils ont sorti leurs plaques : c'était des policiers en civil qui ont prétendu : " On aime le jazz et on voudrait bien voir le concert. " J'ai accepté en les priant simplement de ne pas rester dans le passage. Je crois que Krupa était en scène à ce moment-là. Prez, Illinois Jacquet et Birks avaient entamé une partie de dés dans la loge d'Ella, comme le font les musiciens quand ils ont une heure à perdre avant de jouer. Ella mangeait un morceau avec sa camériste. Je leur faisais porter un repas car personne n'avait le temps de sortir pour aller dîner. Et voilà que soudain, ces types enfoncent la porte. Ils auraient pu simplement tourner le bouton... mais non ! Ils ont fait irruption avec des lampes-torches, pistolet au poing et tout le cinéma. Ces mêmes types qui m'avaient dit : " On aime le jazz... " déclaraient maintenant : " Vous êtes tous en état d'arrestation pour pratique illégale du jeu. "

« Comme je l'ai déjà dit, ils n'étaient que trois à jouer puisqu'Ella et sa secrétaire-camériste mangeaient. Cela n'avait rien d'un tripot. Quand j'ai entendu le raffut, je me suis précipité dans la loge et j'ai

394

vu un des flics qui se dirigeait vers le cabinet de toilette. J'ai compris aussitôt qu'il allait essayer d'y cacher de la drogue, pratique courante qui fournit un excellent motif d'accusation. La suite est simple, dans le style : " Des musiciens noirs pris sur le fait... " Manchette alléchante. Et le type me dit : " Qu'est-ce que vous faites ici, vous ? " Je lui réponds : " Je vous surveille. — Je devrais vous descendre ", me dit-il en sortant son revolver et en me l'appuyant sur l'estomac devant tout le monde. Je me suis incliné : " Mon vieux, c'est vous qui tenez le revolver. Si vous voulez me tirer dessus, je ne peux pas vous en empêcher. Mais pour quelle raison m'arrêtez-vous ? — Eh bien, vous êtes le directeur de la tournée, ce qui fait de vous en ce moment le patron d'une salle de jeux illicite. "

« Tout ça ne tenait pas debout, bien entendu, et la vérité était que dans le Sud, on n'appréciait pas nos idées de " mélange " dans tous les domaines, dans la mesure où cela créait un précédent. Ils étaient furieux parce que s'il s'avérait que des spectateurs blancs et noirs pouvaient très bien s'asseoir côte à côte, cela faisait sauter pas mal de tabous. Alors ils cherchaient à créer un incident, n'importe lequel.

" Bon. Vous êtes tous en état d'arrestation, et vous allez nous suivre au poste ", déclara le type.

« Le directeur de la salle, un Texan lui aussi, était venu voir ce qui se passait, et j'en ai profité pour lui faire un petit laïus : " Vous savez que vous avez une salle pleine sur les bras, et une deuxième qui attend sur le trottoir pour le prochain concert car tous les billets ont été vendus. Vous pouvez aller dès maintenant annoncer que le concert en cours est interrompu, que les gens peuvent rentrer chez eux, et que le second concert n'aura pas lieu parce que la police est venue nous arrêter. Vous tâcherez de vous débrouiller avec l'émeute que ça va déclencher. A partir de maintenant, vous prenez les choses en main, et moi j'annule tout. " Comme j'étais l'organisateur et que j'avais loué la salle, c'était mon argent qui était en cause, et le type n'avait guère de possibilité de m'attaquer en justice. Par ailleurs, sa réputation risquait de souffrir si une émeute se produisait. " Attendez, attendez ! ", s'écria-t-il, et il partit discuter dans un coin avec le flic. Puis il revint au bout d'un instant pour m'annoncer : " Ils vont vous emmener entre les deux concerts. Finissez celui-ci, et ils vous ramèneront à temps pour le second. "

« Nous voilà donc partis. Finalement, c'était assez drôle. Tous les photographes de presse étaient là, à se demander même comment ils avaient été informés. Voyez-vous, tout ce cirque avait été monté à l'avance, journalistes compris. Et ils ont agi comme toujours dans ce genre de situation ambigüe : ils vous font déposer une caution que vous ne revoyez plus, et qui représente en fait une amende. Ils nous ont demandé une caution de dix dollars chacun en nous promettant de passer en jugement vers le mois d'octobre. J'ai donc sorti cinquante dollars pour nous cinq. Bien entendu, ils savaient que nous partions le lendemain puisque nous faisions une ville par jour, notre prochaine étape étant Detroit. C'était un peu une manière de nous dire : bon, vous avez été pincés pour pratique illicite du jeu? Si vous ne paraissez pas à l'audience, vous abandonnez votre caution. Vous serez reconnus coupables et vous perdrez vos dix dollars.

« Nous sommes donc revenus pour faire le second concert, et le lendemain, j'ai reçu la presse. Un des reporters, qui d'ailleurs représentait un des grands journaux blancs, fit cette remarque : " Après les événements d'hier soir, ils devraient décerner une nouvelle médaille aux policiers, à l'effigie d'un poulet de baudruche qui se dégonfle... " Parce qu'il trouvait que les flics s'étaient conduits comme des minables. Bref, nous avons repris la route le lendemain, et bien sûr l'histoire était dans tous les journaux du pays. Mais finalement, je les ai eus. J'ai engagé le meilleur avocat, et nous avons plaidé... et gagné. Nous avons été acquittés et on nous a rendu notre caution. Je pensais que nous étions définitivement bannis de Houston, mais je me trompais. Nous y sommes retournés l'année suivante, et personne n'a bronché. L'affaire m'avait coûté très cher, avec le meilleur avocat du Texas, mais nous avons réussi à les battre, eux et leurs accusations fabriquées de toutes pièces. »

ILLINOIS JACQUET

« J'avais fréquenté l'école de Houston, et voilà qu'on donnait un concert dans cette ville avec le JATP et qu'il ne devait pas y avoir de ségrégation dans la salle. Une grande première pour Houston! J'ai profité de l'occasion pour faire des tas de visites dans les universités noires, les lycées et le reste, et j'ai même fait un passage à la radio. La vente des billets ne se faisait pas dans les agences. Il fallait venir à la salle, premiers arrivés, premiers servis. Ce concert me tenait grandement à cœur parce que c'était la ville de mon enfance et je voulais participer à l'intégration, faire quelque chose. Cela se passait en 1955. Pendant le concert au Music-Hall, il y avait des policiers, des gardes, bref tout ce qu'il fallait pour que ça se passe bien jusque dans les coulisses. Pour nous occuper quand on n'était pas sur scène, ou entre les concerts, on jouait aux cartes, aux dés ou à d'autres jeux dans les loges, parce que personne ne devait traîner dans les coulisses. Et tout à coup, des policiers blancs ont forcé la porte. C'était la loge d'Ella. Ils ont aussitôt arrêté le jeu et nous ont tous embarqués au poste, Dizzy, Ella et sa cousine Georgia qui lui servait de camériste, et moi. Il a fallu payer une amende. On est restés près

396

d'une demi-heure. Quand ils nous ont demandé nos noms, Dizzy a répondu : " Louis Armstrong... " et les types l'ont soigneusement inscrit. Mais pour la première fois à Houston, il y avait eu une salle sans ségrégation d'aucune sorte à l'occasion de ce JATP, et c'est devenu une règle par la suite. »

ELLA FITZGERALD

« Oui, j'ai été la pauvre innocente de cette histoire! Assise bien sagement en train de manger mon gâteau. Ha! Ha! Ils nous ont emmenés, et au poste ils ont eu le toupet de nous demander un autographe. Quelle aventure! C'est ce qui nous rapproche, d'ailleurs, d'évoquer ces moments-là et d'en parler avec quelqu'un qu'on connaît depuis si longtemps... »

DIZZY

Le bouillonnement social qui remuait le pays à l'époque nous permettait de ne plus avoir un orchestre entièrement blanc ou noir. Le mélange des races se retrouvait d'ailleurs dans le public comme chez les musiciens. J'avais été un des premiers à engager des Blancs comme Al Haig, Stan Levey et George Wallington. De leur côté, des femmes comme Melba Liston et Patti Brown commençaient à s'affirmer en tant que musiciennes accomplies.

A l'époque, la CBS n'employait qu'un seul musicien noir, Specs Powell. Vous vous rendez compte? Un seul Noir dans tout le système de radiodiffusion! On nous avait fermé la porte des studios, alors que beaucoup d'entre nous étaient parfaitement qualifiés pour y travailler. Le syndicat en était sans doute en partie responsable par son inaction, car il n'avait pas fait pression pour imposer des Noirs dans les studios ni dans les théâtres de Broadway. On ne trouvait pas non plus beaucoup de Noirs dans les orchestres de fosse, bien qu'historiquement parlant ils avaient été les pionniers de la comédie musicale à Broadway dans les années vingt, avec des spectacles comme *Shuffle Along*, et que par ailleurs Bessie Smith avait joué un rôle essentiel dans le développement de Columbia Records et de CBS dont elle avait été la première grande vedette. Je n'étais pas réellement concerné par tout cela, faisant surtout des tournées. Mais les musiciens qui travaillaient en permanence à New York protestaient énergiquement contre le système d'embauche par lequel les

chefs d'orchestre qui distribuaient le travail le donnaient systématiquement aux Blancs. Ceux qui engageaient les musiciens pour les
shows de Broadway et les chaînes de radiodiffusion ne pensaient
même pas à employer des Noirs, parce que ces places avaient
toujours été réservées aux Blancs. Je me souviens que dans ma
jeunesse des orchestres noirs comme celui de Teddy Hill passaient à
la radio, mais leurs musiciens ne travaillaient pas individuellement
en studio et les orchestres n'étaient pas mixtes. Personne n'aurait
songé à des musiciens noirs pour des jobs leur permettant de gagner
leur vie de façon permanente sur place, dans les studios de la radio,
CBS, ABC ou NBC, pour faire des enregistrements. Ce fut un
événement quand Raymond Scott engagea Specs Powell, car dans les
années quarante, il n'y avait que très peu de Noirs dans les
orchestres réguliers des grands réseaux de radio, comme de télévision
dans les années cinquante. De nos jours, Sammy Davis a un
directeur musical noir, et Billy Taylor a été celui de David Frost.
L'ancien système a été en partie démoli, et ce sont désormais les
qualités musicales qui orientent le choix. Dans tous les domaines de
la vie américaine, le racisme est plus ou moins présent, et la musique
ne fait pas exception. Mais dans l'ensemble, je pense que la situation
est meilleure dans celui-là justement. Si vous allez voir un show à
Broadway aujourd'hui, vous verrez sur scène à peu près le même
nombre de Blancs et de Noirs, le pourcentage variant selon le type
de spectacle *. Les stations de radio et de télévision n'ont plus
aujourd'hui à New York de musiciens réguliers ; mais les meilleurs
sont toujours convoqués.

Un jour, en Australie, où j'allais travailler avec Sarah Vaughan et
Jonah Jones, une rencontre imprévue m'a rappelé le chemin qui
nous restait encore à parcourir : juste en débarquant à l'aéroport,
nous avons vu arriver Paul Robeson qui, lui, était sur le départ. Il
m'a pris dans ses bras et soulevé de terre. Notre affection mutuelle
était très grande et nous étions si heureux de nous revoir. Je
percevais parfaitement son énergie indomptable, sa dévotion complète à un idéal duquel il n'avait jamais dévié, n'acceptant aucun
compromis. Je pense que Paul Robeson est un des hommes que
j'admire le plus au monde. A cette époque, il était en exil...

A peu près à la même époque, d'ailleurs, Billie Holiday a habité
chez moi en Californie, parce que la police la recherchait. Elle est
restée là jusqu'à ce qu'un docteur puisse venir de Los Angeles pour
l'emmener et la faire entrer dans un hôpital. La police mit très
longtemps à découvrir que le fait de s'adonner à la drogue n'était pas

---

* Des protestations ont cependant accueilli, en 1976, le refus d'engager un quota
suffisant de musiciens noirs pour la reprise à Broadway de *Porgy and Bess*. (*N.d.A.*)

un crime mais une maladie, et que les drogués étaient des êtres humains et non des animaux d'une espèce inférieure. Il a fallu les éduquer avant qu'ils admettent cette vérité et bien d'autres également.

Monsieur l'Ambassadeur

Adam Powell m'a pris de court, une fois. Je jouais avec une petite formation au Showboat à Washington en 1956, et il m'a téléphoné pour me demander de passer le voir à son bureau parce qu'il avait quelque chose à me dire. Quand je suis arrivé, il y avait déjà une foule de reporters et Adam a fait la déclaration suivante : « Je vais proposer au président Eisenhower d'envoyer cet homme, dont l'apport à notre musique a été considérable, en mission culturelle pour le compte du Département d'Etat, en Afrique, au Proche-Orient, au Moyen-Orient et en Asie. »

J'étais stupéfait. On ne m'avait rien dit jusque-là. Et effectivement, il soumit sa proposition qui fut acceptée. Je me suis donc trouvé « engagé », le premier d'une série, car par la suite de nombreux chefs d'orchestres sont partis en mission aussi : Benny Goodman en Russie, Duke Ellington et Earl Hines également, et d'autres en Afrique, comme Herbie Mann. Toutes ces tournées de prestige étaient « mixtes », pour montrer l'esprit démocratique derrière l'entreprise, mais si nous ne nous étions pas montrés à la hauteur, nous les premiers, les autres orchestres n'auraient pas suivi.

Comme j'allais partir en Europe avec le JATP, je pris contact avec Quincy Jones, qui m'avait aidé en 1954 et 1955 à monter les grands orchestres avec lesquels j'avais enregistré et m'étais produit à l'occasion, pour lui demander de réunir les musiciens pour moi. Puis je suis parti pour l'Europe d'où ils ont essayé de me faire revenir quelque temps plus tard parce que le Département d'Etat voulait me faire un briefing à Washington sur ce qu'il fallait dire ou ne pas dire dans des coins comme le Proche-Orient et le Moyen-Orient. J'ai téléphoné à Lorraine : « Dis-leur que tu ne sais pas exactement où je me trouve en Europe actuellement. Je rejoindrai la troupe à Rome. » Ma femme s'est occupée de tout à ma place, et sans elle nous ne serions jamais partis. Elle avait pourtant des ennuis dentaires à cette

400

époque, en outre c'était l'hiver et le froid n'arrangeait rien. Mais elle a continué les démarches sans flancher.

J'étais réellement très honoré, car ils auraient pu choisir bien d'autres personnes pour représenter le Département d'Etat à l'étranger. Honoré et assez content d'avoir un grand orchestre que je n'aurais pas à financer. Pas d'argent à sortir, et pas de soucis pour trouver du travail régulier, parce que tout était arrangé d'avance. On avait déroulé le tapis sous mes pieds et j'appréciais vraiment l'idée de représenter ainsi l'Amérique, mais je n'allais pas non plus là-bas pour excuser les politiques racistes américaines. C'est pour cela que j'avais éludé le briefing dont Lorraine m'avait parlé quand je l'avais appelée de Paris. Je lui ai dit : « Ecoute, j'ai eu trois cents ans de briefing! Je sais ce qu'on nous a fait et je n'ai pas l'intention de servir d'intermédiaire pour faire des excuses. Si on me pose des questions, je répondrai en toute franchise. »

Une fois sur place, nous avons fait du très bon travail, celui que nous étions d'ailleurs supposés faire pour rapprocher les peuples. Je m'occupais beaucoup des relations avec les gens, j'allais dans les jardins publics jouer avec les charmeurs de serpents, je distribuais des invitations aux concerts, etc. J'étais très fier d'avoir été le premier musicien de jazz choisi pour représenter les Etats-Unis dans une mission culturelle, et j'ai pris un grand plaisir à faire cette tournée. L'orchestre comprenait un « assortiment complet » de Noirs, de Blancs, d'hommes, de femmes, de Juifs et de Gentils : Joe Gordon, Ermet Perry, Carl Warwick et Quincy Jones à la trompette, Melba Liston, Frank Rehak et Rod Levitt au trombone, Jimmy Powell et Phil Woods au saxophone alto, Billy Mitchell et Ernie Wilkins au ténor, Marty Flax au baryton, Walter Davis Jr. au piano, Nelson Boyd à la basse et Charlie Persip à la batterie. Herb Lance était notre chanteur, et Dottie Salters notre chanteuse.

HERB LANCE (chanteur)

« La femme de Dizzy, Lorraine, et la mienne sont très amies. Quand la tournée a été organisée, Dizzy était en Europe et Quincy Jones, Melba Liston et Ernie Wilkins se sont chargés de réunir les musiciens. Les répétitions eurent lieu à New York, et Dizzy nous a rejoints à Rome d'où nous partions pour le Moyen-Orient. Si vous connaissez bien Lorraine et ses relations avec Dizzy, vous verrez qu'il faut faire la distinction entre " le Dizzy " quand Lorraine est là, et " l'autre Dizzy ", complètement différent... Pendant toute cette tournée-là, on aurait dit un maître d'école. Lorraine était avec lui. Pas la moindre incartade d'aucune sorte! A Rome, Dizzy est venu nous accueillir à l'aéroport avec sa trompette sous le bras, et il a joué *Sweet Lorraine* à notre descente d'avion! J'ai trouvé l'idée fabuleuse.

« Ce qui m'a surtout emballé dans tout ça, c'est de jouer dans des villes aussi lointaines que Beyrouth au Liban, Damas et Aleppo en Syrie, Abadan en Iran. On a eu un vol de huit ou neuf heures pour aller de Karachi à Dacca au Pakistan, un coin perdu, mais les gens étaient là qui attendaient Diz. Vous voyez, la musique est la même dans le monde entier. A Karachi, Charlie Persip a eu des ennuis intestinaux et s'est trouvé dans l'incapacité de jouer. Eh bien, c'est un batteur local qui l'a remplacé et qui s'est avéré excellent. Le public était enthousiaste, délirant. Vous imaginez quel héros il était devenu en une soirée! Voilà le genre de chose qui s'est passé pendant cette tournée, et c'était merveilleux, vraiment fantastique. »

MELBA LISTON

« Il y a tous ces problèmes de la vie quotidienne que les femmes ont en tournée, les chambres d'hôtel, le lavage du linge, une foule de petites choses importantes pour le moral, mais qui ne semblent pas tellement affecter les hommes. Il faut se débrouiller toute seule dans un orchestre qui voyage, porter vos bagages et ne rien attendre des autres. J'ai tenu le coup parce que j'étais jeune et solide et que je n'avais besoin de personne. Et puis quand ils ont compris que je ne serais pas une charge pour eux, tout a très bien marché. Je crois qu'ils se sont surtout posé des questions au moment de mon arrivée dans l'orchestre. Dizzy était en Europe et avait chargé Quincy Jones de la direction musicale, entre autres du recrutement des musiciens. Il lui avait dit : " Tu réunis les gars, mais surtout prends Melba. Et tu lui diras qu'elle écrive quelques arrangements. " Ses instructions étaient formelles, mais il n'empêche qu'une fois à New York, j'ai entendu des commentaires du genre : " Bon Dieu, mais pourquoi a-t-il fait venir de Californie un trombone femelle? "

« Personne ne me connaissait encore. Comme Dizzy l'avait demandé, j'avais apporté quelques arrangements de moi dont un sur *Stella by Starlight* et un autre sur *Anitra's Dance*. J'avais écrit celui sur *Stella* juste après le coup de fil de Dizzy qui m'annonçait : " Je remonte le grand orchestre pour une tournée. Ecris un ou deux trucs et amène-les. " L'orchestre a commencé à les travailler dès les premières répétitions, et ça a aussitôt mis fin à certains commentaires grinçants... Ils ont tous dit : " C'est bien ce qu'a fait la petite mère, là. " J'étais devenue la " petite mère ", au lieu de la " femelle ".

« D'une façon générale, les gens ne considèrent pas que les

402

femmes puissent se montrer vraiment capables et efficaces dans un domaine quelconque. Au cours de cette tournée, toutefois, personne n'a mis en doute mes capacités musicales, mais on m'a beaucoup interrogée sur la relation homme-femme aux Etats-Unis. Particulièrement au Moyen-Orient, les femmes venaient me trouver pour me demander quel genre de vie nous avions, et comment était-il possible qu'une femme se promène à travers le monde en célibataire, alors qu'elles-mêmes étaient encore dans un état de soumission totale. Ma présence a semblé en inciter un certain nombre à exiger un peu plus de reconnaissance de leurs capacités personnelles, quelles qu'elles fussent. J'ai eu de fréquentes conversations sur ce sujet, surtout au Moyen-Orient, avec des femmes qui se sentaient des talents dans certains domaines mais n'avaient aucune possibilité de les développer. Et elles voulaient savoir comment j'avais réussi, moi, à assumer un métier pareil.

« En fait, je ne pouvais pas faire grand-chose pour elles, car je n'avais jamais vraiment connu de difficultés... Mais j'avoue que c'est tout de même grâce à Dizzy en grande partie que j'étais aimée et respectée par tous les gars de l'orchestre. Il n'a jamais laissé qui que ce soit m'ennuyer. Vous savez, c'est un peu comme à la maison quand ça va mal de temps en temps entre frères et sœurs. En tournée, c'était pareil. Un orchestre qui dure deux ou trois ans, ça devient une grande famille. »

ROD LEVITT (tromboniste)

« Quincy Jones m'a engagé pour cette tournée de prestige en 1956. Je crois bien que c'était mon premier grand orchestre. J'avais vingt-cinq ans et sortais de l'armée. J'avais joué avec Quincy quand j'étais à l'université de Washington, et lui au lycée. Et puis un jour, je l'ai rencontré dans la rue et il m'a dit : " Tu veux venir au Moyen-Orient avec Dizzy Gillespie ? " J'ai répondu : " Oui, bien sûr! " Dizzy était déjà une idole pour moi, et jouer avec un orchestre pareil, c'était fabuleux!

« A ma connaissance, j'étais le seul Juif dans l'orchestre qui comprenait quatre Blancs, tous les autres étant noirs. A l'époque, il y avait eu de sérieux problèmes entre l'Egypte et Israël, et finalement la guerre avait éclaté. Alors, bien sûr, les Egyptiens se montraient plutôt réticents quand il s'agissait de laisser entrer des Juifs dans les pays arabes. L'orchestre devait jouer en Egypte, mais tout a été annulé et nous ne sommes restés qu'une heure à l'aéroport du Caire, un genre d'escale, avec consommations gratuites... Et puis soudain, les lumières se sont éteintes et ils ont projeté un film, un court métrage de propagande contre Israël. Et moi j'étais là en train de siroter mon verre avec Dizzy! Je n'étais pas tranquille du tout, et je me demandais un peu ce que tout ça signifiait. Diz a dû voir ma tête et m'a dit en riant : " Qu'est-ce que tu penses de tout ça? " J'avais hâte de quitter ce pays. Et plus tard aussi, nous avons eu des ennuis pour une histoire de visa, parce que j'avais inscrit " Juif " sur ma demande d'entrée au Pakistan et du coup on ne voulait pas me laisser passer dans le pays suivant, la Syrie, je crois... Le Département d'Etat dut renvoyer un formulaire en inscrivant à la place " Presbytérien " ou quelque chose de ce genre. En fait, les Syriens s'en fichaient pas mal, mais du point de vue du règlement ils refusaient l'entrée aux Juifs. Enfin, comme j'étais sous l'aile des Affaires étrangères... Je me souviens que Diz a plaisanté à un moment : " Dis donc, il va peut-être falloir te laisser à Karachi... " »

CARL WARWICK

« Evidemment, ce fut un des grands moments de ma carrière, surtout à cause de la flamme qui animait cet orchestre. La salle était bourrée à tous les concerts, partout, y compris dans des pays comme le Pakistan. C'était surprenant de voir ces gens attirés à ce point. Il y avait avec nous un merveilleux trompettiste, Joe Gordon, qui s'était mis en tête d'essayer d'éclipser Dizzy tous les soirs. Et Diz le défiait de plus belle! Je crois que Diz n'a jamais été meilleur qu'au cours de cette tournée. Le fait de jouer devant ce grand orchestre le surexcitait déjà, et il ne lui manquait que cette petite compétition pour se surpasser davantage. »

DIZZY

La tournée prit une allure très nettement politique. Nous devions commencer à Bombay, à l'origine. Mais trois ou quatre semaines avant notre départ, Nehru fit une déclaration concernant le non-alignement de son pays, affirmant qu'il ne se rangeait ni du côté des Etats-Unis, ni de celui de l'URSS, ni d'aucune autre puissance. Si l'Inde se déclarait non alignée, où allions-nous débuter? En Perse (Iran), qui recevait des armes des USA? Je me rappelle que nos journaux accusèrent les Indiens d' « ingratitude », sous prétexte que notre pays leur envoyait des tas de choses et que Nehru déclarait après cela qu'il n'était pas de notre côté. Le Département d'Etat nous expédia alors en Iran, puis à Beyrouth au Liban, où se trouvait une université américaine. De là, nous nous sommes ensuite envolés pour

Dacca au Pakistan, auquel les Etats-Unis fournissaient des armes. Les implications politiques de cette tournée étaient évidentes et nous en étions très conscients. Notre tournée se limitait en fait aux pays qui avaient des traités avec les Etats-Unis, et où se trouvaient des bases militaires américaines : la Perse, le Liban, la Syrie, le Pakistan, la Turquie et la Grèce. Nous ne sommes jamais allés dans des pays qui n'avaient pas passé un quelconque accord de « sécurité » avec le nôtre. La politique prévalait partout. Après nos débuts à Abadan (Iran), nous sommes allés à Beyrouth, Damas, et Alep en Syrie. Tous ces pays sont absolument magnifiques, Beyrouth est un vrai paradis et si l'on cite un seul nom, dix autres tout aussi fascinants viennent aussitôt à l'esprit.

A Beyrouth, deux concerts avaient été prévus au Dunia, une salle de mille cinq cents places. Les deux ayant été pris d'assaut, il fallut en organiser un troisième qui fit salle comble aussi. Après les concerts, ou quelquefois avant, Marshall Stearns, un professeur du Hunter College qui faisait partie de la tournée, donnait une conférence sur le jazz dans les différentes universités ou écoles locales.

En tout cas, avec ou sans considérations politiques, l'accueil fut partout extraordinaire, pour une première présentation de jazz moderne en direct à un public non occidental. Mais le système d'organisation était assez curieux. Le gouvernement américain nous garantissait notre cachet, mais le pays hôte devait vendre les billets et essayer de faire la meilleure recette possible. Au Pakistan, les profiteurs locaux qui avaient pigé le système avaient fixé un prix si élevé que les petites gens dont nous recherchions la fréquentation ne pouvaient s'offrir la place. A Karachi, lors du premier concert, j'ai remarqué que la salle n'était pas vraiment pleine. Je me suis renseigné un peu à droite et à gauche pour comprendre ce qui se passait. On m'a dit : « Mais ils n'ont pas l'argent nécessaire, tout simplement. Ces gens sont très pauvres. Voyez-vous, certains vivent dans les étables avec les animaux. Où voulez-vous qu'ils trouvent cinq dollars pour acheter un billet ? »

J'ai demandé à l'imprésario : « Combien vous en reste-t-il ? » Il m'en a donné cent cinquante environ que j'ai distribués aux gens dans le parc. J'y suis allé avec ma poignée de billets, et je les ai donnés, comme ça. La salle était pleine à craquer, un public en or. J'ai remarqué aussi qu'il y avait encore des gens dehors, debout, qui essayaient d'entendre ! Oui, j'ai fait beaucoup d'heureux à Karachi, avec ces billets.

Quelqu'un avait arrangé un coup publicitaire où je devais aller dans le parc jouer avec un charmeur de serpents. Premier incident déjà, juste en sortant de l'hôtel : pour y aller, on tombe sur un joueur d'orgue de barbarie avec un singe aussi malin que cet animal est supposé l'être. Pendant que vous restiez planté là à écouter l'orgue, cette bête vous grimpait dessus et vous faisait purement et simplement les poches, en quête de la moindre pièce de monnaie bien sûr. Je l'ai vu bondir sur Quincy et se mettre au travail. Quincy a vivement serré le contenu de sa poche pour l'en empêcher, et du coup l'animal s'est mis à lui taper dessus, mais très fort. Quincy a cherché son couteau et j'ai dû lui dire : « Tu ne vas quand même pas faire la peau à ce singe! » Quincy semblait fermement décidé...

Dans le parc, le charmeur était déjà là, avec deux serpents. L'un très petit, dans un panier, et j'ai tout de suite vu que le type était très prudent avec celui-là, un serpent minute ou quelque chose de ce genre. En tout cas, si cette petite chose vous mord, c'est terminé. Rien n'a une action assez rapide pour vous sauver. Il l'a extirpé du panier avec un chiffon enroulé autour de sa main et l'a posé sur le sol. Et pour nous montrer la méchanceté de ce petit reptile — qui ressemblait à un de ces vers d'environ dix centimètres de long dont on se sert pour la pêche dans le Sud —, il a approché le chiffon du sol et le serpent a mordu dedans aussitôt, après quoi il l'a ramassé et l'a remis dans le panier. Il y en avait un autre, très grand, peut-être bien cinq mètres de long, mais inoffensif celui-là. Il me l'a enroulé autour du cou et lui a fait tenir la tête par Dottie Salters (que Dieu ait son âme). Puis il s'est mis à jouer de la flûte et a ouvert un autre couffin d'où a émergé un cobra, qui a commencé à suivre les mouvements du charmeur. Celui-ci me demanda de jouer en même temps que lui. J'ai pris ma trompette, avec la sourdine. Alors, l'Indien s'est arrêté et m'a dit de continuer en balançant ma trompette régulièrement. Le cobra a suivi effectivement mes mouvements, mais l'instrument devait être trop près de lui et tout d'un coup il a projeté sa tête en avant et a craché un « ssssppitt » en direction du pavillon. J'ai dû battre le record du monde du saut en arrière. Je suis sûr que j'ai dépassé les quatre mètres! C'était en principe un cobra sans crochets, mais le lendemain j'ai lu dans un journal qu'un autre reptile de cette même espèce et soi-disant sans crochets avait mordu quelqu'un qui en était mort... Panique rétrospective! Et si le mien avait eu toutes ses dents, hein?

Nous avons entendu des musiciens merveilleux à Karachi, des jeunes types de studio, mais tous également solistes. Ils avaient une section d'accompagnement et jouaient en solo à tour de rôle. L'un avait un instrument qui ressemblait à un violon et qu'il tenait vertical, avec les doigts de la main gauche *sous* les cordes. Il y avait comme une sorte de sillon gravé dans chacun de ses ongles. C'était un homme âgé, aux cheveux gris, mais Grands Dieux, quel musicien! Ça sonnait comme un violoncelle! Je me rappelle un flûtiste de seize ans au Pakistan aussi, absolument fantastique. Et puis un autre qu'on aurait bien vu au coin de la 8e Avenue et de la 126e Rue, des cheveux terribles, en forme de champignon atomique, et feutrés tant ils étaient crépus. Il avait fabriqué lui-même son instrument, une sorte de piano avec des marteaux qui remontaient pour frapper les cordes. Très étonnant, avec une sonorité curieuse. Les musiciens ont été épatants avec nous. Ils ont organisé des concerts dans les studios pendant nos visites, et nous ont montré des tas de choses. Je suis toujours intéressé par les aspects ethniques d'une musique qui exprime l'âme d'un peuple. J'ai appris beaucoup de choses là-bas, certaines gammes par exemple; et plus tard, j'ai enregistré des disques avec Stuff Smith en utilisant ces gammes en partie. Un des thèmes s'intitulait *Rio Pakistan* (Verve MGU 8214), la mélodie était de moi mais les notes appartenaient à leur gamme. Cela s'appelle un « raga ». C'était vraiment excitant et fascinant, d'entendre une musique complètement différente de la nôtre.

Il m'est arrivé une très belle histoire à Dacca. On donnait une réception en notre honneur au dernier étage du bâtiment USIS, au cours de laquelle des musiciens, des chanteurs et des danseurs pakistanais devaient se produire devant nous. Elle était déjà commencée à l'heure où j'ai quitté mon hôtel, et je devais m'y rendre seul en rickshaw. En sortant, j'ai regardé le ciel qui était noir d'encre. Lorraine avait un peu peur de me voir partir dans ces conditions et m'a demandé : « Tu es bien sûr de vouloir y aller avec ce type? » J'ai regardé la tête de mon conducteur, et j'ai eu l'impression de voir Jésus-Christ. J'ai dit à Lorraine : « Ecoute, il ressemble tellement à Jésus que je suis bien obligé de le suivre... Et puis; que veux-tu qu'il m'arrive? » Je suis monté dans le rickshaw et nous voilà partis dans l'obscurité. On n'y voyait vraiment rien, mais il pédalait ferme. C'était un genre de triporteur, et l'idée m'a pris soudain de monter sur le vélo. J'ai dit à mon guide : « Mets-toi derrière, je vais pédaler. » On ne lui avait jamais demandé une chose pareille, et il s'est retourné pour me regarder d'un air ébahi. « Oui, oui, je veux être devant. Tu m'indiqueras le chemin, et c'est moi qui te promènerai. » Il a fini par accepter et s'est installé, jambes croisées, et j'ai pédalé pendant un bon moment, peut-être sur trois kilomètres. Et puis en arrivant près de ma destination, j'ai sorti ma trompette et j'ai commencé à m'échauffer. A ce moment-là, quelqu'un sur un toit s'est mis à m'accompagner à la flûte. Quel étrange épisode! C'était splendide. Chaque fois que je jouais une phrase, j'entendais mon collègue me donner la réplique là-haut... Je m'arrêtais pour l'écouter, et je reprenais. Quand je suis arrivé à la réception, je leur ai raconté ce qui s'était passé, et puis j'ai joué un moment avec les Pakistanais. J'ai gardé un merveilleux souvenir de cette soirée, avec cette foule si chaleureuse et la spiritualité intense qui s'en dégageait.

Un petit garçon en haillons se tenait souvent devant l'entrée des artistes, assis sur ses talons comme ils savent le faire là-bas, les fesses presque au ras du sol. Il n'avait pas l'argent pour payer sa place et la porte était entrouverte. Il y avait d'ailleurs toujours foule quand nous sortions, des tas de gens dépenaillés, dénués de tout. Ils dormaient dans cette cour, à même le sol, et on y voyait courir des gros rats ! C'était assez horrible.

Le gamin était mignon, âgé de onze ou douze ans, et tous les soirs il venait s'asseoir dans l'entrebâillement de la porte pour nous écouter, vêtu des mêmes haillons. Je me suis dit que je devrais bien lui acheter des habits, et le faire laver un peu. Je suis allé trouver le directeur du théâtre pour lui décrire le gosse et lui expliquer que je voulais lui acheter des affaires.

« C'est entendu, je m'arrangerai pour qu'il soit demain matin à votre hôtel », m'a-t-il promis.

Le lendemain le petit était en bas dans le hall. Ils ne l'avaient pas laissé monter parce qu'apparemment certains gosses repéraient les objets de valeur un peu partout, et un complice venait ensuite les voler. Je ne pouvais pas y croire ! Mais on m'a affirmé que c'était pratique courante. Bref, je suis descendu avec des roupies dans ma poche, et l'imprésario est venu me chercher en voiture. Mais il ne voulait pas que le petit monte à côté de nous. Alors j'ai décidé de le prendre sur mes genoux, puisqu'il n'y avait « pas de place pour lui », et il y est resté pendant tout le trajet. Dans une boutique, je lui ai acheté une de ces longues tuniques comme ils en portent, et une paire de chaussures. Il semblait tout content, avec un large sourire. Sur le chemin du retour l'imprésario m'a dit : « Il ne fallait pas lui acheter de chaussures. — Qu'est-ce que vous me racontez ? Il n'en a pas, que je sache. — D'accord, mais vous savez ce qu'il va en faire ? Il va les vendre, parce qu'il serait le seul à en avoir. Alors, ça sert à quoi de les lui donner ? » Je n'ai pas répondu et j'ai laissé les chaussures au gamin. Le soir quand je suis arrivé à la porte, il était là, resplendissant. Il s'était lavé, peigné, et avait des cheveux magnifiques, noirs comme du jais. En m'apercevant, il s'est mis au garde-à-vous en claquant les talons impeccablement. C'était drôle. Et je me fiche pas mal qu'il ait vendu les chaussures pour s'acheter à manger...

Les gens nous posaient des tas de questions sur le racisme aux Etats-Unis, mais ils voyaient bien que ce n'était pas très poussé puisqu'il y avait des Blancs dans l'orchestre et que c'était moi le chef. Ça leur paraissait curieux après avoir entendu parler de lynchages et de bûchers pour les Noirs, de me voir avec un mélange de Blancs et

408

de Noirs, et une femme dans l'orchestre, toute la troupe ayant l'air de très bien s'entendre. Aussi ai-je décidé de ne rien leur cacher et je leur ai expliqué : « Oui, nous avons de sérieux problèmes nous aussi, mais nous cherchons sans cesse des solutions. Je suis le chef de cet orchestre et ces musiciens blancs travaillent pour moi. Ça a une signification importante. Il y a un siècle, nos ancêtres étaient simplement des esclaves, aujourd'hui, nous nous débattons encore avec ce problème du racisme, c'est vrai, mais les progrès réalisés sont déjà énormes et je suis sûr qu'un jour nous en sortirons complètement. Je ne verrai sans doute pas le succès final, la disparition totale des préjugés raciaux aux USA, mais pourtant elle surviendra. »

Nous avons conquis l'amitié de beaucoup de Pakistanais envers l'Amérique, et des gens très pauvres faisaient la queue et trouvaient l'équivalent de deux ou trois dollars pour venir entendre l'orchestre. Ceux qui ne pouvaient vraiment pas écoutaient la radio. Au début, ils ne savaient pas bien comment réagir devant notre musique et se contentaient d'applaudir poliment, mais dès le deuxième et le troisième concert, ils étaient conquis et tapaient dans leurs mains, et bien comme il fallait.

A Damas, en Syrie, nous sommes arrivés pendant le Ramadan, et le concert avait lieu juste avant le coucher du soleil. Au fond de la salle où l'on jouait, était dressé un énorme buffet prévu pour la fin des heures de jeûne. Nous avons joué la première partie de notre programme, une rapide rétrospective sur le jazz, et au moment d'attaquer notre répertoire personnel de thèmes modernes j'ai jeté un coup d'œil à ma montre, sachant que le coucher du soleil approchait. Il nous restait environ cinq minutes, et une idée m'a traversé la tête. Nous avons continué à jouer, et à la seconde même où le soleil se couchait, j'ai levé le bras pour faire signe à l'orchestre et BOOM! ils ont tenu un énorme accord, et j'ai crié : « A table! » en me précipitant vers le fond, suivi par la salle entière. Ainsi, tout le monde s'est mis à manger à l'instant précis où le jeûne se terminait. Je me suis taillé un joli succès auprès d'eux après ça, car les non-musulmans pouvaient manger à leur gré, mais j'avais respecté leur coutume et ils avaient apprécié cette attention.

En Turquie, il était prévu une jam-session entre nous et des musiciens locaux à notre ambassade à Ankara. C'est là que j'ai rencontré pour la première fois Muraffak Fally, le trompettiste. Je lui ai fait cadeau d'une trompette, et il est devenu un de mes très bons amis. Mais en arrivant à l'ambassade, j'ai remarqué des soldats partout, et une foule composée surtout de jeunes, devant les jardins, qui essayaient d'entrer. J'ai sauté par-dessus une barrière pour pénétrer dans les jardins et je suis allé signer des autographes sur une espèce d'estrade, pendant que les musiciens turcs jouaient.

Tout en signant, j'ai remarqué un petit garçon qui avait sauté la barrière lui aussi, mais un des policiers lui a mis aussitôt la main au collet et l'a fait repasser de l'autre côté. Je me suis demandé tout ce que cela voulait dire, et j'ai posé la question à quelqu'un.

« Le concert est pour ces gens-là », me dit-il en me montrant ceux qui entraient avec leurs billets, et qui de toute évidence appartenaient à l'élite.

« Mon vieux, nous ne sommes pas venus ici jouer pour l'élite mais pour nouer des liens d'amitié avec les petites gens, ceux qui sont là de l'autre côté des grilles. Je ne jouerai pas si on ne les laisse pas entrer. »

Et quand ce fut à notre tour de jouer, j'ai tenu bon. « Je ne joue pas », ai-je déclaré avec fermeté. « Comment ? » Vous voyez le scandale ! Ils sont allés chercher l'ambassadeur Heath, qui est venu me parler : « Monsieur Gillespie, il devait y avoir une jam-session. Que se passe-t-il ? Pourquoi ne voulez-vous pas jouer ? »

Et je lui ai répondu : « Vous voyez tous ces gens, là-bas ? C'est leur amitié que nous recherchons, pas celle des grosses légumes avec leurs billets, qui pullulent ici.

— Je comprends, fit-il, mais nous n'avons pas un buffet assez copieux pour tout ce monde.

— Ce n'est pas la nourriture qui les intéresse. Ils veulent prendre part à la fête et écouter la musique. Moi je ne veux pas jouer pour ceux qui sont entrés. »

Alors, il a donné l'ordre aux gardes de laisser passer la foule restée dehors, et ce fut une fête extraordinaire.

Le lendemain, j'avais droit à une belle manchette dans le journal : « GILLESPIE REFUSE DE JOUER POUR L'ELITE. » Un beau titre. J'avais joué pour les obscurs et j'étais une grande vedette, j'avais fait un triomphe à Ankara... et tous ces jeunes étaient rentrés chez eux l'estomac plein.

Je n'ai jamais vraiment « senti » la musique turque. Leurs rythmes sont curieux. On trouve souvent des 11/8. C'est un peu comme les thèmes de Dave Brubeck en 7/8. Dave a une formation classique, et en classique on rencontre des mesures à 9/8, 12/8 et 11/8. Mais à cette époque, Dave Brubeck n'était jamais allé là-bas.

Il est intéressant de noter la réaction curieuse du conservatoire de musique d'Ankara, très « conservateur » justement, à la proposition d'une conférence sur le jazz. Le directeur refusa net en alléguant que les étudiants consacraient déjà trop de temps au jazz, à son avis. Il fallut donc donner la conférence ailleurs. Néanmoins, le directeur se déplaça pour assister à un de nos concerts et je lus ensuite quelque part qu'il avait changé d'avis. « C'est une musique extraordinaire »,

410

avait-il déclaré après coup, et il avait demandé avec insistance qu'une conférence ait finalement lieu au conservatoire.

Le gouvernement américain se montra très satisfait de nos activités, car le jazz était une forme d'art que les divers publics avaient très bien accueillie, même s'ils n'avaient jamais assisté à des concerts, et parfois même n'en avaient jamais entendu, surtout en Europe de l'Est. Je me souviens qu'au cours d'une interview en Yougoslavie sur notre musique, j'ai parlé d'Armstrong et le reporter a cru qu'il s'agissait d'un fabricant de caoutchouc (?). Je me suis dit que s'ils ne savaient pas qui était Louis Armstrong, ma tâche devenait vraiment très délicate... Dans nos concerts, nous faisions toujours une sorte de rétrospective du jazz de 1922 à 1956. Cela se passait il y a une vingtaine d'années, et le bebop était pour ces gens une musique toute neuve, difficile, et il fallait attaquer par ce qui avait précédé, pour les y amener. En Yougoslavie, à Zagreb et à Belgrade, ils criaient d'enthousiasme et tapaient dans leurs mains, mais sur le premier et le troisième temps! Ils ne sont pas les seuls d'ailleurs, car c'est le cas le plus fréquent dans le monde entier, sauf chez ceux de descendance africaine qui marquent bien le deuxième et le quatrième temps. Le public américain dans son ensemble continue à taper à contretemps.

Notre musique avait déjà été portée aux quatre coins du monde. Sidney Bechet avait fait une tournée en Russie du temps des tsars, et le jazz y connaissait un gros succès, pas auprès de l'homme de la rue qui l'ignorait, mais des artistes. A Ankara, il y avait un orchestre de jazz, et à Istanbul un grand orchestre a joué exprès pour nous, fort bien, ma foi. Le jazz était très populaire dans les pays de l'Est, et bien que la musique « américaine » fût interdite dans beaucoup de pays socialistes, des disques provenant du marché noir circulaient parmi les artistes. Nous n'avons eu aucun problème politique. On nous a probablement considérés comme des fonctionnaires dans la mesure où la tournée se faisait sous le haut patronage du ministère des Affaires étrangères. De nos jours, le jazz marche très fort dans les pays socialistes, mais pendant la guerre froide, les disques de jazz étaient interdits dans beaucoup d'entre eux. Bach et Beethoven, très bien; le jazz, non. Mais ils ont fini par reconnaître que notre musique était un genre très intéressant.

Les Yougoslaves se sont montrés enthousiastes à nos concerts, jeunes et vieux, comme en Suède dans les années quarante. Il est vrai que le jazz a de fortes racines folkloriques qui le rendent fascinant à jouer et à écouter. A Zagreb, certains ont même essayé de monter sur scène pendant le concert, et les gardes furent obligés de les ramener à leurs places. Après, il fallut un cordon devant la scène pour nous protéger de la foule en délire. L'esprit du jazz, son côté spontané, leur était vraiment allé droit au cœur. Mais ils semblaient avoir du mal à comprendre comment on pouvait être aussi peu organisés tant qu'on ne jouait pas... Notre musique est d'ailleurs un bel exemple de parfait équilibre entre la discipline et la liberté.

En Europe de l'Est, aujourd'hui, les jazzmen sont officiellement soutenus financièrement par le gouvernement, et les critiques se montrent dithyrambiques. Nous sommes loin du temps où le jazz était considéré comme un genre décadent et chaotique qui détruisait le sens de la discipline chez les gens et par conséquent les diminuait *. En Yougoslavie, les réceptions et les jam-sessions organisées en notre honneur duraient toute la nuit. Les musiciens locaux étaient à genoux devant nous, et un jour une dame respectable affirma que pour créer de vraies relations amicales entre les pays, un seul orchestre de jazz valait mieux que cent ambassadeurs. Ils avaient vraiment reçu le message !

En vol pour la Grèce, une dépêche d'agence retransmise dans l'avion nous annonça que des étudiants grecs avaient jeté des pierres contre la façade de l'immeuble qui abritait l'USIS à Athènes, à cause de la politique américaine à Chypre où des troubles sérieux avaient éclaté. Nous étions apparemment pour eux du mauvais côté, celui des Turcs, parce que les Etats-Unis avaient une base militaire en Turquie pour surveiller la Russie, un poste d'écoute en quelque sorte. Naturellement, comme les USA fournissaient des armes aux Turcs, les Grecs avaient cassé toutes les vitres de notre ambassade. Mais nous étions déjà en route. « Trop tard, pas de demi-tour en vol », ai-je pensé. Une fois arrivés à Athènes, je me suis dit que nous allions jouer de toute façon. Nous n'étions pas mêlés de près ni de loin à la politique, nous étions des artistes venus pour offrir quelque chose aux gens, et non pour nous servir d'eux. Le premier concert était une matinée justement réservée aux étudiants, ceux-là mêmes qui avaient balancé les pierres, nous dit-on plus tard. Après le concert, je suis resté un moment dans la loge pour me sécher, puis je suis sorti. Et à la porte, ces jeunes Grecs m'ont sauté dessus et m'ont soulevé au-dessus de leurs têtes. Je me demandais non sans inquiétude s'ils avaient l'intention de me jeter par terre. Ils criaient des choses en grec, et j'ai cru distinguer « bravo, bravo ». J'ai compris soudain que c'était le triomphe. C'est vrai que pendant le concert, ces étudiants s'étaient levés et avaient commencé à danser dans les travées avec les policiers du service d'ordre.

---

* Marshall Stearns a rapporté, après une conférence au conservatoire de musique de Zagreb, que les étudiants et les professeurs yougoslaves avaient déclaré que « Le jazz était un symbole de protestation inconsciente qui cherchait à renverser les fausses valeurs de tradition et d'autorité. Cette musique traduisait la vie de façon spontanée et vraie » (D. G.).

412

Il y avait en Grèce un certain Duncan Embry qui travaillait pour le compte de l'USIS et avait une telle réputation de poivrot qu'on l'avait baptisé « Drunken » Embry*. Il avait prévu un concert supplémentaire dans l'hôtel même où nous étions logés, le Hilton, l'idée étant que l'orchestre y jouerait après le concert normal. J'ai protesté vigoureusement. « Pas question ! » Ce qu'il n'a pas apprécié, expédiant à la suite de cet incident un rapport défavorable sur nos activités. Mais pourquoi aurions-nous joué sans raison valable après le concert régulier ? Je n'allais tout de même pas demander aux musiciens de déménager tout le matériel de la salle jusqu'à l'hôtel pour un cocktail d'ivrogne. J'ai donc refusé, mais j'ai moi aussi rédigé un rapport sur l'attitude déplaisante de « Drunken » Embry et son état éthylique... Enfin, ce fut là le seul incident fâcheux de toute la tournée, par ailleurs très agréable. L'USIS était un organisme très actif qui s'occupait de nous trouver des voitures quand nous voulions faire du tourisme, et se montrait très cordial à notre égard.

E. V. PERRY (trompettiste)

« Je me souviens que nous étions à Athènes et que nous devions donner un concert à sept heures du matin, parce que la troupe de danseurs russes avec laquelle nous étions couplés passait le soir, et la salle n'était pas libre. Eh bien, Diz a joué comme s'il était neuf ou dix heures du soir ! Il a sidéré tout le monde, ce jour-là. »

MARION « BOO » FRAZIER

« C'était un concert en Grèce un vendredi après-midi, et pour moi rien n'a jamais atteint ce niveau. Il en existe une bande témoin, et j'espère un jour pouvoir sortir le disque sur ma marque personnelle. Diz était à son sommet parce qu'il avait un orchestre " all-stars ", et c'est quand même une chose qui compte plus que tout. Il n'a jamais mieux joué. J'ai oublié le nom de la salle, mais je me souviens que le public était remarquable. Ovations interminables, et salle comble à chaque concert. Il s'est passé quelque chose de spécial à Athènes entre le public et la musique, une chose très simple en fait : le jazz est descendu dans la salle. »

---

* Calembour intraduisible en français, jouant sur la similitude euphonique du prénom Duncan et de « Drunken », ivrogne, poivrot (*N.d.T.*).

CHARLIE PERSIP *(batteur)*

« Un truc drôle est arrivé en Grèce. Diz avait pris le micro à la main et s'est avancé plus près du public pendant la présentation de l'orchestre. Il y avait une marche, et une sorte de petite avant-scène plus basse que la grande où nous étions. Ce que Diz ignorait, c'est qu'elle était faite d'un genre de carton épais, et quand il a descendu la marche, il a disparu d'un seul coup à travers ce matériau. Il ne s'était pas fait mal, heureusement, et après tout le monde a eu le fou rire. »

MELBA LISTON

« Je crois qu'il a un petit problème de vue. Sa vision périphérique ne va pas jusqu'au sol devant lui, et il se tord facilement la cheville en descendant d'un trottoir par exemple. Si j'ai bonne mémoire, ça se passait en Grèce lors d'un concert où l'on jouait justement devant une salle très élégante où il ne semblait manquer que des perruques poudrées. Dizzy n'était pas tellement satisfait de ce genre de public un peu snob. Le présentateur se gargarisait : " bla bla bla, Monsieur Gillespie... bla, bla, bla ". Alors, Dizzy est arrivé en courant depuis les coulisses et lui a sauté sur le dos, les jambes autour de la taille, comme s'ils jouaient au petit cheval! Et l'autre, toujours élégant et guindé, n'arrivait pas à le faire descendre. Il se penchait en avant, courait dans tous les sens, mais Dizzy se cramponnait ferme, et l'autre a fini par crier et devenir tout rouge! Nous, on s'amusait comme des fous.

« Dans la même salle, ou en tout cas pendant la même tournée, Diz avançait vers le bord de la scène en soufflant dans sa trompette, quand tout à coup il a disparu en tombant. Il y avait une fosse juste devant, recouverte d'une bâche ou quelque chose de ce genre, mais pas solide du tout. Et Diz était passé à travers! L'orchestre a continué imperturbablement à jouer un riff en boucle en attendant qu'il remonte. Ce fut la trompette qui réapparut en premier, puis son bras, et enfin son visage avec une grimace indescriptible. Personne n'a ri sur le moment, parce qu'on avait très peur qu'il soit sérieusement blessé. Mais quand on l'a vu émerger en entier, sain et sauf, ce fut l'éclat de rire général! En y repensant, l'élément le plus comique était d'avoir vu la trompette disparaître en dernier mais reparaître en premier... ce qui était naturel bien sûr, parce qu'un musicien qui se sent tomber tiendra toujours son instrument le plus loin possible du sol! »

Eh oui, ce sont des choses qui arrivent! A ce propos, je n'avais jamais utilisé les services d'un attaché de presse, mais pour cette tournée de prestige j'en avais engagé un, ou plutôt une, parce que je pensais qu'il se passerait sûrement des tas de choses. Lorraine, qui voyageait avec moi, découpait les articles de presse et les envoyait à cette attachée, Virginia Wicks, qui s'occupait également d'Ella Fitzgerald et d'Eartha Kitt. Et Virginia a vraiment abattu un travail formidable pour faire connaître notre musique. A notre retour, l'orchestre a joué lors du dîner des correspondants de presse à la Maison Blanche, où se produisaient le même soir James Cagney, Nat Cole, Patti Page et Jimmy Durante. Il a fallu d'abord passer au contrôle de sécurité. Puis, plus tard, le président Eisenhower devait nous remettre à tous des plaquettes souvenirs. Il a commencé à appeler chacun de nous à tour de rôle : « Nat Cole »... et Nat s'est avancé vers lui, puis « Patti Page »... « James Cagney »... et ainsi de suite. Quand il m'a appelé, je n'ai pas entendu. J'étais ailleurs occupé à autre chose. Finalement, quelqu'un est venu me dire : « Hé, vieux, le président t'a appelé. » J'ai demandé : « Où ça? Quand? » Et le président continuait à m'appeler : « Dizzy... Dizzy Gillespie... Dizzy... » Alors, j'ai crié : « Présent, Pops! » Depuis ce temps-là, Luckey, l'accompagnateur de Patti Page, raconte à tout le monde ma rencontre avec Eisenhower. Je n'avais vraiment pas entendu. Je parlais à Hubert Humphrey... En tout cas, tout le gratin était là, même les juges de la Cour suprême, les sénateurs, tout le monde, quoi.

Nous avons enregistré ensuite quelques disques pour Norman Granz, qui ont vraiment bien rendu la flamme et la musicalité du grand orchestre de 1956 (Norgran MGN 1084). Puis ce fut le départ pour un autre grand voyage. Après le succès fabuleux de la première tournée patronnée par le Département d'Etat, il semblait tout naturel d'en faire une autre. Et cette fois, en Amérique du Sud.

Samba

La samba, c'est la bossa nova, ou plutôt la bossa nova est une version édulcorée de la samba, et la samba la version originale. Je l'ai entendue en direct pour la première fois lors de notre tournée en Amérique du Sud. Il y a beaucoup à apprendre sur le plan rythmique là-bas, particulièrement au Brésil, où nous avons trouvé de nombreux frères africains et une musique d'origine africaine. Les Brésiliens m'ont fait repenser aux débuts du jazz chez nous. Moi, j'utilisais les rythmes afro-cubains depuis longtemps, mais je ne connaissais pas bien les rythmes latino-américains. De temps en temps, j'écoutais bien un peu de calypso, de samba et autres, mais quel choc, quand j'ai entendu tout ça en direct, aux sources! Mon premier contact avec la samba avait eu lieu lors de l'écoute de la bande-son d'*Orfeu Negro*. J'ai pensé aussitôt : « Y aurait-il des frères là-bas? » Et une fois au Brésil, j'ai découvert qu'il y en avait effectivement, et que nos musiques avaient des racines communes. Mais j'ai vraiment compris et approfondi le lien quand ils m'ont emmené à l'école de samba de Rio de Janeiro.

Tous les genres d'instruments rythmiques s'y trouvaient réunis, et les gens jouaient et dansaient. La danse et le rythme, rien d'autre, pas d'instruments mélodiques. C'était les rythmes qui fournissaient la mélodie en quelque sorte. L'école de samba comprend des sections rythmiques composées d'instruments comme le tambourin, la cuica et le berimbao *. Le berimbao ressemble à un arc et sa flèche, avec une sorte de petite calebasse fixée à la partie en bois de l'arc, et qui s'appuie contre l'estomac. On tient l'ensemble de la main gauche, la droite serre une petite tige d'acier avec laquelle on frappe l'unique corde, pendant que la main gauche déplace une pièce de monnaie le

---

* Berimbao, de barriga, ou urucungo (*N.d.A.*).

416

long de la même corde pour changer la hauteur du son. En même temps, on peut écarter et rapprocher la calebasse de l'estomac, ce qui modifie également le son. Il y a donc triple combinaison, entre le son de la corde, celui de la gourde, et le rythme que l'on joue. Je devrais dire quatre d'ailleurs, parce qu'il y a aussi un genre de cliquetis dans la calebasse. J'ai un porte-bonheur en forme de berimbao que m'a offert Norman Granz, et qui se porte autour du cou.

La cuica, elle, produit un son qui rappelle une voix d'homme ou de femme suivant la hauteur. Elle se compose d'une peau tendue sur un long cylindre et d'une petite tige fixée au centre, à l'intérieur de ce faux tambour. On frotte un chiffon mouillé sur la baguette en pressant plus ou moins fort de l'autre main sur la peau, et on obtient ainsi tantôt un son aigu (la femme) tantôt un son très grave (l'homme). Et puis bien sûr, il y a le tambourin et toutes sortes d'autres instruments, y compris la cymbale charleston américaine. Et croyez-moi que quand ils jouent tous ensemble, c'est quelque chose !

Quant aux danseurs, ils n'arrêtent pas de danser, dix heures de suite, et les rythmiques se relaient l'une après l'autre. Pas de pauses. C'est fabuleux. J'ai joué et dansé avec eux.

Je ne me suis jamais trouvé là-bas pendant le grand carnaval, mais ils en ont improvisé un pour moi. Chaque région a une école de samba, chacune avec son blason qui permet de l'identifier. Il n'y a rien de comparable aux Etats-Unis à ce genre, en fait très « africain ». Les seules manifestations qui s'en approchent chez nous, mais de très loin quand même, sont ces réunions de « revival » religieux où l'exaltation générale se traduit aussi par des rythmes, des chants, de la danse et des cris.

Au Brésil, personne ne semble très au courant des appartenances raciales. J'ai rencontré le plus grand compositeur brésilien, Hector Villa-Lobos. Il n'a pas le teint vraiment foncé, mais ça ne signifie rien. Ses ancêtres sont africains, portugais et indiens ! Les Brésiliens font la distinction entre les différentes souches, mais pas comme aux Etats-Unis. Chez nous, il s'agit de racisme, alors que là-bas il n'y a pas de politique officielle dirigée contre les Noirs. J'ai soulevé la question pendant mon séjour dans ce pays, lors d'une visite au Jockey Club. Susan Hayward se trouvait là avec le millionnaire Jorge Guinlé, grand amateur de jazz, qui avait donné chez lui une réception absolument fabuleuse en notre honneur et qui fréquente beaucoup toutes les starlettes d'Amérique du Sud. Bref, au Jockey Club j'ai remarqué qu'il y avait vraiment très peu de gens à la peau foncée et j'ai posé des questions sur les préjugés raciaux. Ils ont protesté en riant : « Oh non, il n'y a pas de préjugés de ce genre ici !

— Je veux bien, mais alors comment se fait-il que je ne voie qu'une vingtaine de Noirs sur des milliers de personnes ? »

On m'a répondu : « Ce n'est pas une question de couleur, c'est un phénomène économique. »

J'ai répliqué : « Eh bien, le voilà, le problème : il y a un préjugé économique. Vous devez empêcher les Noirs de gagner de l'argent, puisqu'ils ne fréquentent pas cet endroit... »

Cela dit, d'un point de vue général et officiel il semble malgré tout que le fait d'être noir ne soit pas un handicap dans une carrière. Par exemple, il y avait un certain Cepao, un Noir, qui était l'arrangeur principal du studio de télévision parce qu'il avait les qualifications requises. Là-bas, si un type est valable, il peut gravir les échelons. On m'a dit qu'il y a davantage de Noirs à Bahia, mais nous n'avons pas eu l'occasion d'y aller et avons raté la région vraiment noire du Brésil. Bien sûr, nous avons vu beaucoup de Noirs, mais pas la forte densité qu'on trouve probablement à Bahia, centre de la créativité pour les arts en général et la musique en particulier. Par contre, j'ai eu l'occasion de rencontrer pas mal de gens originaires de Bahia, dont certains sont même venus exprès de là-bas me voir à mon hôtel et m'ont donné un genre de récital. Ils étaient nombreux, environ une quinzaine, les deux pièces étaient pleines! Et ils ont joué et dansé juste pour moi. Lors de mon dernier passage, tout un spectacle de Bahia avait été organisé en mon honneur.

Un soir, nous avons fait une séance à l'hôtel Gloria avec Cepao. Je l'ai sur bande dans ma collection personnelle. Cepao avait écrit un arrangement sur un motif suggéré par moi, et j'ai improvisé dessus. J'ai souvent pensé à sortir cet enregistrement sur disque aux USA. Il a été réalisé avant que personne n'ait même songé à jouer du jazz sur un rythme typique latin. C'est une samba. Ils prennent des breaks inouïs, qui rappellent ce que je faisais avec Charlie Parker. Et certains passages ressemblent à nos propres lignes mélodiques, avec des rythmes de samba derrière. Cepao a été le premier à innover dans ce sens là-bas, et croyez-moi, ça sonne très noir! Il est toujours à Rio, et directeur musical à la télévision.

Mon séjour au Brésil a vraiment élargi mon horizon musical. J'y ai appris que la musique est une, et que les divers courants venus de milieux ethniques différents peuvent se fondre complètement tout en conservant leurs qualités distinctives et sans rien perdre non plus de leur variété. J'ai trouvé dans le domaine de la musique cette unité dans la diversité, que la religion Baha'i m'a enseignée dans la vie. Larguer son héritage ancestral? Les Baha'is pensent au contraire qu'il faut apporter chacun le sien pour venir grossir le flot des autres, l'intégrer dans le grand œuvre comme un fragment dans un tableau de maître. Ce n'est pas parce que j'aurai la peau violette et un autre orangée que nous ne pourrons pas mettre en commun des qualités complémentaires pour former un ensemble homogène. Apportez ce qu'il y a d'original, d'unique en vous, ne vous alignez pas sur les autres. N'essayez pas de « marcher avec leurs chaussures ».

Nous avons été les premiers aux USA à jouer cette musique, la samba, dans le cadre du jazz. J'avais tout un répertoire et je me souviens que Stan Getz me relançait sans arrêt pour que je lui passe quelques mélodies. J'étais d'accord, je ne cherchais pas à les garder toutes pour moi, mais nous ne nous trouvions jamais en même temps au même endroit... Il a fini par les obtenir, et a eu énormément de succès en les interprétant. Peu importe qui les a introduites en premier, car Getz a fait du très beau travail dessus, mais c'est quand même moi qui ai lancé cette musique en Amérique du Nord.

Je connais bien tous les rythmes latino-américains, mais je ne les joue pas exactement comme dans leur pays d'origine. Je leur ajoute ma touche personnelle, parce que j'estime qu'il faut vivre sa musique comme on vit sa vie, et lui garder son caractère ethnique. Pour traduire musicalement l'esprit d'un peuple, il faudrait mener la même existence que ces gens-là. Ainsi, en Afrique, ils avaient des thèmes différents et très typiques pour célébrer la fertilité, les épousailles, les initiations, les naissances et les décès. Notre propre musique a influencé la musique brésilienne sur le plan harmonique, et je l'entends bien dans les œuvres de compositeurs comme Carlos Jobim. Mais réciproquement, eux nous ont influencé sur le plan rythmique. Seulement, il est arrivé à la musique brésilienne la même aventure qu'à la musique cubaine importée aux Etats-Unis au début du siècle. Les morceaux étaient généralement écrits à trois temps (3/4) ou à deux temps (2/4), et ils ont été transformés à quatre temps (4/4) pour que les musiciens américains les jouent plus facilement. C'est vraiment massacrer la musique cubaine.

L'Amérique du Sud est extrêmement pittoresque, avec des paysages inoubliables et du caractère, tout comme San Francisco. L'Argentine m'a frappé plus que les autres Etats par son appartenance espagnole. Ils avaient monté un coup publicitaire à Buenos Aires : je devais parader à cheval dans les rues de cette ville, vêtu d'un costume de gaucho. Ils avaient arrêté la circulation sur quelques centaines de mètres dans l'avenue Florida, proche du club Le Rendez-Vous tenu par Oscoaldo Frisedo. Oscoaldo est un vieux spécialiste du tango, et nous devions jouer ensemble. Nous avons d'ailleurs enregistré *Capriche del Amor* qui n'est jamais sorti aux USA, et où j'étais accompagné par l'orchestre de ce club. Un bon disque, pourtant. Plus tard, j'ai également enregistré un thème intitulé *Tangorine,* en souvenir de mon expérience avec le tango (Verve 89173).

Pour ma chevauchée en costume de gaucho, on m'avait appris une ou deux phrases comme *A quin leganaste, Tomatala, swa rambute...* *A*

419

quin leganaste est une de ces expression idiomatiques qui défient la traduction. Ça se rapproche de : « Et alors... » Lalo Schifrin et les autres musiciens que j'ai connus à ce moment-là m'avaient fait répéter consciencieusement. Et dans la rue, il y avait une femme qui apparemment n'appréciait pas de me voir parader de la sorte, en gaucho. Tout le monde m'acclamait, et elle me conspuait : « Hou ! Hou ! Boo ! Boo ! » Bref, ça ne lui plaisait pas. Alors je lui ai dit : « A *quin leganaste !* », et elle s'est écroulée de rire.

Au cours de ce voyage en Amérique du Sud, j'ai aussi rencontré à Buenos Aires le Révérend Dr Theodore Hesburgh, président de l'université de Notre-Dame. Lui, Harold Burton, juge à la Cour suprême, et moi, devions être photographiés ensemble, et on est venu m'arracher à la séance d'enregistrement de tango pour aller poser avec eux. Le juge Burton n'est même pas venu ! J'ai raconté plus tard à tout le monde comment j'avais rencontré par hasard son patron, le premier juge Warren, à bord d'un avion, et comment je l'avais battu aux échecs. J'ai coincé Monsieur le Juge Warren en le faisant mat en trois coups, et j'ai encore la photo qui fut prise comme témoignage, accrochée au mur dans le sous-sol chez moi.

Ce voyage en Amérique du Sud a vraiment établi ma position prééminente dans l'interpénétration des musiques des deux Amériques. J'ai ramassé la bossa nova, et montré l'influence de la musique brésilienne sur la nôtre. Toute cette musique avait la même ascendance, sa source principale d'inspiration étant le rythme. C'est par là qu'elle diffère de la musique classique européenne.

LALO SCHIFRIN *(pianiste, compositeur, arrangeur)*

« J'ai rencontré Dizzy en Argentine où il était en tournée avec un grand orchestre sous les auspices du Département d'Etat. Un des meilleurs " big bands " de l'histoire du jazz. J'avais moi aussi le mien en Argentine à cette même époque, et nous avons joué en son honneur après le spectacle ; seize musiciens dont Gato Barbieri au sax, le seul orchestre de jazz qui faisait des tournées en Amérique du Sud. Notre répertoire n'était pas latin, le style étant un intermédiaire entre celui de Dizzy et la tradition Basie. Ça a emballé Dizzy, qui m'a proposé de venir aux Etats-Unis comme pianiste-arrangeur. Je n'y ai pas cru, vous savez, je pensais qu'il disait ça pour être gentil avec moi : " Quand tu monteras à New York, viens me voir. "

« Et je suis venu, en 1960, m'attendant à être déçu dans mes espérances. Beaucoup de gens vous disent des paroles comme ça quand ils sont à l'étranger, mais quand vous leur téléphonez, ils ne vous connaissent plus. Dizzy, lui, avait été sincère. Dès mon arrivée, j'ai rassemblé mon courage, mis de côté mes inhibitions et je lui ai téléphoné. Il a répondu : " Bien sûr, je me souviens. Que deviens-tu? " Alors, il m'a commandé une œuvre, et j'ai écrit pour lui *Gillespiana Suite* (Limelight 82022). Puis il m'a proposé d'entrer comme pianiste dans son quintette. Sans tout ça, je ne serais pas ici à l'heure actuelle. J'étais venu à New York en visite, seulement histoire de voir ce qui se passerait, et j'étais prêt à repartir. Je gagnais beaucoup plus d'argent dans mon pays où j'avais mon propre show financé par Coca-Cola, que comme simple musicien à New York. Mais c'était le rêve de ma vie, et je me fichais complètement du côté financier et du reste. J'ai donc décidé de rester aux Etats-Unis à cause de Dizzy. Voyez-vous, j'étudiais sa musique depuis longtemps, ce qui m'a permis de rentrer dans le quintette. Je connaissais tous les thèmes par cœur, car je les avais appris d'après les disques, y compris les chorus. Dizzy était mon idole entre tous les musiciens de l'histoire du jazz. Bien sûr, j'aimais Charlie Parker et Bud Powell, mais mon idole, c'était vraiment Diz. Sur le plan musical, je pense qu'il va plus loin que tous les autres et n'est pas seulement un trompettiste. Il existe beaucoup de bons trompettistes : Miles Davis, Clifford Brown, mais Dizzy est absolument fantastique, le meilleur, quoi. Ses qualités de musicien dépassent tout ce qu'on peut attendre, et c'est lui qui a sans doute apporté la contribution la plus importante à la musique américaine. Cela m'attriste de constater souvent qu'assez peu de gens le savent. Il dépasse de loin la maîtrise de l'instrument, ou la perfection d'un chorus. Il peut ne pas être en lèvres un soir, mais ses idées sont tellement complètes et achevées que le son n'a plus d'importance. Ses concepts musicaux et son extraordinaire feeling font de lui un musicien essentiel. Si l'on devait chercher une comparaison en dehors du domaine musical, je penserais à Picasso. Son sens de l'humour et son utilisation des lignes sont comparables.

« En jouant avec lui, j'ai mieux saisi la notion de style, et compris ce que doit être l'accompagnement. Diz m'a vraiment appris tout ça. Il le fallait d'ailleurs, car dans le jazz moderne le rôle du pianiste est très délicat. Il doit relier la basse et le soliste, et très souvent ne sait pas quoi faire sinon jouer des accords en série, c'est tout. Par exemple, quand je jouais en doublant mentalement le tempo, ce qui se traduisait par un déluge de notes et des lignes compliquées, Dizzy me disait de plaquer un seul accord, WHAM! et de laisser un silence, un espace, qui donne une impression de respiration, et offre en même temps au soliste le choix de la direction qu'il va prendre, sans interférence. Il existe une foule de petits trucs de ce genre qui ne semblent pas tellement importants en soi, mais le deviennent tous réunis. En outre, quand on joue aux côtés de Dizzy, son talent est contagieux; une découverte qui m'a été très profitable. Oui, j'ai appris beaucoup auprès de lui, mais il y a quand même eu échange car j'avais une connaissance approfondie de la musique dans son ensemble, ayant eu une formation classique. Parfois, je lui apportais des traités d'harmonie de compositeurs contemporains d'avant-garde, dont des Européens. Il se montrait toujours très intéressé, et de temps en temps on introduisait dans les arrangements certaines idées ainsi glanées. Bref, une coopération des plus agréables. Mais néanmoins, c'était lui le maître et moi l'élève. »

Mieux payé que le président !

De retour aux USA, nous avons donné un concert devant vingt mille personnes au New York Jazz Festival de Randalls Island en 1956, qui nous valut des critiques dithyrambiques. C'était la première fois que cet orchestre jouait pour un public aussi nombreux dans notre pays, et tout le monde attendait une prestation exceptionnelle à cause des commentaires de la presse sur notre tournée à l'étranger. Ils étaient venus en masse, et ont été absolument conquis par ce qu'ils ont entendu. Peu après je fis quelques tournées, seul, pour Norman Granz, puis je décidai de remonter l'orchestre avec de nouveaux éléments comme Lee Morgan et Talib Dawud aux trompettes, Wynton Kelly au piano et Paul West à la basse. Les tournées du printemps 57 furent un immense succès sur le plan musical, et plus encore peut-être d'un point de vue social en Georgie, parce que l'orchestre était « mixte », avec un chef noir, et que dans cet Etat les Blancs étaient toujours farouchement partisans de la ségrégation. Une des raisons pour lesquelles nous avions été envoyés en tournée dans le monde entier était d'apporter une sorte de démenti aux rapports concernant les préjugés raciaux aux Etats-Unis. Et voilà que nous était donnée l'occasion de faire avaler au médecin un peu de sa propre potion, et de combattre sur place ces mêmes préjugés qui étaient la source des rapports désobligeants à l'étranger. Ainsi, à Atlanta, nous avons joué au Waluhaje, dans un magnifique complexe de logements et centres de loisirs appartenant à des Noirs. Bien entendu, de nombreux Blancs sont venus nous écouter, et il n'y avait pas de ségrégation dans la salle.

BILLY MITCHELL *(saxophoniste ténor)*

« Je me souviens surtout de dix jours à Toronto. Il y avait un nombre incroyable de musiciens fabuleux dans cet orchestre en dehors de Dizzy, comme Lee Morgan, Wynton Kelly, Charlie Persip, Paul West, Benny Golson, Ernie Henry, Melba Liston et d'autres... En fait, il y avait tant de talents réunis que c'était une explosion permamente. Chacun de ces dix soirs à Toronto, on aurait pu croire que l'orchestre ne jouerait jamais mieux, et à chaque fois pourtant il était encore meilleur que la veille ! »

PAUL WEST *(bassiste)*

« C'est seulement un peu avant 1956 que j'ai découvert Dizzy Gillespie, Max Roach, Kenny Clarke, Clifford Brown et les autres, car toute mon activité musicale antérieure avait été orientée dans une autre direction : je devais être le Heifitz noir... Quoi qu'il en soit, j'avais à cette époque une petite formation, un trio, et je cherchais un batteur. J'ai engagé Charlie Persip qui s'était présenté, et pendant le mois où nous avons travaillé ensemble nous sommes devenus très copains. C'est lui qui m'a fait connaître Dizzy Gillespie. Ils avaient trois répétitions prévues vers la fin de septembre 56, et Charlie a proposé à Dizzy de m'écouter en lui disant qu'il aimerait peut-être ma façon de jouer. Dizzy a répondu : " D'accord, amène-le à la première répétition, comme ça on saura ce qu'il peut faire. " Je me souviens, il y avait Quincy Jones qui nous a fait travailler des nouveaux morceaux, entre autres *Jessica's Day,* et Dizzy m'a dit : " Ça marche, reviens demain. " En montant l'escalier avec ma basse le lendemain, j'ai entendu un autre bassiste qui jouait terrible, avec un gros son. Moi, je n'avais aucune expérience, et je suis allé discrètement m'asseoir dans la salle. Le type était Carl Pruitt. Je ne le connaissais pas, mais il m'a démoralisé complètement, avec cet énorme volume ! Quand Dizzy a voulu commencer la répétition, il s'est aperçu de mon absence. J'étais toujours dans la salle à me dire que je n'avais pas assez d'expérience ni de talent. Et puis Dizzy a crié : " Hé, où est passé le bassiste, le petit jeune qui était là hier ? " C'est vrai que je faisais très jeunot à l'époque, même très bébé. J'ai répondu : " Je suis là, monsieur Gillespie, dans la salle au dernier rang. — Qu'est-ce que tu fous là-bas ? Monte sur scène. Je t'ai dit de revenir. " Finalement, nous avons joué à deux contrebasses, Carl Pruitt et moi. Carl était vraiment très fort. Alors, à la fin, j'ai dit : " Merci de m'avoir laissé prendre part à la répétition. " Et Dizzy m'a répondu : " Mais c'est toi qui as l'affaire ! " Voilà ma rencontre avec Dizzy, et depuis ce jour il est devenu mon mentor. J'étais vraiment un débutant quand je suis entré dans l'orchestre, je connaissais bien la musique en général, j'étais un bon lecteur, mais c'est Dizzy qui m'a ouvert les yeux, les oreilles et l'âme au jazz, qui m'a réellement initié.

« J'ai d'abord appris la discipline au sein d'un grand orchestre, et puis les subtilités rythmiques. Dizzy est un maître tout à fait fascinant dans le domaine rythmique. Avec lui, j'ai appris à décomposer une mesure, à analyser dans le détail une figure rythmique pour pouvoir la jouer à l'aise.

« Le premier soir de répétition en fait, je ne connaissais pas *Night in Tunisia,* mais j'avais quand même entendu le thème et j'avais remarqué la ligne de basse; mais voyez-vous, quand on essaie de jouer quelque chose qu'on a seulement vaguement entendu, on risque de se tromper de notes. La ligne générale y est, mais on fait des erreurs par endroits. C'est ce qui m'est arrivé pour ce morceau. Comme justement Oscar Pettiford se trouvait là ce soir, c'est lui qui m'a montré les basses exactes et les doigtés au cours de la répétition. Après quoi, Dizzy m'a expliqué la vraie mise en place.

« En 1969, à l'époque où je dirigeais un genre d'atelier musical, le Jazz-Mobile Workshop, il venait souvent nous voir, faisait connaissance de la classe et par exemple décomposait des structures apparemment complexes en des formes très élémentaires. Les étudiants s'écriaient : " Ah bon, c'était donc ça! " Dizzy a vraiment le don de la pédagogie, il a toujours accepté d'en faire profiter les autres. Or tous les musiciens ne sont pas comme lui, beaucoup préférant garder ce qu'ils savent pour leur propre usage. Ils ont peur de livrer leurs secrets!

« Lee Morgan et moi sommes entrés dans l'orchestre en même temps. Il avait dix-huit ans et moi vingt et un si j'ai bonne mémoire, et nous étions les deux plus jeunes, les " bébés " comme on nous appelait. Travailler avec Dizzy a été sûrement ce qui pouvait arriver de mieux à Lee Morgan à l'époque. Il avait l'arrogance de la jeunesse, l'insouciance aussi, et était très drôle. Un genre de Dizzy junior. C'était évident quand on l'entendait jouer son solo sur *Night in Tunisia :* il aspirait à ressembler au " Maître " tant comme musicien que comme personnage. Mais cela dit, son jeu avait beaucoup de caractère, d'originalité, et c'était là une différence essentielle entre lui et bon nombre d'autres jeunes musiciens. Il ne cherchait pas à faire étalage de sa brillante technique, de son talent, mais il les mettait au service de sa personnalité, exactement comme Dizzy qui ne fait jamais une démonstration gratuite de sa virtuosité mais l'utilise pour mettre en valeur sa personnalité. Son jeu n'est pas une succession d'exercices éblouissants, il est avant tout original, et c'est là, je crois, un héritage que Lee doit à Dizzy. Tout comme Brownie (Clifford Brown) d'ailleurs, que Lee adorait. Les rapports entre Dizzy et Lee étaient ceux d'un maître et de son élève, de toute évidence. Seulement, Dizzy ne dira jamais : " Tiens, fiston, viens donc que je t'apprenne quelque chose. " Il sait enseigner sans ostentation, sans vous faire sentir qu'il vous montre quelque chose. Mais en réalité, avec toute la force de son caractère et de sa personnalité, il ne cesse de vous imprégner, de vous façonner, de vous instiller sa science. A vous de rester ouvert, prêt à recevoir. C'est le genre de comportement qu'il avait non seulement avec Lee bien que ce fût particulièrement évident avec lui, mais avec le reste de l'orchestre. Il a une façon bien à lui de vous remorquer sans vous le faire sentir. On n'a pas du tout l'impression que quelqu'un essaie de vous prendre en main, et c'est une attitude relationnelle très intelligente. Beaucoup de gens imbus d'eux-mêmes veulent toujours démontrer qu'ils sont des puits de science et de talent en cherchant à vous écraser, en vous faisant bien comprendre qu'ils sont le maître et vous l'élève. Dizzy, jamais. Il vous inculque une somme énorme d'enseignement sans faire peser sur vous la moindre contrainte, et sans même se rendre compte de ce qu'il vous donne. C'est à mon avis la relation maître-élève idéale, et j'apprécie tout particulièrement cette qualité chez Dizzy.

« L'orchestre passait au Waluhaje à Atlanta, en Georgie. C'était ma première tournée avec Dizzy et je crois que je m'en souviendrai toute ma vie. En outre, je venais de me marier. Je me rappelle surtout un jour, le 26 décembre, le lendemain de Noël. On était en train de jouer *Dizzy's Business* ou un thème de ce genre, dans lequel Dizzy faisait une rentrée sur une note suraiguë. Il s'est penché en arrière pour attaquer, encore plus en arrière, et encore un peu plus, tant et tellement qu'il a fini par se retrouver assis sur l'estrade. Après quoi, il a attaqué sa note! On était tous morts de rire!

« Il y a eu un autre incident, mais cette fois à l'aéroport, au moment du départ d'Atlanta. Dizzy s'était fait remarquer par un scandale quelconque, je ne me souviens plus très bien, mais c'était lié au fait que l'orchestre était new-yorkais et donc " mixte ". Et en 1956, à Atlanta, les choses n'étaient pas encore aussi simples. Bref, il a fait une remarque qui a amené quelqu'un à appeler la police sur les lieux. Un flic s'est approché de lui et l'a interpellé : " Eh, vous, là! Quel est votre nom et d'où êtes-vous? " Et Diz a répondu : " Je suis de Cheraw, en Caroline du Sud. " Ce qui était très drôle, en l'occurrence, et Dizzy en avait conscience, bien sûr... Mais tous les types de l'orchestre, voyant ce qui se passait, se sont éloignés discrètement pour éviter de se trouver mêlés à cette histoire. Personne ne connaissait plus Dizzy, ce jour-là! »

426

MELBA LISTON

« Il nous faisait peur, souvent, parce qu'il devenait agressif d'un coup et envoyait promener les Blancs en termes crus. Je me souviens qu'une fois on allait monter dans l'avion, quand tous ces policiers sont arrivés et il y a eu toute une histoire avec Dizzy qui n'avait aucune intention de se laisser intimider. Nous, on voulait surtout prendre l'avion et partir! Mais lui faisait un scandale parce qu'on avait voulu l'obliger à laisser les Blancs passer devant lui à l'enregistrement ou quelque chose de ce genre. Vous savez, ces petites mesquineries arrivaient sans cesse à l'époque. L'orchestre était celui qui avait fait la tournée mondiale sous les auspices du Département d'Etat, et donc composé de Noirs, de Blancs, de Juifs, de bonshommes et de bonnes femmes. Un mélange très audacieux pour le Sud des Etats-Unis, mais Dizzy l'avait voulu ainsi. »

DIZZY

Malgré un succès sans précédent aux Etats-Unis et à l'étranger, les attaques dirigées contre nous reprirent de plus belle en 1957. Tout d'abord, on nous refusa le Veterans Auditorium à Los Angeles parce que certains officiels avaient prétendu que l'orchestre jouait du rock'n roll, et nous avons dû nous produire ailleurs. A la suite de quoi, la presse se mit à agiter de stupides questions sur le thème : « Le rock'n roll a-t-il remplacé le bebop? » J'ai expliqué que le rock'n roll n'était qu'un des aspects du jazz, et que le bebop se portait toujours bien. En réalité, le rock'n roll est une forme plus ancienne que le jazz moderne, et il existait depuis longtemps. Louis Jordan a toujours joué dans ce style, bien avant Elvis Presley.

Puis ce fut la grosse artillerie, à bout portant. Certains membres du Congrès, comme le sénateur Ellender, de Louisiane, et le député Rooney, de Brooklyn, ont commencé à faire tout un raffut à Washington autour de l'argent que nous avions gagné à l'étranger. Ils ont décidé de réduire de 26 p. 100 le budget de l'USIS sous prétexte que nos cachets étaient « exorbitants », et que c'était gâcher l'argent des contribuables. Ils étaient furieux parce que j'avais gagné deux mille cent cinquante dollars par semaine pendant deux mois, alors que le traitement du président Eisenhower était de cent mille dollars par an, soit un peu moins de deux mille dollars par semaine *.

---

* Ils ne tenaient pas compte du fait que les sept mille cinq cents dollars par semaine que nous donnait le Département d'Etat étaient à diviser entre seize musiciens, deux chanteurs et le bagagiste. Le budget total des tournées n'avait pas dépassé cent mille

Quand ils m'ont interrogé sur ce point, je leur ai demandé combien de notes le président pouvait jouer à la file, sans s'arrêter... J'étais un bon trompettiste et je recevais le cachet normalement dû à un artiste de ma réputation à cette époque. Compte tenu de l'échelon atteint dans la hiérarchie financière américaine, j'étais plutôt bien payé, c'est vrai, mais pas non plus de façon royale... enfin, présidentielle. Après tout ce que nous avions fait pour représenter la culture américaine à l'étranger, devant de larges publics en Europe et dans le tiers monde, voilà le genre de remerciements que nous adressait le Congrès! Le Département d'Etat, lui, essayait de défendre son programme, faisant valoir que les USA ne pouvaient se permettre d'envoyer que les meilleurs artistes pour ces tournées de prestige, et que les meilleurs voulaient être bien payés... Personne n'a pris la peine de comparer nos salaires avec ceux d'autres vedettes américaines qui avaient aussi fait ces tournées. A vrai dire, envoyer à l'étranger un orchestre de jazz était économique, en comparaison des cachets de certains grands noms du rock'n roll. Ces tournées ont beaucoup fait pour le blason des USA, mais on m'a quand même reproché d'avoir trop gagné. Pourtant, ils savaient bien qu'aucun musicien de jazz ne peut se faire de l'argent comme ça à longueur d'année.

J'ai fini par me fâcher vraiment, et j'ai déclaré : « Le jazz est beaucoup trop bien pour les Américains! » Car j'avais remarqué que les Américains ne semblaient pas apprécier la musique de leur propre pays autant que les étrangers. En Europe, en Asie, en Amérique du Sud et en Afrique ils sont très enthousiastes, étudient notre musique, la prennent au sérieux. Et cela reste vrai, dans une large mesure, encore aujourd'hui. J'aimerais savoir pourquoi. Quelqu'un a une idée?

---

huit cent soixante-neuf dollars. Ils ont prétendu que le montant des entrées s'était élevé à seize mille dollars, ramenant le coût réel aux environs de quatre-vingt mille dollars. Ils ont oublié aussi que le cachet normal du grand orchestre était de huit à dix mille dollars par semaine (*D. G.*).

Ah, mes aïeux !

Maman avait quinze ans à la naissance de mon frère aîné, Sonny, qui est mort depuis. Il aurait eu cinquante-neuf ans en 1959, et tous deux ayant le même jour de naissance, il suffit d'ajouter ces deux chiffres pour savoir que maman avait soixante-quatorze ans lorsqu'elle est morte cette année-là. Elle avait beaucoup maigri et souffrait de quelque chose à la gorge. On l'avait hospitalisée pendant ma série de concerts en Europe, mais elle a attendu mon retour pour mourir. Je suis allé tout de suite la voir à Springfield dans le Massachusetts. Elle était toute menue, et elle a levé les yeux vers moi dès que je suis entré dans la chambre. Mon Dieu, quand j'y repense maintenant, elle est encore là devant moi qui me regarde. Oui, elle a attendu que je sois revenu. Elle ne voulait pas mourir avant. Et là, elle s'est éteinte. Tous mes frères et sœurs me l'ont confirmé : elle attendait mon retour. J'étais complètement anéanti.

En 1959 également, le maire de Cheraw, Russell Bennett, m'envoya ces lignes : « Gillespie, vous êtes devenu une telle personnalité internationale que nous aimerions vous rendre hommage dans votre ville natale. Nous souhaitons que vous donniez un concert à l'Armory... »

Or aucun Noir n'avait jamais mis les pieds à l'Armory, et cette lettre écrite au plus fort de la lutte pour les droits civils dans le pays tombait assez curieusement. Je répondis donc que je lui ferais savoir quand j'aurais le temps de donner ce concert, et j'ai laissé l'idée en suspens pendant longtemps. Mais je recevais toujours des lettres de lui, et puis un beau jour il a pris son téléphone et m'a dit : « Alors John Birks, décidez-vous. C'est pour quand ? » J'ai répondu : « Mais cela dépend entièrement de vous, Votre Honneur ! » et je l'ai entendu rire à l'autre bout du fil.

J'avais un contrat en Floride suivi de deux jours à l'université de Caroline du Nord, à Chapel Hill. Il restait une journée libre entre les deux, et je lui ai proposé cette date. A l'occasion de ce passage dans ma ville natale, ils avaient organisé un imposant défilé, avec deux grands orchestres de collèges (grands, pour Cheraw) et un concert avec un public « mixte », une grande première dans cette ville! Le maire Bennett fit un discours dans lequel il racontait que j'étais une personnalité internationale, l'homme le plus célèbre de Cheraw, et l'enfant chéri de cette ville. Environ deux cents personnes sur une population de cinq cents s'étaient déplacées, et le concert eut finalement lieu à Long High School au lieu de l'Armory. Les gens rentraient dans l'ordre d'arrivée, sans distinction de races, et se plaçaient de même. C'était la première fois à Cheraw depuis la Reconstruction, et probablement la première fois aussi en Caroline du Sud. La revue noire *Ebony*, qui couvrait l'événement, faisait prendre des photos de la salle, et j'ai quand même remarqué que de nombreux spectateurs blancs se cachaient le visage... Mais j'ai aussi vu parmi eux une grande fille blonde qui redressait bien haut la tête et semblait se moquer complètement d'être photographiée à côté de Noirs.

ALICE V. WILSON

« Bien sûr, je me rappelle cette journée " Dizzy Gillespie " et tout ça. Il donnait son concert à Long High School, et j'étais là. Mais on a été un peu déçus parce que je vais vous dire, dans un aussi petit bled, c'est dur de faire apprécier quelque chose de ce niveau, même s'il s'agit d'une grande vedette. Depuis, ça s'est un peu arrangé, c'est vrai, mais à l'époque, les petites villes de province... Alors, on était tous un peu frustrés. La salle aurait dû être pleine, parce que c'était John, tout simplement. Mais comme je vous l'ai dit, on se heurte aux mêmes problèmes partout dans ces petits bleds. Le public était très bien, mais moi j'aurais voulu qu'on refuse du monde, vous comprenez? Rien que parce que c'était John. Le maire qui avait organisé tout ça pour John appartenait à la jeune génération, lui. Mais il fallait amener progressivement les gens à accepter des manifestations de ce genre, sans restriction aucune. »

DIZZY

Avant la cérémonie, les discours élogieux et tout le reste, je suis allé rendre visite à quelques vieilles gens que j'avais connus jadis, entre autres Mr. James A. Powe, de la famille de ma mère. C'était son grand-père, le docteur Powe, qui avait le plus d'esclaves dans toute la région. Ce n'était pas par pure fanfaronnade que je suis allé le voir, et je n'avais non plus aucun grief particulier à son égard, mais je crois que j'étais curieux de voir comment lui plus que quiconque à Cheraw réagirait au retour du héros. Il incarnait à lui seul toute la vieille garde de cette petite ville, qui m'avait contraint à partir pour aller tenter ma chance dans le Nord. J'ai demandé au taxi de me laisser juste devant le portail. La maison était une de ces énormes bâtisses avec une allée interminable, que j'ai remontée jusqu'à la porte. J'ai sonné, et Mrs. Powe est venue ouvrir et a failli s'évanouir en voyant ce visage noir! Je me suis mis à parler très vite avant qu'elle ne me congédie. « Mrs. Powe, je suis John Gillespie, le fils de Lottie Gillespie, et je suis de retour au pays pour un jour, parce qu'il y a une grande fête en mon honneur à Cheraw. J'aimerais voir Mr. Powe, si ça ne vous ennuie pas, juste pour lui dire bonjour. — Mr. Powe ne reçoit pas, il est souffrant, me répliqua-t-elle. — Mais je n'en ai que pour quelques instants, je voudrais juste le saluer », ai-je insisté.

Entre-temps, il avait entendu ma voix et il a crié : « C'est toi, John Burch? » (Ni les Blancs ni les Noirs n'arrivaient à prononcer Birks correctement par ici!) « Entre donc, fiston, entre. » Je l'ai trouvé dans le salon avec des béquilles. « Assieds-toi », me dit-il. J'étais un peu ému parce que je n'avais jamais pénétré dans cette pièce jusque-là. Ma mère travaillait pour eux jadis, et le seul endroit où j'étais admis dans cette maison était la cuisine. « Mon garçon, nous sommes drôlement fiers de toi. Tu as réussi, tu t'es conduit comme un grand monsieur et tu nous rends très heureux.

— Merci, Mr. Powe, ce que vous venez de dire me touche beaucoup.

— Autre chose encore, ton arrière-grand-mère aurait été fière de toi. Tu ne l'as pas connue, je sais, car tu es le plus jeune.

— C'est vrai, monsieur, mais on m'a parlé d'elle.

— Je suis sûr qu'on ne t'a pas raconté sa véritable histoire. Ton arrière-grand-mère était la fille d'un chef africain.

— Mais alors, appelez-moi " majesté " », plaisantai-je.

Il a éclaté de rire, plié en deux, et quand il a eu repris son souffle un moment après, il m'a raconté le reste de l'histoire : « Mon père est allé jusqu'à Charleston pour l'acheter, parce qu'il voulait qu'elle élève les enfants. Un genre de " nounou ", tu vois. Elle s'appelait Nora. »

Je savais qu'il disait la vérité car j'avais toujours entendu ma mère parler de « Grand-maman No' », comme on appelait Nora. Grand-maman No' avait deux fils, oncle William et mon grand-père, et leurs pères (différents) à tous deux étaient des Blancs*. Elle n'avait

---

* Mon grand-père dont le vrai nom était Hampson avait, nous a-t-on dit, reçu le surnom de « Yank », parce que son propre père était un « Yankee » (D. G.).

jamais aucun rapport ni de relation avec les autres esclaves de la plantation.

Grand-maman No' n'était pas commode et avait la phobie des peaux noires, aussi curieux que cela puisse paraître. Maman nous racontait souvent des histoires à ce sujet. Entre autres, quand mon père a commencé à s'intéresser à elle. Il était très noir de peau, et avait les cheveux crépus. Grand-maman No' l'avait toisé, et avait déclaré ensuite à ma mère : « Si ce nègre couleur cirage avec sa toison de mouton remet les pieds ici, je vous flanque dehors tous les deux. » Bien sûr, ma mère n'en avait pas tenu compte et l'avait épousé quand même. C'était la première fois que j'entendais cette histoire, et personne n'était au courant dans ma famille. Mr. Powe me l'avait racontée à moi parce qu'il devait penser que j'étais capable de comprendre. Après cela, j'ai tout raconté aux autres membres de ma famille. C'était gentil de la part de Mr. Powe, car il aurait pu considérer cela comme un secret à emporter dans sa tombe.

La personnalité de Grand-maman No' m'est devenue soudain un peu plus familière, en partie à cause de l'histoire que venait de me raconter Mr. Powe, mais aussi d'autres détails que je connaissais. Elle devait en tout cas raffoler des Blancs, ou alors ils la trouvaient très attirante puisque les pères de ses fils étaient blancs. C'était typique de la royauté déchue que de se ranger aux côtés de ceux qui détenaient le pouvoir et de tourner le dos à ceux qu'elle ne considérait pas comme ses égaux. Etant de sang royal, Grand-maman No' avait dû être deux fois plus éprouvée que d'autres par l'esclavage, ce qui explique sans doute sa rigueur et son attitude envers Papa.

Assis là dans le salon de Mr. Powe à mettre les points sur les i, j'ai eu soudain une révélation inouïe : si Grand-maman No' était strictement une esclave confinée à la maison, propriété exclusive du père de Mr. Powe qui ne tolérait aucun contact entre elle et les mâles noirs de la plantation, qui était donc le père le plus vraisemblable de ses enfants ? L'implication contenue dans ce raisonnement m'a littéralement renversé, et je suis parti d'un grand éclat de rire du fond de mon sofa. Grands Dieux !

Un temps pour lutter

Après la mort de Maman, j'ai compris que je devais faire tout ce qui était en mon pouvoir pour réussir ma vie, lui donner un sens, tant dans la musique qu'en dehors. Je me suis mis à réfléchir sur ce que notre famille avait traversé, et ce que notre race avait subi : la crise, la pauvreté, la séparation, la transplantation, la lutte et les efforts pour survivre et créer malgré tout. En 1959, de nombreux Noirs et aussi quelques Blancs raisonnaient de la même manière. Leurs pensées et leur attitude renforçaient ma propre résolution de toujours exiger ce à quoi mon statut d'être humain me donnait droit. Une attitude audacieuse qui impliquait des luttes quotidiennes pour atteindre de nouveaux objectifs, un investissement énorme de temps, de courage, d'argent, et de détermination. Parfois je m'en sentais capable, et d'autres fois non.

Je voulais entre autres lutter contre la drogue et ses ravages. Or le 21 avril 1957, le conseil municipal de New York votait une résolution pour la création d'une commission chargée d'enquêter sur tous les aspects du problème de la drogue dans la ville. Mais aucun crédit ne fut débloqué pour cette commission, et il me semblait évident que sans argent, elle ne pourrait pas lutter contre ce fléau. Cet été-là, j'ai obtenu de Franklin Geltman, l'organisateur du festival de jazz de Randall Island, qu'il verse mille dollars, une partie de mon cachet, à la Commission pour l'aider à poursuivre ses travaux. Geltman fit ce don en mon nom et Earl Brown, le président de cette Commission spéciale, l'accepta. Je considérais ce geste comme un hommage personnel à la mémoire de Charlie Parker et de Billie Holiday, tous deux victimes de la drogue. C'était d'ailleurs bien peu. La drogue restait un problème, mais enfin c'était un début qui permettait peut-être d'associer le jazz à une force créatrice au lieu d'une force destructrice.

La discrimination raciale était une autre menace sérieuse. Je me rappelle un incident à Kansas City à l'hôtel Continental : il y avait une piscine olympique réservée aux clients, mais il fallait aller à la réception avec sa clef pour obtenir une autorisation. J'ai bien essayé de l'avoir mais on m'a laissé poireauter plusieurs jours, en me disant par exemple que la piscine dépendait d'un club d'athlétisme local qui devait donner son avis favorable. Et quand je leur ai demandé : « Eh bien, où se trouve-t-il? », on m'a répondu : « Nous en sommes les représentants... » et ils ont continué à tergiverser et à jouer à ce petit jeu pour ne pas me dire en face qu'ils ne voulaient pas d'un nègre dans l'eau de leur piscine. Il s'est trouvé que de très bons amis à moi, les Duffield, des Blancs de Topeka qui travaillaient dans le secteur pétrolier, sont venus me voir. Je leur ai raconté toute l'histoire. Ils étaient outrés de tant de « connerie », comme ils l'ont dit. Ils sont allés demander des tickets d'entrée à la réception et les ont obtenus sans problème. Puis ils me les ont donnés bien sûr, en me disant : « Bon, maintenant tu as les tickets et tu les emmerdes! » Il paraît que le type derrière le comptoir avait dit à Bob Duffield : « Ne montrez pas trop vos laissez-passer parce qu'il y a un nègre qui cherchait à entrer et on n'est pas près de l'accepter à la piscine! » Bob Duffield est un balèze, et il était prêt à escalader le comptoir pour aller faire une tête au carré à ce mec! Il a fallu le retenir.

Avec les laissez-passer en main, j'ai appelé mon avocat de Philadelphie, le Pr Bogus, pour savoir quelles étaient mes chances de flanquer un procès à la direction. Il a pris le temps de consulter ses textes et quand je l'ai rappelé, il m'a expliqué : « Tes chances d'être dédommagé sont minces. Il faudrait les poursuivre en s'appuyant sur un vieux texte de loi britannique concernant l'hôtellerie. Es-tu prêt à dépenser deux mille cinq cents dollars? » J'ai répondu aussitôt : « Bogus, j'ai subi un affront mais pas de cette taille! J'ai été vexé, c'est vrai, mais sans plus. »

J'ai quand même décidé d'envoyer un télégramme à Robert Kennedy à ce sujet, et je crois bien qu'il m'a répondu. Ce même Kennedy, qui était alors avocat du gouvernement au Kansas, est venu à un de nos concerts quelque temps plus tard. Mais mon affaire n'a pas eu de suite, et finalement je ne suis jamais entré dans la piscine car j'étais déjà sur le départ quand tout ça s'est passé. Et puis, même si j'y étais allé, ça n'aurait pas prouvé grand-chose. Tout cela me fait penser à une autre histoire avec Louis Armstrong, bien avant « l'intégration ». Pops était autorisé à séjourner dans les hôtels réservés aux Blancs dans le Sud, alors que tous les autres devaient aller se loger dans les établissements pour Noirs. Malgré tout, Pops était obligé d'entrer dans l'hôtel par la porte de service. Quelques petits malins ayant découvert le truc ont introduit un Noir dans la chambre de Louis, et lorsqu'il est entré et qu'il l'a vu assis sur son lit, il est allé en vitesse se plaindre à la réception : « Dites donc, il y a un nègre dans ma chambre ! » Et le gérant lui a répondu : « Ne vous inquiétez pas, Mr. Armstrong, nous allons vider ce nègre immédiatement... »

Une autre fois, l'université de Tulane à La Nouvelle-Orléans a annulé un de mes concerts parce qu'un règlement local interdisait les orchestres mixtes. J'avais Lalo Schifrin avec moi, et ils voulaient que je prenne un pianiste noir à sa place ! Cela se passait à peu près à la même époque que l'incident de la piscine à Kansas City. J'ai refusé catégoriquement et j'ai gardé l'avance de mille dollars qu'on m'avait donnée. Ils eurent le culot de me la réclamer, mais mon imprésario, Joe Glaser, et le syndicat me soutenaient. On n'allait tout de même pas respecter un décret pareil ! Plus tard, on commença à voir apparaître dans les contrats des musiciens de jazz des clauses de non-ségrégation permettant à l'artiste de résilier son engagement si la discrimination raciale était exigée soit dans le public, soit sur scène. Norman Granz fut un des protagonistes de ce mouvement. Pour des raisons financières, beaucoup de jazzmen continuaient de jouer devant des salles où l'on pratiquait la ségrégation, et le plus sûr moyen d'y mettre un terme était de faire réagir les musiciens, et particulièrement les plus célèbres. Ce mouvement révéla d'ailleurs qu'en 1961, même le syndicat avait le contrôle de nombreuses salles où se pratiquait la ségrégation, et pas seulement dans le Sud mais aussi dans des villes du Nord, comme Philadelphie. Les représentants locaux du syndicat, noirs ou blancs, y étaient souvent favorables parce qu'ils gardaient ainsi une mainmise sur les affaires de la région. Mais ce n'était pas dans l'intérêt des musiciens, bien entendu, d'autant plus que les Noirs récoltaient toujours les affaires les plus mal payées. J'ai donc donné mon opinion ouvertement sur la question car ce n'était pas le moment de jouer les esclaves serviles. Cela dit, je refuse personnellement d'écouter tous ceux qui viennent me trouver avec une attitude raciste, noirs ou blancs, parce que la plus grande partie de mon public est constituée par des Blancs. Sans eux, je mourrais de faim. Je ne tournerai jamais le dos à mes frères de race, pas plus qu'à ceux qui apprécient ma musique et qui me permettent de gagner ma vie. Et la majorité de ceux-là est blanche.

Une autre fois, je jouais dans le même show que Dinah Washington au Regal Theatre à Chicago en 1961. C'était un disc jockey du nom de Al Benson, le plus réputé de cette ville dans le domaine du rhythm and blues à l'époque, qui avait organisé le spectacle. J'avais un grand orchestre, et il m'avait alloué vingt minutes par représentation. Avec le thème *Manteca*, qui durait quelque dix minutes, je dépassais obligatoirement ce temps imparti. Al Benson insista pour que je respecte les vingt minutes. Mais ayant désobéi une seconde fois, je reçus un télégramme de lui me disant que je n'avais décidément aucune considération pour la direction de la salle, et que mon contrat stipulait que je devais jouer conformément à leurs désirs. Il rappelait que c'était là le troisième avertissement que je recevais et m'invitait à ne pas dépasser les vingt minutes prévues jusqu'à la fin de mon engagement. Si quelque modification devait être apportée à la durée de ma prestation en orchestre, la direction m'en ferait part à l'avance. Voilà donc ce que certains Noirs pensaient du jazz. Ils accordaient vingt minutes de passage à un grand orchestre qui avait déjà fait le tour du monde devant des publics qui en réclamaient toujours davantage.

La violence et le banditisme, tout particulièrement entre Noirs, représentaient à mes yeux une angoisse permanente, plus même, une atteinte à ma vie qui était insupportable. Une fois, après avoir fini de jouer au Sutherland Lounge à Chicago, je venais de regagner mon hôtel de South Park. J'avais ramené des invités dans ma chambre, un couple de professeurs qui voulaient que je fasse un concert au profit d'une école locale. Soudain, la porte s'est ouverte avec fracas. Elle n'était pas verrouillée, et deux types ont fait irruption, l'un avec un fusil à canon scié et l'autre un calibre 38 : « Haut les mains ! » Au début je pensais qu'ils plaisantaient, et j'ai commencé à faire le mariolle. « C'est pas une blague du tout, reprit le nègre. — Vraiment ? — Tournez vous, tous ! » ont-ils crié. Alors on s'est mis contre le mur et ils nous ont fait les poches, avant de nous pousser vers la salle de bains. Une fois à l'intérieur, j'ai vite fermé la porte à clef, et puis on s'est planqués dans la baignoire et j'ai commencé à hurler à pleins poumons. Les types étaient encore dans la chambre, et il fallait éviter de rester au milieu de la salle de bains au cas où ils auraient tiré à travers la porte. Finalement, ils ne nous ont pas pris grand-chose. Je ne garde jamais d'argent dans ma chambre. Avant de nous pousser dans la salle de bains, ils voulaient que j'appelle la réception et que je fasse monter la recette de ma soirée au Sutherland. Mais je me suis bien débrouillé : « Le gérant ne va sûrement pas monter ici avec l'argent ! Il faudrait que je descende et que je signe un formulaire pour avoir accès au coffre, vous vous rendez compte... » Alors ils sont partis seulement avec ce qu'on avait sur nous.

Une fois, à Denver, j'ai vu le plus beau spectacle que la nature m'ait jamais offert. Je regardais en direction des cimes montagneuses et j'ai eu l'éblouissante vision d'une aura. J'ai voulu prendre une photo en couleurs, car le halo semblait multicolore, mais elle n'a pas rendu du tout ce que j'avais observé. Un appareil ne saisit pas ce genre de chose. En tout cas, c'était merveilleux et j'adore un pareil éventail de couleurs.

Je me suis toujours battu pour qu'on considère le jazz comme une musique de concert, et pas simplement réservée à l'intimité des clubs ou des bars. C'est dans cet état d'esprit que j'ai joué à la fin des années cinquante et au début des années soixante : à Circle dans le Square pour présenter mes compositions, et dans la série « Profils du Jazz » au musée d'Art moderne de New York; puis au festival de jazz de Monterey où nous avons donné au public la primeur d'une œuvre, *Perceptions,* qui m'avait été commandée par J. J. Johnson, et qui est sans doute la chose la plus difficile que j'aie jamais jouée. Pour couronner le tout, nous avons ensuite enchaîné avec *Gillespiana* qui durait quarante minutes. A la fin du concert, j'ai remercié Dieu de m'avoir donné la force d'arriver au bout. Le critique Ralph Gleason a écrit que ce jour-là j'avais joué « comme un possédé... ou comme touché par la grâce divine ». On a fini par quelques bons vieux blues, et quand j'ai fait mes adieux, la salle debout tout entière m'a ovationné.

J'ai joué pour la première fois avec Pops en public le 7 janvier 1959 au cours du Timex All-Star Jazz Show pour la chaîne de télévision CBS. Le fait que Pops ait pris part à ce concert montrait qu'il acceptait la perche que nous autres « boppers » lui tendions en prélude à une réconciliation. Il reconnaissait par ce geste qu'il n'y avait pas forcément concurrence entre le Dixieland et le jazz moderne. Mais pour bien prouver que ni l'un ni l'autre n'avions pour autant renié nos goûts en matière de style, nous avons décidé de nous livrer un duel sur *The Umbrella Man,* un duel « Dixieland » contre « Moderne ». C'était beaucoup plus drôle d'échanger des arguments à coups de musique plutôt qu'à coups de mots. (FDC 1017). Ce show fut un triomphe et permit à un plus grand nombre d'Américains d'entendre du jazz moderne dans un spectacle télévisé à une heure de grande écoute, d'apprécier et de comprendre notre musique. Ce show Timex était génial. Duke Ellington, Coleman Hawkins, Roy Eldridge, Gene Krupa, Jo Jones et George Shearing y participaient également.

D'autres concerts au Music Barn à Lenox, dans le Massachusetts, et à Carnegie Hall, dont l'un baptisé « Genius at Midnight » avec une formation jazz et symphonique comprenant quatre trompettes, quatre trombones, quatre cors d'harmonie, un tuba et trois batteurs, sont restés dans toutes les mémoires. J'ai joué entre autres une sorte de poème symphonique, *Kush,* que j'avais composé sur des rythmes et des sonorités africaines.

Lors du premier concert all-jazz donné au Lincoln Center's Philarmonic Hall, nous étions à l'affiche avec Mary Lou Williams pour illustrer l'influence de certaines musiques brésiliennes dans le jazz : la bossa nova, le malakaty, et nous avons également présenté une œuvre de Lalo Schifrin, *New Continent*, interprétée par un orchestre de vingt-sept musiciens. Dans le circuit des clubs, c'est à la Jazz Gallery que j'ai été pour la première fois à l'affiche avec Monk. Un incendie avait presque entièrement ravagé le club un mois auparavant, et il avait fallu le remettre en état. En tout cas, même dans les clubs on jouait maintenant *Gillespiana* tous les soirs pendant quarante minutes, ce qui permettait à la clientèle des clubs d'entendre du bon jazz d'une tout autre dimension.

SAM JONES (basse)

« J'ai joué dans trois orchestres différents avec Dizzy. Dans le premier, il y avait Wynton Kelly, Candido, Sonny Stitt, Jimmy Cobb. Je suis resté environ trois ans avec lui. Dans la seconde formation, il y avait Junior Mance, Les Spann, Lex Humphries et Sonny Stitt. Pendant un engagement à Pittsburgh, je me souviens que Sonny Stitt faisait des acrobaties absolument dingues à l'alto et au ténor. Dizzy écoutait attentivement, et après, à son tour, il a joué comme un fou, tout à fait délirant, tellement incroyable qu'à la fin le public s'est levé d'un bloc pour lui faire une ovation. Depuis, à chaque fois que je rencontre Diz, je lui dis : " Tu sais qu'ils sont toujours en train de t'applaudir à Pittsburgh, mon vieux! " »

JUNIOR MANCE (pianiste)

« Je n'ai jamais voulu être à la tête d'une formation jusqu'à ce que je joue avec lui. En dehors du fait que c'est le meilleur technicien sur cet instrument, j'ai toujours admiré sa façon d'avoir une emprise totale sur le public et de le tenir dans le creux de sa main. Il le maniait comme s'il s'agissait d'un seul individu! »

RUDY COLLINS (batterie)

« Dizzy est vraiment un maniaque de la ponctualité. Alors, laissez-moi vous raconter une petite histoire : un jour, on devait faire un concert dans le Sud à Norfolk en Virginie. On finissait un samedi soir au Village Gate de New York et il fallait prendre le premier vol pour Norfolk. Il devait être quatre heures du matin quand on a eu fini de tout remballer, et j'étais censé me lever à six heures pour attraper le vol de sept heures. La solution aurait été de ne pas me coucher. Mais j'ai eu le tort de m'allonger... et le téléphone m'a réveillé. C'était

Dizzy : " Qu'est-ce que tu fous chez toi ? Tu devrais être ici à l'aéroport ! " Lui y était déjà, bien sûr, pour prendre le premier avion.

« J'ai sauté dans ma voiture avec ma batterie et j'ai conduit le pied au plancher jusqu'à l'aéroport Kennedy. Mais j'ai raté l'avion de quelques minutes... je l'ai vu en bout de piste prêt au décollage.

« Dizzy avait laissé mon billet au comptoir. On m'a dit qu'il y avait un autre vol depuis Newark vers 8 heures 30 ou 9 heures, et ils ont téléphoné pour me réserver une place. J'ai refoncé à toutes blindes vers Newark. Quand je suis arrivé le vol avait été retardé d'une heure en raison d'un incident technique. Une heure après, on a annoncé un nouveau retard d'une heure. Le concert devant avoir lieu à quatorze heures, j'étais certain de le rater. Un membre d'équipage m'a alors conseillé de prendre un taxi aérien, et j'ai téléphoné au service des vols. Le type m'a répondu : " D'accord, je vous emmène à Norfolk pour cent quarante-sept dollars. " Que pouvais-je faire ! C'était un Beechcraft Bonanza, avec juste assez de place pour ma batterie à l'arrière, le pilote et moi. Après le décollage, j'ai demandé au pilote de passer un message radio pour prévenir Dizzy de venir à l'aéroport avec de l'argent car je n'avais pas une telle somme sur moi. On nous retransmit que quelqu'un serait là. Nous avons atterri à temps pour le concert, mais je m'attendais aux foudres de Dizzy après tous ces contretemps. Il était venu m'accueillir avec les autres, mais il ne montra aucune réaction de colère. J'étais surpris. Et les autres ricanaient discrètement. Enfin, Birks ne semblait pas fâché. Les copains me prirent à part pour m'annoncer : " Dis donc, vieux, tu es au courant, au moins ? Birks a confondu les dates... le concert n'a lieu que dimanche prochain. Il est allé se présenter sur les lieux, et aujourd'hui c'est un match de basket ! " Tous les types du groupe étaient écroulés. Après toutes ces émotions, mon cœur battait la chamade. Ainsi, je n'avais qu'à rester tranquillement dans mon lit ! Dizzy nous avait fait faire le voyage une semaine trop tôt. Quand j'y pense, j'en ris encore...

« Dizzy m'a appris le rythme de la bossa nova, et notre formation était d'ailleurs une des premières, voire la première, à en jouer. Plus tard, le disque *Dizzy sur la Riviera,* enregistré lors de notre passage au festival de Juan-les-Pins, connut un gros succès (Phillips PHM 200-048).

« Notre orchestre était excellent, et pas seulement d'un point de vue technique. Dizzy a toujours aimé mettre sur pied un vrai spectacle, voyez-vous. Et puis, de temps en temps, il a des idées bizarres. Je me souviens qu'il avait en sa possession une cymbale, genre énorme couvercle de poubelle tout cabossé avec les bords relevés. Mais il en adorait le son. C'était un cadeau de Cozy Cole.

Seulement moi, j'avais le retour en direct quand je tapais dessus et je trouvais ça beaucoup trop assourdissant. Dizzy me disait : " Bon, écoute, tu n'as qu'à t'en servir pour mon solo, et puis tu en changes pour le suivant qui prend un chorus. " Et une fois en revenant de Buffalo j'ai oublié mon set de cymbales dans un car Greyhound ! Très dur... J'étais convaincu que j'allais perdre l'affaire, parce que Dizzy exigeait que chaque batteur qui travaillait avec lui utilise la fameuse cymbale. On en a trouvé une dans le même genre, mais pas tout à fait pareille. Et puis j'ai fini par récupérer mon matériel qu'on avait retrouvé entre-temps. Mais Diz était très abattu par cet incident, parce qu'il tenait vraiment à cette cymbale et la traînait partout depuis très longtemps. On l'avait baptisé la cymbale chinoise, ou le chapeau chinois. C'était très curieux quand on jouait dessus pour la première fois. Les vieux batteurs utilisaient souvent ce modèle géant pour le Dixieland, Cozy Cole, Zutty Singleton, etc. Diz était sans doute le seul à l'utiliser pour jouer du jazz moderne ! Après lui, bien sûr, beaucoup d'autres se sont mis à l'utiliser aussi. Mel Lewis par exemple encore aujourd'hui. C'est vrai qu'elle donne un son différent... »

KENNY BARRON (pianiste)

« Dizzy m'a appris une chose essentielle : la cohérence dans le jeu, et aussi comment aérer un solo. Ne pas jouer en étalant toutes ses connaissances d'un coup, en garder pour plus tard, respirer ! Respirer en prenant un chorus.

« On jouait souvent deux ballades en enchaînement : *I can't get started* et *Round about Midnight*. Entre les deux, Dizzy prenait une " cadence * " seul, à vide. Une fois, il s'est arrêté pour reprendre son souffle, tranquillement, toujours avec une pointe d'humour, mais quand il a expiré tout l'air accumulé il a lâché un pet, et très distinctement ! Que faire **dans** une situation pareille, je vous le demande !

« Certains soirs, au dernier set, je me levais et il venait prendre ma place au piano pour accompagner Moody au sax. On retrouvait un peu de Monk dans son jeu, très intéressant. Je pense d'ailleurs qu'une des raisons pour lesquelles il est si fort à la trompette est qu'il joue aussi du piano. Ça lui permet d'entendre des tas de détails harmoniques avec précision.

---

* Passage de longueur variable et d'improvisation brillante que le soliste insère vers la fin d'un morceau, ou comme transition entre deux thèmes, qui lui permet d'étaler sa virtuosité (*N.d.A.*).

« Je me souviens d'un soir en concert, quelque part dans le
Midwest. Ça se passait dans une sorte de chapelle, je crois. Moody
était en train de jouer en solo et Dizzy faisait partir des pétards dans
les coulisses ! Vous voyez un peu, dans une église... Tout le groupe
était assez farfelu, mais aucune blague n'était préméditée. Ça venait
naturellement, de façon très spontanée. On ne savait jamais ce qui
allait se passer ! »

Dizzy à la présidence

Adam Powell est venu m'écouter un soir à l'Embers. A la pause, je suis allé à sa table et comme il sortait un de ses gros cigares habituels, je lui ai dit : « Attendez un instant... » et je suis allé chercher mon énorme briquet de quinze centimètres de haut et dix de large, un Shields mais avec la forme d'un Zippo et qui portait sur un côté l'inscription : « A Dizzy Gillespie avec toute notre affection. Moody et Margenia », et sur l'autre simplement : « The HNIC ». Quand je lui ai allumé son cigare, Adam a éclaté de rire, puis il a pris le briquet et a lu la première inscription. A cette époque, James Moody jouait avec moi. Puis je lui ai dit de regarder de l'autre côté et il a lu « The HNIC ». Il m'a demandé :

« Qu'est-ce que ça veut dire, HNIC ?

— Voyons, Adam, vous le savez bien. » Mais il a insisté, me reposant la question, et comme il y avait huit personnes à sa table je lui ai chuchoté à l'oreille : « Ça veut dire " Le Grand Chef Noir * " ».

— J'en veux un absolument moi aussi, fit Adam.

— Adam, je vais vous dire, je peux vous en procurer un mais pas avec les mêmes initiales, parce que le " Grand Chef Noir " c'est moi ! Si ça vous fait plaisir vous pouvez être le " NNIC ** ", le " Grand Chef Noir en Second ". » Finalement, je lui ai acheté le même briquet et j'ai fait graver dessus : « Au Grand Chef Noir en Second » ...

Adam l'avait toujours sur son bureau quand je suis allé à Washington l'année suivante. Adam était un type très astucieux, même trop, et il a dépassé ses limites à un point donné. Il s'est dit : « Si le sénateur Dodd fait ça, je peux bien le faire moi aussi. » Il a raisonné comme s'il était blanc. Et il a eu tort, malgré le poids qu'il avait au Congrès. Quand on passe à l'attaque, il faut s'attendre

---

* HNIC : abréviation de Head Nigger In Charge (*N.d.T.*).
** NNIC : abréviation de Next Nigger In Charge (*N.d.T.*).

à être mis en cause à son tour et être sûr de n'avoir rien à se reprocher.

C'est pourquoi j'ai décidé de me présenter comme candidat à la présidence, avec l'idée de me servir des voix et de la publicité que j'aurais pour militer en faveur du changement. Il ne s'agissait pas seulement d'un « coup publicitaire ». J'ai fait des discours et mis du monde en campagne. J'étais vraiment curieux de voir combien de votes je recevrais, combien de gens estimeraient que je ferais un bon président. De toute façon, n'importe qui aurait été meilleur que ceux qui nous dirigeaient à l'époque, toujours à faire traîner les choses dès qu'il s'agissait de protéger les Noirs dans l'exercice de leurs droits civiques et même humains, et à mener des guerres souterraines contre d'autres pays dans le monde entier.

Durant une de mes campagnes, Goldwater se présentait contre Johnson. L'histoire a dépeint Johnson depuis comme un président plutôt bien, mais à l'époque de toute façon les électeurs n'avaient pas le choix. J'étais le seul candidat possible pour des gens sensés.

L'origine de toute cette affaire remonte en grande partie à la marche sur Washington pour le Travail et la Liberté en 1963, et au festival de Jazz de Newport, deux manifestations que j'avais soutenues. Juste avant, George Wein et moi avions participé à l'émission télévisée « Les jeunes veulent savoir » diffusée dans tout le pays. J'avais été à cette occasion interviewé par un « panel » d'étudiants.

QUESTION. — Mr. Gillespie, pourquoi ne voit-on pas plus d'artistes noirs à la télévision ?

DIZZY GILLESPIE. — Je voudrais bien connaître la réponse à cette question. Je pense qu'il s'agit de discrimination raciale.

Q. — Mr. Gillespie, il existe à Washington DC une station de télévision destinée à un public noir. Le personnel est noir et on y voit des artistes noirs. Pensez-vous qu'il y ait une évolution en cours vers la création de stations réservées aux Noirs ?

D. G. — J'estime que les gens devraient mettre leurs fonds en commun pour se payer quelque chose qui leur convienne, car s'ils n'en ont pas pour leur argent — et c'est le cas dans les stations gérées par les Blancs —, il semble parfaitement normal qu'ils essaient d'obtenir mieux par leurs propres moyens.

Q. — Mr. Gillespie, pensez-vous que si les représentants du Sud tentent un *filibuster* * contre les droits civiques, les Noirs auront toutes raisons d'organiser d'autres manifestations ?

---

* Un *filibuster* est un moyen de faire obstruction qui consiste à occuper la tribune en parlant indéfiniment pour empêcher l'adversaire d'y monter à son tour. Pratique considérée comme légale aux Etats-Unis, mais pas très honnête, ce qui explique l'origine du mot : flibuste, flibustier (*N.d.T.*).

D. G. — C'est une certitude. S'il y a un *filibuster*, vous pouvez être certains que deux ou trois cent mille personnes marcheront sur Washington et iront s'asseoir sur le plancher du Sénat et des salles de réunions.

La femme de Ralph Gleason, Jean, pensait qu'il fallait opposer quelqu'un à Goldwater et c'est ainsi que nous avons organisé une grande campagne en Californie, qui s'est ensuite étendue au reste du pays, avec des gadgets du genre autocollants sur les pare-chocs des voitures et lancers de ballons. Il s'en est fallu de peu que mon nom se trouve sur la liste officielle en Californie. Beaucoup de gens ont voté pour moi par correspondance, mais je ne sais plus combien. Moi, j'étais surtout heureux de me présenter.

Le 29 juin 1963, Jeannie Gleason, ma conseillère en titre, reçut un télégramme de Dick Gregory me confirmant son appui en ces termes : « Merci beaucoup pour le badge " Dizzy Gillespie ". Je n'ai pas besoin de vous dire que je vote pour Diz, mais j'aimerais faire une suggestion : que penseriez-vous de Miles Davis comme ministre des Affaires étrangères ? Tous mes vœux. Dick Gregory *. »

Le 21 octobre, à l'occasion de mon anniversaire, nous avons organisé une soirée dansante au Basin Street West de San Francisco sous le signe de « Dizzy President », en invitant tous mes partisans de Californie à venir et à apporter de l'argent pour la campagne.

Mon agent de publicité pour cette campagne était Ralph Gleason, le journaliste de jazz qui rédigea une série d'articles sur mes qualités essentielles, par exemple mon expérience en politique étrangère. Il faisait aussi remarquer qu'on voyait des gens arborer mon badge partout, dans des rassemblements du CORE ** dans l'Ohio, et dans des villes comme Paris, Chicago, New York, Philadelphie et Los Angeles. Un de mes supporters au moins portait ce badge *** pendant la marche sur Washington, un détail qui m'avait convaincu de me lancer dans cette aventure. Il avait été photographié aux côtés de James Baldwin. Vers cette époque, je me suis mis à porter des vêtements africains, longues tuniques, fez, et babouches, pour souligner le fait que ma candidature était synonyme d'une attitude plus ouverte envers l'Afrique et le tiers-monde ; mais cette initiative eut des retombées désastreuses, car elle ne fit qu'embrouiller les gens sur mes origines réelles. Ils avaient déjà été déroutés quand des

---

* Dick Gregory : humoriste noir, artiste de la radio et de la télévision (*N.d.T.*).

** CORE : sigle pour Congress of Racial Equality (*N.d.T.*).

*** En réalité, les badges « Dizzy President » avaient été mis en circulation par mes agents artistiques de Associated Booking Corporation plusieurs années auparavant et seulement alors à titre de gag publicitaire. (*D. G.*)

444

Noirs américains vêtus comme des Africains s'étaient mis à pénétrer dans des lieux publics où sévissait toujours la ségrégation, et à se faire servir, quelquefois même avec un sourire, car les pays africains étaient indépendants et libérés du colonialisme. A l'occasion de mes concerts et de mes conférences dans les universités, j'ai mis l'accent sur la nécessité d'abolir le racisme en musique et dans tous les autres domaines, parce que c'était une injustice et donnait une triste image de notre pays à l'étranger.

Au Raymond College, à l'université du Pacifique, et à Berkeley, les étudiants ont marché à fond. Nous avons organisé un concert au profit du CORE, en même temps qu'une réunion promotionnelle pour ma campagne, en plein air, dans East Menlo Park en Californie. Je me souviens même que James Moody a livré un duel au sax contre un train de marchandises qui passait pas loin. Moody a gagné, avec l'aide de la sono. Jon Hendricks, lui, nous donna la primeur de notre chant de guerre dont il avait écrit les paroles sur l'air de *Salt Peanuts*. Je l'ai repris en chœur avec lui.

Intro	*Vote Diz, Vote Diz, Vote Diz* *Vote for Diz, Vote for Diz* *He'll show you where it is* *Vote Dizzy! Vote Dizzy!*
Chorus	*You want a good President who's willing to run* *Vote Dizzy! Vote Dizzy!* *You wanna make Government a barrel of fun* *Vote Dizzy! Vote Dizzy!* *Your politics oughta be a groovier thing* *Vote Dizzy! Vote Dizzy!* *So get a good President who's willing to swing* *Vote Dizzy! Vote Dizzy!*
Bridge	*Show the Republic where it is* *Give them a Democratic Diz, really he is*
Last eight	*Your political leaders spout a lot of hot air* *Vote Dizzy! Vote Dizzy!* *But Dizzy blows trumpet so you really don't care* *Vote Dizzy! Vote Dizzy!*
Interlude	*You oughta spend your money in a groovier way* *Every cent* *Get that badge of the People's only canditate* *Dizzy for President *!*

(Paroles de Jon Hendricks.)

---

* Voir traduction en note page suivante.

J'ai trouvé ça très chouette, vraiment génial, et ça apportait un côté humoristique à notre campagne. Après cela, j'ai annoncé mes choix pour des nominations à des postes mineurs, par exemple Son Honneur Ross Barnett, gouverneur de l'Alabama, comme chef de l'USIA * au Congo, et j'ai présenté quelques suggestions au Congrès et à l'administration en général. Nous demandions entre autres à la Commission sénatoriale sur la sécurité intérieure d'enquêter sur les activités anti-américaines de « tout ce qui se cachait sous des draps blancs »; à la NASA, de mettre sur orbite au moins un astronaute noir. J'ai également lancé quelques ballons d'essai en suggérant un changement de couleur de la Maison Blanche, et l'éventuelle nomination de Bo Diddley comme secrétaire d'Etat aux Affaires étrangères. Mes fans avaient fondé la « John Birks Society » et vendaient des T-shirts avec mon portrait brodé sur la poitrine, à l'instar des admirateurs de Bach et de Beethoven. Quand les critiques me demandaient pourquoi moi, un musicien de jazz, j'avais posé ma candidature à la présidence, je répondais : « Parce qu'il nous faut un président... » Nous avions des projets dans tous les domaines et nous avons commencé rapidement à mettre notre programme sur pied.

Nous avons donc cherché des solutions aux problèmes pratiques, comme dénicher un astronaute noir car on ne trouvait pas de postulant avec les qualifications nécessaires. J'ai pensé un moment

Intro	*Votez Diz, votez Diz, votez Diz,* *Votez pour Diz, votez pour Diz,* *Pour êtr' dans l' coup y'a pas mieux qu' lui* *Votez Dizzy, votez Dizzy!*
Thème	*Si vous voulez élire un très bon Président...* *Votez Dizzy! Votez Dizzy!* *Que le gouvernement devienne un truc marrant...* *Votez Dizzy! Votez Dizzy!* *Pour que la politique se mette à swinguer dur...* *Votez Dizzy! Votez Dizzy!* *Il faut qu' le président soit un mec qui assure...* *Votez Dizzy! Votez Dizzy!*
Pont	*Montrez aux Républicains* *que pour êtr' vraiment dans l' bain* *y'a qu' la démocratie* *et ça c'est Dizzy...*
Huit dernières mesures	*Tous vos politiciens ne savent faire que du vent...* *Votez Dizzy! Votez Dizzy!* *Mais dans son truc coudé Dizzy en fait autant...* *Votez Dizzy! Votez Dizzy!*
Interlude	*Dépensez donc vos sous* *en riant comme des fous,* *achetez le macaron du candidat béni* *celui du Président Dizzy...*

* USIA : United States Information Agency (*N.d.T.*).

aller moi-même sur la Lune! Au début de 64, la campagne avait bien démarré. Des gens de vingt-cinq Etats différents avaient déjà pris contact avec Jeannie Gleason, et un mouvement destiné à me faire admettre sur la liste des candidats en Californie fut lancé. Des membres de la John Birks Society commencèrent à faire circuler une pétition : « Les soussignés demandent par la présente au secrétaire d'Etat de la Californie de porter le nom de John Birks " Dizzy " Gillespie sur la liste des candidats à la présidence des Etats-Unis d'Amérique, comme indépendant... » Nous avons décidé de laisser tomber les « primaires ». Je devais me présenter directement comme candidat sur vote par correspondance. Dans tout le pays et même à l'étranger, on a adoré mon slogan : Je me présente comme président « parce qu'il nous en faut un... ».

J'ai été interviewé par le *National Observer,* par des animateurs de la radio et de la télévision, et j'ai déjeuné avec I. F. Stone. J'ai subi des pressions pour me retirer de la course lorsque la presse a commencé à montrer un certain intérêt et que l'on a découvert que j'étais un candidat sérieux. Barry Goldwater, choisi par les républicains, archi-conservateur, essaya de démembrer et d'attirer à lui une partie des appuis que me donnait le monde du jazz en annonçant que Turk Murphy était son musicien préféré. J'ai répliqué : « Voyez-vous, je n'en veux pas à Turk. Je suis si content qu'il ne m'ait pas choisi... »

Les reporters souhaitaient savoir si je comptais me retirer assez rapidement pour souvenir Lyndon Johnson. J'y avais pensé, mais je ne voulais surtout pas annoncer une décision quelconque avant la fin de la Convention démocrate à Atlantic City et l'exposé du programme démocrate sur la partie concernant les droits civiques. « Ça me rappelle tout à fait Wallace, le gouverneur de l'Alabama », fit remarquer Ralph Gleason. Ce à quoi j'ai répliqué que le gouverneur Wallace et moi ne « servions pas les mêmes couleurs », et que moi, au moins j'annonçais la mienne...

Mon équipe préparait activement un plan pour défendre mes propositions à la Convention : supprimer l'impôt sur le revenu, rendre légales les loteries et changer la couleur et/ou le nom de la Maison Blanche. Mes représentants à la Convention devaient se coucher par terre dans la salle et jouer de la trompette si nécessaire. Pour le cas où notre but ne serait pas atteint, j'avais rédigé ces quelques lignes pour définir ma position de repli :

> *Je ne pensais pas qu'un jour viendrait*
> *où pour Lyndon B. je voterais ;*
> *mais je préfère encore rôtir en enfer*
> *que de voter pour Barry Goldwater.*

Tout le monde était bien d'accord qu'il fallait se méfier du Docteur Folamour...

A mi-campagne, mon discours passe-partout était bien rodé et fut cité mot pour mot par la presse*. J'y énumérais mes idées directrices concernant de nouveaux programmes et les principales nominations aux postes gouvernementaux.

« Quand j'aurai été élu président des Etats-Unis, mon premier décret portera sur le changement de nom de la Maison Blanche qui sera rebaptisée la Maison du Blues**.

« Il faut supprimer l'impôt sur le revenu et légaliser tous les jeux de loterie. Nous n'acceptons pas les pronostics alarmants d'un officiel de la NAACP*** selon lequel la législation de cette branche particulière du big business serait désastreuse pour notre économie. N'oublions pas que c'est en étant introduit dans les salles de concerts que le jazz a enfin connu la respectabilité.

« Une bonne méthode pour réduire les dépenses de l'Etat est de licencier tout le FBI, et d'ordonner à la Commission sénatoriale sur la sécurité intérieure de lancer une enquête sur tout ce qui se cache " sous des draps blancs ". Il faut " faire sa lessive " au grand jour.

« Tous les procureurs et les juges dans le Sud seront noirs, pour redresser un peu la situation. Un vote pour chaque homme, c'est notre devise. Nous irions même jusqu'à supprimer le droit de vote aux femmes... et les laisser gouverner le pays en éminences grises. C'est ce qu'elles font de toute façon.

« L'armée et la marine fusionneront, afin que les promoteurs ne puissent prélever une trop grosse commission sur les doubles concerts qu'ils organisent pour le moment.

« Le comité national du travail mettra en vigueur un règlement selon lequel les postulants à un emploi devront porter un drap sur la tête pour que les patrons ne sachent pas de quelle couleur ils sont avant de les engager. Les draps, eux, seront de couleur bien entendu.

« Nous allons rappeler à Washington tous les ambassadeurs excepté Chester Bowles, et nommer à leur place des musiciens de jazz parce que eux sont vraiment dans le coup.

« Le titre de secrétaire d'Etat sera remplacé par celui de ministre, nettement plus digne. Miles Davis a proposé ses services au ministère des Finances, mais je l'ai persuadé de prendre plutôt la tête de la CIA. Mrs. Jeannie Gleason, dont le mari Ralph écrit beaucoup, aura, elle, le portefeuille des Finances. Max Roach voulait être

---

* Voir le *California Eagle* du 23 juillet 1964 (*D.G.*).
** En anglais, « The Blues House », un calembour jouant sur la couleur bleue et le blues (*N.d.T.*).
*** NAACP : National association for the advancement of colored people (*N.d.T.*).

448

ministre de la Guerre et en profiter pour en déclarer une tout de suite; mais comme nous sommes pacifistes, je lui ai donné quelques œuvres de C. Wright Mills à lire, et l'ai convaincu de passer plutôt à la Défense. J'ai bien entendu pensé à Charlie Mingus comme ministre de la Paix, parce qu'on a tous intérêt à la lui foutre si on veut rester en vie! Ray Charles sera responsable de la Bibliothèque du Congrès, et nous avons trouvé un poste pour Ross Barnett: officier des Renseignements au Congo. Nous déposerons aussi une motion pour que le Congrès décide de retirer sa nationalité au gouverneur George Wallace et de le faire déporter au Vietnam.

« Comme l'intégration raciale sera complète sous ma présidence, les Black Muslims se retrouveront au chômage et même le groupe de Malcolm X sera désœuvré. Alors, plutôt que de laisser tant de talent inemployé, Malcolm sera nommé procureur général. C'est un type que nous voulons de notre côté à tout prix.

« Bien que Bo Diddley ait postulé en premier, je lui ai dit que mon choix s'était porté sur le grand Duke Ellington comme ministre d'Etat. C'est l'homme idéal pour ce poste, capable d'embobiner n'importe qui. Louis Armstrong aura le portefeuille de l'Agriculture. Personne ne connaît mieux que lui les problèmes de champs de coton! Mary Lou Williams a déjà accepté d'être ambassadrice auprès du Vatican. Et après avoir examiné les qualifications et les ressources intérieures de nombreux candidats, j'ai décidé que le grand rabbin du jazz moderne, le maharadjah de la musique contemporaine, un de nos jeunes musiciens d'avant-garde les plus doués et les plus créatifs, Thelonious Sphere Monk, serait envoyé à travers le monde pendant quatre ans comme ambassadeur plénipotentiaire itinérant.

« Il y aura également des portefeuilles dans le cabinet pour Peggy Lee (ministre du Travail), Ella Fitzgerald (Santé et Education) Carmen McRae, Benny Carter, Woody Herman, et Count Basie. Ils collaborent d'ores et déjà au programme éducatif sur le jazz qui sera enseigné aux enfants dans toutes nos écoles.

« Le poste éminent et rémunéré de Poète Lauréat de notre pays ira tout naturellement à Jon Hendricks qui a offert gracieusement ses services comme parolier de notre campagne.

« Au poste de vice-président j'aimerais avoir Ramona Crowell, une des dirigeantes de la John Birks Society et authentique indienne Sioux. »

Le président Johnson a compris tout le sérieux de cette campagne quand des musiciens sont venus manifester devant une discothèque qui recueillait des fonds pour lui. Ils protestaient contre le fait que dans toutes ces réunions, on n'utilisait que des enregistrements. Leurs pancartes portaient l'inscription: « Les disques ne votent pas! » Un de mes supporters, Bill Crow, le bassiste de Gerry

Mulligan, était parmi eux et a déclaré à la presse qu'il fallait avant tout empêcher Goldwater de passer et qu'il voterait probablement pour Lyndon B. Johnson, mais, a-t-il ajouté : « Au fond de mon cœur, je sais que Diz a raison. »

Nous avons enfoncé nos différents clous aux bons endroits, et au cours d'une interview à *Downbeat,* j'ai énuméré les points que je jugeais essentiels : les droits civiques, pour lesquels on pourrait aller au besoin jusqu'à un boycottage massif de certains produits ; une loterie nationale permettant de supprimer ou de réduire l'impôt sur le revenu ; l'égalité des chances devant l'emploi sans considération de race ; la reconnaissance diplomatique de la Chine, et la fin de la guerre au Vietnam. Nous préconisions en outre la perception d'une taxe sur les propriétaires de juke-boxes, qui serait distribuée aux musiciens et compositeurs, et aiderait à promouvoir l'emploi dans le domaine musical. Un projet de loi fut même présenté devant le Congrès à cette époque, et je crois bien qu'il y est encore. Je recommandais l'augmentation des subventions du gouvernement fédéral à tous les arts, et suggérais la création de night-clubs d'Etat où des musiciens pourraient jouer régulièrement comme employés du gouvernement. Pareil programme devait conduire à une profonde régénération du jazz.

JEAN GLEASON *(organisatrice de la campagne)*

« En réalité, tout a commencé parce qu'un publicitaire quelconque avait fait fabriquer des badges portant l'inscription : " Dizzy Gillespie President. " A l'époque, il s'agissait vraiment d'une astuce publicitaire, mais nous avons repris l'idée plus tard, car elle nous a semblé excellente. Elle nous a donc servi de tremplin, et nous avons fait fabriquer des quantités de ces badges.

« Mon mari, qui avait dans ce temps-là une rubrique dans un journal, en a parlé. Il trouvait l'idée formidable, et partant de là, nous avons enchaîné avec tout ce qui nous passait par la tête : d'autres badges, des autocollants, de la publicité payée. Et puis on a commencé à recevoir les réactions favorables des fans de Dizzy.

« Personnellement, je pense qu'il avait la stature pour être président, mais par ailleurs il a toujours été évident que Dizzy n'allait pas abandonner sa carrière musicale... pas pour devenir un politicien en tout cas, pas plus à cette époque que maintenant. Il prend toujours parti pour ce en quoi il a foi, et je trouve qu'il a tout à fait raison. Mais bien sûr, il le fait dans une certaine limite. La campagne comportait évidemment une composante humoristique, comme tout ce que fait Dizzy, mais aussi, sous-jacente, la conviction

450

sérieuse qu'il ferait un très bon candidat sans pour autant se retrouver un jour dans la course à la Maison Blanche.

« Je pense qu'il est extrêmement intelligent, beaucoup plus qu'aucun des occupants successifs de cette fonction, et aussi qu'il connaît bien les problèmes du monde entier outre ceux de notre pays. Il est de surcroît très profondément sincère, sans jamais craindre d'exprimer ce qu'il pense. Je ne crois pas qu'il ait jamais été sur les listes officielles de candidats mais il a reçu des votes par correspondance, et le mien parmi tant d'autres. »

DIZZY

L'idée d'être candidat me plaisait, et j'aurais bien aimé être élu. J'aurais combattu pour un programme de désarmement et la mise en place d'un gouvernement mondial quelque part. Je n'aurais eu qu'à faire appliquer les lois que nous possédons. J'aurais veillé à ce que tout le monde ait de quoi manger, se vêtir et se loger de façon décente. C'est un droit pour tout citoyen. L'enseignement aurait été fascinant, et gratuit, subventionné par le gouvernement. Les hôpitaux auraient été gratuits également. Le seul véritable politicien qui ait pris mes idées au sérieux, et certaines ont d'ailleurs été depuis mises en application, a été une femme. J'ai donné un de mes badges à Barbara Jordan, la représentante du Texas, et elle l'a porté au Congrès. C'est malheureux qu'elle n'ait pas été appelée à des fonctions importantes dans l'administration Carter, comme celles de vice-président ou de procureur général.

Aux élections de 72, j'ai commencé une seconde campagne. J'ai été invité à dîner à la Maison Blanche par le président Nixon, et c'est alors que j'ai pris ma décision : au lieu de devenir l'« éternel candidat », j'ai changé l'idée et ai abandonné après consultation avec mes conseillers. La première fois, j'avais une raison fondée de me présenter, car les recettes obtenues en vendant les badges et autres gadgets allaient à CORE, SCLC, et au Dr Martin Luther King Jr. De plus, je pouvais représenter une menace de perte de voix pour les démocrates et les amener ainsi à une position plus raisonnable sur les droits civiques. Mais la seconde fois, mes idées générales sur la politique avaient complètement changé et j'ai fait publier la déclaration suivante :

« Après réflexion, j'ai décidé de retirer ma candidature à la présidence des USA. Mon intention profonde n'a pas été de me pousser en avant sur la scène politique, ni de critiquer en tant que postulant les actions de ceux qui occupent ou souhaitent occuper ces hautes fonctions dans notre gouvernement.

« J'ai surtout ressenti un réel désir d'attirer l'attention sur l'impérieuse nécessité de rassembler les peuples du monde entier et de les unir pour qu'enfin cessent toutes les guerres.

« Mon seul espoir est que cet impératif absolu devienne réalité grâce aux efforts de ceux qui se trouvent aux postes influents, aidés des autres, dont je fais partie, et qui agissent dans la mesure de leurs moyens, entre autre ceux que leur confèrent leurs occupations respectives. »

J'ai fait cette déclaration, parce que j'avais découvert qu'il était contraire aux principes de la foi Baha'i de briguer un poste au gouvernement. Les Baha'is pensent que les systèmes politiques connus ont fait leur temps et qu'un jour apparaîtra un genre d'activité politique à l'opposé de celle en cours. Il est au-dessous de nous d'aspirer actuellement à des fonctions politiques. Baha'u'llah a dit que le futur verra la naissance d'un véritable gouvernement mondial avec des représentants de tous les peuples de la terre. Les diktats du nationalisme disparaîtront automatiquement et la politique générale n'aura plus du tout son visage actuel. Voilà pourquoi je n'avais plus d'aspirations présidentielles. Ma foi les avait chassées en me montrant qu'elles étaient au-dessous de moi. Il faut désormais viser plus haut. Etre candidat à la présidence d'un gouvernement mondial serait plus en rapport avec mes centres d'intérêts actuels.

Un monde cruel

J'avais été engagé pour l'enregistrement de la bande sonore du film *The Cool World*, en 1963. D'après mon contrat, je devais seulement jouer la musique écrite par Mal Waldron, mais Mal était tellement inquiet et peu sûr de lui qu'il comptait presque sur moi pour combiner les différentes séquences musicales et les agencer par rapport au film. Mais je me suis montré très ferme : « Non, mon vieux, tu prépares ça tout seul, et tu me dis simplement ce que tu veux que je joue. C'est ta musique. Moi, j'attends tes ordres. » Il a fini par y arriver, mais il ne se sentait pas à l'aise. Ensuite, ils ont voulu tirer un disque à partir de la bande-son, et j'ai refusé net. Par contre, j'étais d'accord pour aller dans un studio enregistrer un disque. Je ne voulais pas être responsable de la bande du film, mais je voulais bien m'occuper du disque. J'ai ajouté quelques trucs, des petites touches de *Gillespiana* çà et là, bref, cela a donné un très bon disque (Phillips PHM 200-138).

J'ai fait deux autres films en 1963, dans lesquels on m'a confié beaucoup plus de responsabilités et même un rôle, des films d'animation de John et Faith Hubley, *The Hat* (*Le Casque*) et *The Hole* (*Le Trou*). Les Hubley sont deux de mes admirateurs de longue date et je les connais depuis des années. Ils admirent aussi Paul Robeson, comme moi. Ils s'occupaient de films à l'époque et faisaient appel à moi pour beaucoup de choses. Je les respecte et apprécie leur créativité et leurs qualités professionnelles. John a d'ailleurs travaillé pour Walt Disney. Ce sont en outre des gens merveilleux, très chaleureux, et nous formons ensemble une sorte de société d'admirateurs réciproques. Ils voient apparemment en moi des choses que les autres ignorent, comme mes préoccupations concernant l'installation d'un ordre mondial. J'en sentais déjà la nécessité avant de devenir un Baha'i, et les Hubley me parlaient souvent des mêmes problèmes. Je leur décrivais ce que devait être selon mes critères un monde idéal du point de vue de l'organisation et du fonctionnement, et ils me considéraient comme une autorité en la matière. Il était tout naturel qu'ils me choisissent pour ces deux films. Et puis aussi, je suis assez drôle par moment.

L'un de ces films était une commande du World Law Fund of the Institute for International Order, un organisme qui se préoccupait essentiellement du contrôle des armements dans le monde. Tout était improvisé et c'est ce qui m'avait plu. Les Hubley nous décrivaient une situation : « Vous êtes là, tous les deux, voici ce qui se passe. Maintenant allez-y, dialoguez. »

Dudley Moore, l'acteur, me donnait la réplique, et j'ai également improvisé la musique. Selon le scénario, deux partis s'affrontaient dans le monde, je crois qu'il s'agissait des socialistes et des capitalistes. Le film tendait à montrer l'illogisme complet de la situation. On ne pouvait guère aller plus loin. Nous étions deux soldats faisant les cent pas le long de la ligne de démarcation des deux camps. Des gardes-frontières, en quelque sorte. Tout ce qui vivait dans le genre oiseaux, escargots, insectes même, traversait la ligne dans les deux sens librement. Et voilà qu'un petit escargot se glisse soudain sous mon pied, me faisant trébucher. En essayant de me rattraper, je laisse tomber mon casque qui roule de l'autre côté de la ligne, et au moment où je me penche pour le ramasser, je me retrouve avec le fusil de l'autre sur le ventre. Et je passe le reste du film à tenter de récupérer mon casque en trouvant les meilleurs arguments pour le convaincre, et lui les meilleurs arguments pour ne pas se laisser convaincre... puisque nous sommes dans des camps ennemis. La discussion se poursuit ainsi interminablement, émaillée d'exemples aussi absurdes les uns que les autres. Finalement, nous nous rendons compte du ridicule de la situation, tombons d'accord, et partons bras dessus bras dessous le long de la fameuse ligne.

Dans *Le Trou*, les deux personnages, un Blanc et un Noir, travaillent au fond d'un trou dans la rue et discutent de la vie en général, puis la conversation dévie sur les accidents. Lui me dit : « Bah, les accidents ça n'existe pas! » Et partant de là, on en arrive à parler du système d'alerte rapide que les Etats-Unis ont relié aux avions et aux sous-marins munis d'armes nucléaires qui sillonnent le globe en permanence. Si la moindre chose arrive, un missile se dirigeant vers nous par exemple, nos avions sont déjà en l'air pour aller lâcher une bombe sur le pays ennemi. Mais avant qu'ils y arrivent, il y a une liaison téléphonique par laquelle seul le président peut...

Je demande : « Oui, mais suppose que le type qui est censé arrêter les avions en vol ait une crise cardiaque? Ça serait la fin du monde. » Après quoi, on voit un général bardé de décorations, et puis une

454

petite taupe en train de creuser un tunnel, et un type assis dans le poste de garde d'un silo à missiles, chargé de surveiller un tableau de contrôle. A ce moment-là, la taupe ronge un des fils, provoquant un court-circuit. Ils s'imaginent qu'il s'agit d'une attaque ennemie et l'ordre de riposte est donné aux sous-marins et aux avions nucléaires. Cet épisode se termine par un abominable holocauste. Le tout est suivi d'une petite discussion moralisatrice. Pour ce second film, c'est un acteur, George Matthews, qui me donnait la réplique, et nous improvisions pratiquement tout le texte autour des événements mondiaux, d'un gouvernement universel et autres utopies. C'était très intéressant et j'ai pris grand plaisir à cette expérience. *Le Trou* a reçu l'Oscar du meilleur court métrage d'animation en 1963.

Après ma conversion à la foi Baha'i, j'ai compris bien des choses sur notre monde. J'en connaissais déjà pas mal avant d'ailleurs, et je savais en parler avec humour. Car je suis plutôt drôle, et parfois je ris de moi-même... Le film le plus récent dont j'ai écrit la musique était un dessin animé. Je prêtais ma voix au « Père Temps », et l'excellente actrice Maureen Stapleton à « Notre mère, la Terre ». Le film s'intitulait *En route pour la prochaine étape*.

Pendant la période où je travaillais à la bande-son de ce film, je passais le soir au club de Ronnie Scott à Londres. C'est drôle, plus je travaille, et mieux je joue. Le fait d'enregistrer agit sur moi comme une décharge d'adrénaline. Après trois jours passés à l'élaboration de la bande-son, j'étais en pleine forme, et le jeudi et le vendredi de cette même semaine, Oscar Peterson et moi avons enregistré quelques titres, trompette et piano, rien d'autre. Le jour de la séance, sachant que j'allais devoir donner mon maximum à cause d'Oscar, je suis arrivé de bonne heure au studio pour bien me mettre en lèvres. Quand Oscar est arrivé, il m'a trouvé allongé au fond de la salle, ma trompette sur la poitrine, en train de ronfler. Bien sûr, c'était arrangé d'avance avec les gars du studio auxquels j'avais demandé de me prévenir quand Oscar arriverait. Il m'a dit tout de suite : « C'est pas le moment de te reposer, vieux, tu vas avoir des problèmes... » Et je lui réponds : « Attends, attends, laisse-moi d'abord t'expliquer pourquoi tu m'as vu endormi. Figure-toi que j'ai passé la nuit ici à t'attendre, alors t'as intérêt à te surpasser ! » Il était mort de rire, et croyez-moi, nous nous sommes bien amusés pendant ces deux jours d'enregistrement. Oscar, par contre, a eu quelques problèmes avec ses doigts et il lui a fallu un certain temps pour s'échauffer. Au premier morceau, je lui ai fait remarquer : « Dis donc, tu n'es pas prêt ! » Mais c'était formidable ces deux jours, et c'est comme ça que le monde devrait fonctionner, sur la base d'une coopération mêlée d'esprit de compétition, sans toutefois que celui-ci prenne le pas sur le reste.

Ma conversion

Au moment de l'assassinat de Martin Luther King en 1968, avait lieu une « Journée Gillespie » à Laurinburg. Me trouvant ainsi dans la région de Cheraw, j'avais décidé le lendemain de m'y rendre en voiture pour saluer quelques vieux amis. Et c'est ce jour-là que fut tué Martin Luther King. Je n'étais pas du tout préparé à cette nouvelle, sur un plan psychologique. Je suis allé chez le type qui vendait du whisky de contrebande depuis mon enfance, soit une quarantaine d'années, sans s'être jamais fait pincer. Son truc est un véritable tord-boyaux, et je me suis complètement « pété » ce jour-là. Dans le pays, on l'avait baptisé du whisky « de rivière », parce qu'il fallait traverser le cours d'eau pour aller le chercher. Mon pianiste et cousin, Mike Longo, m'avait accompagné en voiture chez ce type que j'ai littéralement tiré de son lit. Je me souviens que je suis entré dans sa chambre, j'ai dit quelques mots à sa femme, et il y avait aussi sa fille qui nous avait amenés là. Mais comme il ne me faisait même pas l'honneur de se lever et de me parler, alors que je n'étais pas revenu au pays depuis longtemps, je suis allé jusqu'au lit et je l'ai tiré par les pieds. Il est tombé par terre, pas content du tout, le sale nègre! « Allez, magne-toi et sers-moi de ton eau décapante! lui ai-je dit.

— Ah non, pas question! » J'ai insisté : « Si, si, va en chercher. » Il a fini par obéir et est revenu avec un bidon de deux litres qu'il a posé sur la table. Il y avait aussi du jus d'orange, mais je n'ai pas voulu mélanger les deux. On se trouvait tous dans la cuisine, et au bout d'un moment j'ai commencé à me sentir bien. Sa femme allait et venait dans la salle à manger, et j'ai demandé :

« Ta femme boit?

— Pas question. Rien pour elle.

— Pourquoi?

— Après, elle ne sait pas se tenir. »

456

J'ai protesté, mais il a insisté :

« Non, non, elle ne se tient plus quand elle a bu de ce tord-boyaux. »

J'ai dit « d'accord », mais je me suis arrangé pour en faire passer discrètement à sa bonne femme qui s'est mise à écluser dans la salle à manger. Au bout d'une heure, je me suis levé et je suis allé la rejoindre pour voir comment ça se passait. J'étais déjà bien beurré, et je l'ai trouvée assise, avec le postiche qu'elle portait tout de travers sur une oreille! Je lui ai dit : « Qu'est-ce que vous faites là, assise toute seule, belle comme vous êtes... » et j'ai avancé le bras pour remettre sa perruque en place.

« Va te faire foutre... » Et cette furie m'est tombée dessus sans prévenir, m'a bourré de coups et en plus m'a mordu l'oreille. Elle était comme folle et s'est mise à déchirer tout ce que j'avais sur le dos. Ah mes amis! Impossible de me défendre. La seule chose que j'ai réussi à faire a été de protéger mes lèvres... Il ne me restait plus qu'à rentrer chez Mrs. McDuffy, chez qui j'étais descendu, en faisant le moins de bruit possible pour qu'elle ne m'entende pas et ne voie pas ma chemise en lambeaux! En plus, comme cette garce m'avait mordu, il a fallu que je me fasse piquer contre la rage... car elle avait des gencives toutes violettes.

MIKE LONGO *(pianiste)*

« C'était un mercredi, je crois bien, et on ne jouait pas le jeudi, et après on devait partir pour Atlanta faire dix jours au Paschal's Motor Inn. Lorraine n'était pas tranquille de me voir aller dans le Sud avec l'orchestre. C'était au moment de toutes ces émeutes, et Dizzy avait toujours un pistolet dans sa mallette, je ne sais pas trop pourquoi. Dizzy et Moody se faisaient du souci pour moi et passaient leur temps à veiller sur moi parce que l'orchestre jouait dans de drôles d'endroits, comme une fois à Pittsburgh, dans le ghetto noir, en plein cœur de l'agitation et entre deux échauffourées, pour calmer les esprits... Bref, cette autre fois, on jouait au Laurinburg Institute dont le directeur, Mr. Frank McDuffy, avait invité Dizzy à descendre chez lui tandis que Moody, Paul West, Candy Finch et moi logions dans un motel. Ils avaient organisé un déjeuner et une grande parade en l'honneur de cette " Journée Gillespie ". Dizzy et moi avions même joué pour les gamins d'une classe de musique, juste trompette et piano. Et le soir, il y avait le concert. Enfin, tout ça très agréable, quoi. Le lendemain, jeudi, quartier libre. Je me reposais au motel quand Dizzy a téléphoné pour me dire que Mr. McDuffy lui avait prêté son break et me demander si je voulais faire une virée avec lui à

Cheraw, rencontrer sa famille, des amis, et tout ça. J'étais d'accord et nous voilà partis pour la journée. Seulement, à chacun de nos arrêts dans le quartier où habitaient ses amis et sa famille, on nous offrait du vin fait maison... Quand on s'est arrêtés chez Mrs. Wilson, son ancien professeur de musique, elle nous a bien dit quelque chose à propos de Martin Luther King mais on planait déjà pas mal avec tout ce vin, et je n'ai pas compris ce qu'elle racontait. Je ne sais pas si Dizzy, lui, avait bien entendu. En tout cas, on jouait du piano et on s'amusait comme des fous. Mais effectivement, c'était le soir de l'assassinat. Vers deux heures du matin, Dizzy a décidé qu'il voulait boire du whisky de grain fait maison. Nous voilà partis chez ces gens, que Dizzy réveille, un type assez âgé et sa femme très jeune. Le type a interdit à Dizzy de donner de l'alcool à sa femme. Quant à moi, je m'en suis tenu à du jus d'orange dans des gobelets en carton, tandis que Dizzy descendait le whisky dans des verres à eau. A un moment, le type a déclaré qu'il allait nettoyer son pistolet, je ne sais pas trop pourquoi. Il faut que je vous dise aussi que le visage de Dizzy descend de quelques centimètres quand il boit trop, et quand il est vraiment soûl il a un peu une tête de basset, si vous voyez ce que je veux dire.

« Bref, Dizzy m'a demandé de le rejoindre dans la salle de bains, et là j'ai compris qu'il était complètement pété. Il m'a donné son pistolet en me disant d'une voix pâteuse : " Garde-le " et je me rappelle l'avoir glissé dans ma poche arrière. De retour dans la pièce, Dizzy a versé à boire à la femme et elle lui a dit quelque chose du genre : " Vous croyez peut-être que vous valez mieux que moi parce que vous êtes Dizzy Gillespie ? ", et Dizzy l'a regardée un moment avec sa tête de basset penaud et puis il a allongé le bras pour lui enlever la perruque qu'elle portait. Alors, la femme est devenue hystérique, les meubles ont volé, elle a fait tomber Dizzy, lui a arraché sa chemise, son gilet de corps, lui a cassé ses lunettes et lui a mordu violemment le bras. Il a fallu que je retienne Dizzy pour l'empêcher de faire un malheur. Je l'ai pris par le cou et suis parti en vitesse, en l'entraînant, avec le pistolet dans l'autre main et en tirant plusieurs coups de feu pour que le type se rende compte que j'étais armé moi aussi. J'ai poussé Dizzy à l'intérieur du break et nous voilà repartis... Je l'ai ramené chez sa tante, parce que je me souvenais du chemin, et quand je me suis garé dans l'allée, deux femmes sortaient en courant et m'ont crié : " Vous feriez mieux de filer en vitesse... " J'ai demandé : " Qu'est-ce qu'il y a ? " Et c'est là qu'elles m'ont dit : " Vous ne savez pas que Luther King a été assassiné ? " J'ai réfléchi un instant : « Diz est complètement dans le cirage et il faut retourner à Laurinburg, mais je ne connais pas le chemin et lui n'est pas en état de me guider ! " Bref, j'ai continué à rouler dans la ville un peu au hasard. Je comprenais maintenant pourquoi il y avait des flics partout, et une sirène qui partait toutes les deux minutes! Et moi, je me retrouvais avec Diz effondré sur la banquette, plus de chemise ni de gilet de corps, son bras qui saignait de la morsure, et pour tout arranger le niveau d'essence qui était presque au plus bas... Je ne savais pas quoi faire et je ne me voyais pas entrer dans une station-service avec tous ces flics qui risquaient de le reconnaître. Finalement, je me suis quand même arrêté à la dernière pompe. Je suis sorti de la voiture et j'ai seulement refusé que le pompiste nettoie mon pare-brise. Après quoi, j'ai essayé de ranimer un peu Dizzy, mais il s'est mis à vomir partout dans la voiture prêtée! Plus question de retourner au collège avec la voiture dans cet état. Je suis donc revenu au motel et ai réveillé Moody.

« Qu'est-ce qui se passe?

— J'ai Dizzy dans la voiture, il est complètement inconscient et il saigne.

— Quoi? Qu'est-ce qui lui est arrivé?

Je lui raconte brièvement l'histoire et Moody me dit : « Fous-moi le camp, espèce d'idiot. Tu te fous de ma gueule.

— Mais non, mon vieux, c'est sérieux. Une bonne femme l'a mordu. »

Il n'y croyait pas, bien sûr. « Tu me fais marcher, je sais. Et qu'est-ce qu'il avait fait, Diz?

— Ben, rien. »

Je voulais éviter de lui dire que Dizzy avait trop bu parce que chacun d'eux s'arrangeait généralement pour que l'autre ne soit pas au courant de ses cuites. Mais Moody n'a pas marché.

« Ecoute Mike, il a sûrement fait quelque chose... » Et j'ai fini par avouer : « Eh bien, il a arraché la perruque de la bonne femme et elle l'a mordu. »

Moody s'est écroulé, mort de rire. « Quoi? Il a fait quoi? » Et puis il m'a aidé à sortir Dizzy de la voiture et à le porter à l'intérieur. Il ne bougeait pas du tout. On l'a allongé sur le lit, et on a versé plein d'eau oxygénée sur sa blessure. Le seul avion pour Atlanta partait à 9 h 30 du matin. Je me suis endormi, moi aussi. Diz était toujours inconscient, et quand il a repris ses sens, on avait raté l'avion. Nous sommes allés dans une station-service faire nettoyer la voiture au jet. Après quoi, Diz a décidé d'engager le seul agent de police de Laurinburg pour nous conduire à Atlanta en réquisitionnant le bus de ramassage de l'école avec ses panneaux " Les Diables Bleus de Laurinburg " sur les côtés! Et nous sommes arrivés à Atlanta dans cet équipage.

« On avait environ trois heures de retard pour le premier set... Dans Atlanta, les gens manifestaient, et le car n'arrivait pas à se frayer un chemin parmi la foule. Devant le club, Paschal et son frère arpentaient fièvreusement le trottoir en se demandant ce qui avait bien pu se passer. Il y avait beaucoup de monde pour la première au club. Vous imaginez leur tête quand ils nous ont vus débarquer du car orné des pancartes " Les Diables Bleus de Laurinburg " !

« Une autre fois, pendant la tournée au Japon, Diz s'est cuité aussi, mais là c'était avec tout l'orchestre sauf Jimie Merrit. Les organisateurs japonais nous avaient préparé un emploi du temps insensé. Je me souviens d'une journée en particulier où l'on devait jouer dans une ville au centre du Japon, Osaka je crois bien, et revenir à Tokyo. Il n'y avait pas d'avion. Il fallait se lever à 5 heures du matin pour prendre le train de 6 heures qui arrivait vers midi, et aller directement à l'hôtel pour une conférence de presse à 13 heures. Pas le temps de déjeuner. La conférence a traîné en longueur, et nous devions être de retour à Tokyo à la salle de concerts pour répéter avec l'orchestre japonais jusqu'à 8 heures du soir et enchaîner avec la soirée à 8 h 30 ! Après le concert, nous devions jouer au Golden Ginza, un grand night-club, en deux passages, l'un à 11 h 15 et l'autre à 1 h 15 du matin.

« Donc, en partant de Tokyo le matin, Moody a acheté à la gare cinq petites bouteilles de saké, le vin de riz du pays, à peu près de la taille de bouteilles de soda, et il les a distribuées entre nous. Personne n'avait eu de petit déjeuner, même pas un café, et on avait cinq heures à passer dans ce train. On a tous bu ça comme du Pepsi-Cola, en jouant aux cartes tout au long du trajet. Il y avait un type qui passait de temps en temps dans le couloir avec une petite voiture pour vendre du saké. Alors, Moody a racheté une bouteille par personne. Tout le monde semblait en forme, sauf Candy Finch qui n'arrêtait pas de dodeliner de la tête. En arrivant à Osaka, on a foncé à l'hôtel sans déjeuner ni prendre quoi que ce soit, et on nous a installés autour d'une longue table avec Diz au milieu. On aurait dit la Cène. Il y avait une foule de reporters et de cameramen, ils interviewaient Diz et nous posaient des questions. Ils l'ont interrogé sur les musiciens de jazz et la drogue, et il leur a répondu : " C'est du passé, tout ça. Maintenant les musiciens de jazz sont des gens rangés. C'est au début des années quarante qu'ils ont connu les problèmes de drogue. " Et pendant qu'il parlait, Candy était dans son coin à dodeliner comme un gâteux. Le saké lui était monté à la tête. Je me rappelle que j'ai éclaté de rire. Quelques instants plus tard, tandis que Dizzy parlait encore, j'ai regardé Candy, et il était en train de s'endormir...

« Une fois de retour à Tokyo et dans la salle de concerts pour la répétition, Moody est sorti et est allé dans une de ces ruelles bordées de tas de petites boutiques. Il a acheté deux énormes bidons de quatre litres de saké, pensant qu'on les boirait tous ensemble, les vingt musiciens japonais et nous cinq. Il avait également rapporté un plein sac de gobelets de carton.

« Mais aucun des musiciens japonais n'a accepté le moindre verre, car là-bas la tradition est que personne ne boit quoi que ce soit avant les concerts. Ils sont très stricts là-dessus. Mais nous, on a continué au saké pendant toute la répétition, et je me souviens que je passais à Dizzy des gobelets remplis à ras bord. On avait le temps parce qu'on connaissait tout notre répertoire par cœur.

« A un moment, j'ai entendu les trompettistes japonais jouer carrément faux. Et Dizzy n'a rien dit, malgré son oreille qui entendrait de la peinture sécher. Jamais il n'aurait laissé passer... A ce moment-là je l'ai regardé, et ça y était : il avait sa tête de basset penaud, le visage affaissé, le sourire idiot. Enfin, on était quand même tous en état de jouer, et le concert s'est passé normalement; mais après, au Golden Ginza...

« C'était une boîte plutôt miteuse, avec des coulisses assez sales, un sol en ciment, des tas de danseuses courant dans tous les sens. Oliver Nelson qui se trouvait là lui aussi est venu nous voir. Pendant qu'il parlait avec Moody, j'ai commencé à me sentir assez mal fichu. J'ai trouvé une échelle qui montait à une sorte d'échafaudage au-dessus de la scène. Une fois là-haut, je me suis allongé dessus et je me suis endormi aussitôt. Au moment de commencer à jouer, on ne me trouvait plus. Oliver Nelson m'avait vu monter à l'échelle, heureusement, et ils m'ont fait redescendre; mais entre-temps, Dizzy avait disparu et ils m'ont abandonné pour aller à sa recherche. Moi je me suis réfugié dans un placard que j'ai découvert, et j'ai repris ma nuit de sommeil. Eh bien, vous ne devinerez jamais ce qui m'a réveillé... quelqu'un me donnait des coups de pied. C'était Dizzy qui me demandait ce que je faisais dans sa loge... " Tire-toi de ma loge. " En fait, on était tous les deux dans un placard à balais !

« On a fini par se retrouver tous sur scène, mais Dizzy était vraiment hors de combat et Moody aussi. Diz attaque le premier morceau avec plein de fausses notes et tout. Au deuxième, il décide de présenter Moody en soliste, et celui-ci commence à jouer *Old Folks* mais il ne va pas plus loin que la fin du thème, parce que brusquement Diz attaque le morceau suivant. Et voilà qu'ils se mettent à se disputer sur scène parce que Diz a coupé le chorus de Moody, avec notre ambassadeur, l'empereur et toute la haute société de Tokyo dans la salle !

« Quand j'ai vu ça, je me suis levé, j'ai enlevé ma veste que j'ai soigneusement accrochée sur le pupitre du piano... et je me suis endormi. C'est mon dernier souvenir de la soirée. Mon premier, après ça, c'est quelqu'un frappant à ma porte à six heures du matin !

461

Il fallait se lever pour aller faire une télévision. Tout le monde avait repris conscience et ça a très bien marché, on a tourné toute la journée. A la pause, on était en train de boire un Coca quand l'organisateur japonais est arrivé, flanqué de ses deux gardes du corps et hurlant après moi depuis le fond de la salle en gesticulant pour que je m'approche. Il me montrait d'un air furieux les titres d'une pile de journaux qu'il tenait à la main. Naturellement, j'étais bien incapable de lire le moindre mot, mais de toute évidence nous étions " à la une " à cause de nos exploits lors d'une " grande soirée de gala ". On racontait que Dizzy n'avait pas été capable de jouer une note correctement, que le pianiste s'était endormi sur son instrument, et que le public s'était levé consterné et avait quitté la salle. C'était vraiment le gros scandale. Moi je ne me rappelais absolument rien. Je ne savais même pas comment j'étais rentré à l'hôtel !

« Quoi qu'il en soit, l'organisateur expliquait ça à Dizzy sur un ton mécontent. Mais Dizzy mettrait n'importe qui dans sa poche s'il en a envie, et vingt minutes plus tard ils sont partis bras dessus, bras dessous avec le sourire, et même en riant. Dizzy leur avait dit : " Messieurs, nous ne savions pas ce que votre saké pouvait faire comme ravages ! N'oubliez pas que vous ne nous aviez pas laissé le temps de prendre un petit déjeuner, ni même de déjeuner... " Il avait réussi à séduire tout le monde, une fois de plus. Il a mis sur pied une séance d'enregistrement, et a accepté de retourner au Golden Ginza. Mais cette fois, ça a pété des flammes, croyez-moi, et ça a remis les choses en place. Quand on y pense, ce n'était pas vraiment notre faute, en ce sens que personne ne nous avait prévenu que le saké se sirote plutôt qu'il ne se boit... Et puis, on ne nous avait pas laissé le temps de manger. Ça a quand même été une histoire assez délirante ! »

DIZZY

C'était peut-être ma façon de réagir à des choses comme l'assassinat de Luther King, les émeutes, etc., à une époque où en outre ma spiritualité n'était pas très développée. Alors, quand quelque chose me faisait de la peine, ou me contrariait vivement, ou encore simplement quand je m'ennuyais, je me plongeais dans la boisson et me conduisais avec une grossièreté incroyable... jusqu'au jour où j'ai enfin compris que je me comportais comme un imbécile et me rendais ridicule dans le monde entier aux yeux de gens qui me respectaient ainsi que ma musique. C'est vrai que, pendant cette tournée au Japon, je me suis soûlé au saké — que je prenais pour un genre de thé local — que j'ai massacré notre musique aux répétitions et me suis ridiculisé en me disputant sur scène avec Moody. Cette fois-là, ça avait dépassé les bornes ! Tout l'orchestre défoncé au saké et roupillant sur scène. Eh bien, peu de temps après, je me suis complètement arrêté de boire ; mais il m'a fallu une certaine dose de réflexion pour arriver à cette décision.

Ayant atteint à peu près tous les objectifs auxquels j'avais attaché une importance réelle, mon attitude vis-à-vis des choses qui me déplaisaient, ou sur lesquelles je n'avais aucun contrôle direct, était de m'en désintéresser totalement. Mais un jour, une dame du nom de Beth McKintey m'a appelé parce qu'elle souhaitait me rencontrer pour parler de Charlie Parker. Elle avait lu un livre sur lui dans lequel il était souvent question de moi. Je lui ai répondu : « Madame, je regrette mais il m'est impossible de recevoir une inconnue à mon hôtel. » Ça se passait à Milwaukee. Elle a insisté : « Bon, eh bien, dans ce cas, mon mari et moi viendrons au club ce soir. » Et c'est ainsi que nous avons fait connaissance et bavardé toute la soirée, sans encore aborder le sujet de la foi Baha'i. Ces gens-là ne buvaient pas, mais pas du tout. Moi, j'ai dû prendre trois ou quatre doubles whiskies. En réalité, cette femme voyageait un peu partout pour prêcher la foi Baha'i. Par la suite, elle a commencé à venir me voir de temps à autre dans les villes où nous passions, et nous reparlions de Charlie Parker. En fait, nous parlions de beaucoup d'autres choses aussi, et de fil en aiguille j'ai fini par évoquer ma jeunesse. Elle m'a posé de nombreuses questions sur mon père, ma mère, et tous mes frères et sœurs. Petit à petit, elle a gagné ma confiance, car elle ne semblait pas avoir de buts cachés.

Et un jour, j'ai commencé à recevoir des petites brochures de propagande. Je lis beaucoup d'une manière générale, et j'en ai donc entrepris la lecture. Et puis je suis tombé par hasard sur un livre intitulé : Thief in the Night (*Un voleur dans la nuit*) de Bill Sears, un des défenseurs de la cause de Dieu selon la foi Baha'i. C'était une sorte de nouvelle policière sur le thème de ce qui se passerait dans le monde si un nouveau message de Dieu parvenait à l'humanité. Dieu évite les manifestations surprises qui risquent de bouleverser ses fidèles. Il leur est déjà bien difficile de croire un inconnu qui surgit en affirmant : « Je suis l'expression de la Parole de Dieu », quand tant de versions ont circulé sur le sujet. Ce livre retraçait l'histoire de diverses religions, et des prophéties annonçant le retour du Christ, pour conclure que Baha'u'llah correspondait tout à fait à ces prédictions.

« Il plantera sa tente sur le Mont Carmel », dit un des prophètes. Et sa tente est le Centre Baha'i sur ce mont.

« Il arrivera de l'Est... » Et c'est de là que Baha'u'llah est venu.

Les Livres Saints s'expriment par des paraboles, afin que des hommes de toutes les époques puissent les comprendre. Oui, cet ouvrage m'avait vraiment fasciné.

Une fois où je jouais à San Francisco, Beth McKintey et Nancy Jordan, une autre adepte de la foi qui voyageait souvent avec elle, m'ont appelé, et comme j'avais un jour de relâche, elles m'ont pris un billet d'avion pour m'emmener à Los Angeles. Bill Sears s'y trouvait et j'ai donc pu le rencontrer. J'avais déjà ma « profession de foi » toute prête dans une enveloppe cachetée. Quand j'avais lu son livre, je m'étais dit que je voulais absolument adhérer et devenir quelqu'un comme lui. Je lui ai donc remis mon engagement officiel, que j'avais écrit sur une des pages du *Thief in the Night*. C'est ainsi que je suis devenu un Baha'i.

Cette conversion a transformé ma vie à tous les points de vue, et m'a donné un nouveau concept de la relation entre Dieu et l'homme, les hommes entre eux, et aussi l'homme et sa famille. La foi englobe tout. Je me suis ouvert sur le plan spirituel, une nouvelle dimension de la pensée qui se reflète forcément dans nos actes. Sans se montrer du tout restrictive ni contraignante, la foi Baha'i vous enseigne à remplir votre vie en lui donnant une orientation positive et profondément authentique, ce qui élimine tout naturellement les préoccupations futiles et les artifices. Je n'ai jamais eu besoin de me répéter : « Je dois m'arrêter de faire ceci ou cela. » Je me suis simplement rendu compte que je n'avais plus de temps à perdre pour ce genre de choses. J'ai commencé à prier, et à lire beaucoup. Les écrits m'ont apporté une compréhension nouvelle de notre époque selon le plan de Dieu, m'ont fait saisir la vérité de l'unité divine, de celle des prophètes et de la race humaine.

Il existe un certain parallélisme entre le jazz et la religion. Dans le jazz, un « porteur de message » fait son entrée en scène et étend son influence jusqu'à une limite donnée, puis un autre prend le relais et s'avance un peu plus loin. Dans la religion, Dieu choisit quelques individus au sein de l'humanité qui amèneront celle-ci à un certain niveau de développement spirituel. Puis d'autres guides surgissent, habités aussi par le Saint-Esprit, et qui poursuivent la tâche. Mais tous ceux-là ne font qu'un. Les lois spirituelles demeurent immuables, que ce soit celles de Moïse, Abraham, Bouddha, Krishna, Zoroastre, Jésus ou Mahomet. Tous parlent le même langage, mais chacun institue un ordre social différent, selon son peuple. Le Gardien de ma foi, la foi Baha'i, nous apprend qu'il doit obligatoirement se produire un changement interne profond dans la structure de notre société. Ce qui signifie que toutes les composantes actuelles, services, institutions, telles que la gestion des finances, les écoles, la police, la politique étrangère et bien d'autres devront subir des transformations organiques pour que naisse un nouveau millénaire, celui de l'unité de la race humaine, du bonheur et de la paix universels. Tous les préjugés, raciaux, politiques ou autres, seront automatiquement abolis. Et il faudra créer et enseigner au monde entier une langue auxiliaire universelle. Les Baha'i ont une organisation administrative, et aux Nations unies on nous consulte pour savoir ce que Baha'u'llah a dit. De toute façon, il a fait ses prédictions au xixe siècle, mais elles serviront pour l'avènement et l'édification d'un monde meilleur, d'un monde de paix, d'amour et de respect mutuel sans considérations de personne.

Quand me fut dévoilée la foi Baha'i, je me suis aperçu qu'elle s'accordait avec toutes mes convictions personnelles. Je croyais en l'unité potentielle de l'humanité, j'étais convaincu que nous avions tous la même origine et qu'aucune race n'était dans son essence supérieure à une autre. Et c'est justement cette unité et cette conformité qu'enseigne la foi Baha'i. Je crois en un Dieu unique qui se manifeste à l'humanité par l'intermédiaire de maîtres à penser qu'il choisit d'envoyer à des moments spécifiques de notre évolution spirituelle. C'est comme une grande course de relais dans laquelle la parole de Dieu, le Saint-Esprit, serait le flambeau qu'on se passe. Le coureur s'en empare, s'élance pour un parcours initiation-révélation donné et, arrivé au bout, transmet le flambeau à son successeur qui assure l'étape suivante. C'est la même religion, ou la même course si vous préférez, mais c'est un prophète différent qui prend le relais, passe au suivant qui passe lui-même au suivant, et ainsi de suite jusqu'au but à atteindre, en l'occurrence l'avènement de la paix et de l'unité fondamentale de l'humanité, sur terre comme au Ciel.

Beaucoup de gens considèrent le jazz et ses interprètes comme entourés d'une aura malsaine, alors que personnellement je pense que ce sont les jazzmen qui sont le plus en harmonie avec l'Univers, avec la nature et notre créateur. Le meilleur exemple est leur conception musicale, leur façon de jouer : comment parviennent-ils à improviser, à créer sans cesse, sinon parce qu'ils suivent une inspiration divine ? Cette opinion péjorative sur le jazz vient en grande partie de l'ignorance du public et du fait qu'il en associe les tout débuts à certains lieux malfamés. Le jazz « aurait pris naissance » dans des maisons de prostitution. Je ne crois pas cette version. Les musiciens de jazz se trouvaient dans ces maisons pour la même raison que les prostituées : ils y gagnaient leur vie. Une société pervertie les y avait placés par force. Mais le jazz est une expression artistique parfaitement saine, et ses raisons d'existence tout à fait légitimes. Simplement, à une certaine époque, les jazzmen étaient obligés d'aller jouer dans les bordels pour survivre.

Mahalia Jackson était l'amie de beaucoup de musiciens, particulièrement de Louis Armstrong, car ils étaient tous deux originaires de La Nouvelle-Orléans. Elle était aussi très liée avec Duke Ellington et Count Basie. Quant à son amitié pour moi, je ne sais trop comment elle est née à l'origine, comment Mahalia pouvait concilier ses sentiments personnels et ses opinions sur le jazz. En tout cas, nous étions très proches.

Je l'ai toujours traitée avec grand respect. Une fois, j'étais allé la voir chez elle à Chicago, et elle me dit : « C'est affreux ce que mes pieds peuvent me faire souffrir. » Alors, j'ai demandé à sa femme de chambre d'apporter de l'eau chaude, de l'alcool et une lotion adoucissante. Puis j'ai dit à Mahalia : « Tiens, assieds-toi, installe-toi confortablement et enlève tes chaussures. » Et j'ai entrepris de lui faire un massage complet des pieds pendant qu'elle se détendait. « C'est merveilleux ce que ça fait du bien! » m'a-t-elle dit. Personne n'avait jamais dû s'occuper d'elle ainsi. C'était un acte d'amour de ma part, dans la mesure où Mahalia était une femme extraordinaire, dont le chant a adouci les souffrances de tant de gens. En fait, je crois que j'ai trouvé pourquoi elle me considérait comme un ami : elle s'appuyait toujours sur l'Esprit divin pour la guider, et elle devait sentir en moi quelque chose qui lui soufflait que j'étais « bon ». Elle avait un grand bon sens et une grande intelligence d'instinct. Elle savait donc reconnaître ses amis. Car voyez-vous, le monde du Gospel n'est pas des plus irréprochables, et bien peu de chanteurs gospel sont assez nets pour se permettre de jeter la première pierre...

Je crois beaucoup à ce parallèle entre le jazz et la religion. Fermement, même! Les porteurs de flambeau à la trompette seraient selon moi : Buddy Bolden, King Oliver, Louis Armstrong, Roy Eldridge, moi-même, Miles Davis, puis Fats Navarro, Clifford Brown, Lee Morgan et Freddie Hubbard... Ils ont créé un style personnel, délivré un message particulier, et les autres ont suivi. Notre Créateur choisit de grands artistes pour transmettre la flamme. La seule explication au génie de Charlie Parker est qu'il était inspiré par Dieu. D'autres travaillaient leur instrument tout autant que lui, alors pourquoi leur manquait-il ce talent? Je préfère m'en tenir à cette explication : « C'est un don de Dieu. » Je me sentais rempli de gratitude, et j'avais le sentiment d'avoir acquis un certain équilibre en perdant de ma folle inconscience.

Au plus bas

Mon inconscience faillit me coûter la vie en 1973. On ne saura jamais l'histoire exacte, mais apparemment quelqu'un m'avait fait prendre quelque chose de pas catholique et je me suis retrouvé à l'hôpital, moribond. J'ai eu un arrêt cardiaque qui m'a valu d'être soumis à une réanimation, et quand je me suis réveillé, j'ai senti quelque chose dans le fond de ma gorge qu'ils faisaient descendre par cette voie pour relancer le cœur, si j'ai bien compris.

Au départ, il s'agissait sûrement d'une histoire de drogue. Je travaillais tous les soirs au Village Vanguard, mais en tout cas je n'ai absolument aucun souvenir entre le moment où je jouais sur le podium et mon réveil à l'hôpital. Le médecin a diagnostiqué : « Overdose. » Ce que j'avais pris n'était pas très net, ça c'est certain.

Je ne me rappelle pas avoir jamais été effrayé dans ma vie, avoir vraiment eu peur. J'ai connu seulement quelques craintes. Mais cette fois-là, croyez-moi, le danger couru a dépassé la simple menace !

MIKE LONGO

« Je me souviens que nous sommes revenus sur l'estrade, après une pause. Il ne buvait plus depuis longtemps à cette époque, mais je me rappelais encore comment il jouait quand il avait trop bu. Le bassiste du groupe était Alex Blake, âgé d'une vingtaine d'années, et pour une raison que j'ignore toujours Dizzy a attaqué *Girl of my dreams*, qu'Alex n'avait jamais joué ni même peut-être entendu, car cet air devait dater de quarante ans avant sa naissance ! D'ailleurs, il n'était pas à notre répertoire. Et puis j'ai remarqué que Dizzy jouait bizarrement. Je l'ai regardé, surpris, et voilà qu'il s'est mis à tituber, je me suis levé du piano et suis allé le rejoindre derrière le pilier où il s'était réfugié hors de vue du public. Et brusquement, il s'est écroulé, en lâchant sa trompette. J'ai dû lui dire quelque chose du

467

genre : " Qu'est-ce qui t'arrive, vieux ? ", parce que juste avant la pause il était parfaitement réveillé, alerte et tout. Les seules paroles qu'il a réussi à prononcer avant de s'effondrer ont été : " Oh ! que c'est beau... "

Tout le monde a quitté le club sauf nous deux et un type du nom de Noble qui m'a dit : " Ce mec a donné quelque chose à Dizzy mais Dizzy ne savait pas ce que c'était. Quel salaud ! " J'ai décidé : " Bon, on va le porter dans le hall et on lui fera prendre l'air, ça va peut-être le ranimer. " Je ne savais pas du tout ce qu'il avait, vraiment. Noble m'a aidé à le transporter, et puis je suis redescendu dans la salle chercher sa trompette et son pardessus. Mais quand je suis remonté, Diz n'était plus devant le club. Je l'ai aperçu déjà assez loin dans la rue entre les deux types qui lui avaient filé cette saloperie pendant la pause. Je leur ai couru après et les ai rattrapés.

« Hé là, qu'est-ce que vous foutez vous deux ?

— On l'emmène au Greenwich Village Hospital, me répond l'un des types.

— Vous ne l'emmènerez nulle part. » J'étais très décidé.

« Tu veux dire quoi, là, au juste ?

— C'est Dizzy Gillespie, et je te préviens que tu ne l'emmèneras pas dans un putain d'hôpital pour que ce soit dans tous les journaux demain. »

En outre, je me demandais si ces deux types n'avaient pas fait ce mauvais coup à Dizzy délibérément, et s'ils ne se préparaient pas à le balancer dans un coin discret, vous comprenez, parce qu'il était pratiquement inconscient. J'ai réussi à le ramener au club, et les deux autres se sont taillés. Je cherchais quelqu'un pour le reconduire chez lui. Je ne savais pas si son malaise était très grave, mais j'étais sûr qu'il valait mieux le ramener à Lorraine. Il s'est trouvé que Noble, qui était toujours au club, habitait dans le même coin. Il me proposa de ramener Dizzy, et comme il avait l'air sérieux, j'ai accepté.

« J'étais donc plus tranquille, sachant Diz chez lui avec Lorraine pour le mettre au lit. Et voilà qu'à huit heures du matin la sonnerie de mon téléphone retentit. C'était Boo Frazier qui me demandait :

« Qu'est-ce qui est arrivé à Dizzy hier soir ?

— Je ne sais pas trop, mais je l'ai mis dans la voiture de Noble et je l'ai renvoyé chez lui parce qu'un mec inconnu lui a filé un sale truc, et avec un autre type ils étaient en train de l'emmener je ne sais où. Je les ai rattrapés, et j'ai mis Diz dans la voiture de son voisin et c'est tout ce que je... »

Et Boo m'annonce : « Eh bien, Diz est à l'hôpital et les toubibs ne veulent pas se prononcer. Ils ont commencé par inscrire " décédé ", à l'admission... »

« Vous pensez si la nouvelle m'a secoué! Du coup, je crois que c'est ce qui m'a fait devenir Baha'i... J'ai commencé à prier après cet appel, quand j'ai su qu'il était dans le coma, vraiment en danger... »

LORRAINE GILLESPIE

« On me l'avait ramené et je l'avais mis au lit, mais heureusement je me suis relevée pour voir comment il allait et je l'ai trouvé sur son lit, l'écume aux lèvres et tordu par des convulsions, comme si son corps cherchait à éliminer quelque chose. J'ai appelé une ambulance immédiatement et ils l'ont emmené à l'hôpital. Son cœur s'était arrêté, et à l'arrivée ils l'ont branché sur des machines pour le ranimer. Il était presque mort. Si quelque chose ne m'avait pas soufflé d'aller le voir...

« Il y a des fois quand il se conduit comme un idiot..., vous voyez ce que je veux dire, une de ces périodes d'inconscience ridicule, ça me rend malade. Il a fait des tas de bêtises, mais il y a longtemps que ça n'est pas arrivé, je dois dire, j'ai même du mal à m'en souvenir. Il me déroute depuis quelque temps... Il met ça sur le compte de la religion. Moi, je veux bien, mais je pense plutôt qu'il est fatigué. J'en suis bien contente d'ailleurs, parce qu'il a quand même changé un peu. Mieux vaut tard que jamais. »

DIZZY

Après cette histoire, j'ai pris dix jours de vacances, et j'en ai profité aussi pour réfléchir et me dire qu'il y avait sûrement un sens profond à ma vie, et que c'était le moment de me lancer dans une quête personnelle et de la mener à bien. Il fallait que j'aille au fond des choses et que j'en tire une leçon de conduite, car tout de même, quand on a réussi à mourir et à ressusciter... J'avais reçu un don unique de l'Etre Suprême, pour lequel il avait droit à toute ma reconnaissance. Or si Dieu vous accorde un talent pareil, c'est pour qu'il soit utilisé. Ne pas le faire serait un péché qui entraînerait automatiquement une sanction de retrait. Mais il est normal aussi de donner quelque chose en retour, comme gage de gratitude. Dans mon cas, j'ai donc décidé de renoncer à un certain nombre de plaisirs et de passe-temps. Par exemple, je reste à la maison pour écrire de la musique, au lieu de sortir et de m'amuser. C'est difficile, mais nécessaire, afin de bien utiliser ces dons que j'ai reçus, en particulier mes talents de trompettiste, et que je tiens absolument à sauvegarder.

La façon de réagir qu'ont les gens confrontés avec des situations pénibles a une très grande importance. Ma femme Lorraine, par exemple, garde un front serein dans les crises les plus éprouvantes. C'est extrêmement rare, voyez-vous. Lorraine est très croyante et c'est elle qui m'a empêché de me lancer dans des expériences qui m'auraient été néfastes. J'avais besoin de quelqu'un pour m'épauler, m'encourager. Elle m'a servi de point d'ancrage et m'a donné la force qui m'a permis de résister à certaines choses. Je n'ai adopté la foi Baha'i que depuis dix ans, et le mérite de ce qui s'est passé de bien avant cela dans ma vie revient à Lorraine, avec laquelle j'ai toujours été marié. C'est une femme qui n'accepte pas les compromis. Elle est d'une droiture absolue. Il n'y a pour elle que deux façons de voir les choses : la bonne et la mauvaise. Moi, j'ai des sentiments plus mitigés, et tendance à louvoyer un peu. Elle marche en ligne droite, sans jamais dévier. Elle a une grande influence sur moi, et je dis toujours que ce qu'il y a de bien en moi, mes bons côtés, doivent être portés à son crédit. Elle sait me guider par sa manière de m'expliquer des choses. Mes mauvais côtés, eux, sont ma responsabilité.

Nous n'avons pas d'enfant, mais un petit chien baptisé Maestro et âgé d'une dizaine d'années. Il ne sait faire aucun tour, mais est cependant très malin. Lorraine étant une femme d'intérieur hors pair, la meilleure du monde en fait, Maestro n'a droit d'accès qu'à certaines pièces chez nous. Moi aussi d'ailleurs... Le living, la salle à manger et un coin de la véranda sont réservés aux invités. Je n'y pénètre que pour prendre quelque chose, mais je n'y traîne pas. Maestro peut aller dans le vestibule, le bureau, les pièces du sous-sol et de temps à autre dans la chambre d'amis. Il sait très bien ce qui lui est défendu, comme la cuisine qu'il peut seulement traverser pour aller au sous-sol. Un jour, je faisais la vaisselle et il était allongé sur le seuil de la porte, la tête dans la cuisine, le reste de l'autre côté. Je me suis dit : « Je vais t'avoir, mon vieux » et j'ai fait semblant de descendre l'escalier du sous-sol en piétinant bruyamment sur place. Maestro s'est élancé mais quand il m'a aperçu après le tournant, il a fait aussitôt demi-tour, la queue basse, car il savait très bien qu'il n'avait pas le droit d'être là... Quand je m'absente plus d'un jour, je le prends dans mes bras dès que je rentre. Il est très sensible à ce genre de démonstration, et si je ne le garde pas assez longtemps, il se dresse contre ma jambe avec insistance, l'air de dire : « C'est pas suffisant, mon vieux, j'en veux encore. » Alors je le reprends et je le promène ainsi un moment. C'est un chien fabuleux.

C'est ma femme qui s'occupe des affaires, parce qu'elle sait manipuler l'argent et les fonds. Elle est passée maître dans l'art de la gestion, ce qui n'est pas du tout mon cas. Je lui envoie systématiquement ce que je gagne et c'est elle qui en a la responsabilité. Sans elle, je n'aurais pas un sou de côté. Ma réussite sur le plan musical ne m'a sans doute pas apporté la contrepartie financière que j'aurais pu espérer, mais tout bien considéré, j'estime avoir été correctement rétribué en fonction de mon travail. Le fond du problème est d'un autre ordre, et je le connais : nous vivons dans une société matérialiste pour laquelle votre valeur est proportionnelle à votre rentabilité. Dans le monde musical, toutefois, il arrive qu'une compagnie de disques souhaite vous engager pour le prestige, simplement pour avoir votre nom à son catalogue et pas nécessairement avec l'idée qu'il lui fera vendre quelque chose comme deux cent mille dollars de disques en un rien de temps.

Le maximum que j'aie jamais gagné d'un coup a été cent mille dollars, le montant de garantie d'un contrat de trois ans avec les disques Mercury que j'ai signé il y a quinze ans, en 1963. Je ne l'ai d'ailleurs pas touché en une fois. Quincy Jones me l'avait conseillé, comparant tout cet argent à un serpent venimeux ! Je leur ai renvoyé leur chèque et j'ai demandé que la somme soit répartie sur trois ans. Cela dit, je ne suis pas un millionnaire, dans la mesure où il faut posséder au moins deux millions de dollars pour en être un vrai. J'en suis bien loin. Je n'ai d'ailleurs jamais voulu *être* un millionnaire; je me contente de vivre *comme* un millionnaire, en me payant ce qui me fait plaisir. Et mes goûts étant très modestes, il y a vraiment très peu de choses que je n'ai pas réussi à m'offrir. Mes plus grosses dépenses ont été l'achat d'un petit immeuble, et la maison où Lorraine et moi vivons. J'avoue que je préférerais rester chez moi et ne pas être sans cesse en train de faire mes valises et de courir partout, mais je fais ce qu'il faut pour gagner ma vie. J'aime pourtant rester le derrière sur une chaise, à écrire de la musique, et déteste cette vie itinéraire au milieu des valises. Mais il y a des compensations. Quand je vais en Angleterre, Bob Farnon vient me rejoindre à Londres et nous nous voyons pendant deux jours. En France, je rends visite à Charles Delaunay, Moufla, Roger Guérin, Kenny Clarke et d'autres amis, à Bruxelles je retrouve Carlos de Radzitzky. Sans ces voyages, je ne verrais jamais tous ces gens, ni des pays comme l'Argentine, l'Afrique du nord, le Kenya, etc. La vie d'artiste a de bons côtés qui compensent les désagréments comme se lever à cinq heures du matin pour prendre un avion... Pour moi, l'inconvénient majeur est d'être loin de sa femme. Quand j'ai commencé à faire des tournées, Lorraine m'accompagnait partout. Mais aujourd'hui, elle n'aime plus ça et je pars seul. Je reviens toujours, bien sûr, et alors c'est une nouvelle lune de miel !

Après ma brève incursion dans l'Inconnu, j'ai ouvert les yeux et j'ai vu comment tant de musiciens avaient fini par gâcher leur vie. Je me suis dit : « Doucement, mon vieux... » Alors maintenant j'emporte un plan incliné partout où je vais et je fais des exercices deux fois par jour ; je fais très attention à ma nourriture, je ne touche ni à l'alcool ni aux drogues, et je mène une vie normale d'homme marié (très important aussi). J'ai le plus grand respect pour tous les musiciens et ils me le rendent. J'ai aussi une grande considération pour mes engagements de travail, mais si les gens qui m'emploient ne me traitent pas de façon décente, je m'arrête net. Et puis... j'espère vivre jusqu'à cent soixante ans pour récupérer un peu de l'argent que je donne régulièrement à ces rigolos de la Sécurité sociale. J'espère réussir à les angoisser au point qu'ils se demandent : « Mais quand va-t-il se décider à mourir, celui-là ! » Ne vous inquiétez pas, j'ai bien l'intention de m'accrocher, les gars...

Evolutions

Quelqu'un qui ferait une étude sur notre musique s'apercevra, en remontant assez loin, que la source principale se situe en Afrique. Toutes les musiques de l'hémisphère occidental — pas seulement la nôtre mais celles qui se jouent à Cuba, au Brésil, aux Antilles, encore qu'elles n'aient pas eu dans le monde entier le même impact que le jazz, les spirituals et le blues des Noirs d'Amérique — sont avant tout d'origine africaine. Le calypso, la rumba, la samba, les danses haïtiennes ont un dénominateur commun : le rythme transmis par leur génitrice, le rythme de base en provenance de « Mère Afrique* », à laquelle ses enfants transplantés en Occident ont exprimé de différentes façons leur attachement. Les Africains du Brésil ont créé la samba, ceux des Antilles le calypso, les Cubains la rumba et autres danses typiques, et mes propres frères le blues et les spirituals, tous à la fois différents et très proches. Il était donc naturel qu'ils m'influencent tous un peu.

L'explication sociologique de la naissance de cette musique qui est la nôtre ici est que les Noirs d'Amérique n'avaient plus de tambours. Les maîtres avaient retiré aux esclaves leur moyen d'expression essentiel, leur interdisant d'en jouer parce que ces instruments permettaient de communiquer à distance et de fomenter des soulèvements et des révolutions. Les nouvelles circulaient ainsi très rapidement, d'où l'interdiction judicieuse. En remplacement, les Noirs ont alors imaginé de taper sur des casseroles et de chanter en travaillant dans les champs. Le soir, ils s'enfonçaient loin dans les bois pour tenir des réunions religieuses autour d'un feu, accompagnées de battements de mains, de chants et de danses. La minorité

---

* Si vous vous trouvez dans un endroit quelconque en Afrique, vous entendrez certains rythmes, mais si vous allez seulement à trois kilomètres plus loin, vous en entendrez d'autres. En fait, les natifs expriment ainsi leur vécu (D. G.).

qui disait amen à tout était autorisée à aller à l'église avec les Blancs et avait droit à un petit coin à part, justement baptisé le « coin des amen ». Mais la majorité devait se rencontrer en secret, parce qu'au temps de l'esclavage, les maîtres ne voulaient pas de deux Noirs parlant le même dialecte dans une plantation. S'ils découvraient que deux esclaves appartenaient à la même tribu, ils en vendaient un. Ils essayaient de les obliger à parler anglais, afin de comprendre ce qu'ils racontaient. Ils ne pouvaient tolérer que des secrets circulent à leur insu, ni que les Africains transplantés pratiquent leurs cultes personnels. Ils voulaient leur faire accepter Jésus-Christ comme le fils de Dieu. Les esclaves devaient donc adopter la religion des maîtres sans toutefois la pratiquer avec eux, car tout le système bâti par les Européens reposait sur l'idée que les Africains étaient des êtres inférieurs. Il semble pourtant difficile de pouvoir parler de fraternité humaine en maintenant une population en esclavage. Mais nous les avons eus, nous avons roulé tous ces Blancs en créant une musique dont le monde entier sait maintenant qu'elle est née aux USA, et qui après avoir été largement adoptée a pris une place prépondérante par rapport aux autres formes musicales de cet hémisphère et même d'ailleurs, à cause de son rythme, de sa richesse harmonique, et, comble de l'ironie, grâce à l'effort que les USA ont pu et voulu consacrer à sa diffusion et à son expansion. Tout ce travail que les esclaves ont fourni pour faire des USA une nation riche et puissante, chef de file des échanges et de la communication, a permis finalement de diffuser notre musique aux quatre coins du monde. Cette entreprise a commencé dès le XIXᵉ siècle avec des gens comme « Blind Tom », qui a emmené notre art juqu'en Europe.

Le blues est une forme dérivée des spirituals, mais au lieu de se limiter à l'homme et à Dieu, les textes parlent simplement des hommes et de leur existence quotidienne. Ainsi s'est créé un nouveau genre de musique que l'on pouvait jouer et chanter dans toutes les circonstances, dans les clubs ou autres lieux de distraction. Les spirituals, le gospel et le blues marchent de pair, unis par les liens du sang. Le blues est né avant le jazz, qui fut inventé pour faire danser les gens. En d'autres termes, si vous jouez du jazz et que le public n'ait pas envie de danser ou au moins de battre du pied, c'est que vous êtes passé à côté du sens même de cette musique. N'oubliez jamais cette idée qu'il faut donner aux gens l'envie de danser, c'est là une des caractéristiques de notre musique liée à sa pulsation rythmique.

Notre concept et le concept africain diffèrent cependant, en cela que nous sommes fondamentalement monorythmiques, alors que les Africains sont polyrythmiques. J'appelle polyrythmie le fait d'avoir quatre ou cinq musiciens qui jouent simultanément des rythmes

474

différents. Dans le jazz d'aujourd'hui, on utilise une cymbale au pied, ou « charleston », qui a été introduite par Jo Jones. Mais dans mon premier orchestre en Caroline du Sud, un musicien jouait de la caisse claire, un autre des cymbales, et un autre encore de la grosse caisse avec une mailloche dans une main et un truc en métal dans l'autre. Ces divers instruments réunis ont finalement abouti à la batterie moderne jouée par un seul musicien.

Les Américains ont du mal à comprendre la musique afro-cubaine et les autres musiques polyrythmiques de notre hémisphère, qui sont restées plus proches de l'Afrique. Nous sommes plus « européens », davantage portés vers l'harmonie, exception faite du gospel encore très près de sa source africaine. La fusion entre la musique d'Afrique et d'Europe a réellement débuté à l'Eglise, pour se poursuivre avec le ragtime, le boogie-woogie, le rock, etc. Dans l'état actuel de mon style, je garde un pied dans le passé et l'autre dans le futur, du fait que je conserve un petit côté gospel tout en explorant les possibilités extrêmes du mariage entre les rythmes africains et l'harmonie européenne.

Aujourd'hui, notre musique est universelle. Elle combine les structures rythmiques africaines, occidentales, et celles de certains pays de l'Est, y ajoute les harmonies de la musique européenne, pimente ce contenu de l'âme des esclaves, de blues et de spirituals, et la recette s'appelle « jazz ». Les nouveaux venus qui jouent du rock actuellement sont en fait en plein gospel, et ils font des choses impossibles à écrire en notes. Je voudrais bien jouer comme eux. Ce fut une erreur de ne pas avoir fait de musique dans mon enfance à l'Eglise sanctifiée, bien que j'en aie beaucoup écouté. Le gospel est une extraordinaire école de solidité et de vitalité, et un genre qui se prête aussi à toutes sortes d'improvisation. Notre musique, je veux dire celle des Noirs, le jazz, est assurée de durer, car elle va constamment de l'avant. Telles ont été quelques-unes des étapes fondamentales dans l'histoire de notre musique aux USA, à laquelle je trouve des similitudes avec l'Histoire qui en Afrique se transmet oralement de génération en génération. Tous les musiciens modernes devraient connaître la musique dite « vieux style ». Il n'est pas nécessaire de la jouer, mais il faut au moins l'avoir écoutée. C'est comme la construction d'une maison : on commence toujours par les fondations.

Le piano est la base de l'harmonie moderne. Dans les années vingt, d'après ce que m'ont raconté les « anciens », la plupart des pianistes jouaient dans le style de James P. Johnson, Scott Joplin, Eubie Blake, Jelly Roll Morton, Fats Waller et Willie Smith, dit « The Lion ». Ils étaient complètement dépassés par Art Tatum. Ils ne comprenaient pas. En ce qui me concerne, pourtant, quand on se met à parler d'Art Tatum, il faut prendre un temps d'arrêt avant de parler des autres pianistes... Après l'ère de Fats Waller et de tous ces grands noms, est arrivé un petit bonhomme de Chicago, Earl Hines, qui a révolutionné le style pianistique. Il est de la lignée de ceux que j'ai cités, et il est toujours parmi nous. Les jeunes feraient bien d'aller l'écouter. Ils trouveraient en lui les germes de Bud Powell, de Herbie Hancock et de leurs successeurs.

Sans Earl Hines, qui a brillamment montré la voie à la génération suivante, on ne peut savoir ce que, ni comment, les pianistes actuels joueraient. La liaison entre Earl Hines et l'ère du bebop a été assurée par Billy Kyle, idole de Bud Powell qui s'en est fortement inspiré tout en étant très influencé par Charlie Parker et moi-même. Les deux courants se retrouvaient en lui et ont donné naissance à un nouveau style. Maintenant, tous les pianistes jouent comme Bud. Ah, il faut dire que c'était quelque chose, Bud! Impressionnant. D'autres, toutefois, ont créé des styles très personnels, comme Errol Garner, le plus « charismatique » de nos pianistes. Ils étaient deux, lui et Les McCann, à posséder ce don quasi divin de soulever les foules. Avec seulement un tambourin derrière eux, par exemple, c'était parti. Je n'ai jamais rien entendu de pareil. Pas de basse ni de batterie, juste un tambourin, et ils emmenaient une salle entière. Oui il y a eu quelques déviations, quelques embranchements individuels, mais c'est bien Earl Hines qui a engendré le style moderne au piano.

Louis Armstrong aussi a été un grand novateur, porteur de message, et à une époque, tous les trompettistes du monde entier, en tout cas ceux qui ne faisaient pas partie d'orchestres symphoniques, prenaient modèle sur Louis. Il n'a pas seulement influencé les trompettistes, il a trouvé une nouvelle formule au genre en introduisant la notion de solo. Au départ, c'était un disciple de King Oliver, et puis il s'est mis à voler de ses propres ailes. Roy Eldridge a pris le relais, et moi après lui. C'est le même principe que dans ma religion, la foi Baha'i : des individus sortent du rang à un moment donné, qui deviennent la force vitale, l'influence dominante mais non unique, de cette époque. Ainsi Buddy Bolden, King Oliver qui était le « porteur de message » de son temps, imité par tous les musiciens, puis Louis Armstrong, Roy Eldridge, mon temps à moi, puis Miles Davis, Fats Navarro, Clifford Brown, Lee Morgan. Les messagers de l'époque suivante ont été je pense Ornette Coleman et John Coltrane. Ils ont apporté un nouveau message, et ont enrichi notre musique par leur créativité. Ornette Coleman possédait bien les bases indispensables, connaissant à fond les solos de Charlie Parker. Au début, je ne l'aimais pas, et je réagissais sans doute comme ceux qui m'avaient précédé lorsqu'ils m'avaient entendu pour la première fois. Mais un jour, un avocat de mes amis m'a apporté un enregistrement d'Ornette Coleman en concert à Town Hall, et j'ai commencé à prêter une oreille très attentive à ce que j'entendais. Je me suis dit : « Attention... ce gars-là a quelque chose ! » Bien sûr, il n'avait pas l'impact de Charlie Parker, mais il s'inspirait de lui pour faire quelque chose de très intéressant. Par la suite, ce fut Coltrane qui devint un phare et fit plus d'adeptes qu'Ornette. Beaucoup de musiciens actuels sont d'ailleurs ses disciples.

Je crois à l'évolution en toutes choses. L'humanité même est en perpétuel mouvement, et notre comportement aujourd'hui n'est plus celui d'il y a vingt ans. Nous demeurons intrinsèquement les mêmes, mais notre façon d'agir et de réagir a changé, elle s'est mise à l'heure de notre temps, qu'on lit d'ailleurs maintenant sur des montres digitales au lieu d'un cadran avec des aiguilles et des chiffres romains. Selon moi, toute musique est à son sommet dans le cadre de l'époque à laquelle elle a été créée. Je pense à ces gens qui voudraient me voir remonter le temps et reformer mon grand orchestre de 47, 48. Je leur réponds toujours : « Mais non, vous ne voulez pas vraiment de l'orchestre de 47. Moi, il ne me conviendrait plus, en tout cas. » Ils insistent : « Mais Diz, c'était fabuleux... — Oui, fabuleux à l'époque, mais le jazz continue de progresser. » Il est certain que les concerts qui sont organisés pour faire connaître une musique que tant de jeunes n'ont pas entendue à sa création sont une excellente initiative. Mais il faut trouver des disciples-exécutants, car les créateurs, eux, doivent s'attacher à aller de l'avant. C'est ce qui me plaît chez Miles : on peut aimer ou non son genre de musique, mais en tout cas, il n'a cessé d'évoluer. Le résultat est là, offert à l'appréciation de chacun. Miles a eu le courage de faire cette démarche.

Je connais un peu le rôle qu'ont joué les autres instruments, mais je suis un expert en ce qui concerne celui de la trompette, depuis Buddy Bolden, King Oliver, Louis Armstrong jusqu'à Roy Eldridge et moi-même. Miles et Fats Navarro ont suivi, apportant leur message en même temps, différent d'ailleurs. Mais j'ai pourtant remarqué que tous deux sonnaient comme moi dans ce temps-là, à l'occasion d'un enregistrement que nous avons fait ensemble. J'étais incapable de reconnaître qui jouait quoi en réécoutant ce disque : *The Metronome All Stars* (Victor 30-3361), incapable d'attribuer les chorus à l'un plutôt qu'à l'autre. Par la suite, nos chemins ont bifurqué. Fats commençait tout juste à sa mort à s'écarter de mon influence, qu'il n'aurait sans doute jamais éliminée complètement malgré tout, pas plus que moi celle de Roy Eldridge, ou Roy celle de Louis Armstrong. A sa disparition, Clifford Brown avait été influencé par mon jeu, mais seulement à travers celui de Fats. C'est ainsi que se crée l'amorce d'un style différent. D'autres étaient apparus, comme Lee Morgan et Freddie Hubbard. Je pense que Lee a été directement influencé par moi et Clifford Brown, alors que Freddie Hubbard est un mélange de ce dernier et de Miles Davis. Vous savez, les notes sont les mêmes pour tout le monde, et le style n'est jamais que la manière de concevoir leur enchaînement, et de phraser. Personnellement, je suis un de ces types de la vieille école qui se fichent pas mal de savoir qui untel copie, du moment que je retrouve chez untel le concept fondamental de la trompette, auquel cas il poursuit de toute façon la voie que j'ai tracée et devra forcément passer aux mêmes endroits... s'il souffle dedans par la bouche bien sûr, et ne trouve pas un autre procédé.

Je suis toujours dérouté quand un type vient me voir, un ami de Freddie Hubbard, ou un admirateur de Clifford Brown ou de Lee Morgan. Ils semblent tous avoir honte de me dire : « J'aime Freddie Hubbard », par exemple, et me regardent aussitôt d'un air un peu gêné. Pourtant c'est comme s'ils me disaient : « J'aime votre style », parce que le message est parti de moi. Le flambeau de notre musique est transmis comme celui de la religion, dont les gens qui en assurent le relais aux différents âges du développement spirituel de l'homme sont comparables aux messagers de notre musique qui en marquent les différentes étapes.

Il y a une éclosion incessante de styles et de jeunes musiciens. La qualité essentielle pour faire du bon jazz est le sens rythmique. Si vous ne l'avez pas, c'est sans espoir. Quelles que soient les trouvailles mélodiques, s'il n'y a pas la base rythmique, il ne se passe rien. De notre temps, il fallait aussi savoir où se plaçaient les accentuations dans une mesure, avoir une bonne connaissance de la composition des accords, des harmonies et de leur progression. Aujourd'hui, je ne sais trop ce qu'il en est, sinon qu'ils m'ont un peu l'air de faire surtout leurs gammes, mais quelle que soit l'orientation choisie, elle devra partir du passé pour être valable.

J'ai toujours engagé des musiciens qui cherchaient à progresser. Quand un type commence à s'accrocher avec vous sur un point quelconque, à mettre en cause l'orientation que doit prendre la musique, c'est signe que le moment est venu pour lui de vous quitter, de former son propre groupe et de prendre la responsabilité de ses idées. Le chef est responsable du son de la formation, et les autres doivent le suivre. Même s'ils ont écrit un thème ou donné une idée, ça ne change rien, ils doivent se fondre avec les autres et écouter le chef sur lequel tout repose.

Je me souviens que j'ai joué avec un groupe baptisé les « Géants du Jazz », composé de Monk, Art Blakey, Al McKibbon, Sonny Stitt, et Kai Winding. C'était une bonne idée de promoteur : six chefs d'orchestre réunis pour attirer le public, au lieu d'un seul.

478

Nous avions chacun un groupe en dehors, bien sûr, mais cet assemblage donnait l'impression d'avoir six orchestres différents sur la même scène. Et personne ne pouvait avoir la responsabilité du « son » de l'ensemble. Ce genre d'expérience va bien un moment, le temps de se remplir les poches parce que c'est bien payé, mais un moment seulement, avant de reprendre la tête de votre propre groupe. Si ça dure trop longtemps, les habitudes s'installent, et dans notre cas, tous les autres commençaient à me regarder en demandant : « Alors, qu'est-ce qu'on joue ? » Je ne pouvais pas être responsable d'un orchestre composé uniquement de chefs, et je ne voulais pas non plus avoir l'air de les commander, encore que tous aient en fait travaillé pour moi à une époque ou à une autre. Mais entre-temps, ils étaient devenus indépendants, et comme vous le savez, on ne dit jamais à un patron ce qu'il doit faire, sous peine de s'entendre répondre : « Qu'est-ce que ça veut dire, hein ? Non mais, qu'est-ce que c'est que ça ! »

Dans la formation d'un musicien, en particulier d'un jazzman, la technique est la même que dans les autres domaines : réunir des documents et les étudier. Par exemple, vous allez écouter Coleman Hawkins et Lester Young qui jouaient du même instrument dans un style très différent, avec toute de même quelque chose en commun et en étant l'un et l'autre dans le vrai. A vous de trouver le dénominateur commun entre ces deux-là, ou entre Lester Young et Louis Armstrong. Une fois que vous avez fait le lien, vous tenez la base. Et puis vous stockez toutes ces informations dans votre cerveau-ordinateur, où vous allez les chercher quand vous jouez pour les utiliser au moment adéquat. C'est un peu comme d'empiler des briques pour construire un mur. Vous jouez une phrase que vous avez prise à Roy Eldridge, par exemple, mais il peut se passer des tas de choses autour de cette réutilisation, les accords derrière, le passage d'un enchaînement à un autre, les variantes que vous imaginez : « Tiens, mais on peut enchaîner comme ça aussi... » et quand vous en arrivez à ce niveau, vous finissez par sortir quelque chose de différent alors qu'il s'agit de la même musique qui progresse à travers quelques transformations, tout simplement. C'est pourquoi ça ne me gêne pas du tout qu'un trompettiste ne joue pas dans mon style et pense s'inspirer de celui de Clifford Brown... car je sais qu'en fait, c'est la même chose.

Bien entendu, je connais mon apport au jazz. Je sais exactement quelle est ma part de création, celle de Monk, ou celle de Charlie Parker. Je me suis demandé un jour : « Voyons, qu'est-ce que j'ai eu comme trouvaille, dont la postérité aura du mal à se débarrasser ? » Eh bien, vous connaissez l'intro que j'ai faite sur *Round Midnight* ? Je me suis aperçu un certain nombre de fois que beaucoup de choses sont parties de là, par exemple en écoutant des gens comme Nat Adderley. J'avais d'abord joué une coda dans la même veine sur *I can't get started*, et j'ai joué dans cet esprit la fameuse intro de *Round Midnight*. Puis j'ai repris le principe dans d'autres arrangements, et j'ai remarqué par la suite que j'avais fait école et que mon idée avait été maintes fois exploitée. Un Sud-Américain a écrit une symphonie à partir de mon introduction; et tous ceux qui jouent *Round Midnight* l'utilisent, ainsi que ma coda. Un autre exemple : *All the things you are,* eh bien j'ai entendu Count Basie jouer un arrangement dessus, dont l'intro est celle que je faisais avec Charlie Parker... Nos créations de solistes inspirent ainsi souvent les arrangeurs, les responsables des orchestrations. Vous n'aurez pas besoin d'interroger plus de trois ou quatre musiciens de jazz avant d'en trouver un qui saura analyser cette intro. Le premier accord de *All the things you are* est fa mineur, et celui de l'intro qui le précède et l'amène n'est pas le fruit du hasard, c'est un accord de do. Tout cela est mûrement pensé, mais je parie qu'un tas de types qui reprennent cette intro à l'heure actuelle ne comprennent pas cet enchaînement. J'ai constaté que les musiciens se montrent beaucoup moins curieux de nos jours qu'on ne l'était jadis. Pourtant, il faut se poser des questions. C'est indispensable. Si le jeu d'un musicien vous intéresse mais que certaines de ses idées vous échappent, il faut en demander l'explication, ou chercher à analyser en écoutant le disque. *Pourquoi?* Voilà le point important. Les jeunes musiciens d'aujourd'hui ont l'esprit vif et copient facilement un style qui leur plaît, mais ces « hippies modernes » relèvent quelques phrases, quelques riffs sur un disque, sans savoir pourquoi leur modèle les a joués. A la limite, ils risquent même de copier les erreurs qu'un soliste est toujours susceptible de faire. Un musicien peut toujours se rattraper et se sortir d'un passage délicat, à une condition : c'est de bien savoir à chaque instant où il en est.

Les rythmes afro-cubains m'ont toujours fasciné. Très tôt dans ma carrière, j'ai découvert que notre musique et celle de nos frères d'Amérique latine avaient une source commune. Eux ont eu plus de chance que nous, en ce sens qu'on ne leur a pas enlevé leurs tambours et qu'ils sont restés polyrythmiques. Une idée me trottait sans cesse dans la tête : pourquoi ne pas tenter d'introduire la multiplicité des rythmes dans notre musique? Alors, en 1941, j'ai écrit *A Night in Tunisia,* en superposant différentes figures qui installaient cette impression de polyrythmie à l'intérieur du morceau.

Bien sûr, j'ai ma propre interprétation de ces musiques latines, que je ne joue pas exactement comme on le fait dans leur pays d'origine. Mais ma version reste dans le même esprit, et j'y introduis simplement des touches personnelles, reflets de ma sensibilité. Il faut avoir une large ouverture vers l'extérieur, à notre époque, en tant que batteur, car la musique est un édifice aux éléments totalement imbriqués. C'est pourquoi la percussion est mon dada. J'ai souvent trouvé aussi des enchaînements harmoniques sur certains thèmes qui ont été repris par d'autres et sont finalement devenus des classiques. Mais ma vraie spécialité, c'est le domaine rythmique. Et les batteurs le savent bien. J'ai appris des trucs à tous les batteurs, de Max Roach et Art Blakey à leurs héritiers, et encore à ce jour ils font des figures que je leur ai montrées. Par exemple, j'ai pris un rythme à 6/8 de Chano Pozo, que j'ai adapté pour la batterie et expliqué à Charlie Persip qui à son tour l'a montré à tout le monde. Et maintenant, chaque fois que quelqu'un joue un 6/8, partout, même en Europe, il en donne ma version qui est une authentique reproduction de ce qu'il faut faire à la conga. Je sais d'ailleurs moi-même jouer de cet instrument. Une nuit, un disc jockey passait un vieux disque de moi *Swing Low, Sweet Cadillac* que j'avais oublié et dans lequel quelqu'un jouait de la conga, et j'ai dit au disc jockey pendant l'écoute : « Ce type-là c'est le meilleur de tous... il a le vrai son », et quand on a regardé l'étiquette pour lire le nom, c'était moi qui jouais... J'étais très gêné, et j'ai même demandé à Chano Pozo de me pardonner « de là-haut, au Ciel où tu te trouves... »

En écoutant des disques, on peut se faire une idée de la stature d'un musicien. Bien sûr, il faut en écouter beaucoup pour pouvoir juger, et en les prenant dans l'ordre chronologique, on arrive à se faire une assez bonne idée du chemin parcouru. Il faut aussi savoir qu'un musicien donne rarement le meilleur de lui-même en disque, mais on peut toutefois suivre l'évolution de sa pensée. Parfois, l'esprit réussit vraiment à passer, et alors on tient un chef-d'œuvre. Personnellement, je sais que je n'ai jamais donné mon maximum de cette manière, et de toute façon je ne l'ai vraiment atteint que quatre ou cinq fois dans toute ma carrière. Mais ces instants de grâce, où chaque élément tombe miraculeusement en place, ne se sont jamais produits au cours d'un enregistrement. Ils sont toujours imprévisibles. En revanche, les musiciens avec lesquels je travaille m'inspirent constamment, les rythmiques comme les solistes. Pendant mon association musicale avec Charlie Parker, j'ai dépassé très largement sans aucun doute tout ce que j'ai pu faire avant ou après, sous tous les aspects. Charlie était vraiment une source d'inspiration extraordinaire. Nous nous étions mis d'accord pour qu'il improvise toujours le premier. J'écoute parfois les disques que j'ai faits, mais sans perdre mon esprit critique. Vous savez, après avoir joué on se dit souvent : « J'aurais pu mieux faire, donner davantage... » Mais de toute façon, une fois que c'est joué il est trop tard. Même en public,

481

les musiciens ne sont pas toujours dans leur meilleure forme, et il peut se passer une soirée entière sans que l'étincelle jaillisse.

J'aimerais être considéré comme un « porteur de message », plutôt que comme une figure légendaire du jazz, car les légendes sont souvent bâties sur de l'argile et susceptibles de s'écrouler. Alors qu'une contribution majeure dans le domaine musical, ou dans un autre d'ailleurs, ne disparaîtra jamais.

Je m'inscris simplement dans une longue lignée de trompettistes qui ont apporté leur contribution à l'ensemble du jazz et, en ce sens, je me place au niveau des Buddy Bolden, King Oliver, Louis Armstrong, Roy Eldridge, Miles Davis et Clifford Brown. Le « discours » d'un trompettiste est spécifique, et tous les messagers ont la même stature. La force du message dépend finalement de la façon dont il est reçu, de ceux auxquels il est destiné, et d'un certain concours de circonstances.

Si l'on me confondait avec Roy Eldridge, je serais un peu surpris parce que son message et le mien, bien qu'aussi importants, ne sont pas identiques. Celui de Roy passe toujours d'ailleurs, en même temps que le mien, car j'ai pris le relais à sa suite. Il y a eu d'autres embranchements. Avez-vous entendu parler de Jabbo Smith ? Jabbo était un disciple de King Oliver, lui aussi, mais pas de Louis Armstrong dont il était le contemporain. Tous deux s'étaient inspirés du même maître, puis Jabbo est parti dans une direction différente. Votre influence se mesure au nombre de vos disciples.

Le jazz dit « progressiste » est apparu après notre style, le bebop. Mais voyez-vous, on ne peut éliminer les fondations, comme l'a fait Stan Kenton. La base essentielle de notre musique est le rythme, un rythme stable et puissant. Négliger cette assise est comme grimper à un arbre et s'éloigner du tronc vers l'extrémité d'une branche jusqu'à ce qu'elle casse. C'est ce qui s'est produit avec la musique de Stan Kenton. Elle manquait d'une base saine, à notre avis, alors que celle de Miles est absolument dans notre ligne, basée sur le rythme et le blues.

Ray Charles m'a raconté qu'un jour il chantait dans le show de Tom Jones, et Tom, voyez-vous, a piqué des tas de trouvailles à Ray Charles dans sa manière de chanter. Et ce jour-là, il en a placé quelques-unes, mais Ray entendant ça est allé chercher des vieux trucs de derrière les fagots dont Tom Jones n'avait pas la moindre idée. Question de culture. Dans ce domaine, Ray Charles est le grand patron, le génie, et cette fois-là, il semblait dire à Tom : « Tiens, essaie donc un peu... »

Notre musique a été parfois édulcorée, pour plaire au public. Mais tout créateur doit être décidé à ce que son art parle pour lui, et être prêt aussi à refuser ce qui risque de le détourner de son but, quitte à

en subir les conséquences. Les patrons en tout genre vous diront :
« On sait que vous êtes un créateur, mais ce n'est pas ce que le public
demande. » J'avoue que je me suis laissé parfois convaincre de faire
des disques qui ne me plaisaient pas Si un imitateur peut se
contenter de copier, un créateur doit viser plus haut.

A propos du terme « jazz » et de l'intérêt d'en changer éventuelle-
ment, la question qu'on se pose est : par quel autre le remplacer ?
« Jazz » fait l'affaire, faute de mieux. C'est un mot africain★. Il ne
nuit en rien à l'importance, au sérieux, ni à la grandeur de notre
musique. Duke Ellington et Louis Armstrong ne se sont sûrement
jamais sentis diminués parce qu'on les appelait des « artistes de jazz »
Dizzy Gillespie non plus, croyez-moi. Je pense que si le genre se
voyait attribué un autre nom, je jouirais du même respect auprès de
mes collègues et contemporains. Je reçois autant de considération
que si je jouais un autre style de musique, et ce n'est pas une
question de terminologie qui changera les choses. En musique, le
bon goût est essentiel, et bien peu sont ceux qui le possèdent. Il faut
travailler sans relâche, fouiller les harmonies, avoir le sens du phrasé,
et s'intéresser à toutes sortes de combinaisons et d'apports divers
dans la mesure où la continuité est respectée. Personnellement,
j'aime tous les genres de musique et de musiciens, tous les styles de
trompette. Quant à Eddie Condon et la vieille garde, ce qu'ils
appellent le « vrai jazz »..., pour moi ça ne veut rien dire car il n'y a
pas de « vrai jazz », mais simplement du bon et du mauvais. La
simplicité n'est pas une qualité suffisante en soi, elle devrait
seulement servir pour des effets de contraste.

Même remarque pour ce qu'on appelle la « new thing » que pour
le « vrai jazz ». N'importe quelle forme de musique est bonne à
écouter, du moment qu'elle possède le « beat », qu'elle est jouée avec
goût sur des harmonies correctes, ou à partir d'une combinaison
valable de sons qui n'offensent pas l'oreille. Et dans ces conditions,
peu importe le nom dont on l'affuble.

Duke Ellington est sans conteste le plus grand compositeur
américain. Il est seul, dans une classe à part. Mais il y a eu d'autres
grands compositeurs aux USA, et pas seulement des Noirs, des
Blancs aussi. La notoriété de ces créateurs s'accroît au fur et à
mesure que leur musique est jouée partout. Duke Ellington est un
très grand compositeur parce que tout le monde joue ses œuvres.

Dans l'improvisation, l'important est d'avoir le coup d'œil d'un

---

★ Du malenke *jasi*, qui signifie se comporter d'une manière extravagante, sortant de
l'ordinaire, et par extension, vivre à un rythme accéléré, sous pression, et sans
inhibitions (*N.d.A.*). Voir Smitherman G., *Talkin and Testifyin*, Houghton, Mifflin
Co., Boston, 1977, p. 53 (*N.d.A.*).

peintre de talent. Il faut avant tout être capable de voir des couleurs et des lignes, puis de fondre ces couleurs et de tracer ces lignes. Mieux vous le ferez, meilleure sera la qualité du tableau. Je ne sais jamais ce qui va me venir à l'esprit quand j'improvise. Naturellement, en partant des bases, je me suis trouvé un certain nombre d'enchaînements précis, mais j'ignore ce que je vais faire dessus, comment je vais les utiliser jusqu'au moment même où les notes sortent de mon instrument. Et parfois, c'est la surprise, la grande surprise...

Le temps commence tout juste à rattraper notre musique, le bebop. Et si une musique faite pour son époque a autant duré, c'est qu'elle devait avoir une grande importance. La musique marche de pair avec les réformes sociales, les changements qui visent à une amélioration générale. C'est une forme de culte. Le Gardien de la foi Baha'i a dit que la structure de la société doit subir une « transformation organique », c'est-à-dire que toutes ses composantes doivent être modifiées pour le bien de l'édifice. Notre prophète a également énoncé une grande vérité : « La terre n'est qu'une seule nation, et l'humanité ses citoyens. » Et c'est ma croyance profonde. La musique doit être le reflet de la société, de la société mondiale et de son évolution, dont dépend l'existence matérielle des musiciens. Mais ceux-ci doivent aussi participer au redressement de la situation.

Les honneurs

Les trois derniers présidents m'ont invité chacun leur tour à dîner à la Maison Blanche, et j'en ai profité pour essayer de faire progresser la cause de la musique, du jazz en particulier. Dans mes efforts pour nous faire de nouveaux adeptes, j'ai dit à Mrs. Lyndon Johnson que j'avais quelque chose à lui raconter à propos de son nom. Elle m'a demandé :

« Et quoi donc ?

— Eh bien voilà, on vous appelle Lady Bird, et une des plus grandes artistes de tous les temps était une dame du nom de Billie Holiday qu'on avait baptisée " Lady ". Et un des plus grands musiciens qui ait jamais existé aussi, Charlie Parker, avait été surnommé " Bird ". Alors « Lady Bird », c'est à la fois Billie Holiday et Charlie Parker, et quand les gens entendent votre nom, ils pensent aussitôt à une double merveille... » Cette femme, c'est vraiment quelqu'un. Oui, j'aime beaucoup Mrs. Johnson. Elle est très aimable.

Elle m'a dit : « Figurez-vous que je n'avais jamais pensé à ça! » Elle n'avait sans doute pas entendu parler de Charlie Parker. De Lady Day peut-être, mais pas de Charlie Parker. En tout cas, ça lui a fait plaisir que je lui raconte ça.

Pendant la réception donnée en l'honneur de Duke Ellington à la Maison Blanche en 1969, j'ai eu une conversation avec Richard Nixon sur la possibilité d'une nouvelle tournée Outre-Mer. Il m'a dit : « Vous avez déjà représenté le gouvernement des Etats-Unis à plusieurs reprises. Que diriez-vous d'un autre voyage ? » Et j'ai répondu : « Ça ne m'intéresse pas de repartir jouer *pour* des gens, mais ça m'intéresserait de jouer *avec* des gens. Je veux dire que si j'allais à Cuba par exemple, je jouerais *avec* les Cubains, ou si j'allais en Afrique, *avec* les Africains, en utilisant la musique pour renforcer les liens d'amitié et la coopération. »

A la réception offerte par Nixon cette fois-là, il y avait aussi Peggy Lee, qui représentait un groupe de compositeurs. Elle devait faire un petit speech sur la question. Moi aussi, j'avais des choses à dire à Nixon, et comme il n'y avait qu'un siège entre nous j'ai réussi à me rapprocher de lui. On ne pouvait pas être ensemble, assis l'un à côté de l'autre, parce qu'il y a toujours une femme entre deux hommes. J'étais donc assis entre deux femmes et lui aussi. C'est de rigueur là-bas, un homme-une femme-un homme-une femme, huit par table.

Benny Goodman était en train de parler de l'époque où... Je l'ai coupé : « Benny, attends, laisse-moi parler un peu au président. » Et j'ai ajouté : « Toi, tu es déjà milliardaire, mais moi, j'essaie seulement d'obtenir quelque chose. » Je voulais parler au président de l'industrie des juke-boxes et lui expliquer qu'on ne touchait pas de royalties sur la musique que jouaient ces appareils. Benny Goodman, lui, évoquait ses années d'université quand Nixon venait l'écouter au Trianon Ballroom.

Nixon m'a bien dit : « C'est regrettable. Ça devrait vous rapporter un peu d'argent. » Mais je ne pense pas que rien en soit jamais sorti. Le projet de loi doit toujours être en attente au Congrès.

Quand j'ai été invité à la Maison Blanche par le président Ford, le chauffeur de taxi m'a déposé à la mauvaise entrée, et il a filé. C'est vrai, je le paye, je lui donne même un bon pourboire, et il me laisse du mauvais côté! Il a fallu que je fasse tout le tour à pied et dans le parc encore. De nuit comme ça, j'avais une peur bleue qu'on me saute dessus avant que j'arrive à la Maison-Blanche... Mais il ne s'est rien passé, et je suis rentré sans problème avec mon laissez-passer et les papiers nécessaires.

Une fois à l'intérieur, on vous dit de vous balader où vous voulez. Je suis allé dans le Salon Rose, ou quelque chose comme ça, j'ai jeté un coup d'œil mais je n'ai vu personne que je connaissais. Pas un seul nègre, rien que des Blancs. Ça, c'était du temps du président Ford. Avec les autres, Eisenhower, Johnson et Nixon, il y avait des Noirs partout. En tout cas, à chaque fois que je suis allé dîner à la Maison Blanche, le président était assis à la même table que moi, oui, les trois fois. C'est incroyable. Avec Johnson, Nixon et Ford!

Bon, me voilà donc là-dedans. Et la première personne que je rencontre et que je connais, c'est Doris Duke. C'est la même chose pour elle, d'ailleurs. Alors, on commence à bavarder. Une fois, quand j'étais à Newport, j'avais laissé un message chez elle. Et elle était venue au club où on travaillait, mais elle ne m'avait pas reçu chez elle. Je lui avais dit : « Tu es vraiment idiote de ne pas m'avoir invité chez toi, parce que je voulais te donner une leçon de piano à l'œil. C'est une chose que tu ne pourrais jamais te payer. Oui, tu ne pourrais pas te payer ça avec tout ton pognon, parce que c'était à l'œil. Mais je m'en vais demain et je n'ai plus le temps maintenant. Ça te fera les pieds... » Oui, je lui avais dit ça au club ce soir-là. Alors, à la Maison Blanche elle m'a demandé : « Au fait, et cette leçon de piano ? » J'ai répondu : « Va falloir faire la queue. Chacun son tour. — J'ai quel numéro ? — Je n'en sais rien. Pas la moindre idée ! »

Et puis James Earl Jones est arrivé. J'étais très content parce que c'était la première fois que je le rencontrais. Et il y avait aussi Billy Taylor et sa femme. C'était tout pour les nègres. Je me suis dit que j'avais bien fait d'accepter cette invitation, parce que ça aurait pu être ma dernière chance de voir ce type à la Maison Blanche. D'ailleurs, qu'est-ce qui s'est passé ? Il n'y est plus maintenant. Ce soir-là, j'ai parlé au président Ford du traité de Berne pour les compositeurs, parce que les Etats-Unis n'avaient pas signé. Conformément à ce traité, quand on compose quelque chose, ça vous appartient toute votre vie plus cinquante ans après votre mort. La Russie n'avait pas signé non plus. J'ai dit au président : « Alors, à propos du traité de Berne... ?

— C'est dépassé, tout ça, m'a-t-il répondu, on est en train de préparer une nouvelle loi sur les droits d'auteur. » Et il disait la vérité. C'était toute la différence entre Nixon et Ford. Ford a signé, et c'est passé. Mais je pense que les Etats-Unis devraient accepter les accords de Berne, parce que ce n'est pas rien d'écrire de la musique, je veux dire c'est difficile d'écrire quelque chose de bien, qui ait un sens. C'est selon moi le seul critère pour tout... que ça veuille dire quelque chose.

Je ne crois pas beaucoup aux référendums de jazz. Ils reposent sur la popularité avant tout. Je suis pourtant quelqu'un de très populaire, mais je ne gagne pas tellement de référendums... Question de goût, j'imagine. Ça dépend des gens qui votent, si on leur plaît ou non. J'ai plus de chance dans les référendums des critiques que dans ceux du public. Mais je pense que la façon valable de gagner, c'est d'être désigné par ses collègues. Faites voter les musiciens, et là on verra qui l'emporte. Ça donnera tout de suite un autre niveau. Oui, je suis pour un vote entre musiciens. Au fait, le référendum de la revue noire *Ebony* ne m'a choisi pour la catégorie « Hall of Fame * » qu'en 1977, trente ans après mes créations les plus marquantes.

En 1972, j'ai reçu la médaille Handel de la Ville de New York. J'ai considéré ça comme un grand honneur, ça m'a vraiment fait plaisir. John Motley était en fait à l'origine de ma récompense, parce qu'il l'avait reçue lui aussi et que j'avais fait un petit travail avec la chorale de lycéens qu'il dirige à New York. Ils ont pensé que je méritais

---

* Catégorie des célébrités confirmées. Sorte de « Panthéon des musiciens » (*N.d.T.*).

cette médaille pour mes relations et ma coopération avec les jeunes. C'est Lindsay, le maire de la ville à l'époque, qui me l'a remise. Ils avaient invité Alice Wilson et le maire de Cheraw, Miller Ingraham, à venir à New York pour la cérémonie, et un concert spécial de musique religieuse qu'on donnait à Carnegie Hall avec le All-City Choir. Un concert fabuleux. Alice Wilson et Ingraham ont été tous les deux très flattés de cette invitation, et enchantés de me voir recevoir cette distinction.

JOHN MOTLEY (directeur de l'enseignement musical des écoles publiques de la Ville de New York)

« Oubliez la musique, et considérez Dizzy Gillespie, l'homme. C'est un des êtres les plus généreux, les moins égoïstes que j'aie jamais connus dans quelque domaine que ce soit, musical ou autre. Un vrai gentleman. Il possède en outre un sens de la communication que je qualifierai de quasiment divin, à plus d'un titre. Son attitude envers les gens a selon moi autant d'importance que sa musique.

Il prend la peine d'apprendre aux autres, il consacre beaucoup de son temps à tout le monde, avec une patience et une foi merveilleuses, tout aussi importantes que ses qualités musicales. J'ai remarqué que les gens cherchent à s'approcher de lui quand il joue; car c'est ce qu'ils veulent, être près de lui, pas seulement l'entendre mais se trouver là, à côté. Une sorte de fascination, de drogue. C'est vrai ! Il a réussi l'examen du Grand Homme, et pas uniquement pour la musique car, voyez-vous, on peut être un grand musicien et un parfait salaud dans la vie. Moi, je juge un homme sur sa personnalité, pas sur sa musique. »

ALICE V. WILSON

« Lui et Motley ont donné un concert à New York, à Carnegie Hall, et ils m'ont invitée. J'ai encore dans mon album de souvenirs la lettre de Dizzy où il disait qu'il voulait que je vienne parce que j'avais été son premier professeur. Ça devait être le 5 juillet. J'ai dit à ma cousine, Mrs. Jackson : " Non, je ne peux pas y aller quand même. " Elle m'a répondu : " Mais si, et tu vas y aller. " J'ai répliqué : " D'accord, si tu viens avec moi. " Ils m'ont envoyé mon billet d'avion aller et retour, et elle a payé le sien. Mais ils nous avaient réservé une chambre double.

Ce moment où il m'a présentée sur la scène de Carnegie Hall, eh bien, croyez-moi, je n'aurais jamais imaginé que je verrais ça, et encore moins que je le vivrais... Je crois bien que je n'ai jamais été aussi heureuse. Quand je me suis levée, il a expliqué qui j'étais, son professeur à Cheraw et il a ajouté : " Mrs.Wilson, venez donc sur scène. " Alors je suis montée et il m'a accompagnée en haut des marches et puis une fois là-haut, j'ai chuchoté : " Je ne sais pas quoi dire, moi. — Dites-leur seulement bonsoir, c'est très bien. " En fait, je crois que j'ai dit quelques mots de plus. En tout cas, je n'ai jamais été aussi fière que ce jour-là, quand il m'a présentée. En plus, c'est toujours si gentil, ce qu'il raconte. Il y a de quoi être fière vous savez, pour moi. Plus tard, je lui ai dit : " Mon garçon, tu as peut-être attendu que je sois devenue une vieille dame, mais tu as tout de même réussi à me rendre célèbre... "

DIZZY

En 1973, j'ai été invité par le gouvernement du Kenya à l'occasion des fêtes du dixième anniversaire de l'Indépendance. Alors j'ai décidé que je leur ferais un discours en swahili. J'ai rédigé mon texte en anglais et je l'ai envoyé à l'ambassade du Kenya à Washington, et ils me l'ont traduit sur cassette. Quand je l'ai reçue, j'ai travaillé avec mes écouteurs, j'ai appris le discours par cœur et je l'ai prononcé à la télévision là-bas. Ils ont trouvé ça formidable. La version originale disait : « Je voudrais vous dire à tous, à tout le peuple du Kenya, que c'est vous qui m'avez inspiré, et cela depuis bien avant l'Indépendance. Je voudrais vous dire aussi qu'être venu ici jouer pour vous représente à mes yeux l'apogée de ma carrière musicale, mais également de mes relations humaines, car je pense à vous comme à mon peuple. »

De toutes ces distinctions, celle qui m'a procuré le plus grand sentiment de fierté, c'est le prix Paul Robeson, parce que cet homme était vraiment mon héros. Paul Robeson est arrivé dans une des phases de l'évolution sociale de ce pays à un moment des plus opportuns de sa carrière, mais aussi de la longue démarche pour l'obtention de nos droits légitimes. Bien sûr, ces droits ne sont pas encore pleinement conquis, mais grâce à Paul Robeson la lutte a pris corps et ampleur pour aboutir à des défenseurs tels que Martin Luther King, Malcolm X, et bien d'autres. Paul était incorruptible dans l'âme. C'était le plus grand, et notre plus grande célébrité en son temps parce qu'il contrôlait de nombreuses sphères d'influence : le théâtre, les concerts et le cinéma, les disques et le sport. L'homme en vue dans tous les domaines, le numéro un, et c'était fantastique.

Paul ne se serait laissé corrompre par personne, ni d'ailleurs par l'argent ni quoi que ce soit d'autre. C'est très beau, et c'est ça qui me plaît. Ça m'a vraiment fait un plaisir immense quand ils ont organisé un concert au festival de Newport avec une série de mes compositions au programme. Le concert était patronné par Jazzmobile et Chris White, du Rutgers Institute of Jazz Studies, et c'est à cette occasion que j'ai reçu le prix Paul Robeson. Celui dont je suis le plus fier.

CHRISTOPHER WHITE (basse ; directeur de l'Institut Rutgers d'Etudes de Jazz)

« Ce prix avait été créé avec plusieurs intentions, et en premier lieu pour célébrer la pensée et la philosophie du message de quelques grands lutteurs comme Paul Robeson, qui était un de nos premiers vrais combattants. En fait, il en a payé le prix. Je veux dire qu'il a été mis en quarantaine. Il a parcouru tout le chemin, comme W.E.B. Du Bois qui a suivi la même route. Ils étaient très proches mais Du Bois a été considéré comme un intellectuel alors que Paul Robeson représentait la figure plus passionnée du " militant ".

Lorsque j'ai eu compris qui étaient ces hommes et combien ils étaient engagés dans le continuum africain de notre pays, il m'a semblé indispensable de créer un prix qui serait décerné aux représentants incontestés d'autres manifestations de ce continuum dans notre milieu américain. A mes yeux, Dizzy en était l'exemple même, par le biais de la musique afro-américaine. On pense à lui et à Charlie Parker comme aux créateurs d'un style entièrement neuf et original, mais quand on sait de quelle musique il s'agit, on s'aperçoit que lui et Bird n'ont rien modifié. Ils ont seulement apporté une autre conception, enrichi le langage, élargi le panorama tout entier, mais ils n'ont pas transformé le patrimoine africain. Il y avait toujours dans leur musique un appel et une réponse, et il y avait toujours place, aussi, pour la communication personnelle. Le rythme gardait son importance primordiale, et la rigueur exemplaire était présente. C'était une musique essentiellement orale. On a eu beau tenter de dévaloriser le bebop, l'idiome reste représentatif des Noirs de notre pays, de leur façon de s'exprimer. C'est un style de vie, tout cela à la fois. Il semblait donc logique et juste de remettre ce prix à Dizzy, en récompense de sa contribution. »

DIZZY

Etant natif de Caroline du Sud, j'ai été invité par cet Etat en 1976 à me produire dans des écoles de trois villes différentes, Columbia, Greenville et Walterboro, sous l'égide de la Commission des Arts de l'Etat. Pour le deuxième jour, on nous proposait de jouer dans les salons du State House au cours de la session générale du corps législatif, mais on me demandait en même temps de faire un discours qui serait inclus dans le rapport officiel de l'Etat souverain de Caroline du Sud. Je leur ai répondu que je serais enchanté de venir, que j'y avais souvent pensé et que ce serait la réalisation de mes « rêves les plus fous ». Je me demandais bien ce que j'allais raconter, moi qui avais grandi dans cet Etat ultraraciste. Alors j'ai lu une déclaration préparée, tirée d'un article de *World Order,* la revue baha'i, et intitulée : « Deux mille ans d'espoir impérissable. » Cet article parlait de l'histoire de l'Amérique, y compris celle du racisme, et prédisait que les Etats-Unis deviendraient un jour un modèle d'harmonie et de bonne entente raciale. J'ai simplement ajouté : « C'est le Sud qui montrera la voie », parce que j'avais remarqué combien les choses avaient évolué ici depuis l'époque de mon enfance. Il y a eu des changements massifs, encore insuffisants mais déjà considérables, en particulier dans le Sud. Je suis convaincu que le Sud ouvrira la voie et apprendra au reste du pays à se comporter en respectant les droits des citoyens. A Boston, dans le Massachusetts, prétendu berceau de la démocratie, il y a eu des tas de problèmes pour envoyer les enfants à l'école, alors que dans le Sud les écoles sont intégrées. Chez moi à Cheraw, en Caroline du Sud, il y a un lycée, un collège et une école primaire, et c'est tout. Les enfants s'entendent très bien et montrent vraiment l'exemple au reste du pays. Vous savez, le Nord a toujours connu la ségrégation. A une certaine époque, par exemple, un type de couleur ne pouvait pas entrer s'asseoir chez Blumstein dans la 125e Rue... Un Noir n'avait pas le droit de s'asseoir à l'intérieur... dans Harlem! Vous vous rendez compte? Et il n'y a pas tellement longtemps de cela. Le Nord est loin derrière le Sud maintenant. Dans ma ville natale, ils ont donné mon nom à un groupe d'HLM construit dans une rue, baptisée « Dizzy Gillespie Drive » également en mon honneur, une de ces rues qui tournent.

Je parle de certains progrès dans le Sud, parce que je n'en vois pas beaucoup dans le Nord, en tout cas pas à Harlem, à part peut-être la cité Lionel Hampton. Cette absence d'évolution dans les relations sociales et humaines semble se retrouver aussi au niveau du gouvernement national.

En 1976, la Fondation nationale pour les Arts m'a invité à faire partie de la « section jazz, folk et ethnique » du conseil consultatif. J'ai accepté en émettant toutefois de sérieuses réserves quant à la séparation officielle des musiciens, établie non pas en fonction de leur couleur de peau, mais de leur appartenance à un genre, c'est-à-dire entre ceux qui exécutaient de la musique symphonique d'origine européenne et les autres. Les artistes de jazz sont victimes d'une discrimination économique évidente, bien que partiellement dissimulée. La Fondation a prévu, paraît-il, de consacrer treize millions sept cent mille dollars à des programmes musicaux, une somme sur laquelle six cent quarante mille dollars iraient au soutien du « jazz », très vaguement défini. Les orchestres symphoniques et l'opéra, en revanche, recevraient plus de dix millions de dollars. Notre musique a progressé bien au-delà de ces limites maintenant. Nous jouons avec des orchestres symphoniques à la télévision, dans des films, des clubs, des salles de concerts. Le système d'enseignement aussi va élargir son cadre. Ça va être formidable. C'est un domaine dont je vais m'occuper spécialement avec Gil Fuller. On est en train de préparer des cassettes, des leçons de trente minutes qui enseigneront notre musique, son histoire, ses causes.

Le premier objectif à atteindre, en ce qui concerne le musicien de jazz, est de le faire respecter autant que le musicien classique ou l'artiste de concert. J'ai l'intention de me lancer dans cette voie prochainement. Je vais faire arranger toutes mes compositions pour orchestre symphonique et quartette, et j'irai présenter cette combinaison dans le monde entier. Personne ne l'a encore fait sur une aussi grande échelle, mais j'y suis bien décidé et je suis qualifié pour. J'ai fait mes preuves. Cela va revaloriser notre musique, la faire monter d'un cran vers la gloire. Même les orchestres symphoniques en profiteront. Ils sont tout le temps en déficit, mais quand un ensemble de jazz joue avec eux, ça les renfloue.

Pourquoi l'Amérique n'accroche-t-elle pas vraiment au jazz et ne l'élève-t-elle pas au rang qu'il mérite? Je n'aime pas accuser les Etats-Unis de racisme, mais ça ne veut pas dire pour autant qu'on ne l'y pratique pas. Le jazz a été créé par les Noirs dans ce pays même, mais pour que l'Amérique entière apprécie vraiment notre musique et lui donne la place qui lui revient, il faudrait reconnaître à ses créateurs, des Noirs en l'occurrence, un niveau supérieur à celui des Blancs sur le plan de l'apport musical. L'important c'est le sens du rythme, avant tout. Nous, nous l'avons et cela nous donne un avantage certain, à cause de notre expérience, de notre acquis, plus que de notre couleur de peau. Non, je n'accuse personne de quoi que ce soit, je relate les faits et les circonstances. Le racisme a toujours été l'obstacle majeur. L'Amérique ne veut pas reconnaître aux Noirs le mérite d'avoir créé cet art et d'en être les principaux exécutants.

492

Tout le problème est là. C'est pour ça aussi que le rock'n roll n'a pas tellement bien marché en Amérique jusqu'à l'arrivée des Beatles. Les Beatles ont copié notre musique noire, et les Blancs aux Etats-Unis ont ensuite copié les Beatles. Ils avaient tous les éléments à leur disposition, sous leur nez, mais ils n'en faisaient rien. Les Etats-Unis pourraient avancer d'un grand pas vers le leadership mondial dans le domaine des arts et des relations humaines rien qu'en acceptant ce don unique qu'est le jazz, issu de leur propre culture, et qui s'est répandu à travers le monde.

C'est vrai que notre musique se répand de plus en plus et que nous allons jouer dans des coins dont on n'avait jamais entendu parler avant. Le jazz ne cesse de prendre de l'importance, et ses interprètes sont devenus plus connus que les hommes politiques d'un pays, pas seulement du nôtre. Ce sont donc des hommes d'Etat, des hommes d'Etat universels, ces artistes de jazz. Quand j'ai appris que les Etats-Unis parlaient d'envoyer une équipe de base-ball de première division jouer contre les Cubains, j'ai tout de suite compris ce qui allait se passer. Quand un des types, le lanceur, balancerait son boulet de canon à la tête de l'autre pour le virer de sa base, ça serait l'émeute. A mon avis, ce n'était pas la bonne manière de procéder. Et j'ai commencé à raisonner dans l'optique d'une consolidation des relations entre les Etats-Unis et Cuba sur le plan artistique. Il fallait jouer *avec* eux, et non pas *contre* eux. Il y a une grande différence entre esprit de compétition et esprit de coopération. Et la meilleure solution est la seconde. C'est ce qu'on a fait quand on est allés à Cuba après que le président Carter eut levé l'interdiction, et tout a très bien marché. En ce moment même, j'essaie d'amener les Etats-Unis et Cuba à collaborer pour organiser un concert auquel je participerais et dont le bénéfice irait à la construction d'une école à Cuba, un monument vivant dédié à la mémoire de Chano Pozo.

J'ai joué à la Maison Blanche du temps de Carter en novembre 1977, avec Sarah Vaughan et Earl Hines. Le président a été très cordial et nous a montré combien il appréciait notre musique. J'ai cru comprendre qu'il prévoyait de lui faire obtenir des subventions équivalentes à celles accordées à la musique classique de tradition européenne. Le président Carter a l'étoffe d'un grand humanitariste.

C'est ainsi que je voudrais qu'on se souvienne de moi aussi, comme quelqu'un d'humanitaire. Il doit y avoir quelque chose en plus de la musique, qui fait que je suis toujours sur terre alors que mes plus grands collègues sont morts. Mon influence majeure dans la partie que l'Histoire nous consacrera par la suite doit bien être d'un autre ordre que musical pour que Dieu m'ait permis de rester ici-bas si longtemps après que la plupart de mes contemporains ont disparu, tels Charlie Parker, Clifford Brown, Lester Young, Bud Powell, Oscar Pettiford, Charlie Christian, Fats Navarro, Tad Dameron... Alors, mon rôle dans le domaine de la musique n'est peut-être qu'une étape vers un autre plus élevé. Et le rôle le plus grand de tous est celui qui vous met au service de l'humanité. Si je parviens à y accéder, alors je serai heureux. Mon dernier souffle sera un souffle de bonheur.

Discographie choisie

Les disques suivants ont été choisis essentiellement en raison de leur valeur historique, c'est-à-dire pour le témoignage qu'ils apportent sur le développement musical de Dizzy Gillespie ainsi que sur certaines de ses innovations qui ont influencé l'évolution de la musique, en particulier de la forme d'art qu'est le jazz, pendant plus de quarante années, période relativement longue si l'on considère l'âge du jazz.

Certains enregistrements, notamment les premiers « classiques » avec Charlie Parker, ont été inclus pour leurs superbes qualités artistiques, dont leur brillante créativité, qui leur confèrent la marque de l'excellence parmi les prestations de jazz de tous les temps.

Comme Dizzy Gillespie a eu au fil des ans une influence constante sur la société, qui mérite d'être vue et revue aussi bien qu'entendue, une liste très demandée des films et bandes vidéo où il apparaît constitue une deuxième section de cet appendice.

ENREGISTREMENT D'ORIGINE	TITRE, LIEU ET DATE D'ENREGISTREMENT, PERSONNEL ET THÈMES	LMI *
Bluebird	Teddy Hill and His NBC Orchestra[1] New York, 7 mai 1937. Dizzy Gillespie, Lester " Shad " Collins (tp); Bill Dillard (tp, vcl); Dicky Wells (tb); Russell Procope (cl, as); Howard Johnson (as); Teddy Hill, Robert Carroll (ts); Sam Allen (p); John Smith (g); Richard Fullbright (b); Bill Beason (d). San Anton (B6988)/I'm Happy Darling Dancing with You (B6989)/Yours and Mine (B7013, LPV530)/I'm feeling Like a Million (B7013)/King Porter Stomp (B6988, LPV530)/Blue Rhythm Fantasy (B6989, LPV 530).	Victor LPV530

* Réédition la plus récente et/ou la plus complète des titres de la matrice originale.
1. Première participation de Dizzy à un enregistrement.

ENREGISTREMENT D'ORIGINE	TITRE, LIEU ET DATE D'ENREGISTREMENT, PERSONNEL ET THÈMES	LMI
Victor	Lionel Hampton and His Orchestra[1], 11 septembre 1939. Dizzy Gillespie (tp), Benny Carter (as); Coleman Hawkins, Ben Webster, Chu Berry (ts); Clyde Hart (p); Charlie Christian (g); Milt Hinton (b); Cozy Cole (d); Lionel Hampton (vib, vcl). When Lights Are Low (VIC26371, Smth. P11894)/One Sweet Letter from You (VIC26393)/Hot Mallets (VIC26371)/Early Session Hop (VIC26393).	Smithsonian Collection P11894
Vocalion	Cab Calloway and His Orchestra[2] Chicago, 8 mars 1940. Dizzy Gillespie, Mario Bauza, Lamar Wright (tp); Tyree Glenn (vib, tb); Quentin Jackson, Keg Johnson (tb); Jerry Blake (cl, as); Hilton Jefferson, Andrew Brown (as); Leon " Chu " Berry, Walter (Foots) Thomas (ts); Benny Payne (p); Danny Barker (g); Milt Hinton (b); Cozy Cole (d); Cab Calloway (vcl). Pickin' The Cabbage (V05467, Smth. R004)/Chop, Chop, Charlie Chan (V05444)/Paradiddle (V05467, Smth. R004)/Boog It (V05444).	Smithsonian Collection R004-P13456
Esoteric Soirées au Minton's	The Men From Minton's[3] New York, mai 1941. Dizzy Gillespie, X. (tp); Don Byas (ts); Charlie Christian (g); Nick Fenton (b); Kenny Clarke or Harold " Doc " West (d). Up On Teddy's Hill (ES548). Above personnel with Leon " Chu " Berry (ts); inconnu (p); sans Charlie Christian. Stardust I (ES548, Smth, R004). Dizzy Gillespie (tp); Ken Kersey (p); Nick Fenton (b); Kenny Clarke (d). Stardust II (ES548)/Kerouac (ES548, Smth. R004).	Smithsonian Collection R004-P13456
Decca/ Brunswick	Lucky Millinder and His Orchestra[4] New York, 29 juillet 1942. Dizzy Gillespie, William " Chiefie " Scott, Nelson Bryant (tp); George Stevenson, Joe Britton (tb); Tab Smith, Billy Bowen (as); Stafford Simon, Dave Young (ts); Ernest Purce (bar); Bill Doggett (p); Trevor Bacon (g, vcl); Nick Fenton (b); Panama Francis (d). Are You Ready (DE18529)/Mason Flyer (BR03406)/When the Lights Go On Again (DE18496)/Little John Special (BR03406, Smth. R004).	Smithsonian Collection R004-P13456

---

1. Premier enregistrement de Gillespie comme soliste.
2. Premier enregistrement d'une composition de Gillespie, « Pickin' the Cabbage », et premier essai d'introduction de concepts rythmiques afro-cubains dans le jazz.
3. Premier enregistrement des débuts de jam-sessions de jazz moderne au Minton's Playhouse à Harlem.
4. Première exécution sur disque du riff de trompette sur « Little John Special ». Ce riff devait plus tard devenir le thème de « Salt Peanuts ».

Enregistrement privé par Bob Redcross	Dizzy Gillespie — Charlie Parker All-Stars [1] Hôtel Savoy, chambre 305, Chicago, 15 février 1943. Dizzy Gillespie (tp); Charlie Parker (ts); Oscar Pettiford (b); Shadow Wilson (per). Sweet Georgia Brown I/Sweet Georgia Brown II.	Collection privée de Bob Redcross
V-Disc	Duke Ellington and His Orchestra [2] New York, 8 novembre 1943. Dizzy Gillespie, Wallace Jones, Rex Stewart, Taft Jordan (tp); Joe Nanton, Juan Tizol, Lawrence Brown (tb); Jimmy Hamilton (cl, ts); Johnny Hodges (as, sop); Otto Handwick (as); Elmer Williams, Harry Carney (ts); Duke Ellington (p); Fred Guy (g); Ernest Myers (b); Sonny Greer (d); Betty Roche, Al Hibbler (vcl). Hop Skip Jump (V-Disc 355, FDC 1002)/Boy Meets Horn (V-Disc 176)/Tea for Two/I Don't Want Anybody at All/Baby Please Stop and Think of Me/Summertime/Sentimental Lady/Mood Indigo.	For Discriminate Collectors FDC 1002
Retransmission de l'Onyx Club	Gillespie-Pettiford Quintet, Onyx Club [3] New York, janvier 1944. Dizzy Gillespie (tp); Budd Johnson (ts); George Wallington (p); Oscar Pettiford (b); Max Roach (d). Night In Tunisia.	Collection privée de Bob Redcross
Apollo	Coleman Hawkins and His Orchestra [4] New York, 16 février 1944. Dizzy Gillespie, Vic Coulson, Ed Vandever (tp); Leo Parker, Leonard Lowry (as); Coleman Hawkins, Don Byas, Ray Abrams (ts); Budd Johnson (bar); Clyde Hart (p); Oscar Pettiford (b); Max Roach (d). Woody'n You (APO 751, Smth. R004)/Ba-Dee-Daht (APO 752)/Yesterdays (APO 752)/Disorder at the Border (APO 753, Smth. R004)/Feeling Zero (APO 753)/Rainbow Mist (APO 751).	Smithsonian Collection R004-P13456
Deluxe	Billy Eckstine with the Deluxe All-Stars [5] New York, 13 avril 1944. Dizzy Gillespie, Al Killian, Shorty McConnell, Freddie Webster (tp); Claude Jones, Howard Scott, Trummy Young (tb); Budd Johnson, Jimmy Powell (as); Wardell Gray, Thomas Crump (ts); Rudy Rutherford (bar); Clyde Hart (p); Connie Wainwright (g); Oscar Petti-	Smithsonian Collection R004-P13456

1. Premier enregistrement avec Charlie Parker.
2. Premier enregistrement avec l'orchestre de Duke Ellington.
3. Premier quintette bebop, enregistré au Club sur la 52e Rue à New York.
4. Premier enregistrement de jazz moderne en studio. Premier enregistrement de la célèbre composition de Gillespie, « Woodin' You », par l'auteur.
5. Arrangement bop de Gillespie. Le premier jamais enregistré sur « Good Jelly Blues », avec Billy Eckstine et Shadow Wilson.

ford (b); Shadow Wilson (d); Billy Eckstine (vcl).
I Got a Date with Rhythm (DLX1003)/I Stay in the Mood for You (DLX2000, Smth. R004)/Good Jelly Blues (DLX2000).

Deluxe — Billy Eckstine and His Orchestra[1] New York, 5 décembre 1944.
Dizzy Gillespie, Shorty McConnell, Gail Brockman, Boonie Hazel (tp); Gerald Valentine, Taswell Baird, Howard Scott, Chips Outcalt (tb); John Jackson, Bill Frazier (as); Dexter Gordon, Gene Ammons (ts); Leo Parker (bar); John Malachi (p); Connie Wainwright (g); Tommy Potter (b); Art Blakey (d); Billy Eckstine, Sarah Vaughan (vcl).
If That's the Way You Feel (DLX2001)/I Want to Talk About You (DLX2003)/Blowing the Blues Away (DLX2001, Smth. R004)/O-pus X (DLX2002, Smth. R004)/I'll Wait and Pray (DLX 2003, Smth. R004)/The Real Thing Happened to Me (DLX2002).

Smithsonian Collection R004-P13456

Continental — Sarah Vaughan and Her All-Stars[2] New York, 31 décembre 1944.
Dizzy Gillespie (tp); Aaron Sachs (cl); Georgie Auld (ts); Leonard Feather (p); Chuck Wayne (g); Jack Lesberg (b); Morey Feld (d); Sarah Vaughan (vcl); Gillespie est aussi au piano sur 2, 3, 4.
Signing Off (Cont. 6024)/Interlude (Cont. 6031; Smth. R004)/No Smokes (Cont. 6061, Smth. R004)/East of the Sun (Cont. 6031).

Smithsonian Collection R004-P13456 et P13457

Manor — Dizzy Gillespie Sextet[3] New York, 9 janvier 1945.
Dizzy Gillespie (tp); Trummy Young (tb); Don Byas (ts); Clyde Hart (p); Oscar Pettiford (b); Shelly Manne (d).
I Can't Get Started (Manor 1042; Smth. R004, P11895)/Good Bait (Manor 1042; Smth. R004)/Salt Peanuts (Manor 5000; Smth. R004)/Be-Bop (Manor 5000; Smth. R004).

Smithsonian Collection R004-P13457 et P11895

Guild/ Musicraft — Dizzy Gillespie Sextet New York, février, mars 1945.
Dizzy Gillespie (tp); Charlie Parker (as); Clyde Hart (p); Reno Palmieri (g); Slam Stewart (b); Cozy Cole (d).
Groovin' High (Guild 1001; Phnx. LP2; EVR FS-272; Prst. P-24030; Smth. R004-P13457)/All the Things You Are (Mus 488; Phnx. LP2; EVR FS-272; Prst.

Phoenix LP2 Prestige P-24030 Everest FS272 Smithsonian Collection R004-P13457

---

1. L'orchestre de Billy Eckstine, premier grand orchestre de jazz moderne, avec Gillespie comme soliste et directeur musical, Sarah Vaughan et Art Blakey.
2. Premier enregistrement de Gillespie « doublant » au piano.
3. Premier enregistrement en studio de Gillespie comme chef d'orchestre

	P-24030)/Dizzy Atmosphere (Mus. 488; Phnx. LP2; EVR FS-272; Prst. P-24030).	
Guild	Dizzy Gillespie All-Star Quintet New York, 11 mai 1945. Dizzy Gillespie (tp, vcl); Charlie Parker (as); Al Haig (p); Curley Russell (b); Sid Catlett (dr); Sarah Vaughan (vcl). Salt Peanuts (Phnx. LP2; Prst. P-24030)/Shaw' Nuff (Phnx. LP2, Prst. P-24030)/Lover Man (Phnx. LP2; Prst. P-24030)/Hothouse (Phnx. LP2; Prst. P-24030).	Phoenix LP2 Prestige P-24030 Smithsonian Collection P-11895
Savoy	Charlie Parker's Ree Boppers[1] New York, 26 novembre 1945. Miles Davis (tp); Charlie Parker (as); Dizzy Gillespie (p, tp); Curley Russell (b); Max Roach (d)? avec en plus Argonne Thornton (Sadik Hakim) (p) dans Ko-Ko. Billie's Bounce (1-5)/Warming Up a Riff/Now's the Time (1-4)/Meandering/Ko-Ko (1-2, Smth. P11895).	Smithsonian Collection P-11895
Enregistrement privé	Dizzy Gillespie's California Jam[2] Los Angeles, février 1946. Dizzy Gillespie (tp); Charlie Parker (as); Red Callender (b); inconnu (p); Harold " Doc " West (d). Sweet Georgia Brown/Lower Come Back to Me I/Lover Come Back to Me II.	Collection Freddie James
Dial	Dizzy Gillespie Jazzmen[3] Los Angeles, 7 février 1946. Dizzy Gillespie (tp, vcl); Lucky Thompson (tp, vcl); Milt Jackson (vbs); Al Haig (p); Ray Brown (b); Stan Levey (d); The Three Angels (vcl). Confirmation (Smth. R004-P13457)/Diggin' for Diz (Smth. R004-P13457)/Dynamo (A) (Smth. R004-P13457)/Dynamo (B)/When I Grow Too Old to Dream (1-2)/'Round About Midnight (Smth. R004-P13457)/'Round About Midnight (B).	Smithsonian Collection R004-P13457
Paramount	Dizzy Gillespie with Johnny Richards' Orchestra[4] Los Angeles, janvier, février 1946. Dizzy Gillespie (tp); Al Haig (p); Ray Brown (b); Roy Haynes (d). Avec bois, cordes et cors. Who/The Way You Look Tonight (Phnx. LP-	Phoenix LP-4

---

1. Parfois appelée la « session-mystère ». Le mystère porte sur les interprètes dans les différents thèmes. Gillespie est à la trompette seulement dans l'introduction de « Ko-Ko », et au piano dans les autres faces.

2. Jam-session peu connue.

3. Le sextette de Dizzy Gillespie, avec Ray Brown et Milt Jackson, au Billy Berg's de Los Angeles, avec addition de Lucky Thompson.

4. Premier enregistrement de Gillespie avec des arrangements et une instrumentation style « Hollywood ».

4)/Why Do I Love You (Phnx. LP-4)/All the Things You Are (Phnx. LP-4).

Musicraft

Dizzy Gillespie Sextet[1] New York, 15 mai 1946.
Dizzy Gillespie (tp, vcl); Sonny Stitt (as); Milt Jackson (vbs); Al Haig (p); Ray Brown (b); Kenny Clarke (d); Gil Fuller (arr.); Alice Roberts (vcl).
One Bass Hit (Phnx. LP-2; Prst. P-24030)/Oop Bop Sh' Bam (Phnx. LP-2; Prst. P-24030)/A Handfulla Gimme (Phnx. LP-2; Prst. P-24030)/That's Earl Brother (Phnx. LP-2; Prst. P-24030).

Phoenix LP-2
Prestige
P-24030

Retransmissions radio

Dizzy Gillespie and His Orchestra[2] Spotlite Club, New York, mai-juin 1946.
Dizzy Gillespie, Dave Burns, Talib Dawud, Kinny Dorham, John Lynch, Elmon Wright (tp); Leon Comegeys, Charles Greenlea, Alton " Slim " Moore (tb); Howard Johnson, Sonny Stitt (as); Ray Abrams, Warren Luckey (ts); Leo Parker (bar); Thelonious Monk ou John Lewis (p); Ray Brown (b); Kenny Clarke (d); Milt Jackson (vbs); Sarah Vaughan (vcl).
Sans titre (HY H-01)/Things to Come/ One Bass Hiʳ (HY H-01)/One Bass Hit (HY H-01)/Things to Come/I Waited For You/ Second Balcony Jump (HY H-01)/Algo Bueno/ Unknown Ballad/Groovin' High (HY H-01)/ The Man I Love (HY H-01)/How High the Moon/Sans titre/Things to Come (theme) (HY H-01)/Shaw' Nuff/I Waited for You/ Our Delight (HY H-01)/The Man I Love/ Oop Bop Sh' Bam/'Round About Midnight/Ray's Idea (HY H-01)/Cool Breeze/One Bass Hit/Things to Come/ I Waited for You/ One Bass Hit/Don't Blame Me (HY H-01).
For Hecklers Only (SVY MG12110)/Smokey Hollow Jump (SVY MG12110)/Moody Speaks (SVY MG12110)/Boppin' the Blues (SVY MG12110).

Hi-Fly
H-01

Victor

Dizzy Gillespie and His Orchestra[3] New York, 22 août 1947.
Dizzy Gillespie (tp, vcl); Dave Burns, Elmon Wright, Matthew McKay, Ray Orr (tp); Ted Kelly, Bill Shepherd (tb); John Brown, Howard Johnson (as); George Nicholas, Joe Gayles (ts); Cecil Payne (bar); John Lewis (p); Al McKibbon (b); Kenny Clarke (d); Kenny Hagood (vcl).
Ow (Vic. 20-2480, EPA432)/Oop-Pop-A-Da (Vic. 20-2480 EPA432)/Two Bass Hit (Vic. 20-

Victor
20-2480-EPA
432
Victor
20-2603-LPV
519

---

1. Le sextette de Gillespie modifié à son retour à New York. Premier enregistrement de Sonny Stitt.
2. Premier enregistrement d'un grand orchestre de jazz dirigé par Gillespie.
3. Premier grand succès pour un vocal bebop de Gillespie, « Oop-pop-A-da ».

ENREGISTREMENT D'ORIGINE	TITRE, LIEU ET DATE D'ENREGISTREMENT, PERSONNEL ET THÈMES	LMI
	2603; LPV 519)/Stay On It (Vic. 20-2603; LPV 519).	
Black Deuce	Dizzy Gillespie's Band[1] Carnegie Hall, New York, 29 septembre 1947. Dizzy Gillespie (tp); Charlie Parker (as), John Lewis (p); Al McKibbon (b); Joe Harris (d). A Night In Tunisia I (Rou RE-105)/A Night In Tunisia II (Rou RE-105)/Dizzy Atmosphere (Rou RE-105)/Groovin' High I (Rou RE-105)/Groovin' High II (Rou RE-105)/Confirmation (Rou RE-105).	Roulette RE-105
Arco	Dizzy Gillespie and His Orchestra[2]. Carnegie Hall, New York, 29 septembre 1947. Dizzy Gillespie, Dave Burns, Elmon Wright, Ray Orr, Matthew McKay (tp); Taswell Baird, Bill Shepherd (tb); Howard Johnson, John Brown (as); James Moody (ou George Nicholas), Joe Gayles (ts); Cecil Payne (bar); Milt Jackson (vbs); John Lewis (p); Al McKibbon (b); Joe Harris (d); Kenny Hagood (vcl); Ella Fitzgerald (vcl) dans " Stairway to the Stars " et " How High the Moon ". Toccata for Trumpet and Orchestra/Cubana Be-Cubana Bop/Salt Peanuts/One Bass Hit/Oop-Pop-A-Da/Stairway to the Stars/How High the Moon.	Arco LP-8
Victor	Dizzy Gillespie and His Orchestra[3] New York, 22 décembre 1947. Dizzy Gillespie (tp, vcl); Dave Burns, Elmon Wright, Jr., Benny Bailey (tp); Bill Shepherd, Ted Kelly (tb); Howard Johnson, John Brown (as); Joe Gaules, George Nicholas (ts); Cecil Payne (bar); John Lewis (p); Al McKibbon (b); Kenny Clarke (d); Chano Pozo (cga, vcl); Kenny Hagood (vcl). Algo Bueno (Woody'n You) (Vic. 20-3186, LPV-530)/Cool Breeze (Vic. 20-3023)/Cubana Be (Vic. 20-3145)/Cubana Bop (Vic. 20-3145). (Même session, même personnel) New York, 30 décembre 1947. Manteca (Vic. 20-3023)/Woody'n You (LJM 1009)/Good Bait (Vic. 20-2878)/Ool-Ya-Koo (Vic. 20-2878)/Minor Walk (Vic. 20-3186).	Victor 20-3186, LPV-530; 20-3023; 20-3145; Victor LJM1009 Victor 20-2878
Swing	Dizzy Gillespie and His Orchestra[4] Salle Pleyel, Paris, France, 28 février 1948. (Même personnel que ci-dessus.) 'Round About Midnight (Prst. 7818)/Algo Bueno (Prst. 7818)/I Can't Get Started (Prst.	Prestige 7818

1. Premier concert Gillespie à Carnegie Hall, en petite formation.
2. Premier concert Gillespie à Carnegie Hall, avec un grand orchestre, et présentant James Moody et Ella Fitzgerald.
3. Introduction de Chano Pozo et des rythmes afro-cubains dans la musique de jazz et dans l'orchestre de Gillespie.
4. Premier concert de jazz moderne à Paris. Extraordinaires innovations en jazz afro-cubain.

7818)/Ool-Ya-Koo (Prst. 7818)/Afro-Cubano Suite (Prst. 7818)/Things to Come (Prst. 7818)/Oop-Pop-A-Da (Prst. 7818)/Two Bass Hit (Prst. 7818)/Good Bait (Prst. 7818).

Gene Norman Presents

Dizzy Gillespie and His Orchestra[1]. Concert, Pasadena, Californie, 26 juillet 1948.
Dizzy Gillespie (tp, vcl); Dave Burns, Elmon Wright, Willie Cook (tp); Jesse Tarrant, Bill Shepherd (tb); John Brown (as, vcl); Ernie Henry (as); James Moody, Joe Gayles (ts); Cecil Payne (bar); James Forman (p); Nelson Boyd (b); Teddy Stewart (d); Chano Pozo (cga, bgo).
Emanon (GNPS-23)/Good Bait (GNPS-23)/ Manteca (GNPS-23)/One Bass Hit (GNPS-23)/ Ool-Ya-Koo (GNPS-23)/'Round About Midnight (GNPS-23)/I Can't Get Started (GNPS-23).

Gene Norman Presents S23

Retransmissions radio

Dizzy Gillespie and His Orchestra[2] Royal Roost, New York, 2 octobre 1948.
(Même personnel que ci-dessus.)
Relaxin' at Camarillo (Bop-I)/Things to Come/ Soulphony in Three Hearts/One Bass Hit/I Should Care/Guarachi Guaro/Oop-Pop-A-Da.

Bop (France) 1

Retransmissions radio

Dizzy Gillespie and His Orchestra[3] Royal Roost, New York, 23 octobre 1948.
(Même personnel, avec en plus Dinah Washington.)
I Can't Get Started (Bop [F] 1)/More Than You Know (Bop [F] 2)/Ow/That Old Black Magic/Manteca/Emanon/Ray's Idea/Guarachi Guaro/Confess/Stay On It/S'Posin/Cool Breeze.

Bop (France) 1 and 2

Victor

Metronome All Stars[2], New York, 3 janvier 1949.
Dizzy Gillespie, Fats Navarro, Miles Davis (tp); J. J. Johnson, Kai Winding (tb); Buddy De Franco (cl); Charlie Parker (as); Charlie Ventura (ts); Ernie Caceres (bar); Lennie Tristano (p); Billy Bauer (g); Eddie Safranski (b); Shelly Manne (d).
Overtime (1) (Vic 20-3361)/Overtime (2) (Vic LPT3046)/Victory Ball (1) (Vic 20-3361)/Victory Ball (2)/Victory Ball (3) (Vic LPT3046).

Victor 20-3361 Victor LPT-3046

Victor

Dizzy Gillespie and His Orchestra[5] New York, 14 avril 1949.
Dizzy Gillespie, Benny Harris, Elmon Wright, Willie Cook (tp); Andy Duryea, Sam Hurt, Jesse Tarrant (tb); John Brown, Ernie Henry

Victor 20-3457 LJM 1009

1. Le grand orchestre de Gillespie en Californie à l'apogée du bebop.
2. Le bebop à Broadway. L'orchestre Gillespie au Royal Roost.
3. Avec Dinah Washington.
4. Une nouvelle génération dans les pupitres de trompettes et de trombones présente Fats Navarro, Miles Davis, J. J. Johnson et Kai Winding.
5. Met en valeur John Hartman et Joe « Bebop » Carroll.

(as); Yusef Lateef (Bill Evans); Joe Gayles (ts); Al Gibson (bar); James Forman (p. célesta); Al McKibbon (b); Teddy Stewart (d); Vince Guerra (cga); John Hartman, Joe Carroll (vcl). Swedish Suite (Vic 20-3457; LJM 1009)/St. Louis Blues (LJM 1009)/I Should Care (Vic 20-3457)/That Old Black Magic (Vic 20-3481).

Capitol	Dizzy Gillespie and His Orchestra[1] New York, 21 novembre 1949. Dizzy Gillespie (tp, vcl); Don Slaughter, Elmon Wright, Willie Cook (tp); Matthew Gee, Sam Hurt, Charlie Greenlea (tb); Jimmy Heath, John Coltrane (as); Jesse Powell, Paul Gonsalves (ts); Al Gibson (bar); John Acea (p); John Collins (g); Al McKibbon (b); Specs Wright (d); Tiny Irvin (vcl). Say When/Tally Ho/You Stole My Wife (Cap. M-11059)/I Can't Remember.	Capitol M-11059
Clef	Charlie Parker and His Orchestra New York, 6 juin 1950. Dizzy Gillespie (tp); Charlie Parker (as); Thelonious Monk (p); Curley Russell (b); Buddy Rich (d). Bloomdido/An Oscar for Treadwell (1 & 2)/Mohawk (1) (Vrv VE2-2501)/Mohawk (2)/Melancholy Baby (Vrv VE2-2501)/Leap Frog (1 & 2) (Vrv VE2-2501)/Relaxin' with Lee (1) (Vrv VE2-2501)/Relaxin' with Lee.	Verve VE2-2501
Dee Gee	Dizzy Gillespie Sextet[2] Detroit, 1er mars 1951. Dizzy Gillespie (tp); John Coltrane (as, ta); Milt Jackson (vbs, p); Kenny Burrell (g); Percy Health (b); Kansas Fields (d); Fred Strong and the Calypso Boys (vcl). Love Me/We Love to Boogie (Svy SJL2209)/Tin Tin Deo (Svy SJL2209)/Birks Works (Svy SJL2209).	Savoy SJL 2209
Retransmission radio	Dizzy Gillespie Band[3] Birdland, New York, 31 mars 1951. Dizzy Gillespie (tp); Charlie Parker (as); Bud Powell (p); Tommy Potter (b); Roy Haynes (d). Blue'n Boogie (SA ERO 8035)/Anthropology (SA ERO 8035)/ 'Round About Midnight (SA ERO 8035)/A Night In Tunisia (SA ERO 8035)/Jumpin' with Symphony Sid (SA ERO 8035).	Saga (Angleterre) ERO 8035
Dee Gee	Dizzy Gillespie and His Sextet New York, 25 octobre 1951. Dizzy Gillespie (tp, org.); Bill Graham (as, bar); Stuff Smith (vln); Milt Jackson (p, vbs,	Savoy SJL2209

---

1. L'orchestre Gillespie peu avant sa dissolution.
2. Premier enregistrement des disques Dee Gee, avec John Coltrane, Kenny Burrell et Percy Heath.
3. Avec Bud Powell et Roy Haynes.

vcl); Percy Heath (b); Al Jones (d); Joe Carroll (vcl).

Caravan (Svy SJL2209)/Nobody Knows the Trouble I've Seen (Svy SJL2209)/The Bluest Blues (Svy SJL2209)/On the Sunny Side of the Street (Svy SJL2209)/Stardust (Svy SJL2209)/Time on My Hands (Svy SJL2209).

MGM

Dizzy Gillespie and The Cool Jazz Stars[1] Birdland, New York, 24 novembre 1952.
Dizzy Gillespie (tp); Don Elliott (tp, mpn); Ray Abrams (ts); Ronnie Ball (p); Al McKibbon (b); Max Roach (d).
Muskrat Ramble (MGM E3286)/Battle of the Blues (MGM E3286)/How High the Moon (MGM E3286).

MGM E3286

Vogue (France)

Dizzy Gillespie Quintet[2] Salle Pleyel, Paris, 9 février 1953.
Dizzy Gillespie (tp, vcl); Bill Graham (as, bar); Wade Legge (p); Lou Hackney (b); Al Jones (d); Joe Carroll (vcl).
Rehearsal Blues/The Champ (GNPS-9006; Rou RE-405)/Oop-Shoo-Bee-Doo (GNPS-9006; Rou RE-405)/They Can't Take That Away (GNPS-9006; Rou RE-120)/Good Bait (GNPS-9006; Rou RE-105)/On the Sunny Side of the Street (GNPS-9006)/Swing Low Sweet Cadillac (GNPS-9006; Rou RE-105)/My Man (GNPS-9006; Rou RE-405)/The Bluest Blues (GNPS-9006; Rou RE-105)/School Days (GNPS-9006; Rou RE-105, 120)/Birks Works (GNPS-9006; Rou RE-120)/Tin Tin Deo (GNPS-9006; Rou RE-120)/I Can't Get Started (Rou RE-120)/Lady Be Good (Rou RE-120).

Gene Norman Presents S9006 Roulette RE-105; 120

Debut

Quintet of the Year – Jazz at Massey Hall[3] Toronto, 15 mai 1953.
Dizzy Gillespie (tp); Charlie Parker (as); Bud Powell (p); Charlie Mingus (b); Max Roach (d).
Perdido (Vg LAE 12031; SA ERO 8031)/All the Things You Are (Vg LAE 12031; SA ERO 8031)/Salt Peanuts (Vg LAE 12031; SA ERO 8031)/Wee (Vg LAE 12031; SA ERO 8031)/Hothouse (Vg LAE 12031; SA ERO 8031)/Night In Tunisia (Vg LAE 12031; SA ERO 8031).

Vogue (Angleterre) LAE 12031 Saga (Angleterre) ERO 8031

Retransmission radio

Dizzy Gillespie All-Stars[4] New York, juin 1953.
Dizzy Gillespie, inconnu (peut-être Miles

Inédit

---

1. Gillespie, traditionnellement « hot », travaille dans le « cool ».
2. Premier enregistrement de plusieurs thèmes célèbres de Gillespie, dont « Birks Works », « Tin Tin Deo » et School Days ».
3. Le plus grand concert de jazz de tous les temps.
4. Dernier enregistrement connu de Gillespie-Parker.

Davis) (tp); Charlie Parker (as); Bill Graham (bar); Wade Legge (p); Lou Hackney (b); Al Jones (d); Joe Carroll (vcl).
The Bluest Blues/On the Sunny Side of the Street.

Clef	Jam Session[1], New York, 2 septembre 1953. Roy Eldridge, Dizzy Gillespie (tp); Johnny Hodges (as); Illinois Jacquet, Flip Philips, Ben Webster (ts); Oscar Peterson (p); Ray Brown (b); Buddy Rich (d); Lionel Hampton (vbs). Jam Blues (Vrv MGV 8094)/Blue Lou (Vrv MGV 8062)/Just You, Just Me (Vrv MGV 8062)/Ballad Medley (Vrv MGV 8094).	Verve MGV 8094 MGV 8062
Norgran	Dizzy Gillespie – Stan Getz Los Angeles, 9 décembre 1953. Dizzy Gillespie (tp); Stan Getz (ts); Oscar Peterson (p); Herb Ellis (g); Ray Brown (b); Max Roach (d). Girl of My Dreams (Vrv VE2-2521)/It Don't Mean a Thing (Vrv VE2-2521)/Talk of the Town (Vrv VE2-2521)/Siboney I (Vrv VE2-2521)/Siboney II (Vrv VE2-2521)/Exactly Like You (Vrv VE2-2521)/I Let a Song Go Out of My Heart (Vrv VE2-2521)/Impromptu (Vrv VE2-2521).	Verve Vrv VE2-2521
Norgran	Dizzy Gillespie and His Orchestra[2] New York, 24 mai 1954. Dizzy Gillespie, Quincy Jones, Ernie Royal, Jimmy Nottingham (tp); Leon Comegeys, J. J. Johnson, George Matthews (tb); Hilton Jefferson, George Dorsey (as); Hank Mobley, Lucky Thompson (ts); Danny Bank (bar); Wade Legge (p); Lou Hackney et Robert Rodriquez (b); Charlie Persip (d); Jose Manguel (bgo); Ubaldo Nieto (timbls); Candido Camero, Ramon Santamaria (cga); Chico O'Farrill (arr). Manteca Theme (Vrv VE2-2522)/Contraste (Vrv VE2-2522)/Jungla (Vrv VE2-2522)/Rhumba Finale (Vrv VE2-2522)/6/8 (Nrgn. MGN1003).	Verve VE2-2522
Norgran	Dizzy Gillespie and His Latin-American Rhythm[3] New York, 3 juin 1954. Dizzy Gillespie (tp); Gilbert Valdez (fl); Rene Hernandez (p); Robert Rodriquez (b); Jose Manguel, Candido Camero, Ubaldo Nieto, Ralph Miranda (percs). A Night In Tunisia (Vrv MGV 8208)/Caravan (Vrv MGV 8208)/Con Alma (Vrv MGV 8208).	Verve MGV 8208

---

1. Gillespie vers le milieu de sa carrière, en compagnie des géants du jazz.
2. Premiers arrangements, pour grand orchestre, de thèmes rythmiques importants de Gillespie, par O'Farril, compositeur et arrangeur sud-américain.
3. Premier enregistrement de « Con Alma ».

Clef — Dizzy Gillespie et Roy Eldridge New York, 29 octobre 1954. — Verve VE2-2524

Dizzy Gillespie, Roy Eldridge (tp); Oscar Peterson (p); Herb Ellis (g); Ray Brown (b); Louis Bellson (d).

Sometimes I'm Happy (Vrv VE2-2524)/ Algo Bueno (Vrv VE2-2524)/Trumpet Blues (Vrv VE2-2524)/Ballad Medley (Vrv VE2-2524)/Blue Moon (Vrv VE2-2524)/I Found a New Baby (Vrv VE2-2524)/Pretty Eyed Baby (Vrv VE2-2524)/I Can't Get Started (Vrv VE2-2524)/Limehouse Blues (Vrv VE2-2524).

Norgran — Dizzy Dillespie and His Orchestra[1] New York 18 et 19 mai, 6 juin 1956. — Norgran MGV 1084 / Verve MGV 8017

Dizzy Gillespie (tp, vcl); Joe Gordon, Ernest Perry, Carl Warwick, Quincy Jones (tp); Melba Liston, Frank Rehak, Rod Levitt (tb); Jimmy Powell, Phil Woods (as); Bill Mitchell, Ernie Wilkins (ts); Marty Flax (bar); Walter Davis, Jr. (p); Nelson Boyd (b); Charlie Persip (d).

Dizzy's Business (Nrg MGV 1084)/Night In Tunisia (Nrg MGV 1084)/Jessica's Day (Nrg MGV 1084)/Tour de Force (Nrg MGV 1084)/I Can't Get Started (Nrg MGV 1084)/Stella by Starlight (Nrg MGV 1084)/Doodlin' (Nrg MGV 1084)/Hey Pete (Vrv MGV 8017)/The Champ (Nrg MGV 1084)/Yesterdays (Vrv MGV 8017)/Tin tin Deo (Vrv MGV 8017)/Groovin' for Nat (Vrv MGV 8017)/My Reverie (Nrg MGV 1084)/ Dizzy's Blues (Nrg MGV 1084)/Annie's Dance (Vrv MGV 8017)/Cool Breeze (Vrv MGV 8017)/School Days (Vrv MGV 8017).

Verve — Dizzy Gillespie's All-Stars (For Musicians Only) Los Angeles, 16 octobre 1956. — Verve VE2-2521

Dizzy Gillespie (tp); Sonny Stitt (as); Stan Getz (ts); John Lewis (p); Herb Ellis (g); Ray Brown (b); Stan Levey (d).

Be-Bop (Vrv VE2-2521)/Wee (Vrv VE2-2521)/Dark Eyes (Vrv VE2-2521)/Lover Come Back to Me (Vrv VE2-2521).

Verve — Dizzy Gillespie and His Orchestra[2] New York, 23 mars, 17 et 18 avril 1957. — Verve MGV 8222

Dizzy Gillespie (tp, vcl); Lee Morgan, Ernst Perry, Carl Warwick, Talib Dawud (tp); Melba Liston, Al Grey, Rod Levitt (tb); Jimmy Powell, Ernie Henry (as); Billy Mitchell, Benny Golson (ts); Billy Root (bar); Wynton Kelly (p); Paul West (b); Charlie Persip (d); Austin Cromer (vcl).

1. Premier orchestre de jazz réuni pour une tournée organisée par le Département d'Etat en Afrique, au Proche et au Moyen-Orient, en Asie et en Europe de l'Est. Enregistrement réalisé après les tournées.
2. Orchestre de Gillespie avec Lee Morgan.

Jordu (Vrv MGV 8222)/Birks Works (MGV 8222)/Umbrella Man (Vrv MGV 8222)/Autumn Leaves (MGV 8222)/Tangorine (Vrv MGV 8222)/Over the Rainbow (Vrv MGV 8222)/Yo No Quiore Bailar (Vrv MGV 8222)/If You Could See Me Now (Vrv MGV 8222)/Left-Hand Corner (Vrv MGV 8222)/Whisper Not (Vrv MGV 8222)/Stablemates (Vrv MGV 8222)/That's All (Vrv MGV 8222)/Groovin' High (Vrv MGV 8222)/Mayflower Rock (Vrv 89173).

Verve — Dizzy Gillespie – Stuff Smith[1] New York, 17 avril 1957.
Dizzy Gillespie (tp); Stuff Smith (vln); Wynton Kelly (p); Paul West (b); J. C. Heard (d); The Gordon Family (vcl).
Rio Pakistan (Vrv MGV 8214)/Paper Moon (Vrv MGV 8214)/Purple Sounds (Vrv MGV 8214)/Russian Lullaby (Vrv MGV 8214)/Lady Be Good (Vrv MGV 8214).

Verve MGV 8214

Verve — Dizzy Gillespie and His Orchestra[2] Newport Jazz Festival, Rhode Island, 6 juillet 1957.
Dizzy Gillespie (tp, vcl); Lee Morgan, Ernest Perry, Carl Warwick, Talib Dawud (tp); Melba Liston, Al Grey, Ray Connor (tb); Jimmy Powell, Ernie Henry (as); Billy Mitchell, Benny Golson (ts); Pee Wee Moore (bar); Wynton Kelly (p); Paul West (b); Charlie Persip (d); Austin Cromer (vcl); Mary Lou Williams (p); (remplace Wynton Kelly dans Zodiac Suite et Carioca).
Dizzy's Blues (Vrv MGV 8242)/Doodlin' (Vrv MGV 8242)/School Days (Vrv MGV 8242)/I Remember Clifford (Vrv MGV 8242)/Cool Breeze (Vrv MGV 8242)/Manteca (Vrv MGV 8242)/Night In Tunisia (Vrv MGV 8244)/Zodiac Suite (Vrv VE2-2514)/Carioca (Vrv VE2-2514)/Over the Rainbow/You'll Be Sorry.

Verve MGV 8242 MGV 8244 VE2-2514

Verve — Dizzy Gillespie avec Sonny Stitt et Sonny Rollins New York, 11 décembre 1957.
Dizzy Gillespie (tp); Sonny Stitt (as, ts); Ray Bryant (p); Tom Bryant (b); Charlie Persip (d).
Wheatleigh Hall (Vrv MGV 8260)/Sumpin' (Vrv VE2-2505)/Con Alma (Vrv VE2-2505)/Haute Mon' (Vrv VE2-2505).

Verve MGV 8260 VE2-2505

Verve — Dizzy Gillespie avec Sonny Stitt et Sonny Rollins New York, 19 décembre 1957.
Dizzy Gillespie (tp); Sonny Stitt (as); Sonny Rollins (ts); Ray Bryant (p); Tom Bryant (b); Charlie Persip (d).
The Eternal Triangle (Vrv MGV 8262)/On the

Verve MGV 8262

---

1. Dizzy traite et adapte au jazz des procédés harmoniques d'Asie et du Moyen-Orient.
2. Ce disque marque le retour de Mary Lou Williams comme pianiste.

Sunny Side of the Street (Vrv MGV 8262)/After Hours (Vrv MGV 8262)/I Know That You Know (Vrv MGV 8262).

For Discriminate Collectors	Timex Jazz Show[1] New York, 7 janvier 1959. Avec Dizzy Gillespie, Louis Armstrong (tp, vcl). Umbrella Man (FDC-1017).	For Discriminate Collectors FDC-1017
Verve	Katie Bell Nubin with Dizzy Gillespie and His Orchestra[2] New York, 1960. Dizzy Gillespie (tp); Leo Wright (as); Julian Nance, Sister Rosetta Tharpe (p); Les Spann (g); Art Davis (b); Lex Humphries (d); Katie Bell Nubin (vcl). Virgin Mary (Vrv MGV 3004)/Miami Storm (Vrv MGV 3004)/Pressin' On (Vrv MGV 3004)/When the Bridegroom Comes (Vrv MGV 3004)/Angels Watchin' Over Me (Vrv MGV 3004)/Where's Adam? (Vrv MGV 3004)/Come Over Here (Vrv MGV 3004)/I Shall Not Be Moved (Vrv MGV 3004)/Sad to Think of My Savior (Vrv MGV 3004).	Verve MGV 3004
Verve	Dizzy Gillespie Quintet Concert, Museum of Modern Art, New York, 9 février 1961. Dizzy Gillespie (tp, vcl); Leo Wright (as, fl); Lalo Schifrin (p); Bob Cunningham (b); Chuck Lampkin (d); Candido Camero (cga). Kush (Vrv V-8401)/Salt Peanuts (Vrv V-8401)/A Night In Tunisia (Vrv V-8401)/The Mooche (Vrv V-8401)/I Can't Get Started/Groovin' High/Hothouse/Confirmation/Manteca/I Remember Clifford.	Verve V-8401
Philips	The Dizzy Gillespie Quintet[3] New York, mai 1962. Dizzy Gillespie (tp); Leo Wright (as, fl); Lalo Schifrin (p.); Chris White (b); Rudy White (d); Charlie Ventura (dans Chega de Saudade II) (bs); Jose Paula (g, tamb.); Carmen Costa (cabassa). Pau de Arara (Ph PHM 200-048)/Desafinado (Ph PHM 200-048)/Chega de Saudade I (Ph PHM 200-048)/Chega de Saudade II (Ph PHM 200-070)/Taboo (Ph PHM 200-070)/Long Long Summer (Ph PHM 200-048). I Waited for You (Ph PHM 200-048)/Morning of the Carnival (Ph PHM 200-070)/Pergunte Ao Joao (Ph PHM 200-070).	Philips PHM 200-048 PHM 200-070
Philips	Dizzy on the Riviera, Festival de jazz de Juan-les-Pins, 24 juillet 1962. Dizzy Gillespie (tp); Leo Wright (fl, as); Lalo Schifrin (p); Elec Bacsik (g); Chris White (b); Rudy Collins (d); Pepito Riestria (percs). Here It Is (Ph PHM 200-048)/Chega de Sau-	Philips PHM 200-048 PHM 200-070

1. Seule prestation enregistrée de Dizzy avec Louis Armstrong.
2. Spirituals afro-américains et musique de gospel.
3. Premier enregistrement de bossa nova en studio, aux Etats-Unis.

dade I (Ph PHM 200-048)/Olé (Ph40076)/One Note Samba (Ph PHM 200-070)/For the Gypsies (Ph PHM 200-048).

Limelight	Dizzy Gillespie and His Orchestra[1] Los Angeles, septembre 1962.	Mercury EMS2-410

Dizzy Gillespie, Al Porcino, Ray Triscari, Stu Williamson, Conte Candoli (tp); Frank Rossolino, Mike Barone, Bob Edmundson, Kenny Shroyer (tb); Ches Thompson, Steward Rensey, Luis Kent (frh); Red Callender (tu); Phil Woods, Charlie Kennedy (as); James Moody, Bill Perkins (ts); Bill Hood (bar); Lalo Schifrin (p); Al Hendrickson (g); Buddy Clark, Chris White (b); Mel Lewis, Rudy Collins (d); Emil Richards, Larry Bunker, Francisco Aquabella (percs); Benny Carter (direction d'orchestre).

The Conquerors (Mer EMS2-410)/The Sword (Mer EMS2-410)/The Chains (Mer EMS2-410)/Chorale (Mer EMS2-410)/The Legend of Atlantis (Mer EMS2-410)/The Empire (Mer EMS2-410).

Philips	The Dizzy Gillespie Quintet[2] New York, 23, 24 et 25 avril 1963.	Philips PHM 200-091
	Dizzy Gillespie (tp); James Moody (as, ts, fl); Kenny Barron (p); Chris White (b); Rudy Collins (d).	Mercury EMS2-410

Bebop (Ph PHM 200-091)/Good Bait (Ph PHM 200-091)/Early Morning Blues (Ph 40124[?])/I Can't Get Started/'Round Midnight (Ph PHM 200-091)/Dizzy Atmosphere (Ph PHM 200-091)/'The Cup Bearers (Mer EMS2-410)/The Day After (Mer EMS2-410)/November Afternoon (Mer EMS2-410)/This Lovely Evening (Ph PHM 200-091).

Philips	Dizzy Gillespie et Les Double-Six[3], Paris, juin-juillet 1963.	Philips PHM 200-106

Dizzy Gillespie (tp); Bud Powell (p); Pierre Michelot (b); Kenny Clarke (d); Les Double-Six (Mimi Perrin, Claudine Barge, Christine Legrand, Ward Swingle, Robert Smart, Jean-Claude Briodin, Eddy Louis (vcl).

One Bass Hit (PHM 200-106)/Two Bass Hit (PHM 200-106)/Emanon (PHM 200-106)/Blue'n Boogie (PHM 200-106)/The Champ (PHM 200-106)/Tin Tin Deo (PHM 200-106)/Groovin' High (PHM 200-106)/Ow (PHM 200-106)/Hothouse (PHM 200-106)/Anthropology (PHM 200-106).

Philips	The Dizzy Gillespie Sextet[4], New York, 21, 22 et 23 avril 1964.	Mercury EMS2-410

---

1. Compositions de Lalo Schifrin pour Gillespie.
2. Composition de Tom McIntosch pour Gillespie.
3. Dernier enregistrement édité avec Bud Powell. Groupe vocal bop unique en son genre.
4. Avec les compositions de Mal Waldron pour la bande sonore du film « The cool world », enregistrée par Gillespie.

Dizzy Gillespie (tp); James Moody (fl, ts);
Kenny Barron (p); Chris White (b); Rudy
Collins (d).
Bonnie's Blues (EMS2-410)/Coney Island
(EMS2-410)/Theme from the Cool World
EMS2-410)/Duke's Fantasy (EMS2-410)/
Street Music (EMS2-410)/The Pushers
(EMS2-410)/Enter Priest (EMS2-410)/Duke's
Last Soliloquy (EMS2-410)/Duke's Awake-
ning (EMS2-410)/Coolie (EMS2-410)/Duke
on the Run (EMS2-410).

Limelight   Dizzy Gillespie Quintet (Jambo Caribe)[1]   Limelight
    Chicago, 4 novembre 1964.   LM 82007
Dizzy Gillespie (tp); James Moody (fl, ts);
Kenny Barron (p); Chris White (b); Rudy
Collins (d).
Barbados Carnival (LM 82007)/And Then She
Stopped (LM 82007)/Trinidad Hello (LM
82007)/Jambo (LM 82007)/Poor Joe (LM
82007)/Fiesta Mo-Jo (LM 82007)/Trinidad
Goodbye (LM 82007)/Don't Try to Keep
Up with the Joneses (LM 82007)/Fickle Fin-
ger of Fate (LM 82007).

Solid State   Jazz On a Sunday Afternoon[2]. Village Van-   Solid State
    guard, New York, 6 octobre 1967.   SS 18027
Dizzy Gillespie (tp); Garett Brown (tb); Pep-   SS 18034
per Adams (bar); Chick Corca (p); Richard   SS 18028
David (b); Elvin Jones (2-4); Mel Lewis (d).
Lullaby of the Leaves (SS 18027)/Blues for
Max (SS 18034)/Lover Come Back to Me
(SS 18027)/Dizzy's Blues (SS 18034)/Sweet
Georgia Brown (SS 18028)/On the Trail
(SS 18928)/Tour de Force (SS 18028).

SABA   Dizzy Gillespie Reunion Big Band Berlin,   SABA
    Allemagne, automne 1968.   MPS 15-207
Dizzy Gillespie, Victor Paz, Jimmy Owens,
Dizzy Reece, Stu Hamer (tp); Curtis Fuller,
Tom McIntosh, Ted Kelly (tb); Chris Woods
(as); James Moody (ts, fl); Paul Jeffrey (ts);
Sahib Shihab, Cecil Payne (bar); Mike
Longo (p); Paul West (b); Candy Finch (d).
Things to Come (MPS 15-207)/One Bass Hit
(MPS 15-207)/Frisco (MPS 15-207)/Con Alma
(MPS 15-207)/Things Are Here (MPS 15-207)/
Theme (Birks Works) (MPS 15-207).

Perception   The Real Thing[3], Englewood, N. J., décembre   Perception
    1969 et janvier 1970.   PLP-2
Dizzy Gillespie (tp, vcl); Mike Longo (p);
James Moody (ts) (plages 1, 6, 7, 9, 10); Eric
Gayle (plages 1, 6, 7, 10), ou George Davis (g);
Paul West (plages 1, 7, 10), Chuck Rainey (6)

1. Présente des compositions inspirées par la musique des îles de la mer des Caraïbes.
2. Composition d'orchestre inhabituelle, avec Ray Nance (vln) et plusieurs novateurs de la
période post-bop.
3. Jazz rock, avec un zeste de spirituals et de nouveaux riffs de Gillespie.

	ou Phil Upchurch (6) (b); Nate Edmonds (org. 6); Candy Finch (plages 1, 7, 10), Bernard Purdie (6) ou David Lee (d). N'Bani (PLP-2)/Matrix (PLP-2)/Alligator (PLP-2)/Closer (vcl. PLP-2)/Closer (inst. PLP-2)/Soul Kiss (PLP-2)/High On a Cloud (PLP-2)/Summertime (PLP-2)/Let Me Outta' Here (PLP-2)/Ding-A-Ling (PLP-2).	
Perception	A Portrait of Jenny (Djenne)[1] Englewood Cliffs, N. J., janvier 1971. Dizzy Gillespie (tp); Mike Longo (p); George Davis (g); Andrew Gonzalez (b); Nicholas Marrero (timbls); Carlos Valdez, Jerry Gonzalez (cga). Olinga (PLP-13)/Diddy Wah Diddy (PLP-13)/Me 'n Them (PLP-13)/Timet (PLP-13).	Perception PLP-13
Perception	Giants[2], Concert, Overseas Press Club, New York, 31 janvier 1971. Dizzy Gillespie, Bobby Hackett (tp); Mary Lou Williams (p); George Duvivier (b); Grady Tate (d). Love for Sale (PLP-19)/Autumn Leaves (PLP-19)/Caravan (PLP-19)/Jitterbug Waltz (PLP-19)/Willow Weep for Me (PLP-19)/Birks Works (PLP-19)/My Man (PLP-19).	Perception PLP-19
Mainstream	Dizzy Gillespie/Mitchell – Ruff Duo New York, 1971. Dizzy Gillespie (tp); Willie Ruff (frh, b); Duke Mitchell (p). Con Alma (MRL 325)/Dartmouth Duet (MRL 325)/Woody'n You (MRL 325)/Blues People (MRL 325)/Bella Bella (MRL 325).	Mainstream MRL 325
Prestige	The Giant[3], Paris, avril 1973. Dizzy Gillespie (tp); Johnny Griffin (ts) (plages 1, 3, 4, 8); Kenny Drew (p); Niels Henning, Orstad Pedersen (b); Kenny Clarke (d); Humberto Canto (cga). Manteca (Prs 24047)/Alone Together (Prs 24047)/Brother K (Prs 24047)/Wheatleigh Hall (Prs 24047)/Stella by Starlight (Prs 24047)/I Waited for You (Prs 24047)/Fiesta Mo-Jo (Prs 24047)/Serenity (Prs 24047).	Prestige 24047
Inédit	Dizzy Gillespie Sacred Concert with John Motley and N. Y. C. All-City Concert Choir[4] Carnegie Hall, New York, 5 juillet 1974. Dizzy Gillespie (tp); Mike Longo (p); Al Gafa (g); Earl May (b); Mickey Roker (d); John Motley, chef d'orchestre.	Collection inédite de John Motley

---

1. Toujours moderne, Gillespie, après avoir eu une influence sur la naissance du rock, est à son tour influencé par lui.

2. Titre parfaitement justifié.

3. Enregistrement le plus récent, avec Kenny Clarke, compagnon de quarante années.

4. Enregistrement sur bande d'un concert public, avec la chorale des écoles de la ville de New York.

Olinga/Manteca/The Brother K/(chœur seulement, Way Up in Beulah Land).

Pablo

Dizzy Gillespie's Big 4, Los Angeles, 19 septembre 1974.
Dizzy Gillespie (tp); Ray Brown (b); Joe Pass (g); Mickey Roker (d).
Tanga (2310-719)/Hurry Home (2310-719)/Russian Lullaby (2310-719)/Be Bop (2310-719)/Birks Works (2310-719)/September Song (2310-719)/Jitterbug Waltz (2310-719).

Pablo
2310-719

Pablo

Oscar Peterson and Dizzy Gillespie[1], Londres, 28 et 29 novembre 1974.
Oscar Peterson (p); Dizzy Gillespie (tp).
Caravan (2310-740)/Mozambique (2310-740)/Autumn Leaves (2310-740)/Close Your Eyes (2310-740)/Blues for Bird (2310-740)/Dizzy Atmosphere (2310-740)/Alone Together (2310-740)/Con Alma (2310-740).

Pablo
2310-740

Pablo

Dizzy Gillespie y Machito : Afro-Cuban Jazz Moods[2] New York, 4 et 5 juin 1975.
Dizzy Gillespie (tp, soliste); Victor Paz, Raul Gonzalez, Ramon Gonzalez, Jr., Manny Duran (tp, flgh); Barry Morrow, Jack Jeffers (face 2), Lewis Kahn, Jerry Chamberlain (tb); Mario Bauza (as, cl); Mauricio Smith (as, fl, pic); Jose Madera, Sr. (ts, cl, face 2); Mario Rivera (ts, fl, face 1); Brooks Tillotson, Don Corrado (frh, face 1); Bob Stewart (btu); Carlos Castillo (fnb); Jorge Datto, Julito Collazo, R. Hernandez (af. dr); Frank " Machito " Grillo (mar, clus); Mario Grillo (bgs, cbl); Pepin Pepin (cga); Jose Madera, Jr. (tmb, cabasse); Mickey Roker (d).
Oro Incensio y Mirra (2310-771)/Ca lidoscopico (2310-771)/Pensativo (2310-771)/Exuberante (2310-771).

Pablo
2310-771

Pablo

Dizzy's Party[3] Los Angeles, 15 et 16 septembre 1976.
Dizzy Gillespie (tp); Ray Pizzi (ts, sps, fl); Rodney Jones (g); Benjamin Franklin Brown (fnb); Mickey Roker (d); Paulinho da Costa (percs).
Dizzy's Party (2310-784)/Shim-Sham Shimmy on the St. Louis Blues (2310-784)/Harlem Samba (2310-784)/Land of Milk and Honey (2310-784).

Pablo
2310-784

Pablo

Carter, Gillespie Inc. : Benny Carter and Dizzy Gillespie[4] Los Angeles, 27 avril 1976.
Benny Carter (as); Dizzy Gillespie (tp); Joe

Pablo
2310-784

---

1. « Grammy » pour 1975 du meilleur enregistrement de jazz.
2. Collaboration toujours étroite et enrichissante avec les musiciens afro-cubains et sud-américains.
3. Gillespie en plein rock, avec des jeunes musiciens.
4. Retrouvailles de deux maîtres du jazz.

	Pass (g); Tommy Flanagan (p), Mickey Roker (d, vcl); Al McKibbon (b).	
	Sweet and Lovely (2310-784)/Broadway (2310-784)/The Courtship (2310-784)/Constantinople (2310-781)/Nobody Knows the Trouble I've Seen (2310-781)/Night In Tunisia (2310-784).	
Pablo	Free Ride [1], Dizzy Gillespie, composition et arrangement de Lalo Schifrin, Hollywood, 31 janvier, 1er et 2 février 1977.	Pablo 2310-794
	Dizzy Gillespie (solo, tp); Lalo Schifrin (col, arr. claviers élect.); Oscar Brashear, Jack H. Laubach (tp); Lew McCreary (tb); James Horn (as, fl); Ernest Watts (ts); Jerome Richardson (fl); Ray Parker, Jr., Lee Ritenour, Wa Wa Watson (elec. g); Wilton L. Felder (b); Paulinho da Costa (percs); Sonny Burke (p. Fender Rhodes).	
	Unicorn (2310-794)/Free Ride (2310-794)/Incantation (2310-794)/Wrong Number (2310-794)/Fire Dance (2310-794)/Ozone Madness (2310-794)/Love Poem for Donna (2310-794)/The Last Stroke of Midnight (2310-794).	
Pablo	Dizzy Gillespie Jam—Montreux '77 [2] Festival, Montreux, Suisse, 14 juillet 1977.	Pablo 2308-211
	Dizzy Gillespie, Jon Faddis (tp); Milt Jackson (vib); Monty Alexander (p); Ray Brown (b); Jimmie Smith (d).	
	Girl of My Dreams (2308-211)/Get Happy (2308-211)/Medley : Once in a While (2308-211)/But Beautiful (2308-211)/Here's That Rainy Day (2308-211)/The Champ (2308-211).	
Inédit	Dizzy in Cuba [3] Concert Teatro Mella, La Havane, Cuba, avril 1977.	Collection inédite d'Al Fraser
	Dizzy Gillespie (tp); Rodney Jones (g); Benjamin Franklin Brown (b); Mickey Roker (d); Joe Ham (tmb); avec Iraquires Orchestra et Paquito en vedette (as); Arturo Sandoval (tp).	
	Swing Low, Sweet Cadillac/A Night In Tunisia/Olinga/Oop-Pop-A-Da/Manteca.	

1. L'arrangement de Schifrin en slow-rock sur « Unicorn » fut un succès.
2. Premier enregistrement de Gillespie avec son protégé John Faddis, prodige de la trompette.
3. Premier concert de Gillespie à Cuba. Rythmes afro-cubains déchaînés.

Filmographie

f = film
a = appearance (participation parlée, à l'image)
p = musical performance (prestation musicale)
v = video
r = recorded music on sound track (bande son-musique)
n = narration (bande son-parole)

1942   *Case of the Blues* (fp), avec Maxine Sullivan et Benny Carter.
1947   *Jivin' in Bebop* (fap), avec Benny Carter, James Moody, Dan Burley et l'orchestre de Dizzy Gillespie.
1948   *Gulf Road Show* (vap), avec Bob Smith.
1949   *The Three Flames Show* (vap).
1952   *Stage Entrance* (vap), avec Charlie Parker, Dick Hyman, Sandy Block et Charlie Smith.
1954   *Tonight Show* (vap, 23/12), présenté par Johnny Carson.
1955   *Tonight Show* (vap, 30/3), présenté par Johnny Carson.
       Tonight Show (vap, 9/9), présenté par Johnny Carson.
1956   *A Date with Dizzy* (fap), avec Sahib Shihab, Wade Legge, Nelson Boyd et Charlie Persip.
       Tonight Show (vap, 7/1), présenté par Johnny Carson.
       Tonight Show (vap, 1/6), présenté par Johnny Carson.
       Person to Person (vap, 6/29), avec Edward R. Murrow.
       Today Show (vap, 5/26).
       Tonight Show (vap, 11/23), présenté par Johnny Carson.
1957   *This Is New York* (vap).
1958   *Les Tricheurs* (fr, France).
1959   *Timex All-Star Jazz Show* (vap), avec Louis Armstrong, Junior Mance, Les Spann, Sam Jones et Lex Humphries.
       Newport Jazz Festival (vap/CBS).
1961   *Ed Sullivan Show* (vap), avec Leo Wright, Lalo Schifrin, Bob Cunningham et Chuck Lampkin.
1962   *The Lively Ones* (vap/NBC).
       De Werkelijkeid van Karel Appel (fp, Hollande), musique en partie par Dizzy Gillespie.
       The Hole (fpn), dessin animé, musique et dialogue par Dizzy Gillespie.
1963   *Tonight Show* (vap, 6/13), présenté par Johnny Carson.
       The Cool World (fp), musique de Mal Waldron jouée par l'orchestre de Dizzy Gillespie.
       Youth Wants to Know (fa), interview de Dizzy Gillespie et George Wein par des jeunes.

514

1964 *Jazz Casual* (fap), avec Leo Wright, Lalo Schifrin, Chuck Lampkin et Robert
Cunningham, avec une interview de Dizzy Gillespie par Ralph Gleason.
Dizzy Gillespie (fap), avec James Moody, Kenny Barron, Chris White et Rudy
Collins au Lighthouse, Hermosa Beach, Californie.
Today Show (vap, 8/4), 4 août.
The Hat (fpn), dessin animé, musique et dialogue improvisés par Dizzy
Gillespie.
Jazz All the Way (fa, Grande-Bretagne).
1966 *Duke Ellington — I Love You Madly* (fa).
Tonight Show (ap, 5/5), présenté par Johnny Carson.
1967 *Monterey Jazz Festival* (fap), avec Carmen McRae.
It Don't Mean a Thing (fp), dessin animé, Danemark.
1968 *Bell Telephone Hour : Jazz the Intimate Art* (vap), avec Louis Armstrong, Dave
Brubeck et Charles Lloyd.
Contemporary Memorial (nap/CBS).
Tonight Show (vap, 7/26), présenté par Johnny Carson.
Monterey Jazz (fap), avec James Moody, Rudy Collins, Michael Longo et
Christopher White.
1969 *Duke Ellington at the White House* (fa).
Al Hirt Show (vap).
1970 *Tonight Show* (vap, 2/19), présenté par Johnny Carson.
Merv Griffin Show (vap. 4/24), 24 avril.
Al Hirt Show (vap, 5/9), 9 mai.
Tonight Show (vap, 11/10), présenté par Johnny Carson.
Legacy of the Drum (fap), avec Duke Mitchell et Willie Ruff.
1971 *4th Bill Crosby Special* (vap).
Til the Butcher Cuts Him Down (fap), filmé pendant un festival de jazz à La
Nouvelle-Orléans.
Just Dizzy (vap/NJPT), avec Milt Jackson, James Moody, Hank Jones, Sam
Jones et Mickey Roker.
1972 *Timex All-Star Swing Festival* (vap).
Jazz Is Our Religion (vap, Grande-Bretagne).
Jazz the American Art Form (vap, station WABC).
1973 *Singer Bowl Renamed* (fap, station WNGT), avec d'autres musiciens à l'occasion
du Singer Bowl, au stade Louis Armstrong.
Dizzy in Brazil (fap), avec Al Gafa, Michael Longo, Earl May et Mickey Roker.
1974 *Voyage to Next* (fp), dessin animé; musique écrite et jouée par Dizzy Gillespie.
1975 *Newport Jazz Festival* (fap/ABC), avec Sonny Stitt et Art Blakey.
Profil : Dizzy Gillespie (vap, station SC-ETV), avec son premier professeur de
musique, Mrs. Alice Wilson et Bernis Tillman, ami d'enfance et pianiste.
1976 *In Performance at Wolf Trap* (vap/WTOP), avec Billy Eckstine et Earl « Fatha »
Hines.
Second Chance Sea (fp), dessin animé, solo de trompette.
The Rompin', Stompin', Hot and Heavy, Cool and Groovy All-Star Jazz Show
(vap/CBS), avec Count Basie, Lionel Hampton, Max Roach, Stan Getz,
Herbie Hancock et Joe Williams.
Everybody Rides the Carousel (fp), dessin animé, solo de trompette.
Like It is (vap/WABC), avec Michael Longo, Al Gafa, Benjamin Brown et
Mickey Roker, avec une interview de Dizzy Gillespie : point de vue sur le
bicentenaire des Etats-Unis et sur l'Afrique du Sud.
Soundstage : Dizzy Gillespie's Be Bop Reunion (vap), avec Kenny Clarke, Al
Haig, Milt Jackson, Ray Brown, James Moody, Sarah Vaughan et Joe
Carroll.
1977 *Tonight Show* (vap, 12/27), présenté par Johnny Carson.
Whither Whether (fn), dessin animé (voix).
1978 *Like It is* (va/WABC), discussion avec Reggie Workman, Bobbie Humphrey
et Gil Scott Heron.
Big Band Bash (vap/WNET).
Soundstage : David Amram and His Friends (vap/WTTW).

Achevé d'imprimer le 6 avril 1981
sur presse CAMERON,
dans les ateliers de la S.E.P.C.
à Saint-Amand-Montrond (Cher)

Imprimé en France

Dépôt légal : 2ᵉ trimestre 1981.
Nº d'Impression : 556-309.